海外漢文古醫籍精選叢書・第三輯

2011—2020年國家古籍整理出版規劃項目
2018年度國家古籍整理出版專項經費資助項目
中國中醫科學院「十三五」第一批重點領域科研項目
——我國與「一帶一路」九國醫藥交流史研究（ZZ10—011—1）

蕭永芝◎主編

# 本草圖翼（第二種）

〔日〕神田玄泉 撰

21

北京科学技术出版社

圖書在版編目（CIP）數據

本草圖翼. 第二種/蕭永芝主編. —北京：北京科學技術出版社，2019.1
（海外漢文古醫籍精選叢書. 第三輯）
ISBN 978－7－5714－0003－3

Ⅰ. ①本…　Ⅱ. ①蕭…　Ⅲ. ①本草—研究—日本—江户時代　Ⅳ. ①R281.3

中國版本圖書館 CIP 數據核字（2018）第295550號

**海外漢文古醫籍精選叢書・第三輯・本草圖翼（第二種）**

**主　　編：** 蕭永芝
**策劃編輯：** 李兆弟　侍　偉
**責任編輯：** 吕　艷　周　珊
**責任印製：** 李　茗
**出 版 人：** 曾慶宇
**出版發行：** 北京科學技術出版社
**社　　址：** 北京西直門南大街16號
**郵政編碼：** 100035
**電話傳真：** 0086-10-66135495（總編室）
0086-10-66113227（發行部）　0086-10-66161952（發行部傳真）
**電子信箱：** bjkj@bjkjpress.com
**網　　址：** www.bkydw.cn
**經　　銷：** 新華書店
**印　　刷：** 北京虎彩文化傳播有限公司
**開　　本：** 787mm × 1092mm　1/16
**字　　數：** 249千字
**印　　張：** 20.75
**版　　次：** 2019年1月第1版
**印　　次：** 2019年1月第1次印刷
ISBN 978－7－5714－0003－3/R・2560

**定　　價：600.00元**

海外漢文古醫籍精選叢書·第三輯

# 本草圖翼（第二種）

〔日〕神田玄泉　撰

# 内容提要

《本草圖翼》是日本江户時代中期醫藥學家神田玄泉撰著的本草著作。全書以圖爲主，加以品種考證、真假辨識，圖文并茂，具有收録藥圖全面、重視漢和藥物對照等特點，對研究日本本草學以及中日本草學術的交流具有較高的價值。

## 一　作者與成書

在《本草圖翼》卷一書首，作者自序落款「享保十五龍集庚戌春正月中旬/東武城南草醫一通子神田玄泉/實名户田立賢謹志」，由此可知，本書作者係神田玄泉，成書時間爲日本享保十五年庚戌（一七三〇）。

神田玄泉，又稱神田玄仙，生卒年不詳，爲日本江户時代中期的町醫師，擅長醫經注解和本草考證，其注經之作有《靈樞經注》《難經原好》《十四經經注》，本草著述存《本草大義》《本草補苴》《本草圖翼》《本草考》《本草或問》《日東魚譜》，其他醫著還有《痘疹口訣》《婦人方彙》《眼科方彙》《天寶秘録》等。

在「本草圖翼」自序中，神田玄泉説明了編撰此書的過程與目的：「惟自若冠有好本草之癖，既而以爲非知草木禽獸魚蟲之品類、倭漢同不同，則雖有本草之書，不可以通焉。因於此婆心無止終，作《本草大義》十餘卷。此書只備《本草綱目》藥品，正和名，辨真假，可以牽合於倭漢者合之，附之圖説也。次之又作《本草補苴》十餘卷。此書乃撰集《本綱》遺漏之品種，畫之圖，附之説，而爲讀本草之書者儲耳。曾懷此邦素不困於藥物，雖有種種不圖録，適雖畫其物，忽略不可以爲證據。故以生草自繪草木藥之形狀，附花候葉色，卷首置漢産形狀正者，而令視者識倭漢异同，以爲帖十餘卷，名曰《本草圖翼》爾云。」

神田玄泉稱，由於和漢藥物産地不同、品類相异、名稱有别，故日本讀者往往難以將中國本草書中所述藥物與日本本土所産藥物相對應。爲辨析二者异同之處，故先作《本草大義》，對《本草綱目》記載的藥物進行漢和名稱對照；隨後再撰《本草補苴》，收録《本草綱目》未載之藥；又親自考察本土所産多種草木藥物的性狀，繪製圖形，亦與中國本草書中所載藥圖對照，參考《本草綱目》之論考證品種，著成《本草圖翼》一書，使讀者明辨漢和藥物性狀之异同。可見，神田玄泉編撰此書，與《本草綱目》等中國本草著作有着密切的聯繫。

## 二　主要内容

據神田玄泉在自序中所言，《本草圖翼》原書當有十餘卷，但筆者所見鈔本僅存卷一、卷四和卷六，共三册，總計載録藥物三百八十五種，繪製藥圖五百一十三幅。書中對藥物的分類，主要參考了

《本草綱目》按自然屬性分類的方法，共分爲山草之部、蔓草類、水草類、石草類、苔類、海藻類、穀部、菜草類、蕈類、鱗類、介類、蛤蠃類、禽類、獸畜類和蟲類等十五個部類，又另有附録雜品（包括菜草類、木類及异獸類）。

卷一爲山草之部，載有藥物六十二種，繪藥圖一百七十二幅，有人參、桔梗、黄耆、二术、萎甤、肉蓯蓉、鎖陽、沙參、薺苨、甘草、黄精、知母等。

卷四包括蔓草類、水草類、石草類、苔類、海藻類、穀類、菜草類及蕈類。其中，蔓草類載藥二十七種，繪藥圖三十三幅，含土茯苓、白斂、鵝抱、山豆根、黄藥子、解毒子、白藥子、威靈仙等；水草類十二種，繪藥圖十四幅，載澤瀉、菖蒲、香蒲、菇草、萍蓬草、莕菜、蒓菜、水藻等；石草類十八種，有藥圖二十二幅，録骨碎補、石斛、石韋、金星草、石長生、紅茂草、景天草、佛甲草、虎耳草等；苔類十五種，含藥圖十五幅，收地衣草、石蕊、井中苔、屋游、垣衣等；海藻類十五種，載藥圖十六幅，如落首、海藴、海帶、昆布、越王、乾苔、水松、石帆等；穀類收藥二十七種，録藥圖二十八幅，集胡麻、亞麻、大麻、大麥、小麥、稻、稷、蜀黍、玉蜀黍等；菜草類述藥六十八種，含藥圖六十九幅，曰韭菜、山韭、葱菜、茖葱、胡葱、薤菜、蒜菜、山蒜、芸苔、菘菜、芥菜、白芥、蕪菁、萊菔、生薑等；蕈類十一種，收藥圖十一幅，名芝、木耳、香蕈、稠膏蕈、麻菰、地耳等。

卷之六分爲鱗類、介類、蛤蠃類、禽類、獸畜類和蟲類，另有附録雜品若干。其中：鱗類共十六種，繪圖十六幅，載龍、蜃、龍鯉、石龍子、守宫等；介類十種，含藥圖十幅，有玳瑁、鱉、蟹等；蛤蠃類七種，收藥圖七幅，包括馬刀、紫貝、蚌蛤等；禽類四種，繪藥圖四幅，有鸕鷀、雄鵲、烏雅（鴉）和雀；

獸畜類收藥三十一種，有藥圖三十三幅，可見豕、牛、驢、水牛、駝、猖、羚羊、虎、豹、象等，其中「驢」條後雖附阿井，因阿井并非藥物，故不計入藥物總數，僅計入藥圖中；蟲類載藥二十七種，另有藥圖二十八幅，録蜜、蜂子、蠮螉、蜘蛛、原蠶蛾、僵蠶、蚱蟬、蟬花等。此外，附録雜品共三十七種（原文未注明類别），其中含菜草類二十二種，藥圖二十二幅，如佛指甲、野西瓜、馬㕮兒、胡枝花等；木類四種，藥圖四幅，即黄楝樹、山茶科、橡子樹與小荆；异獸類九種，藥圖九幅，如白猿、鼢鼠、豲、白澤等。

需要説明的是，神田玄泉在目録中的分類與正文中的記載存在某些不一致。如目録未标出「山草之部」「鱗類」「介類」「蛤蠃類」四類，而正文未標明「蔓草類」「蕈類」二類；同一種分類的名稱也有所不同，如目録稱「菜類」，而正文云「菜草類」；目録中提及的藥物數目，與正文中實際出現的藥物也有一定出入。笔者此次對分類方式的統計，包括了目録及正文中提到的所有分類；当類别名稱不一致时，則以正文爲主；對藥物數目的統計，同樣以正文中實際出現的藥物爲準。

此外，本書中多次出現兩種以上的藥圖繪製在同一框格中的情况。如卷四苔類石蕊、地衣、井中苔三種藥物出現在同一格中，另如同卷蕈類地耳、地芩、鬼筆三藥同載於一格。由於此類藥圖繪製的品類不同，出處有异，故筆者對藥圖的統計，按照藥圖幅數而非框格數計數。

神田玄泉在每條藥物之下繪有一至十幅藥圖，并在藥圖旁注明藥物品種及藥圖出處，藥圖之後則附有作者對藥物品種的考證。

如卷之一山草之部人參一藥，附有潞州人參、威勝軍人參、滁州人參、兗州人參四幅藥圖，圖旁注明「出於《備急本草》」；藥圖後注曰：「凡威勝軍之産及兗州、滁州之産，實非人參之類。愚按威勝軍産近於白前，兖州産近於沙參，滁州産近於杏葉沙參者也。」

再如同卷同部沙參條，先載「《圖經》沙參」圖，圖旁注「時珍所説，如倭漢合符節」；其後繪有淄州沙參、隨州沙參、歸州沙參（三種均出自《本草圖經》）、冤句沙參（源於《救荒本草》）幾圖；最後有作者注曰：「凡沙參之圖説，李時（珍）所説，倭漢無异。淄、歸、隨之三州之圖像，别一種也。歸州之沙參，近於此邦稱牡丹人參草矣。淄州産及《救荒》所圖者，近於沙參乎。」

此外，本書繪有藥物炮製圖一幅，即「驢」條後所附「阿井」之圖，圖旁注：「此圖出自《備急本草》。以此井水煮製驢皮爲膠。」

## 三　特色與價值

自明・李時珍《本草綱目》傳入日本之後，對日本本草學術的發展産生了巨大的影響。由於日本與中國存在自然、地理、文化、語言、物産的差异，日本人迫切需要將李時珍記載的藥物與和産物種一一對應起來，以此爲基礎學習或研究《本草綱目》中的藥學知識。於是，開展漢和對照就成爲當時本草學家的一項重要工作。一些日本學者開始采集或種植藥物，對照《本草綱目》的記載編撰藥書予以闡釋，而繪製藥圖無疑是能够直觀地幫助民衆辨識藥物的最佳方式之一。《本草圖翼》就是在這種背景下誕生的本草著作。神田玄泉選取中國本草著作中的相關藥圖，參照繪出諸州所産藥物圖形，標明原圖出處，圖後附作者對藥物品種的考證，以供讀者比照而辨藥識藥，區分真假。

## （一）參考多種中國古籍

在本書凡例中，神田玄泉稱：「凡注本草者，當先注草狀，不然則藥性難明，故作爲於《圖翼》，以便於初學。集録之卷，首以漢産，其圖多本於《備急本草》畫；次撰取《救荒本草》及《農政全書》《三才圖會》《圖經》《本草原始》《花詩》等中，以備於此。」「凡倭産之圖，乃以生草畫之，某草謂漢産何州郡之藥草，與某倭藥相同，而明倭漢一矣。如有土羌活即文州獨活一種，或水筆升麻即茂州之一種是也。」

作者指出，本書所繪藥圖的來源主要有以下兩個方面。

其一，中國出産的藥物，其繪圖主要來自宋·唐慎微《經史證類備急本草》一書，另有部分藥圖出自宋·蘇頌《本草圖經》以及明·朱橚《救荒本草》、李中立《本草原始》、徐光啓《農政全書》、王圻《三才圖會》幾種。根據神田玄泉在所載藥圖旁注明的出處，除上述幾種之外，還有明·陳嘉謨《本草蒙筌》、李時珍《本草綱目》、姚可成《救荒野譜》《食物本草》及佚名氏《花譜》幾種，而《農政全書》《花詩》二書則未見注明有藥圖出自其中。其中，作者注明來自《經史證類備急本草》之圖二百零五幅，源於《本草圖經》者三十二幅，出自《救荒本草》者三十四幅，所用《本草原始》之圖六幅，源自《三才圖會》者四十三圖，出於《本草蒙筌》者九圖、《本草綱目》一圖、《救荒野譜》三圖、《救急本草》四圖（經核對藥圖出自《救荒本草》，且中國古代本草書籍中未見有名爲《救急本草》者，疑是作者筆誤）、《食物本草》一圖、《花譜》一圖。另有未注明出處者一百七十四幅，根據筆者核對，未注明出處之圖，有十九幅源自《經史證類備急本草》，一幅出於《本草原始》，另有一百五十四幅未查詢到出處。以上數字相加，總計繪製墨綫藥圖五百一十三幅。需要説明的是，儘管作者主要仿照李時珍《本草綱目》分類藥物，對藥物性狀、品種的説明也較多采録了《本草綱目》的内容，但所繪藥圖則主要來源於《經史證類備急本草》《救荒本草》等書，基本未取《本草綱目》之圖，全書僅有卷四鹿角菜一圖明確標明出自《本草綱目》。

其二，日本所産藥物，其繪圖爲神田玄泉按照真實植物繪製而成。但筆者查閲現存之本，未見作者據實物自繪之圖，或因筆者所見爲不全鈔本之故。

對藥物性狀、品種的論述，神田玄泉還參考了明・李時珍《本草綱目》等著作中的記載。如卷之一山草之部委陵菜：「《本草原始》出，翻白草所圖，乃委陵菜也。其説解即取時珍《本綱》翻白菜之説也。《本綱》之翻白菜非委陵菜，即鷄腿根也。又有鷄腿兒同名三種。和人以委陵菜爲柴胡。」考《本草綱目》卷二十七「菜之二」翻白草條載：「時珍曰：翻白，以葉之形名；鷄腿、天藕，以根之味名也。楚人謂之湖鷄腿，淮人謂之天藕。」❶再如同卷山草之部山慈姑條，神田玄泉稱：「時珍謂開花白色者，非也。」考《本草綱目》卷十三「草之二」山慈菇條：「時珍曰：山慈菇處處有之。冬月生葉……莖端開花白色，亦有紅色、黄色者，上有黑點，其花乃衆花簇成一朵，如絲紐成……」❷可見，神田玄泉結合《本草綱目》的説法，對所載藥物的性狀、品種進行辨析，甚至對李時珍的某些記載提出了不同意見。

綜上可知，神田玄泉在編繪本書時，參閲了多種中國古籍，不僅限於《經史證類備急本草》《本草圖經》《本草綱目》等本草類書籍，還包括了《三才圖會》《花譜》等非醫藥類著作。

---

❶（明）李時珍. 本草綱目[M]. 明萬曆二十一年癸巳（一五九三）金陵胡承龍刻本.

❷（明）李時珍. 本草綱目[M]. 明萬曆二十一年癸巳（一五九三）金陵胡承龍刻本.

## （二）注重不同産地藥圖之對照

神田玄泉十分注重不同産地藥物之間的性狀差异。在《本草圖翼》中收録了多種中國古籍所載不同産地的藥圖，并注明其中與和産藥物最爲相似的藥圖。

本書所録藥物，每一種皆附有一至十幅藥圖。如卷之一山草之部朮一種，即附有商州朮、齊州朮、荊門軍朮、石州朮、越州朮、舒州朮、歙州朮、鄭山朮等八種藥圖；黄精附有永康軍黄精、滁州黄精、兖州黄精、丹州黄精、商州黄精、荊門軍黄精、解州黄精（兩種）、洪州黄精、相州黄精共十幅藥圖。藥圖中如有與和産藥物相似者，則在圖旁注明。如永康軍黄精圖旁注「倭産與此相同」，天麻圖旁注「此圖出《三才圖會》，和産相同者也」。

此外，神田玄泉時常會在所附多種藥圖之後對某些藥物略作小結，概述不同産地的藥物及繪圖，并重點説明哪種藥圖與本土同種藥物更爲相似。如天麻一物，神田玄泉在收録了來自《本草圖經》《經史證類備急本草》《本草蒙筌》《三才圖會》四書中的藥圖之後總結道：「諸本草所圖，微有异同，然大抵相同者也，倭漢一也。今備於藥用者，皆和産耳，奥州多出之也。《三才圖會》所圖，與和産相同。」再如黄精後注：「《備急本草》所載之黄精，總十種，滁州、解州、相州之産，并正精也；永康軍之産，與和産同一也；出於奥之南部者，草狀根形肥大也。」狗脊後注：「狗脊，和漢大同小异也，可以牽合於倭産矣。」秦艽注曰：「其色黄白，肥潤而羅紋交斜者佳也。未聞和産也。」

總之，本書作者常常在一種藥物之下彙集多幅藥圖，并將中國古籍所載藥圖與和産藥物相比較，這種方式有助於讀者通過藥圖直觀瞭解不同産地藥物的性狀差异；尤其是將日本本土所産藥材與中國古籍所載藥物相對應，從而幫助讀者更好地學習、運用中國本草知識，使其在日本能够準確地辨識藥物。

### （三）參考《本草綱目》分類藥物

《本草圖翼》的藥物分類主要參考了《本草綱目》的分類法。除「附録雜品」外，神田玄泉將所載藥物按自然屬性分爲十五個部類，并附録雜品一類。不過，較之《本草綱目》，《本草圖翼》的分類名稱略有不同，時而以「部」稱，時而以「類」分。

其中，山草之部、蔓草類、水草類、石草類、苔類五種，皆來自《本草綱目》草部。山草之部的藥物主要來自《本草綱目》「草之一　山草類上」「草之二　山草類下」；蔓草類源於「草之七　蔓草類」；水草類主要取自「草之八　水草類」；石草類出自「草之九　石草類」；苔類則源於「草之十　苔類」。

穀部、菜草類、禽類、獸畜類、蟲類則分別對應《本草綱目》的相應部類。穀部主要來自《本草綱目》「穀之一　麥麻稻類」「穀之二　稷粟類」「穀之三　菽豆類」；菜草類源自「菜之一　葷辛類」「菜之二　柔滑類」「菜之三　蓏菜類」。

鱗類對應《本草綱目》鱗部，所載藥物主要來自「鱗之一　龍類」「鱗之二　蛇類」「鱗之三　魚類」；介部對應於《本草綱目》的「介部一　龜鱉類」；蛤蠃類源於《本草綱目》的「介部二　蚌蛤類」；禽類出於「禽之二　原禽類」「禽之三　林禽類」；獸畜類包括「獸之一　畜類」「獸之二　獸類」「獸之三　鼠類」；蟲類源於「蟲之一　卵生類上」「蟲之二　卵生類下」「蟲之三　化生類」「蟲之四　濕生類」。

除上述部類外，神田玄泉另設海藻類、蕈部兩類，兩種分類名稱不見於《本草綱目》。其中，海藻類所載藥品分别收録於《本草綱目》草部的「草之八　水草類」「草之十　苔類」及菜部的「菜之四　水菜類」；蕈部記載的藥品來自《本草綱目》菜部的「菜之五　芝栭類」。

神田玄泉的分類，在某些方面有一定創新。如其新設海藻一類，將乾苔、紫菜、海帶、昆布等海産植物納入其中，使之與河産植物有所區分。例如，此類中的「乾苔」一物，原載於《本草綱目》卷二十一「草之十　苔類」。對此，神田玄泉表示：「《本綱》混雜河海之産而出之，又海苔、海藻不分之，故今改之，集於此分類也。」他認爲乾苔屬於海産植物，不應與河産混雜一處，故將乾苔一物納於「海藻類」中。考之《本草綱目》卷二十一「草之十　苔類」乾苔條，「時珍曰：此海苔也。彼人乾之爲脯。海水鹹，故與陟厘不同。張華《博物志》云：石發生海中者，長尺餘，大小如韭葉，以肉雜蒸食，極美。張勃《吴録》云：江蘺生海水中，正青，似亂髮，乃海苔之類也。蘇恭以此爲水苔者，不同。水苔不甚鹹」。❶可見，乾苔確爲海産，神田玄泉將其分入「海藻類」，較之《本草綱目》更爲合適。

神田玄泉在分類上的另一個創新之處，是對《本草綱目》菜部重新進行了分類。他將《本草綱目》菜部「菜之四　水菜類」中某些海産植物，如紫菜、鹿角菜等并入了「海藻類」，又單獨設一「蕈部」，將《本草綱目》「菜之五　芝栭類」所載芝、木耳、香蕈等歸入其中。

從蕈部所收録的藥物來看，雖然木耳、香蕈等確爲常見蔬菜，但如芝、鬼筆等物則不宜歸於菜部。例如，芝一物，考《本草綱目》卷二十八「菜之五　芝栭類」芝條：「時珍曰：芝本作之，篆文象草生地

❶（明）李時珍. 本草綱目[M]. 明萬曆二十一年癸巳（一五九三）金陵胡承龍刻本.

上之形……昔四皓采芝，群仙服食，則芝亦菌屬可食者，故移入菜部。」❶可見，李時珍之所以將芝移入菜部，是因爲秦朝隱士商山四皓《采芝操》所云「曄曄紫芝，可以療饑」❷，故時珍認爲芝屬於食物，應歸爲菜部。但從歷史上古人對芝的運用來看，將芝當做蔬菜食用的例子并不多見。再如鬼筆一物，因其具有毒性，同樣不適合作爲蔬菜。故神田玄泉將蕈部從菜部移出，單設爲一部，將芝、木耳等菌類植物納入其中，亦有一定道理。

此外，《本草圖翼》附録雜品所載藥物，分爲菜草類、木類及异獸類。雖然其中的藥物多爲《本草綱目》所未載，但其分類方式同樣是仿自《本草綱目》的。

綜上，神田玄泉對藥物的分類大體參考了《本草綱目》的分類方法，并在一定程度上有所創新，值得今人參考借鑒。

## 四 版本情況

《本草圖翼》成書於日本享保十五年（一七三〇），據《國書總目録》所載，目前僅有神田玄泉親筆稿本一部存世，藏於日本國立國會圖書館白井文庫。❸

本次影印采用的底本即爲日本國立國會圖書館白井文庫藏稿本。此本藏書號「特1—943」，封

---

❶ 〔明〕李時珍. 本草綱目[M]. 明萬曆二十一年癸巳（一五九三）金陵胡承龍刻本.
❷ 汪旭. 唐詩全解[M]. 瀋陽：萬卷出版公司，二〇一五：六四.
❸ 〔日〕國書研究室. 國書總目録：第七卷[M]. 東京：岩波書店，一九七七：三八八.

皮處貼有上述藏書號，殘存三卷三册。三册封皮題箋分别寫有「本草圖翼　神田玄泉自筆本欠本三册」以及「卷一」「卷四」「卷六」的卷次。全書抄繪在預先刻印好的紙張上。第一册卷首載「《本草圖翼》自序」一篇。四周單邊，自序及凡例部分無界格欄綫，每半葉八至十二行，每行約二十字。正文部分以藥圖配文字的方式呈現，每半葉劃分爲一至五格，分别繪製墨綫藥圖并附文字説明。版心白口，書口處共有四枚花魚尾兩兩相對，兩對魚尾間分别刻有口題。在自序、凡例、目録部分，版心上半刻其書名、章節名，如「本草圖翼　自序」，下半鎸有「風民堂　神玄泉集」字樣；正文部分，版心上半刻書名、卷次，如「本草圖翼　卷之一」；下半刻部類、葉次，如「漢産之部　一」「漢産之部二」。書中多數葉面均有蟲蛀殘損情况，但并不影響圖文的識讀。

綜上所述，《本草圖翼》是日本江户時代中期的一部重要的本草學著作。本書彙録中國多種古籍所載藥圖，并將不同産地的藥圖并行對照，特别注明了其中與日本本土所産藥物最爲相近的藥圖。全書圖文并茂，文字簡練，繪圖精緻，爲日本醫家瞭解漢和藥物、研究本草提供了便捷直觀的圖文資料，對於今人研究《經史證類備急本草》《本草綱目》等著作所收藥物的基原亦不無裨益。

付　璐　蕭永芝

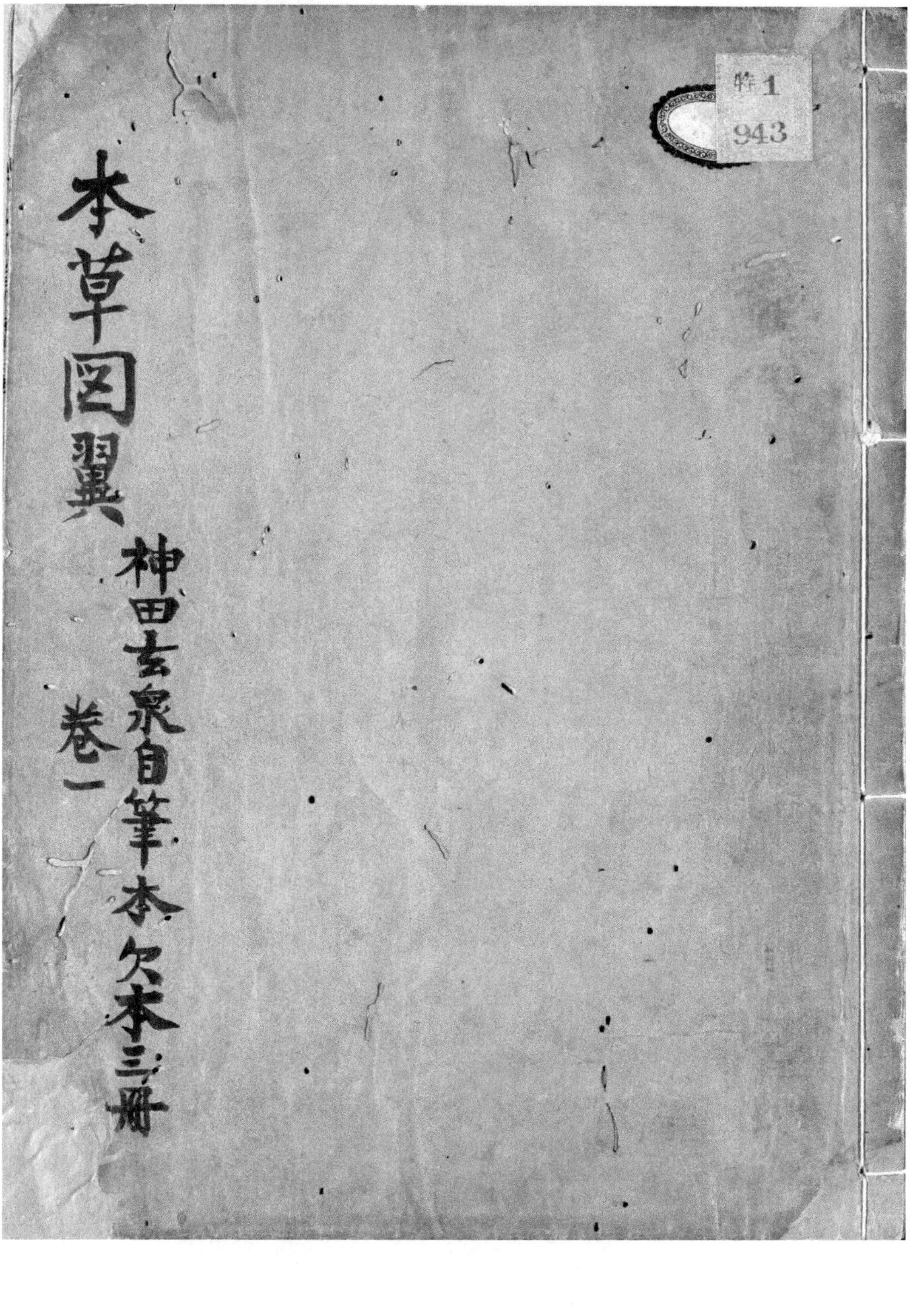
特1
943
本草図翼
神田玄泉自筆本欠本三冊
巻一

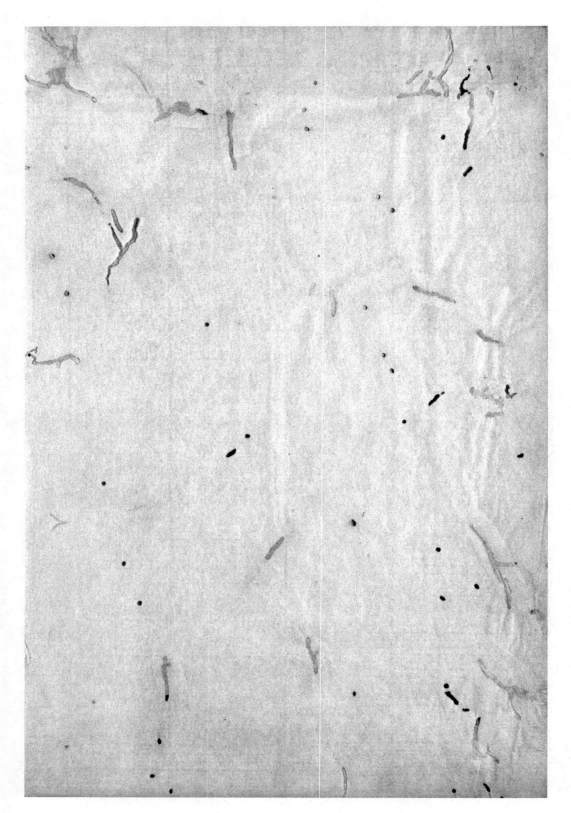

本草圖翼

風民皇 神[illegible]集

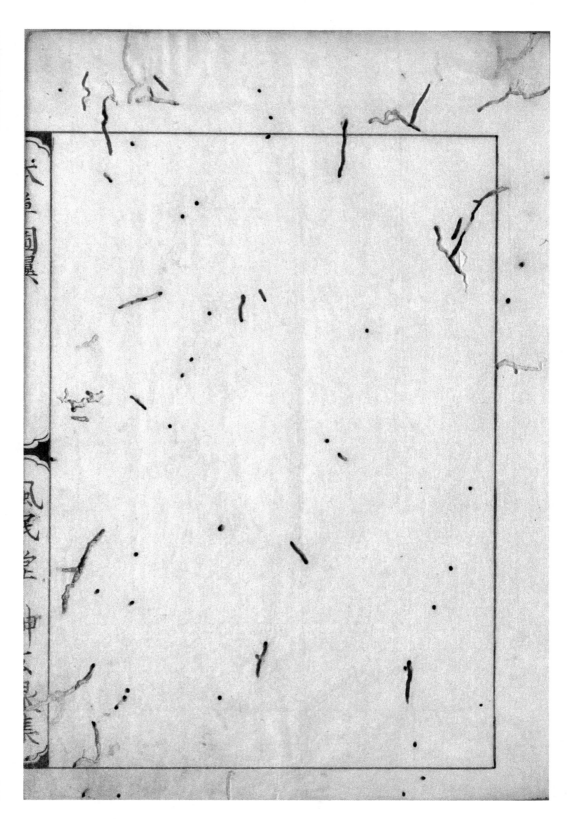

本草圖彙

[illegible]

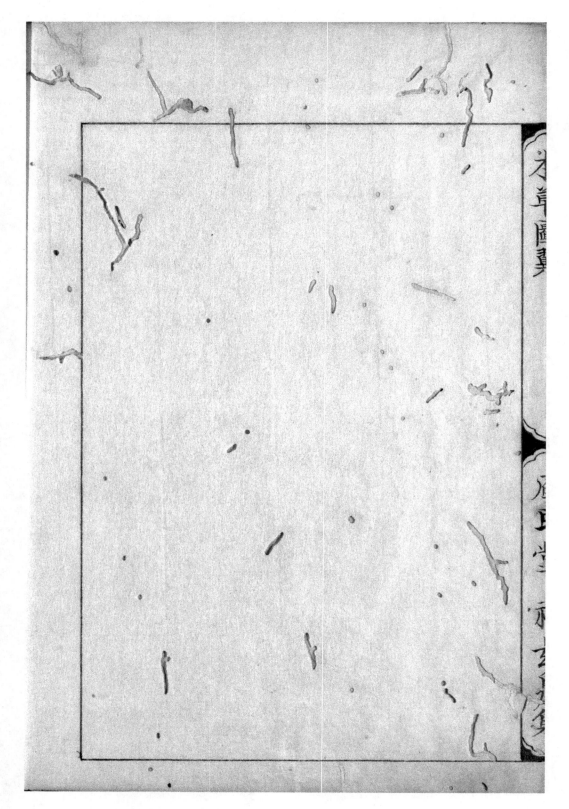

本草圖翼

鳳[illegible] 神谷泉[illegible]

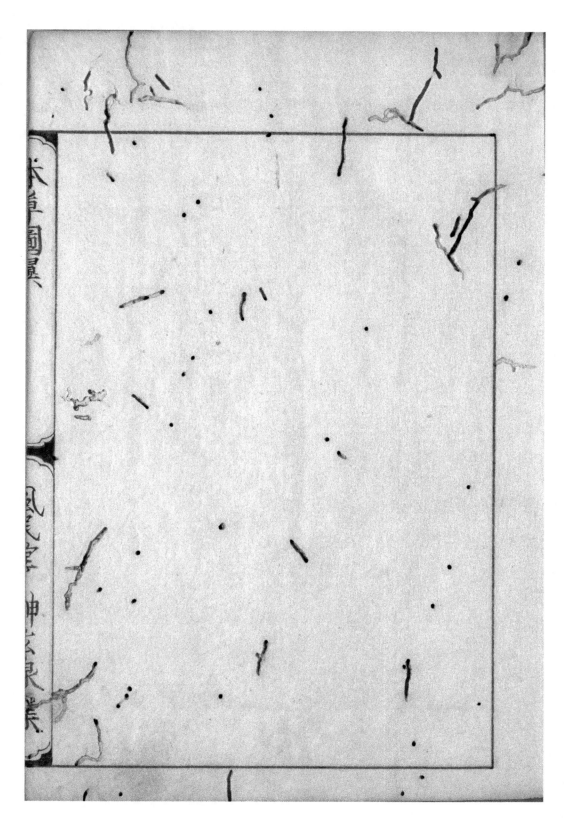

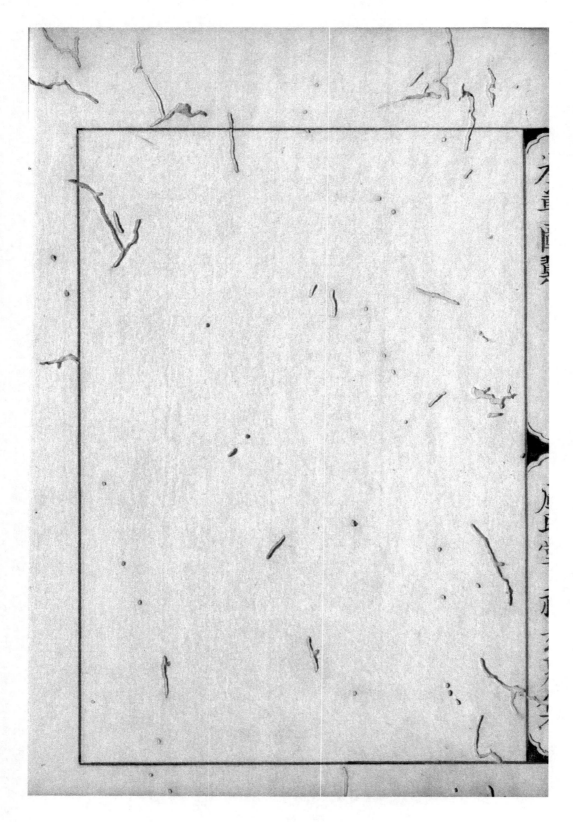

本草圖翼

[illegible]

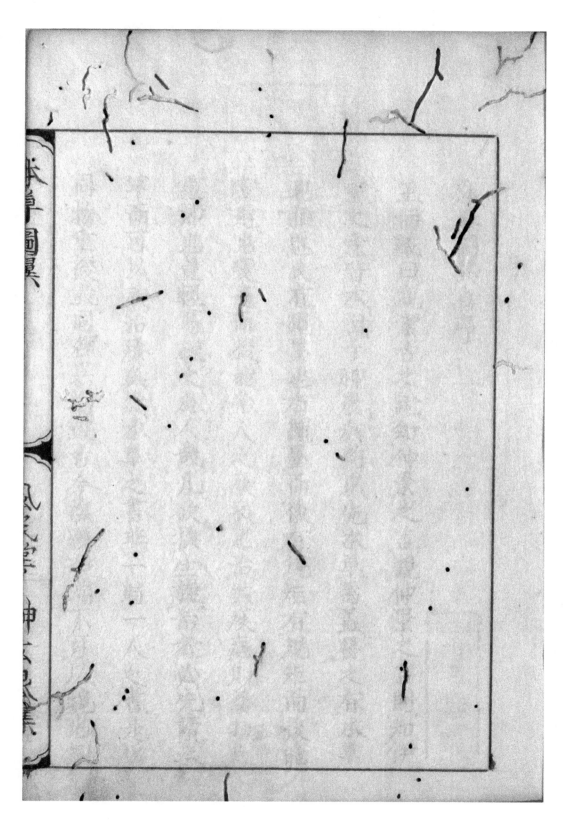

本草圖翼

[illegible]

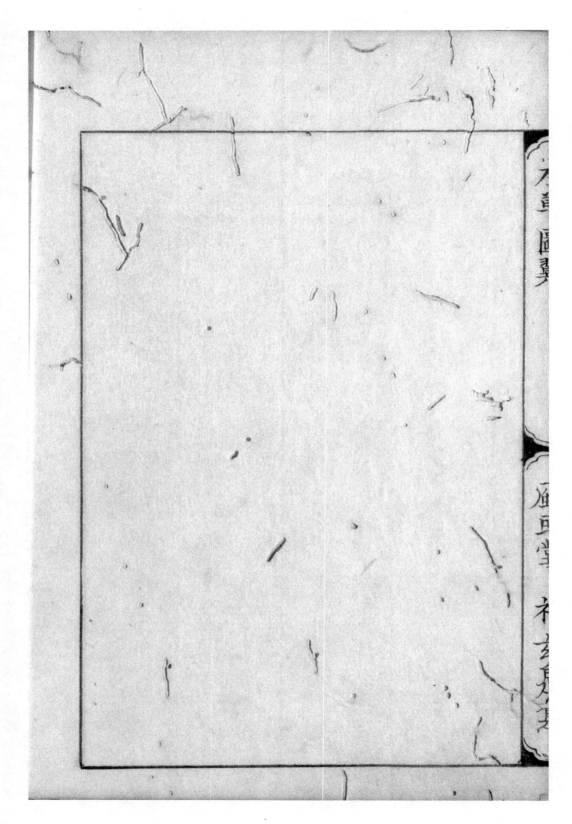

# 本草圖翼自序

王海藏曰觀潔古之説知仲景之言觀仲景之書則知伊尹之意皆本出于神農矣所以先本草爲蓋醫之有本草也猶匠氏有繩墨也有繩墨而後有規矩有規矩而後能變通也變通而後能治人之疾病也治其疾病則藥物之靈妙也豈輕易施之於人哉凡欲攝生施治者必先讀本草而可以施治療矣然本草之書非一時一人之書是以同物重複或同名異物或古今隱顯多端不可以曉必知

如倭產則無書之可稽第言某藥某草而不明似不似之
非傳習比人而無改之焉當今
大君恭惠下於蒼民爲衆人遣採藥之士於四方使之採藥
物正之辨眞贋改古今之名義且亦素無于此國物乃求
之於異邦以救于天下之民焉伏惟彼世愛民之恩不可
勝量可謂闊鑿于聖賢之奧義矣宜哉使後世之醫流爲
之龜鑑也不佞於聖學而無所窺惟自若冠有好本草之
癖嘅而以爲非知草木禽獸蟲魚之品類倭漢同不同則

雖有本草之書不可以通焉因于此婆心無止終作本草大義十餘卷此書只備本草綱目藥品正和名辨真假可以牽合于倭漢者合之附之圖說也次之又作本草補遺十餘卷此書乃撰集本綱遺漏之品種畫之圖附之說而爲讀本草之書者備耳曾懷此邦素不因于藥物雖有種種不圖録適雖畫其物忽略不可以爲證據故以生草自繪草木藥之形狀附花候葉色卷首置漢產形狀正者而令視者識倭漢異同以爲怡十餘卷名曰本草圖翼爾云

于時

享保十五龍集庚戌春正月中旬

東武　城南草醫

一通子神田玄泉

實名戶田立賢　謹誌

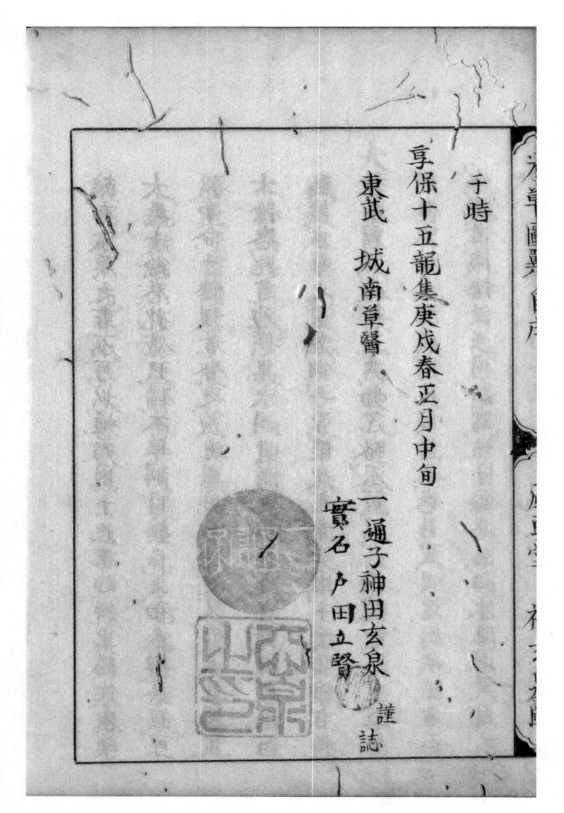

# 凡例

一　凡註本草者當先註草狀不然則藥性難明故作爲于圖翼以便於初學集録之卷首以漢產其圖多本于備急本草畫次撰取救荒本草及農政全書三才圖會圖經本草原始花詩等中以備于此

一　凡草木之形狀所註于集解倭漢相同而如出於一口然所圖之草木之形狀似不似者多矣是乃畫工不精詳也又如合歡木及蒺藜之圖象畫工不知合歡木以註其乗之行例如皂莢葉陵其註文圖之耳必勿以此圖爲證矣

一　凡本草綱目註藥品以同名異物爲一如註薇引詩經之薇爲一是也或有一類各種混雜註之而不爲分別者如山慈姑白花者是也今盡改之也

本草圖彙凡例　　屋玄堂　神　玄

一凡倭產之圖乃以生草畫之某草謂漢產何州郡之藥艸與某倭藥相同而明倭漢一矣如杏主羌活即文州獨活一種或水筆升麻即彘州升麻之一種是也

一凡近來漢藥艸種々有之與本草所載之圖詭艸狀懸隔者間有之如延胡索及土茯苓何首烏續隨子是也

一凡金銀銅鐵鉛錫玉石之類倭漢一也故漢產之部不載之於倭產之部可以圖者略圖之其詳解見于本草大義及本草補且且示至魚類不盡載則別以有日東魚譜也蓋本草有圖彙譬如倩麻姑所痒抓讀本草尚能因此圖鑿別斯不虛吾苦心焉耳

凡例終

目録

目錄終

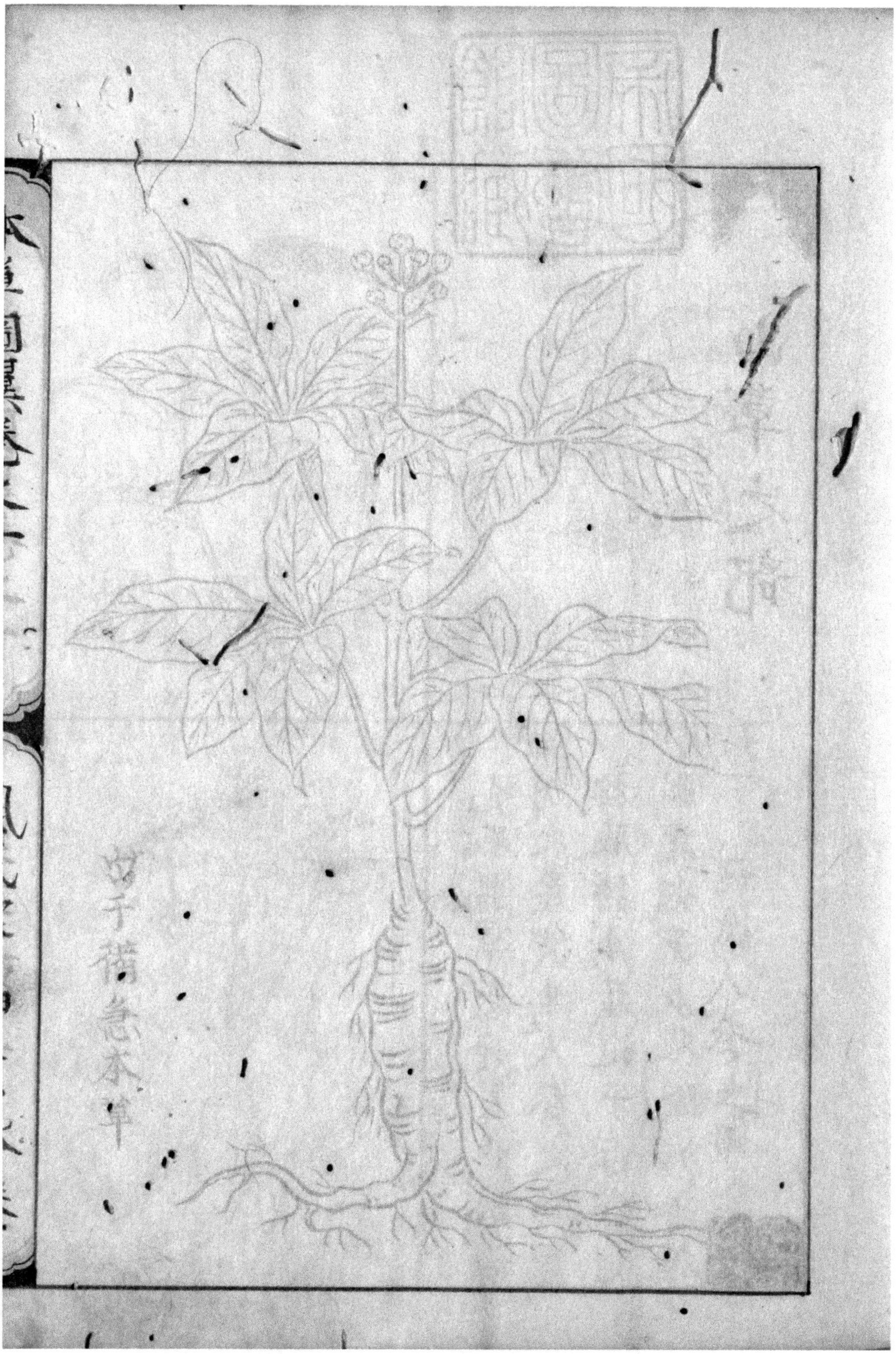

# 山草之部

| | | | |
|---|---|---|---|
| 柴胡 五種 | 杜當歸 一種 | 茅根 一種 | 吉利草 一種 |
| 茶陵柴 | 都管草 同前 | 地筋 同前 | 百兩金 同前 |
| 黃芩 二種 | 升麻 一種 | 芭芒 同前 | 朱砂根 同前 |
| 秦艽 四種 | 苦參 四種 | 龍膽 四種 | 辟虺雷 同前 |
| 前胡 五種 | 白鮮 二種 | 鬼督郵 一種 | 錦地羅 同前 |
| 防風 六種 | 貝母 四種 | 徐長卿 二種 | 紫金牛 同前 |
| 獨活 三種 | 山慈姑 一種 | 白薇 同前 | 拳參 同 |
| 延胡 二 | 石蒜 同 | 白前 同 | |

目錄

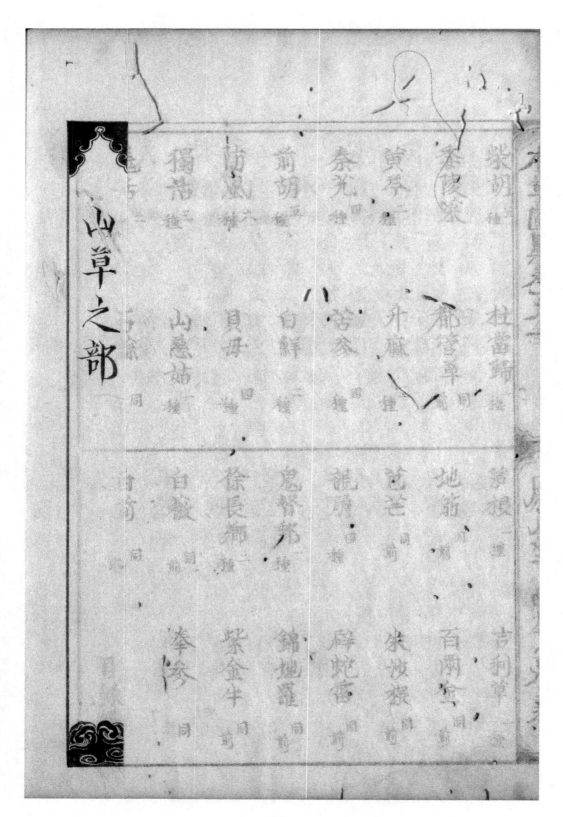

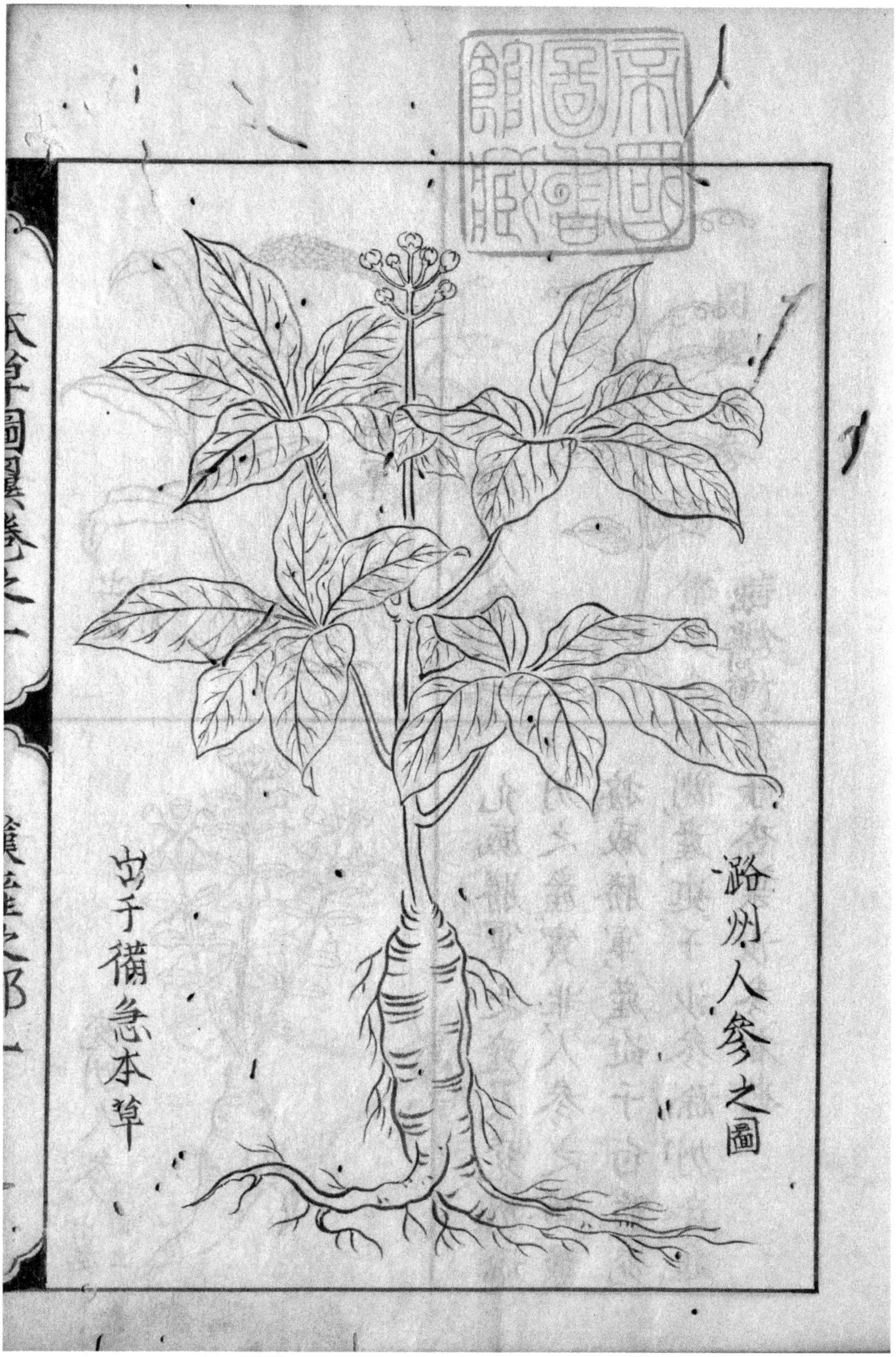
潞州人參之圖
出于備急本草

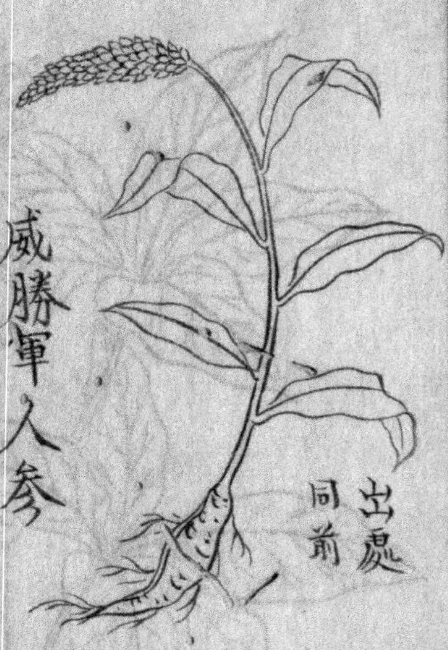

威勝軍人参

出處同前

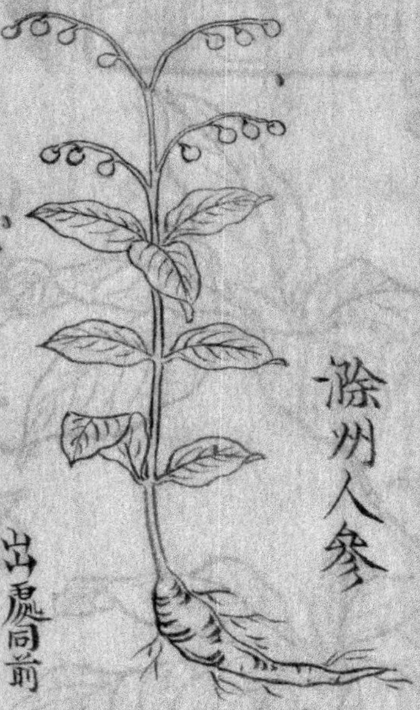

滁州人参

出處同前

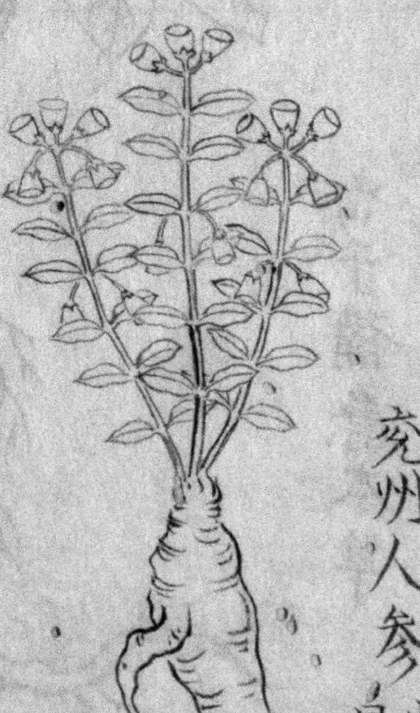

兗州人参

出處同上

凡威勝軍之産及兗州滁州之産實非人参之類愚按威勝軍産近于白前兗州産近于沙参滁州産近于杏葉沙参者也

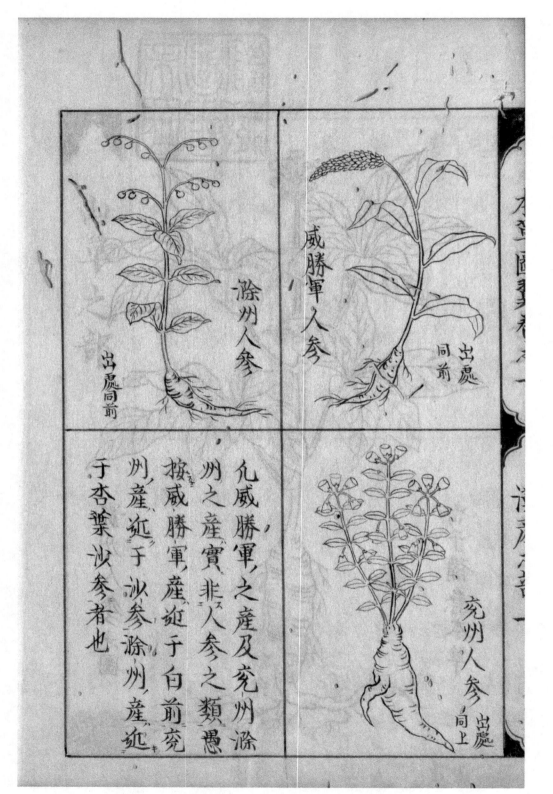

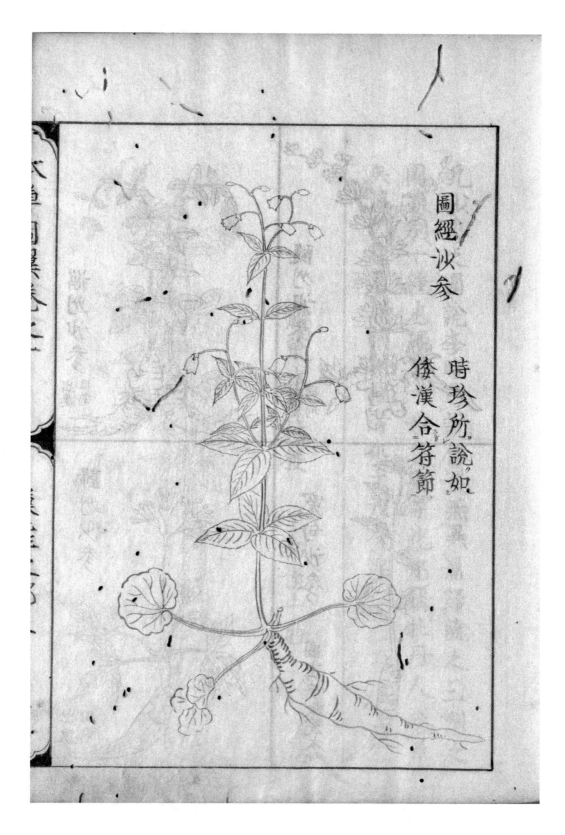

圖經沙参

時珍所論如倭漢合符節

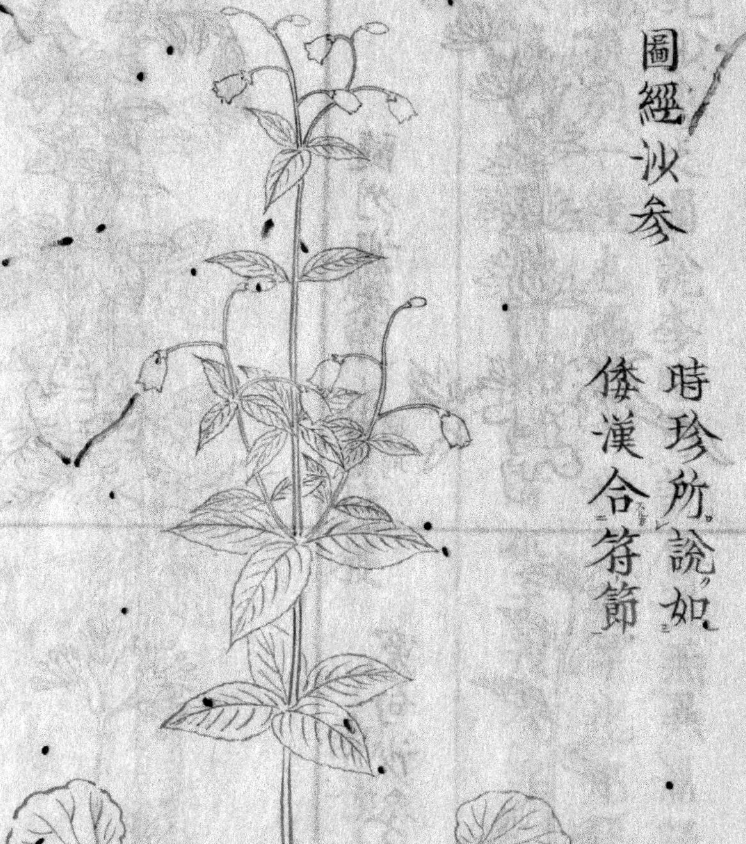

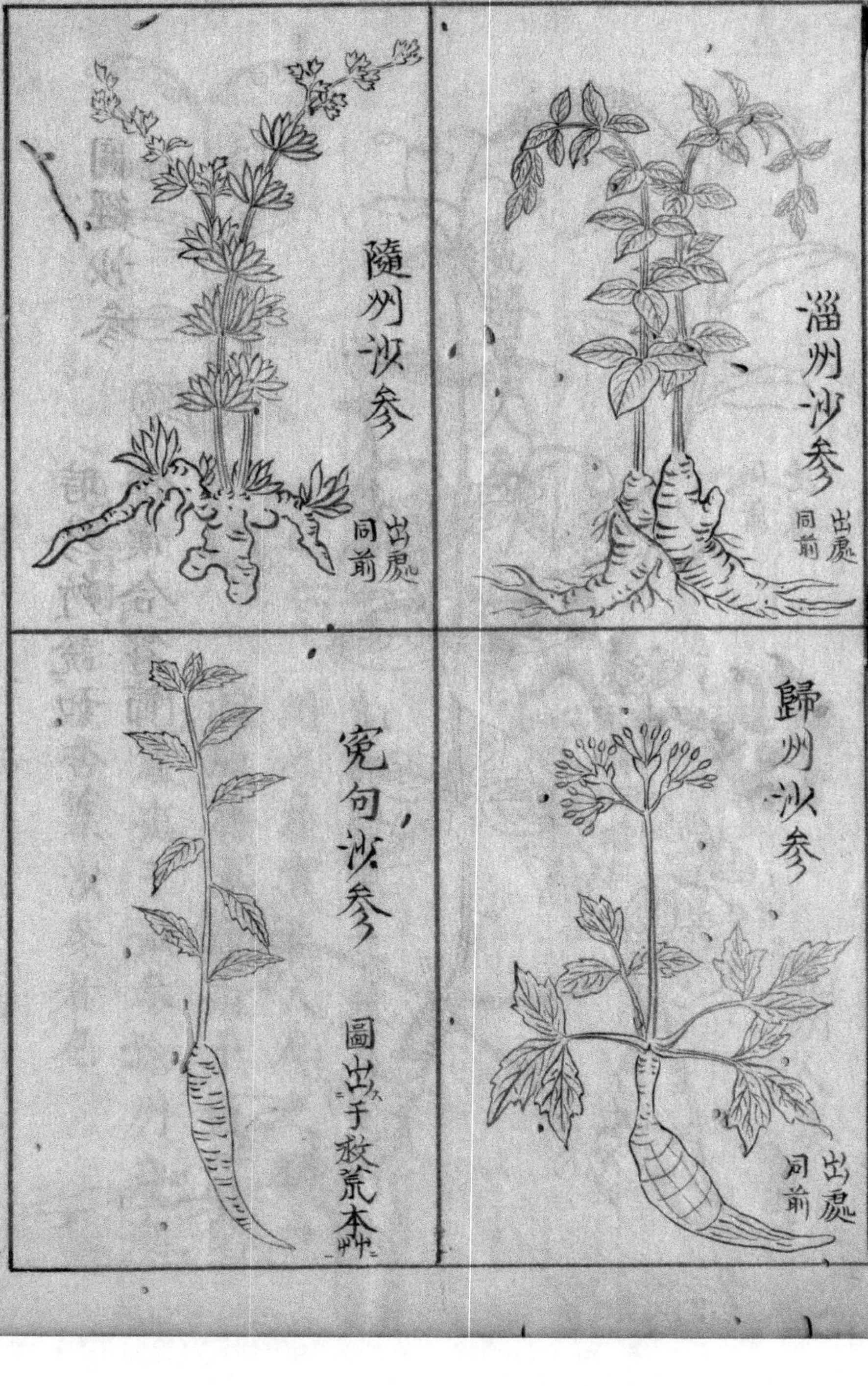
淄州沙参
出處同前
隨州沙参
出處同前
歸州沙参
出處同前
寃句沙参
圖出于救荒本艸

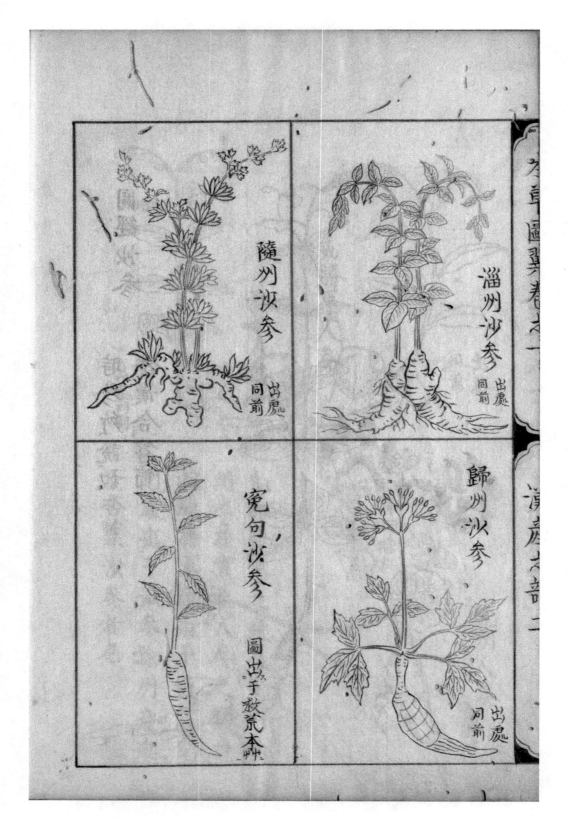

凡沙参之圖説李時所説倭漢無異淄歸隨之三州之圖象別一種也歸州之沙参延于此邦稱牡丹人参草矣淄州産及救荒所圖者延于沙参乎

救荒本草桔梗　和漢一也

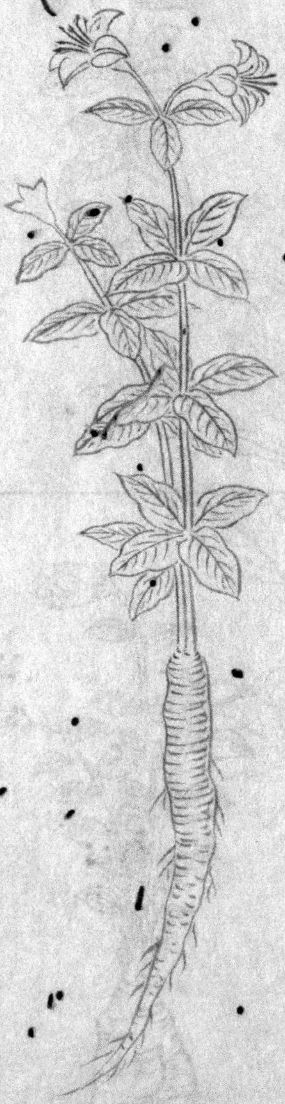

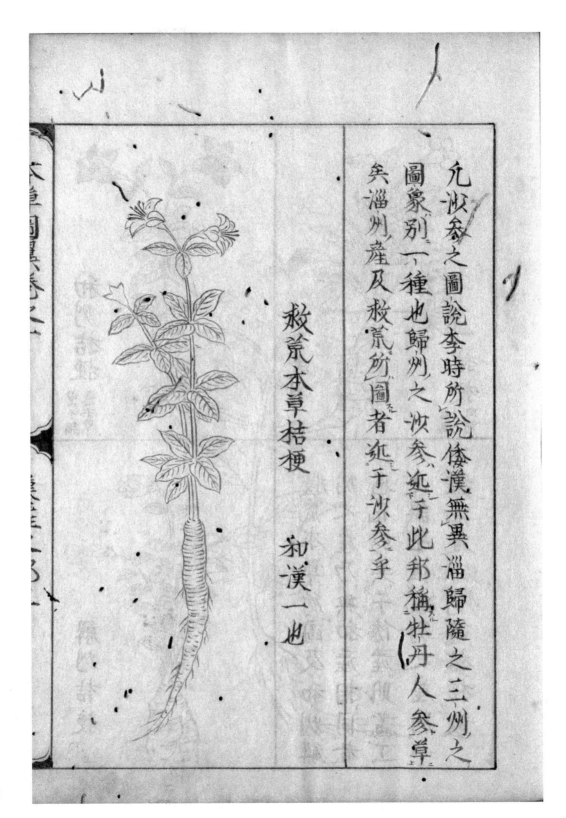

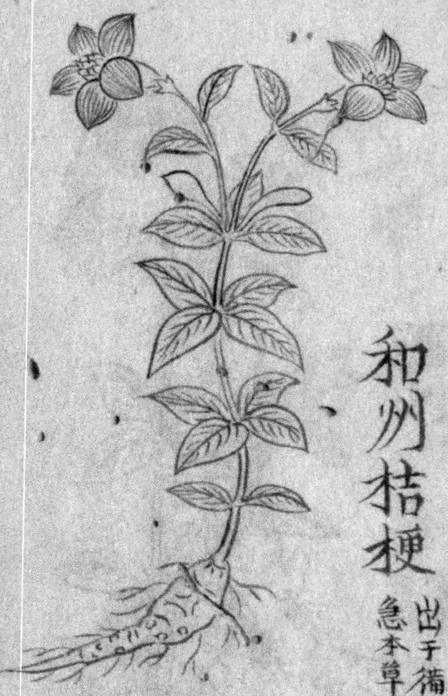

和州桔梗 出于備急本草

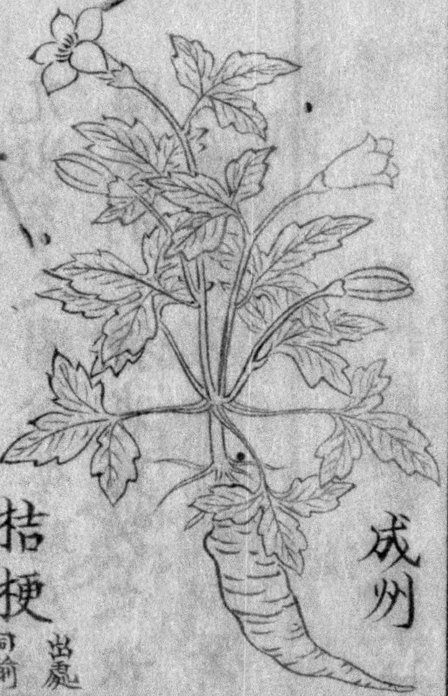

成州桔梗 出處同前

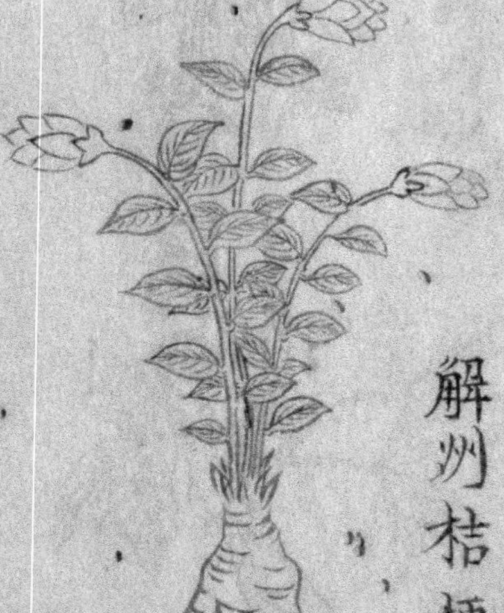

解州桔梗 同上

救荒本草所圖及和州解州之產乃與和產相同者也花形異于倭產則畫工之誤乎但成州之產別一種也是亦何等桔梗哉

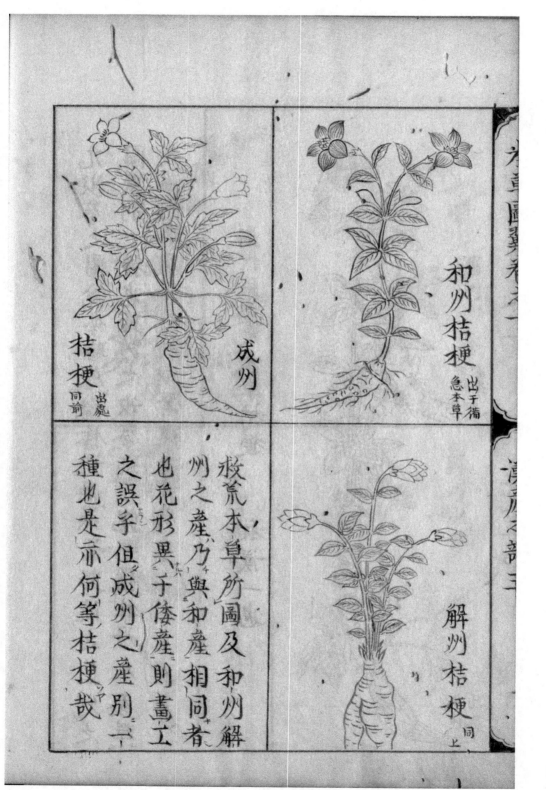

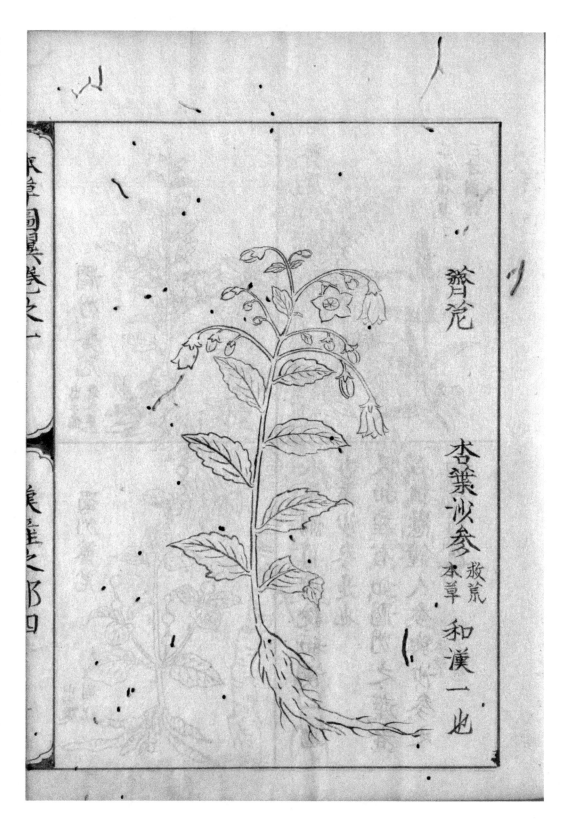

薺苨

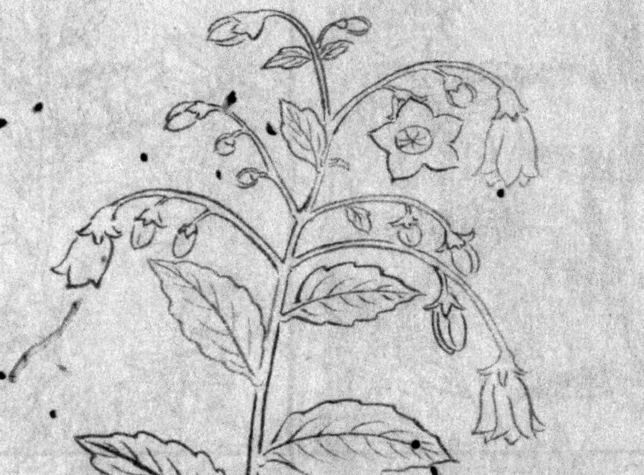

杏葉沙参 救荒本草 和漢一也

潤州薺苨　出于備急本草

和產有延之者

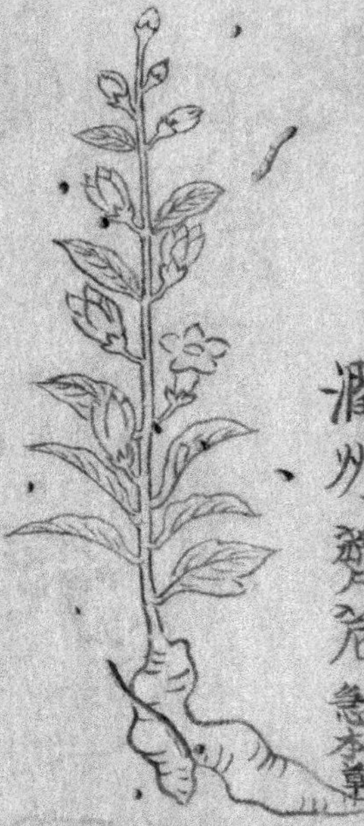

蜀州薺苨　出處同上

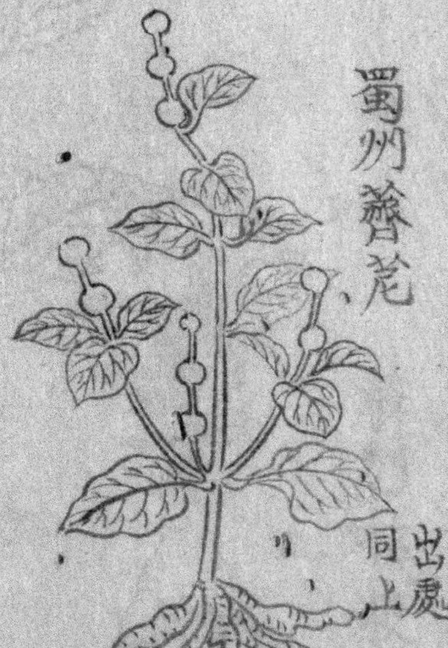

薺苨

二種俱見于三才圖繪

本草綱目所說和漢一也杏葉沙参是也又和產有如潤州之產者名稱懸鐘人参與沙参之和名別也

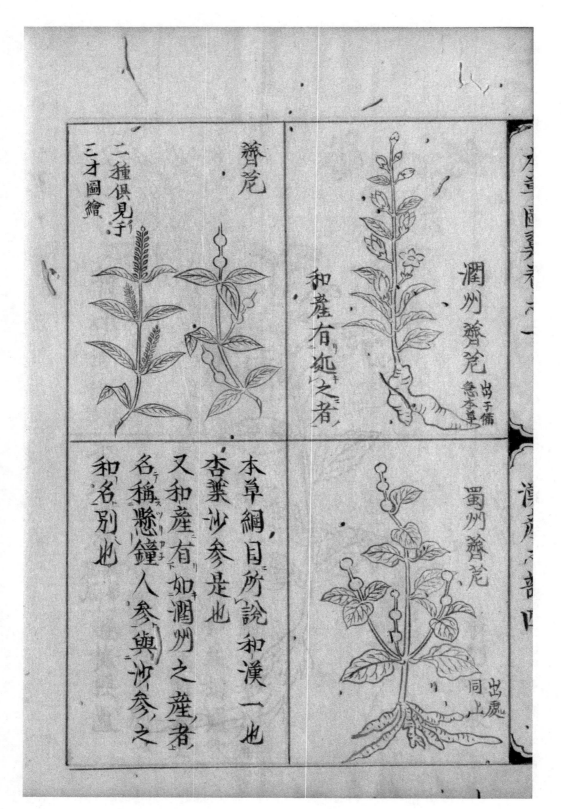

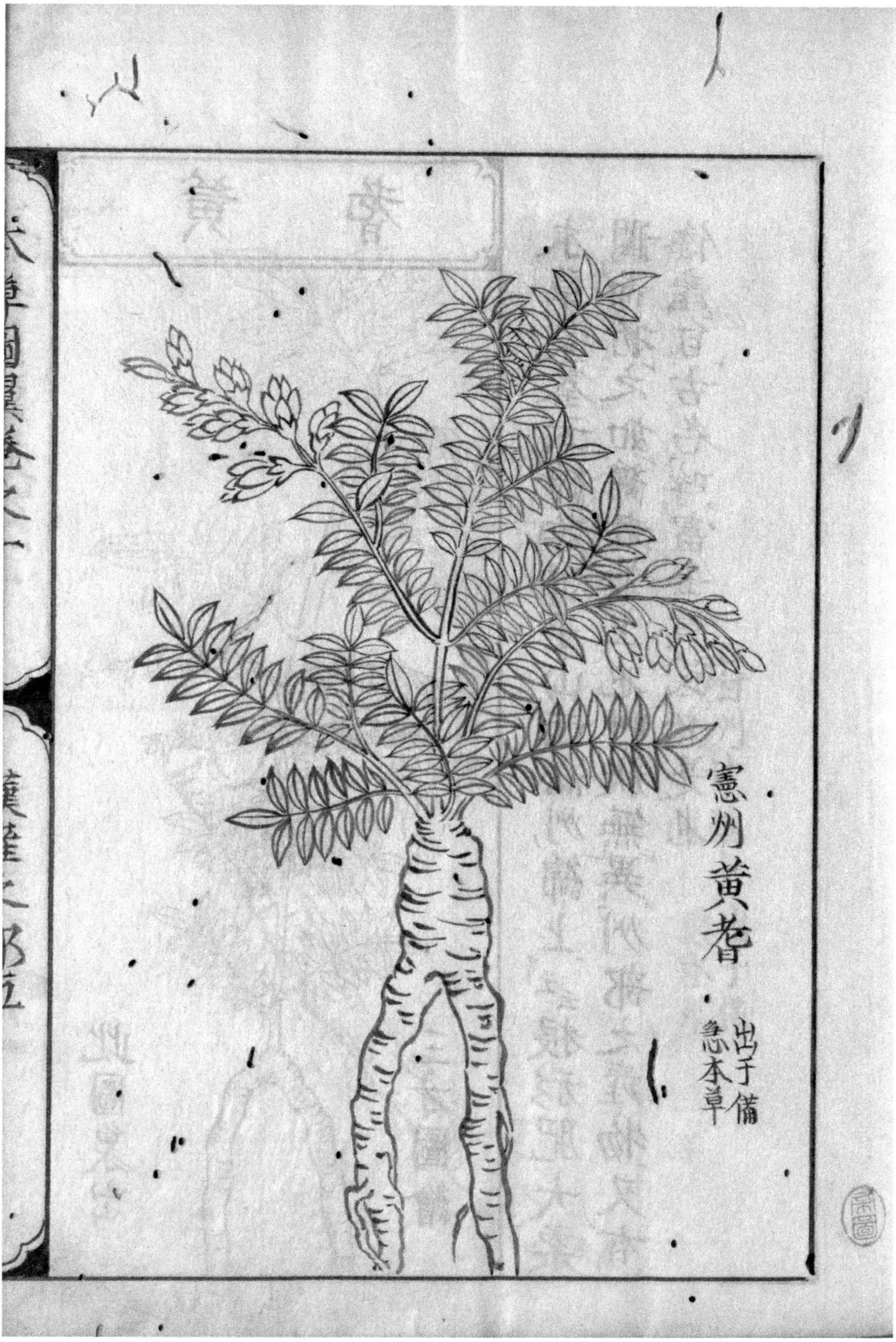
憲州黄耆
出于備急本草

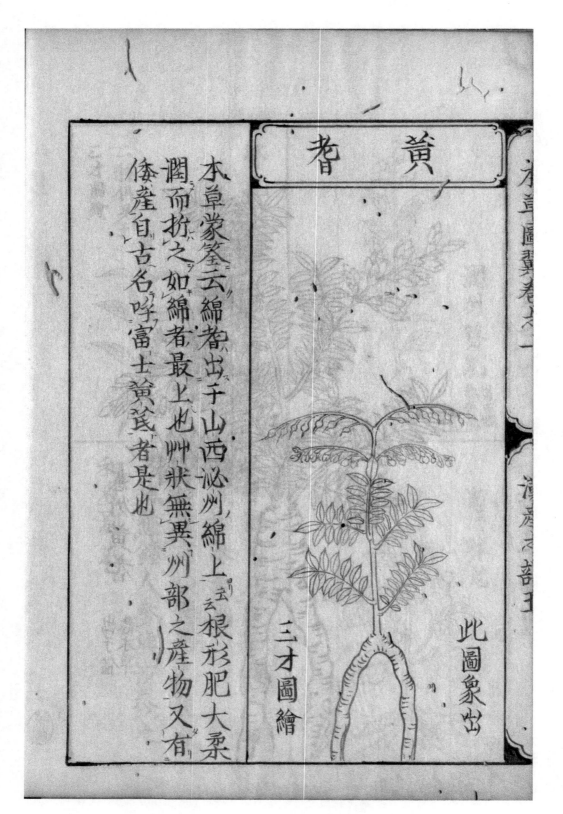

# 黄耆

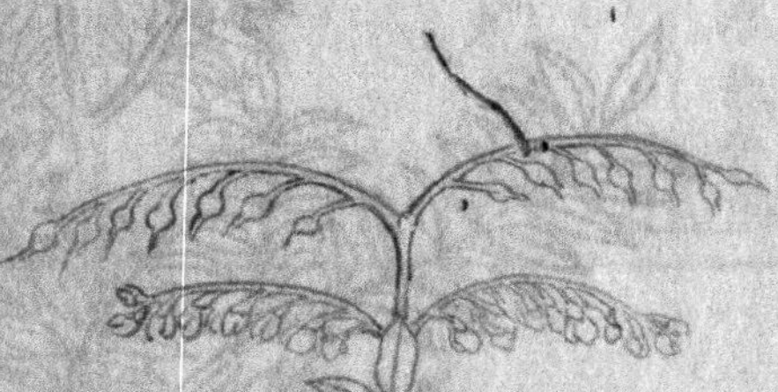

此圖象出三才圖繪

本草蒙筌云綿耆出于山西沁州綿上云云根形肥大柔潤而折之如綿者最上也艸狀無異州部之産物又有倭産自古名呼富士黄芪者是也

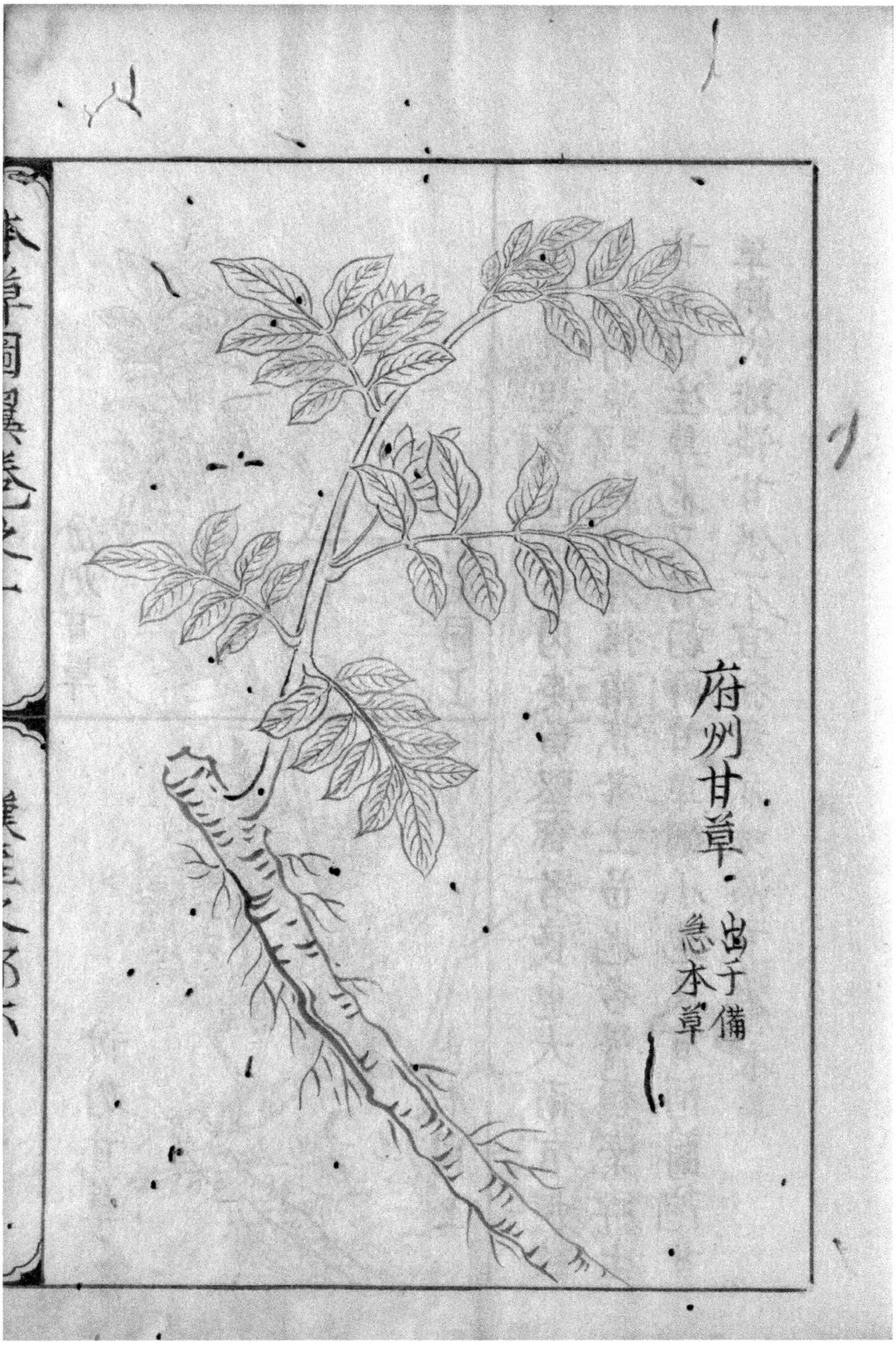
府州甘草
出于備急本草

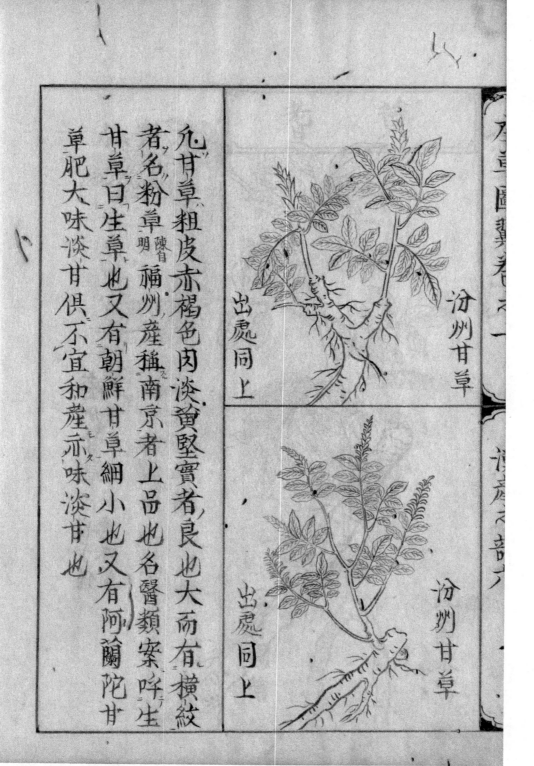

汾州甘草
出處同上

汾州甘草
出處同上

凡甘草粗皮赤褐色肉淡黄堅實者良也大而有横紋者名粉草陳自明福州産稱南京者上品也名醫類案呼生甘草曰生草也又有朝鮮甘草細小也又有阿蘭陀甘草肥大味淡甘倶不宜和産亦味淡甘也

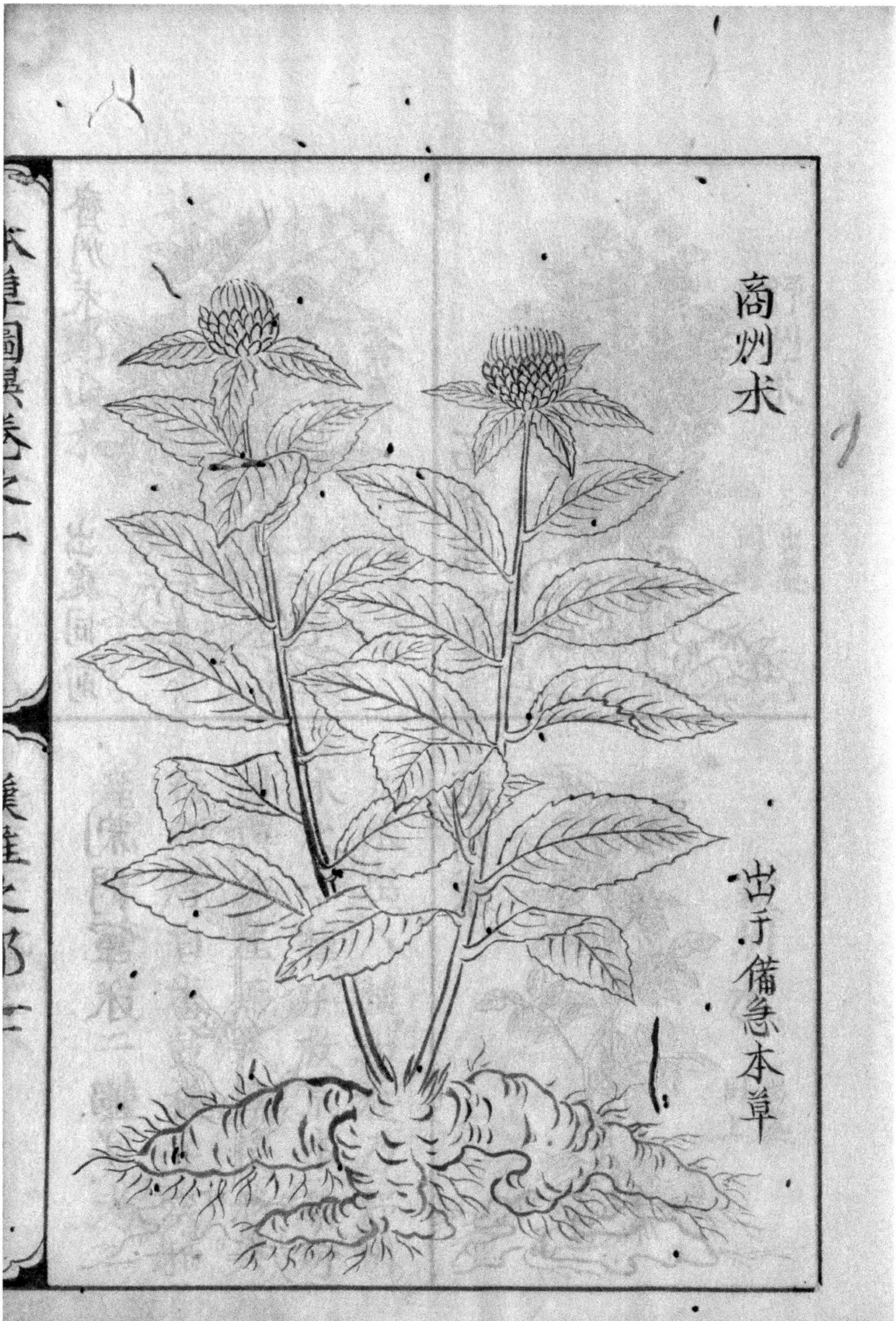
商州朮
出于備急本草

齊州朮

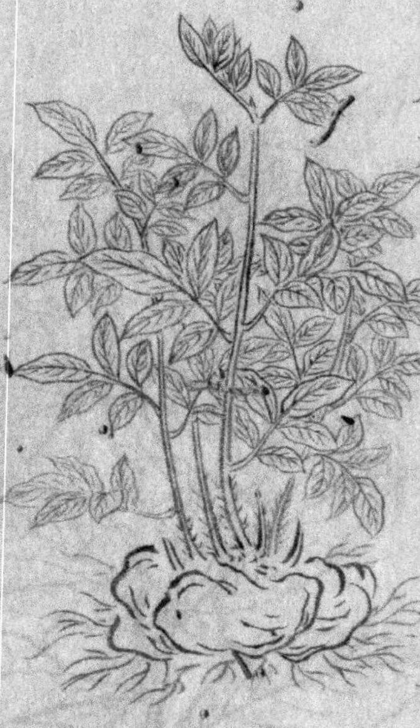

出處同前

石州朮

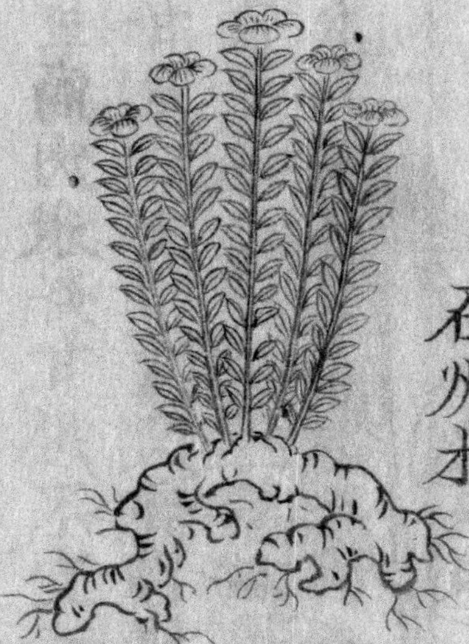

荊門軍朮

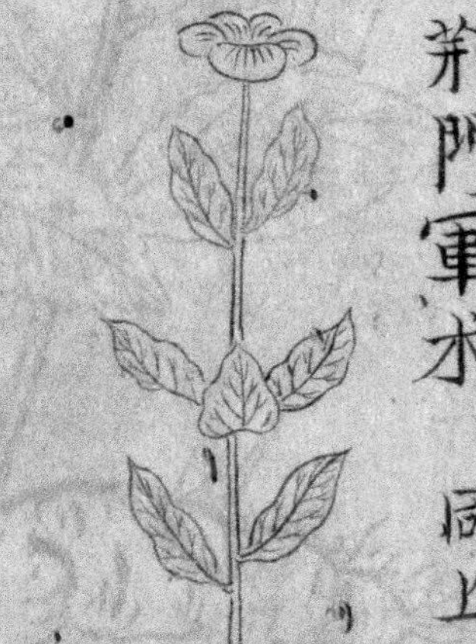

同上

越州朮

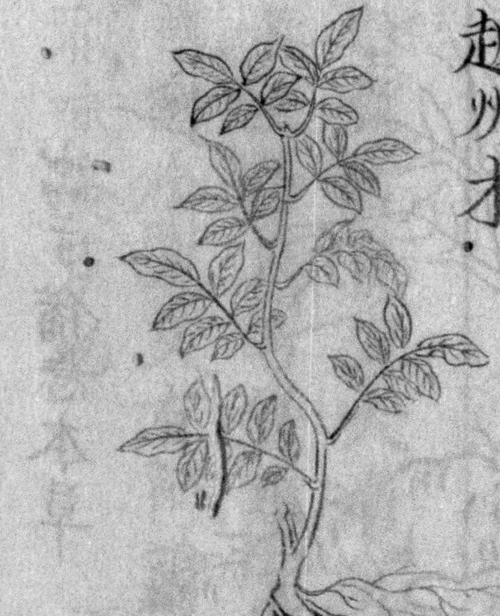

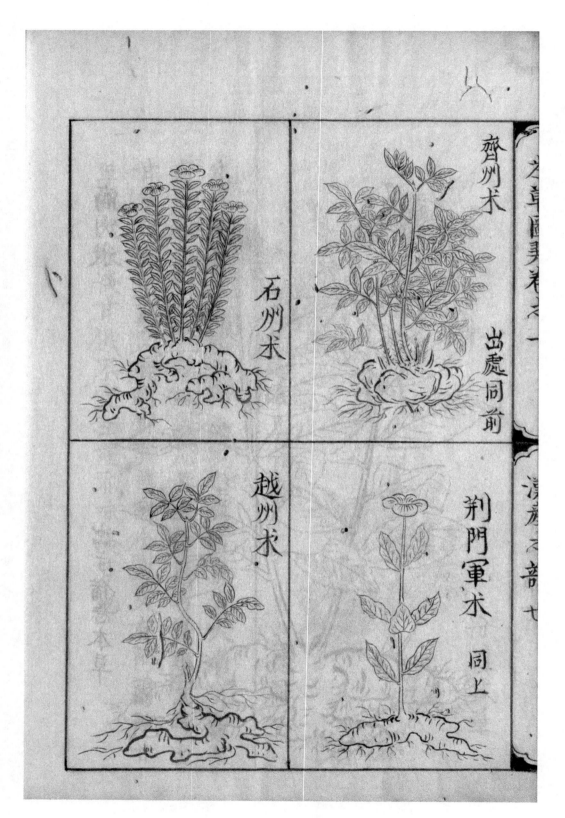

舒州朮

出處同前

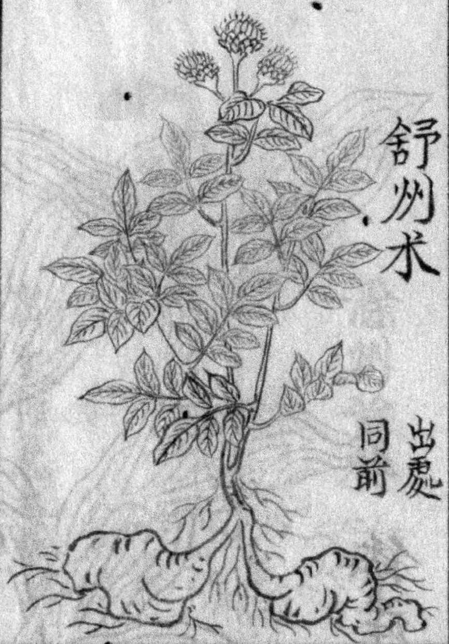

蒼朮

出于救荒本草

鄭山朮

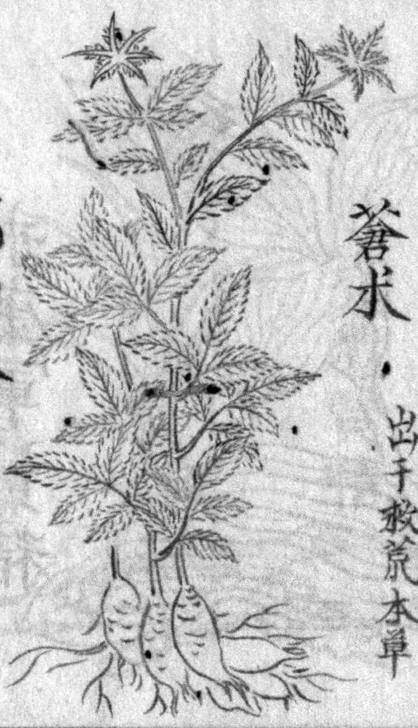

歙州朮

出處同上

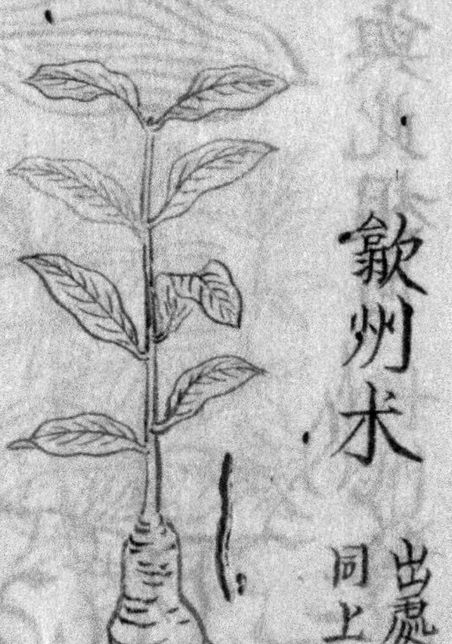

凡朮出八種和産乃舒州朮之一種于救荒本草所圖與倭産無異但根形異而如唐白朮鼓搥每矣和産亦有蒼白二種可考

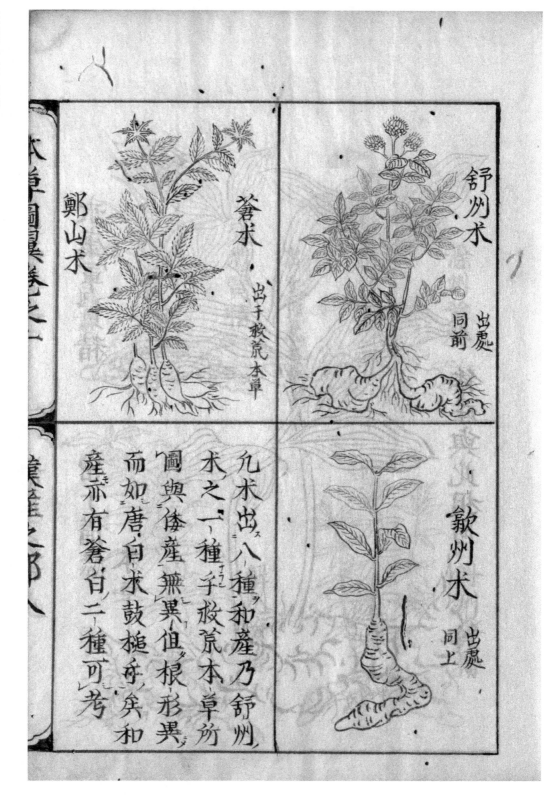

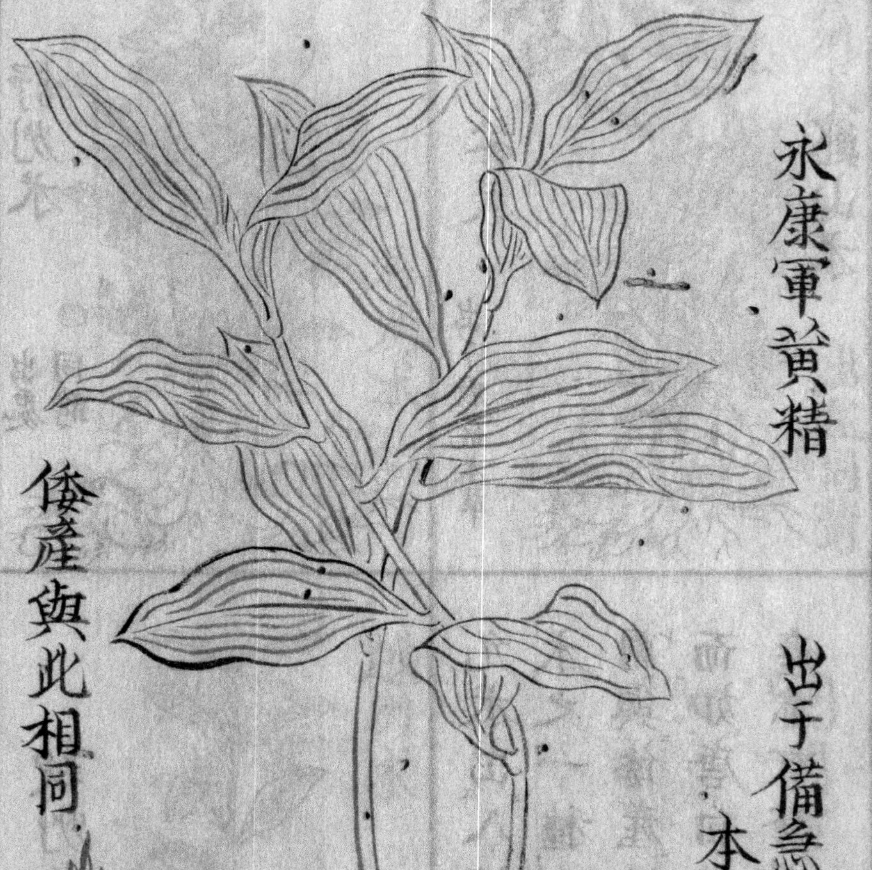
永康軍黃精
出于備急本草
倭產與此相同

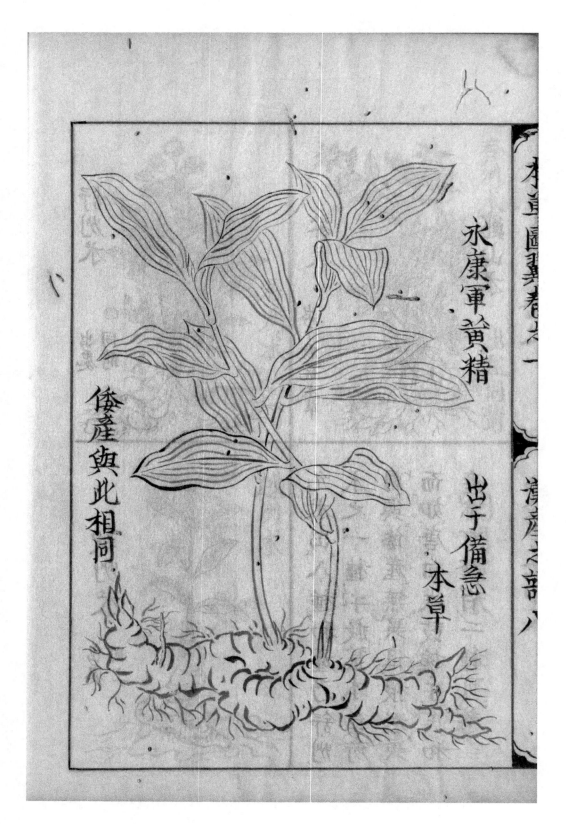

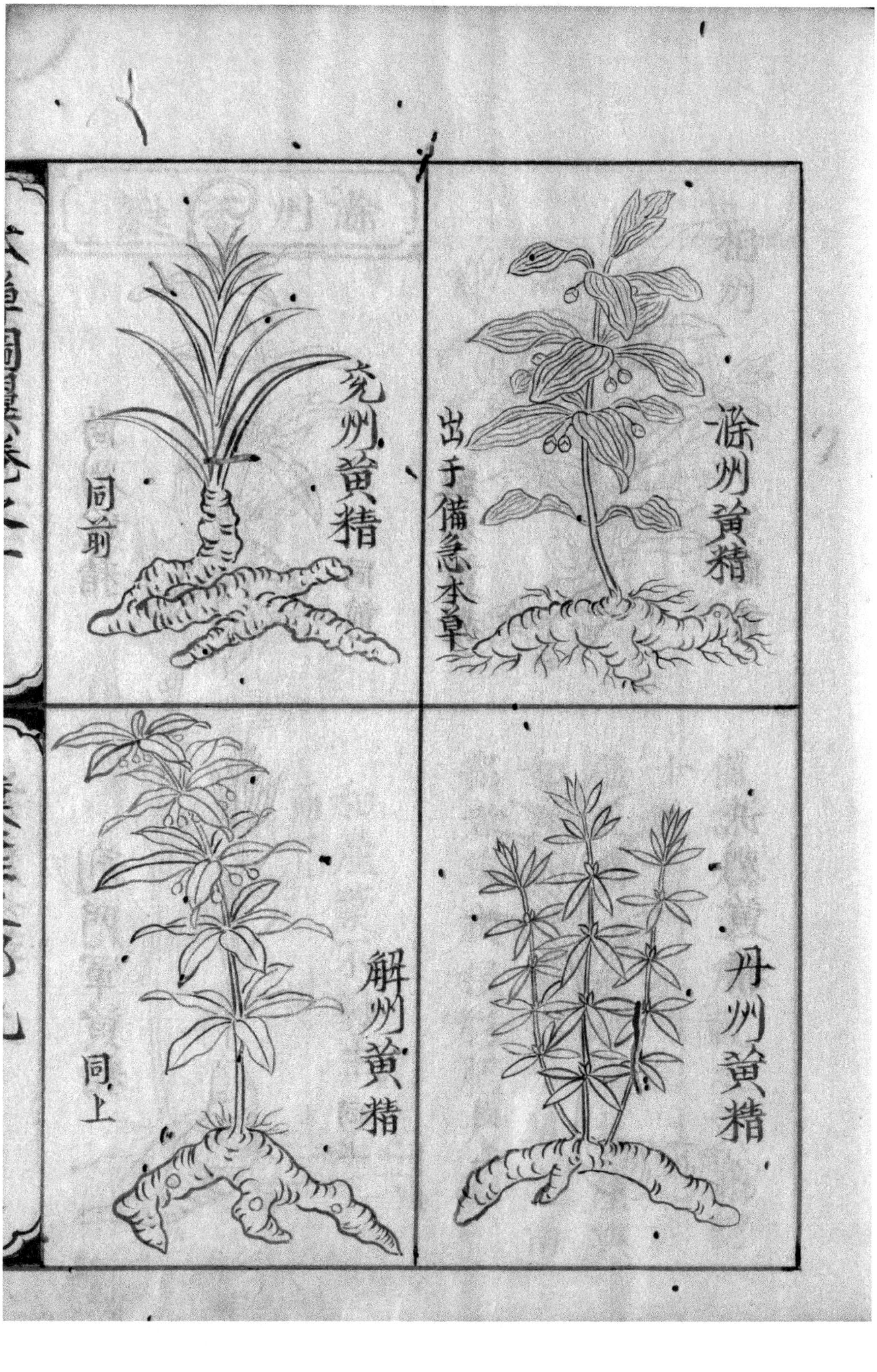
滁州黄精
出手備急本草
兗州黄精
同前
丹州黄精
解州黄精
同上

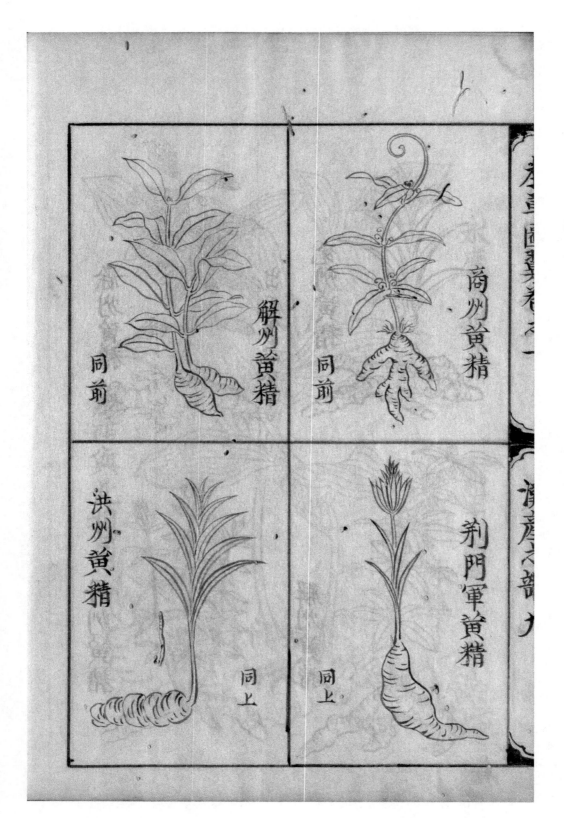

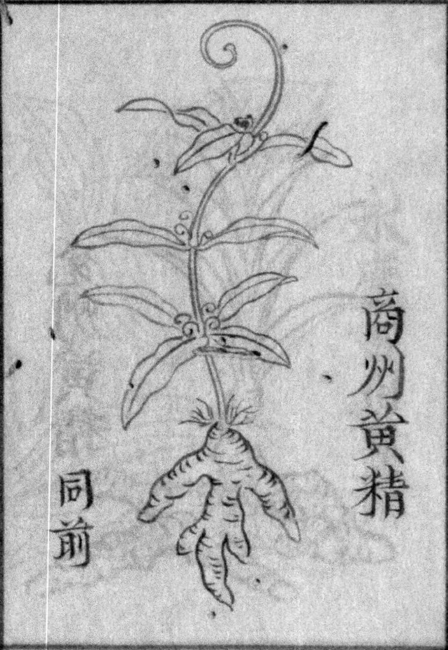
商州黄精
同前

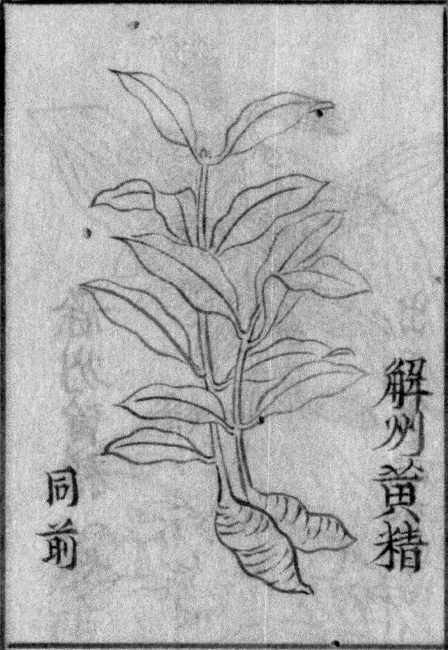
解州黄精
同前

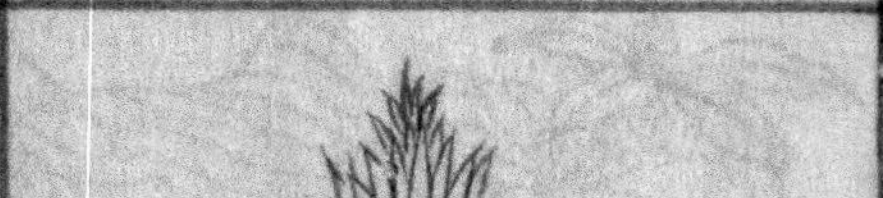
荆門軍黄精
同上

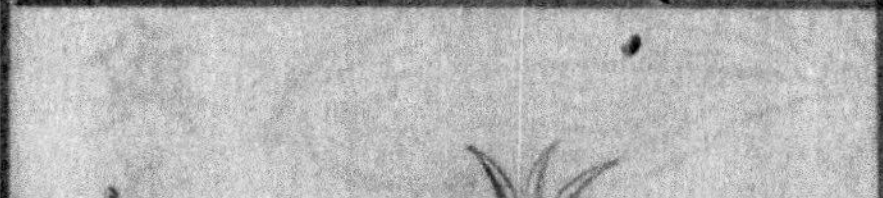
洪州黄精
同上

## 滁州萎蕤

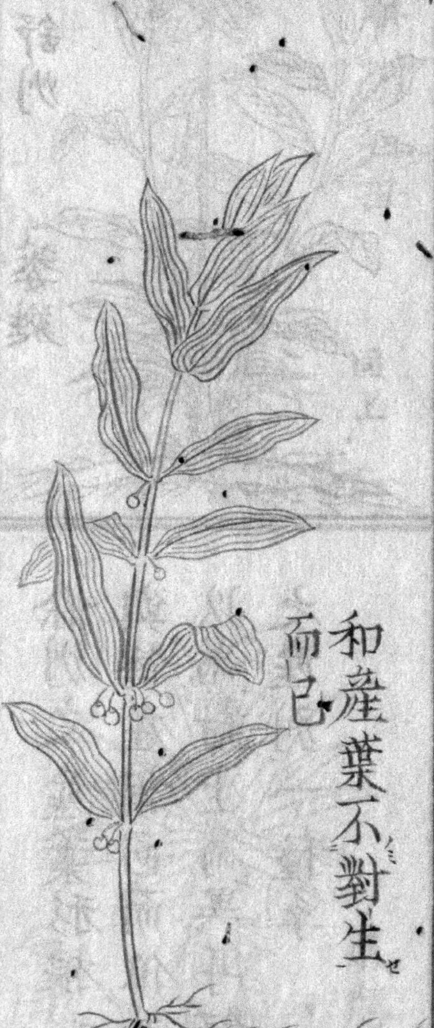

和産葉不對生而已

備急本草所載之黄精總十種滁州解州相州之産並正精也永康軍之産與和産同一也出于奥之南部者草狀根形肥大也

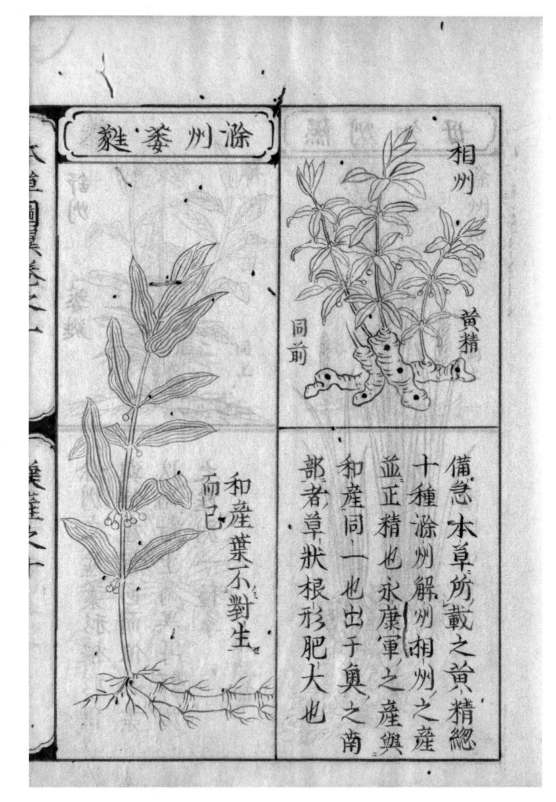

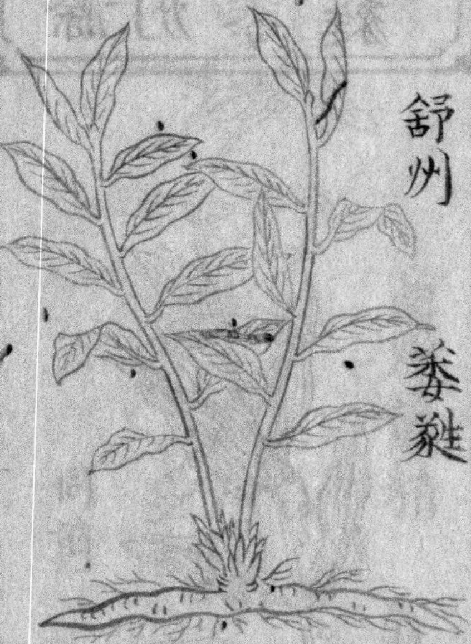


滁州之產葉形根形俱與倭產相同而但其葉以爲對生爲異耳舒州之產別一種乎

隰州知母

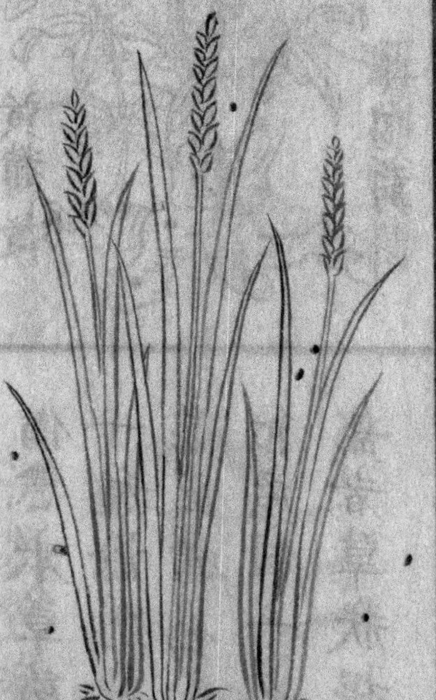

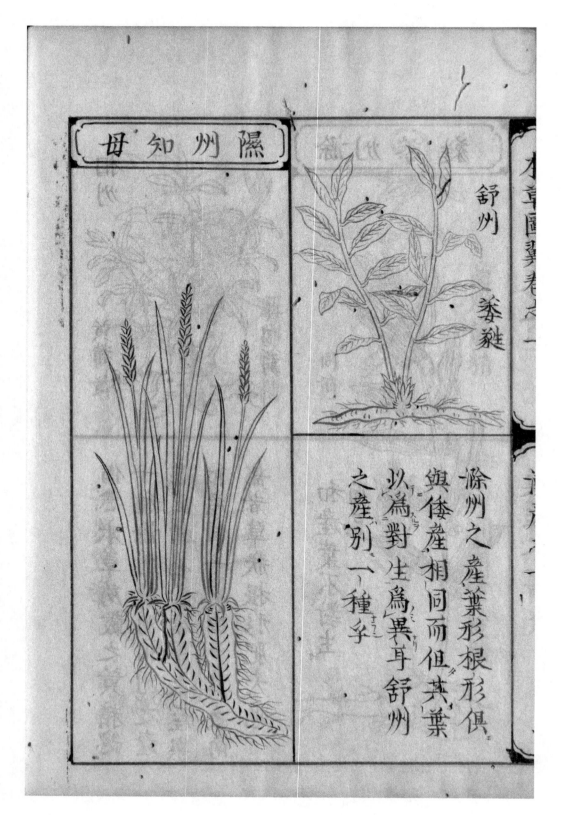

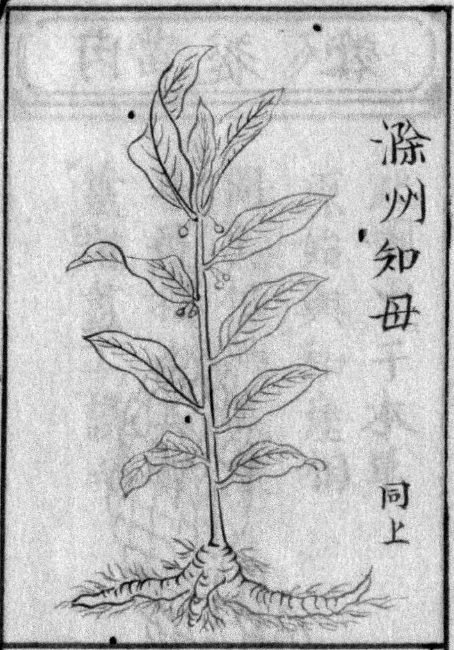
滁州知母
同上

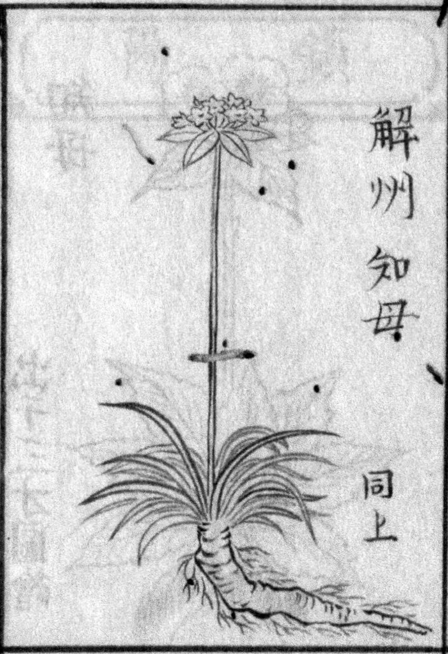
解州知母
同上

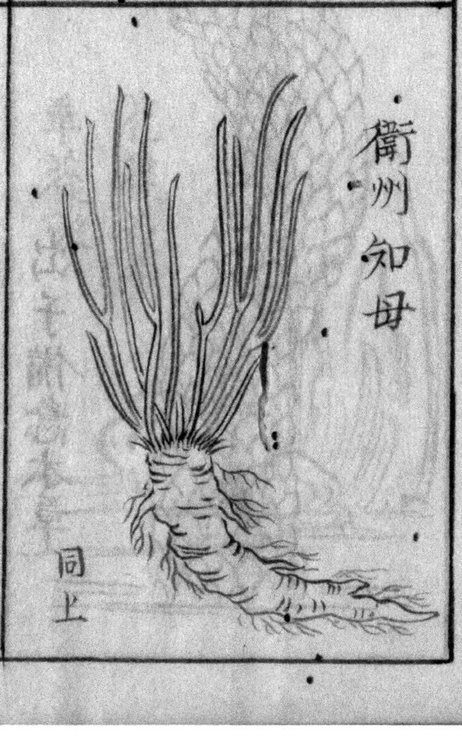
衞州知母
同上

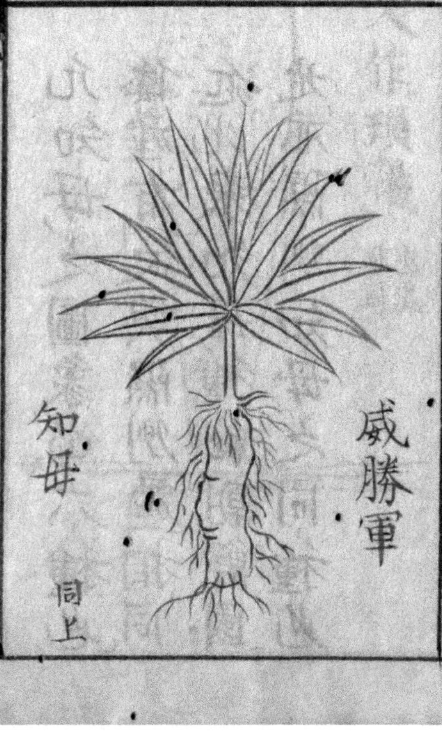
威勝軍
知母
同上

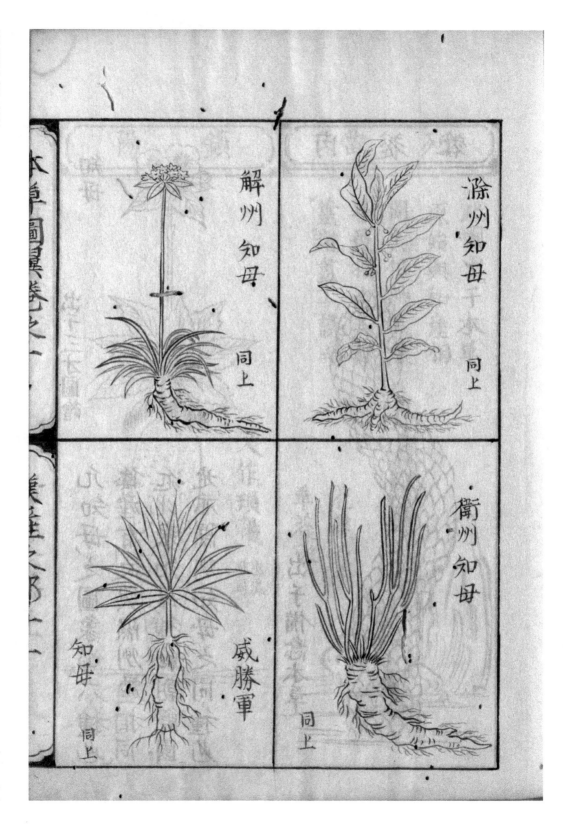

知母

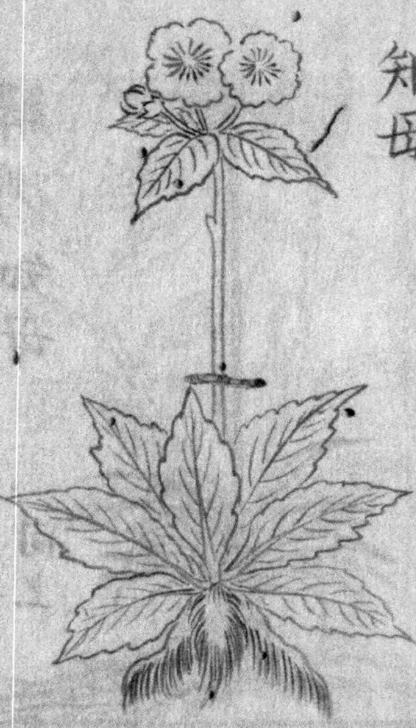

出于三才圖繪

凡知母之圖象出六種也
倭産有之與隰州産相同
近比来知母種於朝鮮國
是亦隰州知母之同種也

肉蓯蓉

出于備急本草

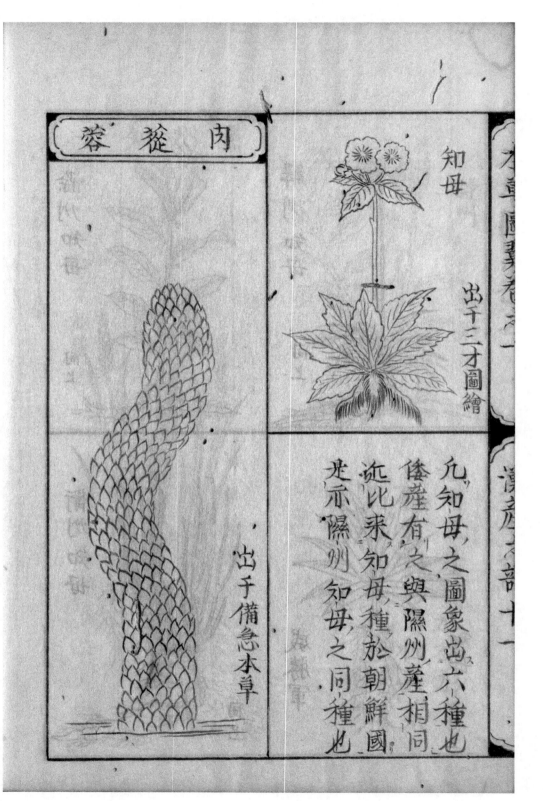

## 列當

此圖出于本草原始與和産相同矣但無其葉耳愚按是其無葉者畫工誤乎

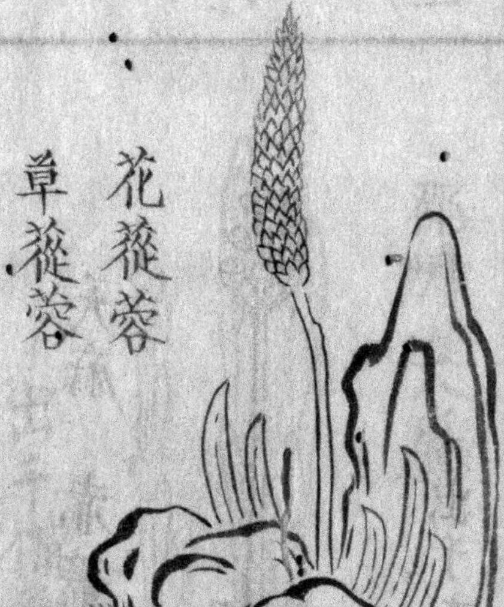


## 鎖陽

又作瑣陽 出處同前

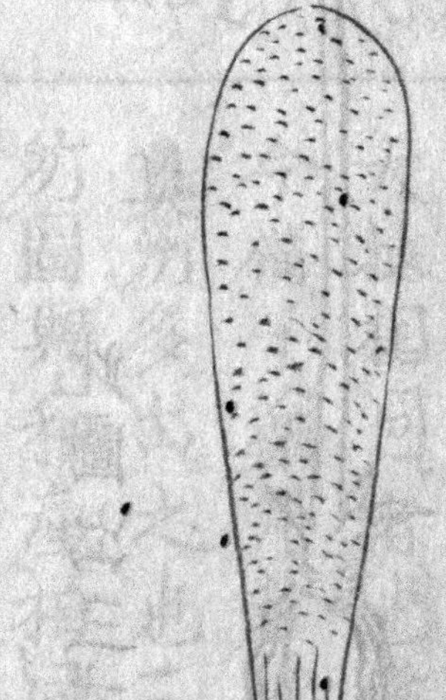

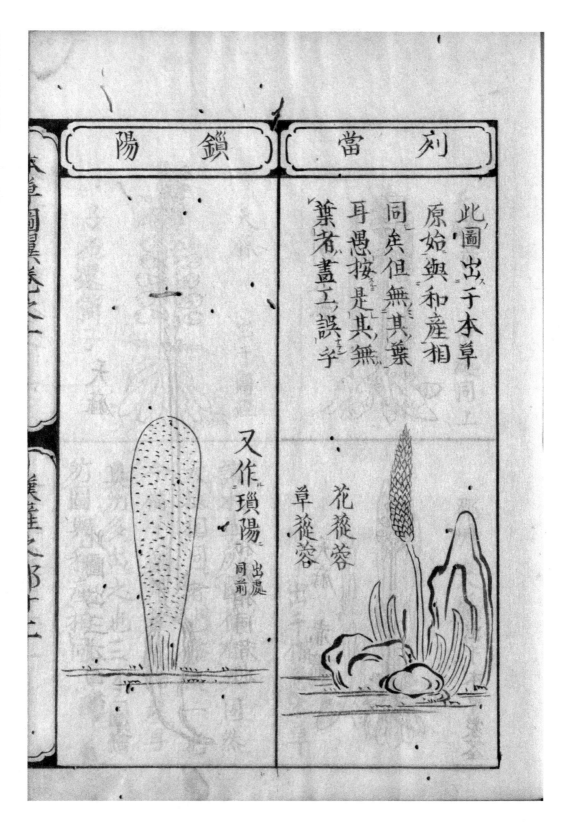

天麻

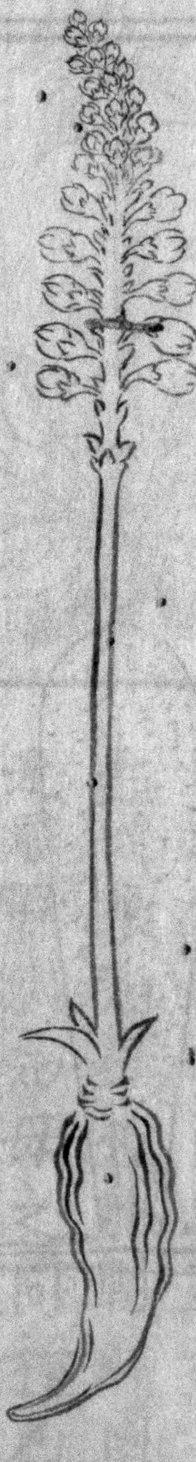

此圖出三才圖繪

和産相同者也

兗州天麻

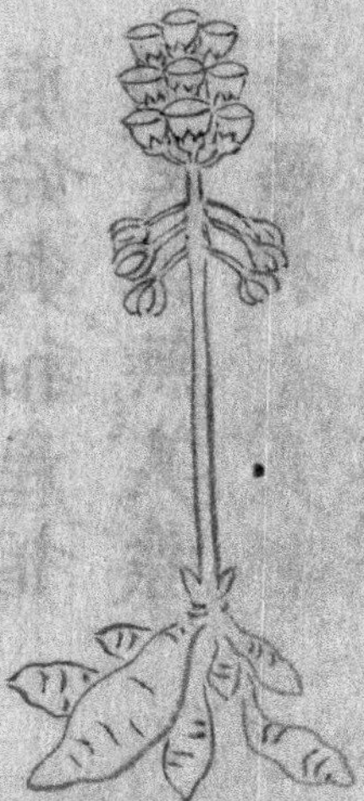

赤箭

天麻 赤箭

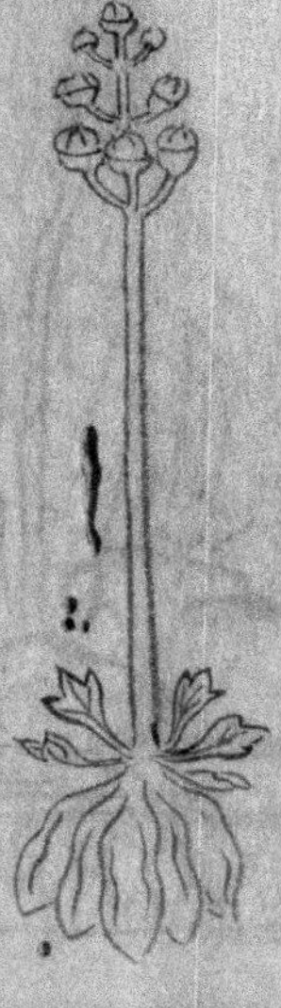

出于本草蒙筌

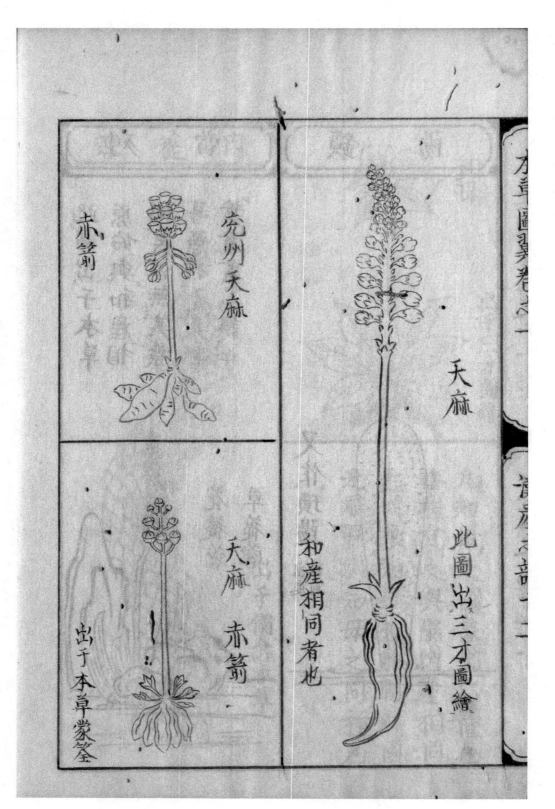

天麻

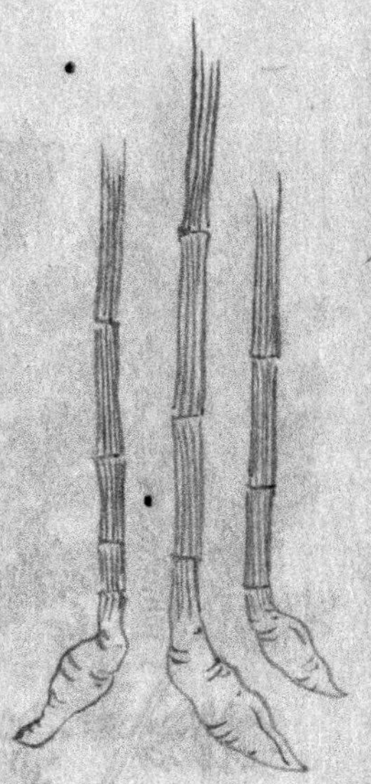

出處同上

天麻

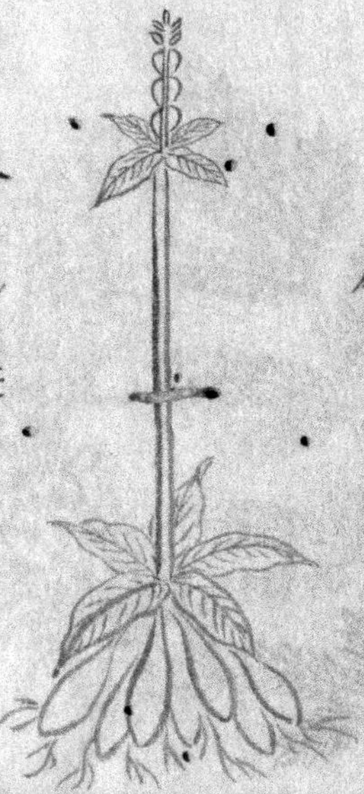

出于圖經

子名還筒子

邵州天麻

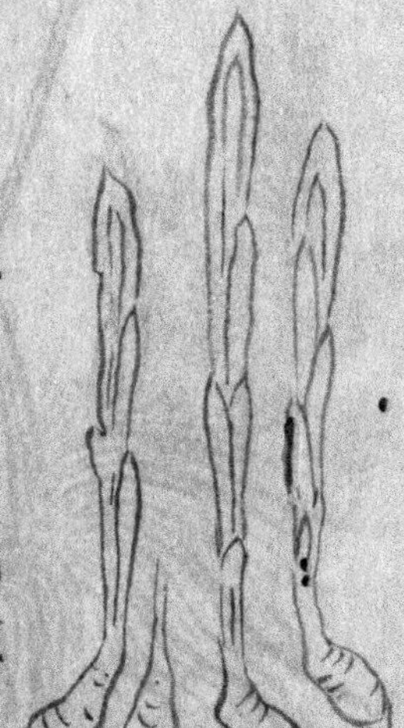

出于備急本草

諸本草所圖微有異同然
太抵相同者也倭漢一也
今備于藥用者皆和產耳
奥州多出之也三才圖繪
所圖與和產相同

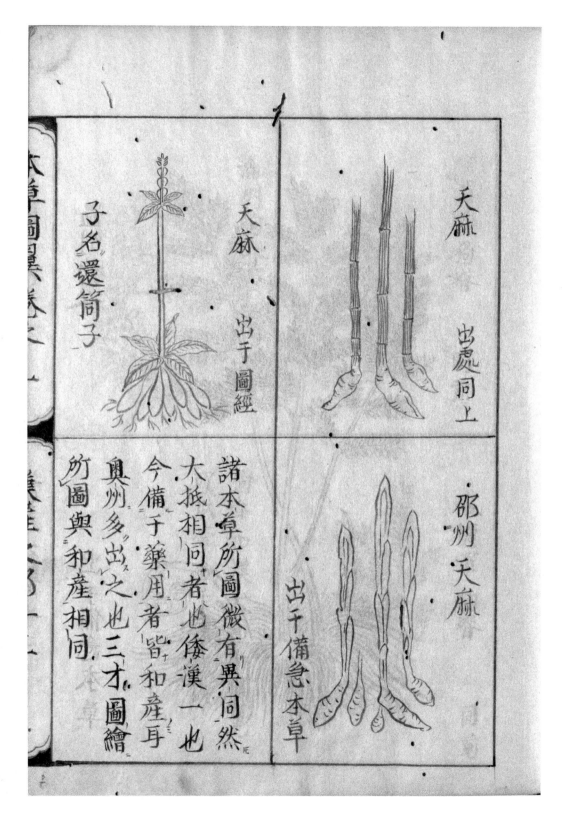

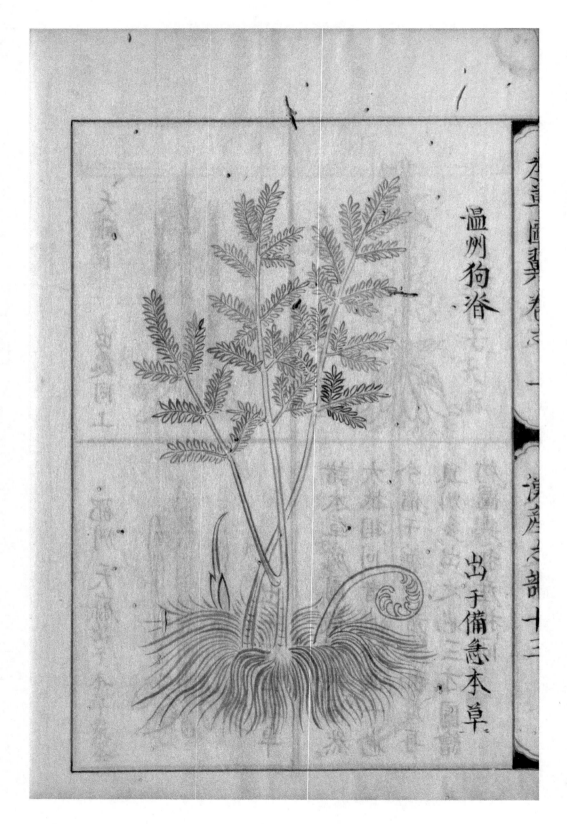

温州狗脊

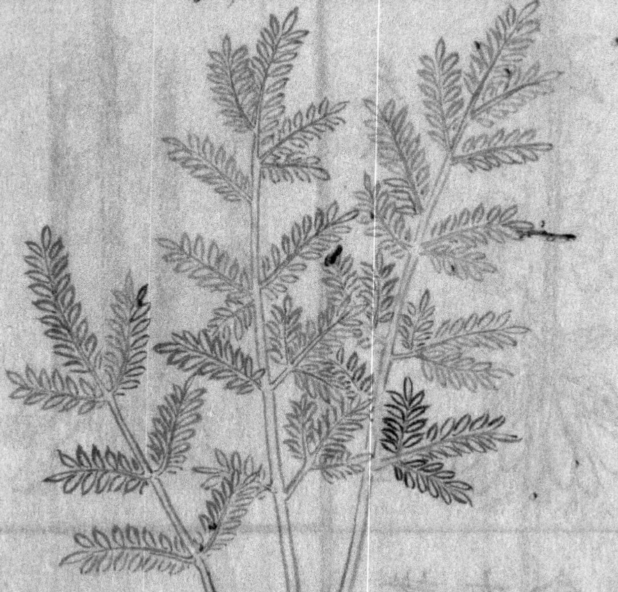

出于備急本草

眉州狗脊

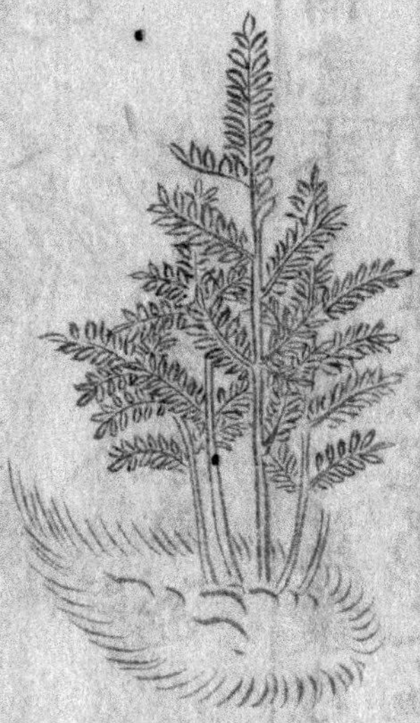

同前

淄州狗脊

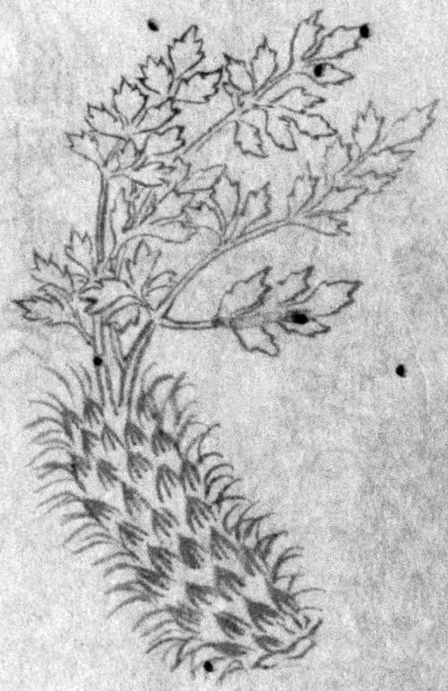

同前

成德軍狗脊

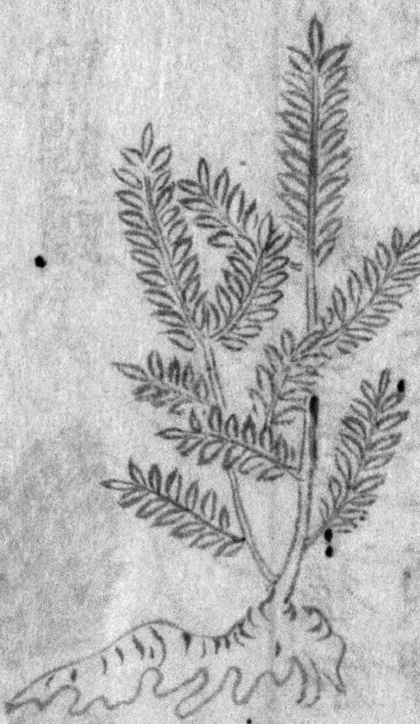

同前

狗脊和漢大同小異也
可以牽合于倭産矣

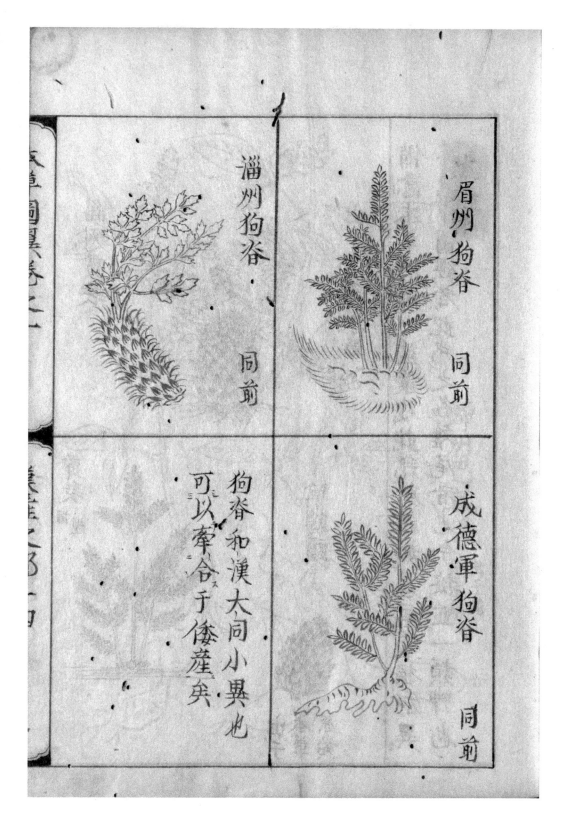

淄州貫衆

出于備急本草

貫衆 圖經

草鴟頭

出于本草原始

備急本草所圖之莖葉乃此邦所謂如鳳尾草根形異耳出于圖經者此邦之名雉尾者也今按並一類艸也

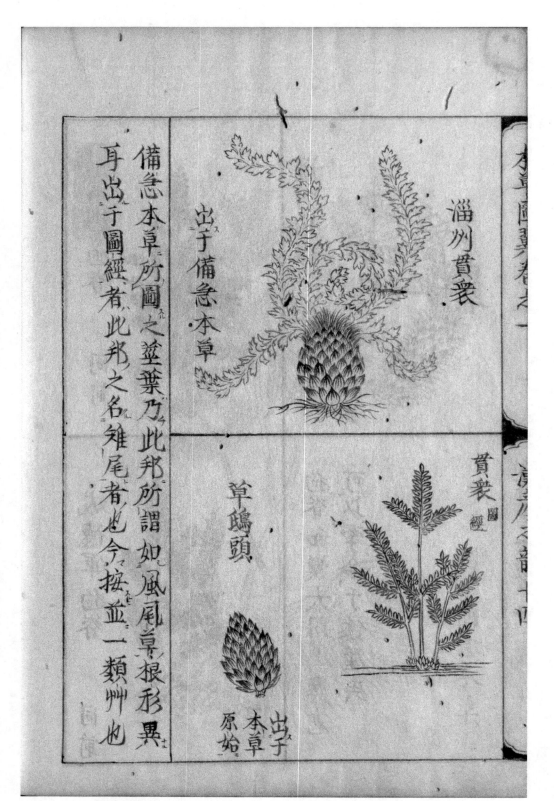

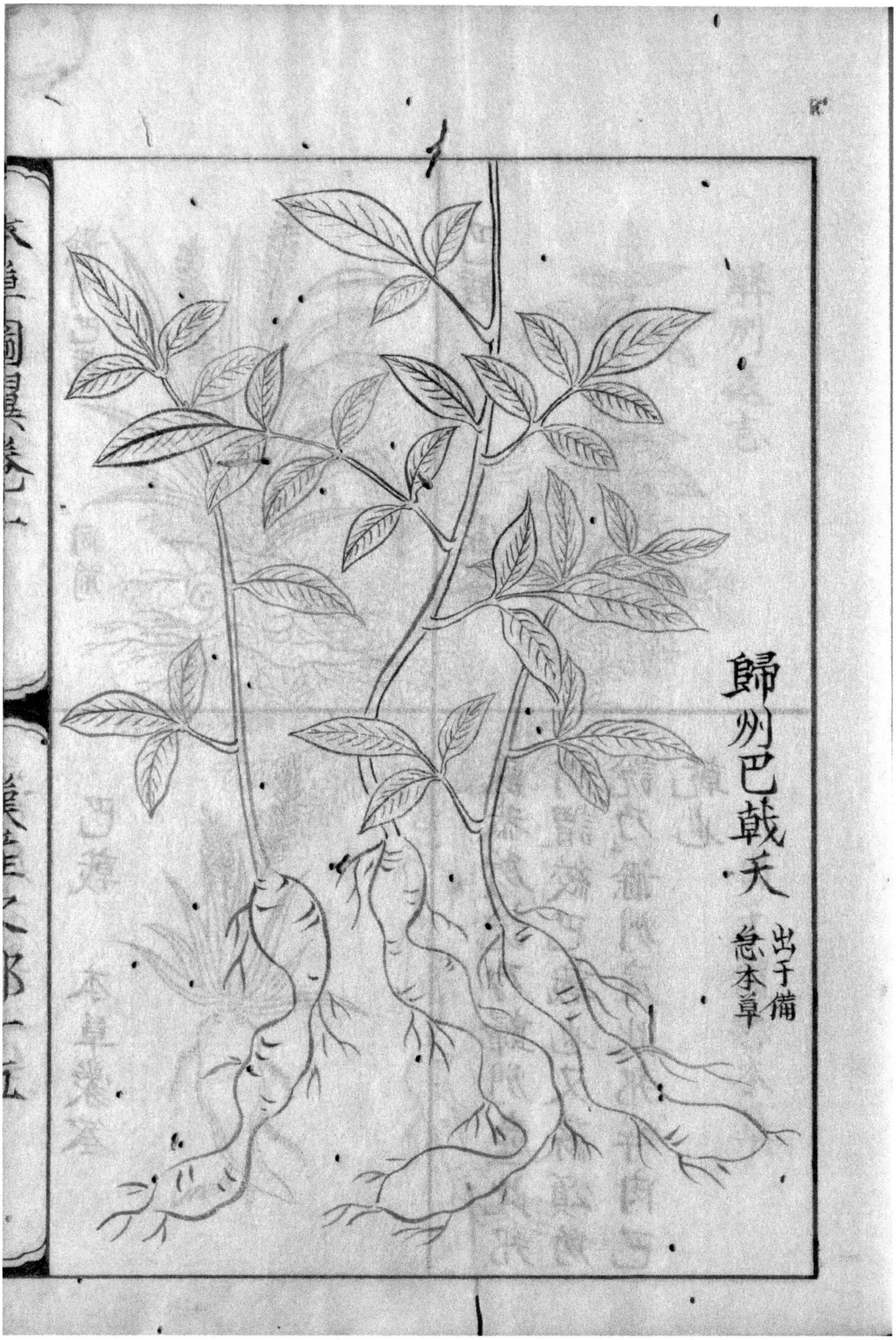
歸州巴戟天
出于備急本草

滁州巴戟

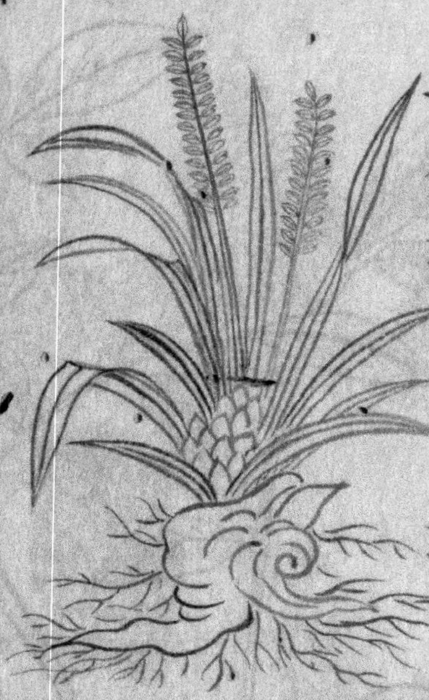

同前

巴戟

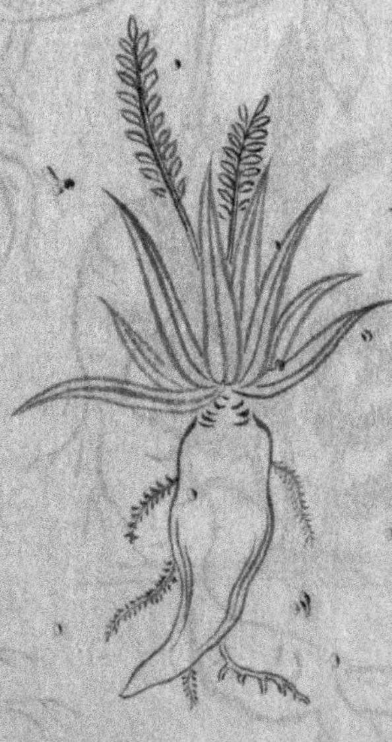

本草蒙筌

巴戟

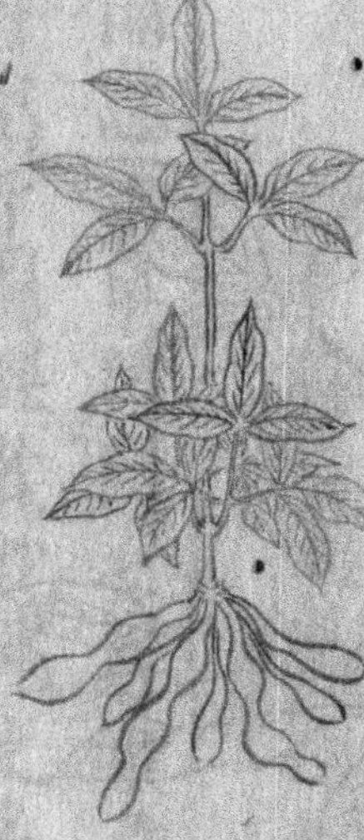

蒙筌

蘇恭所說乃歸州産此邦所謂綏巴戟也又蘇頌所說乃滁州産此邦呼肉巴戟也

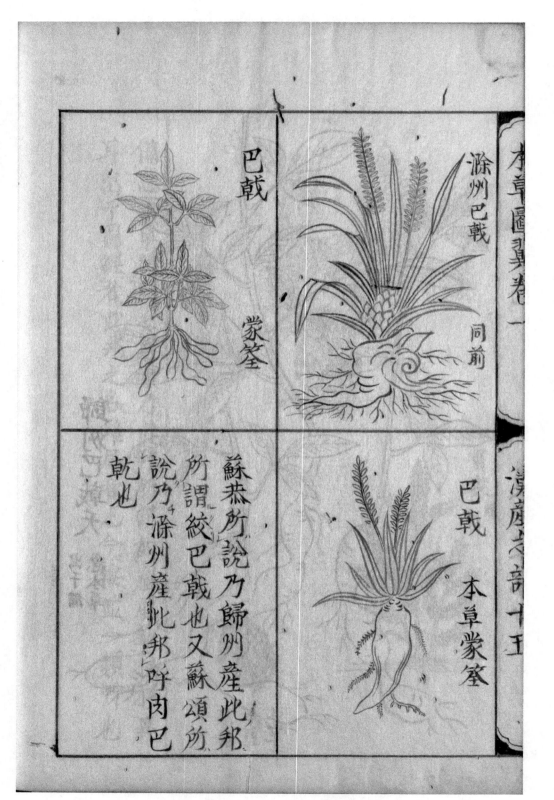

解州遠志

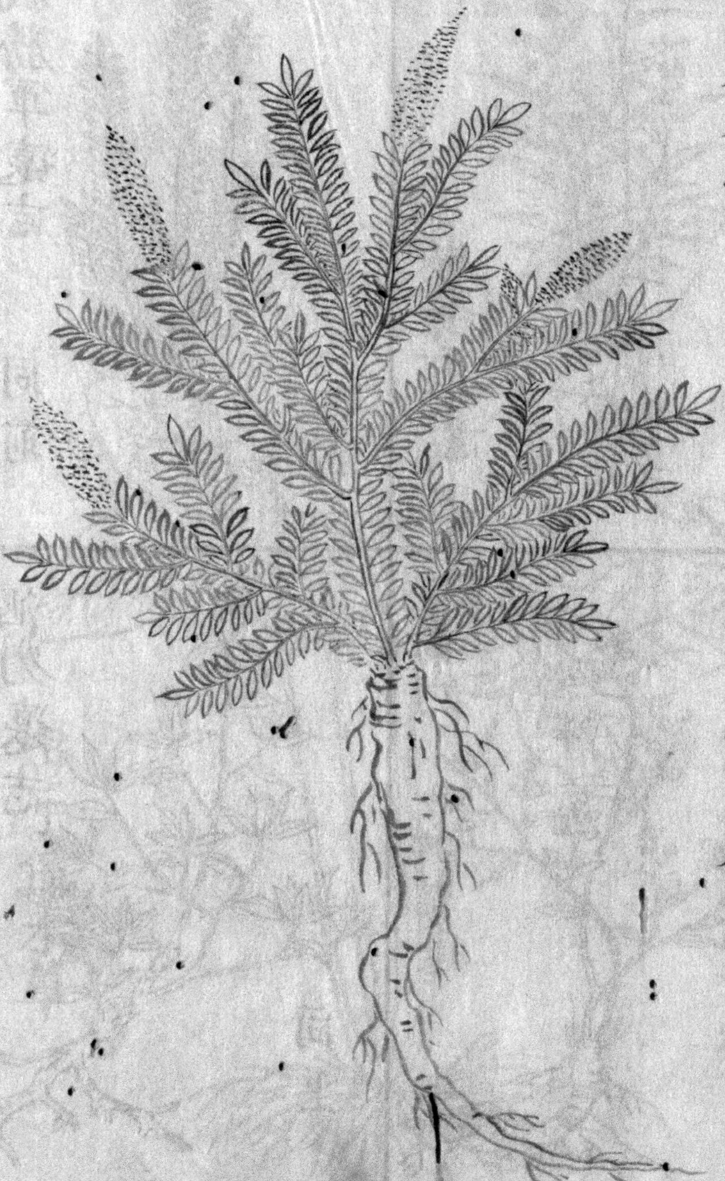

出于備急本草

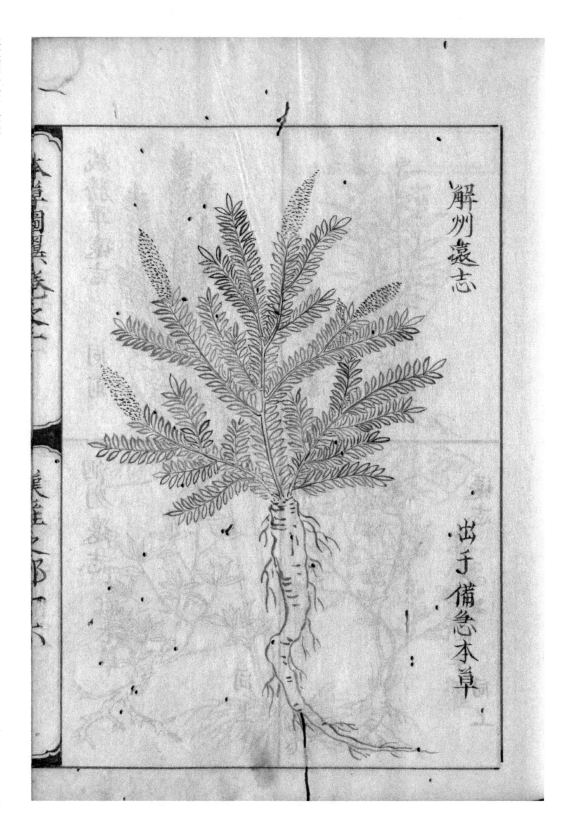

威勝軍遠志

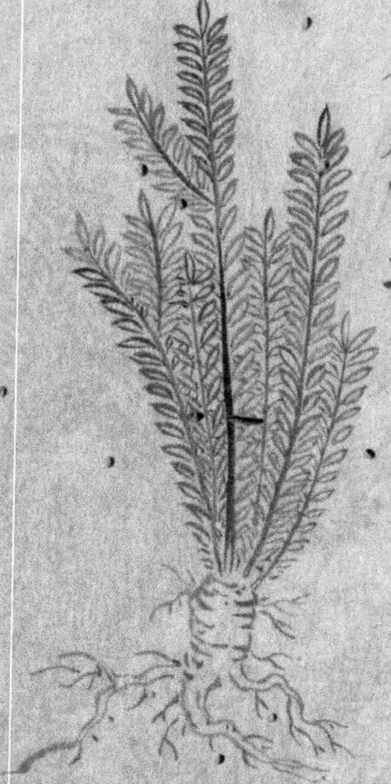

同前

齊州遠志

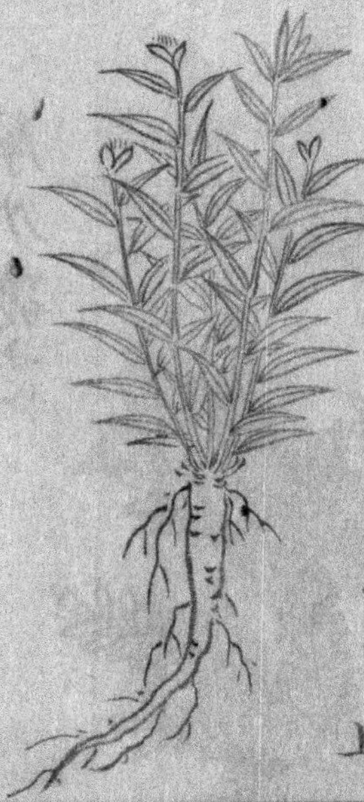

同上

泗州遠志

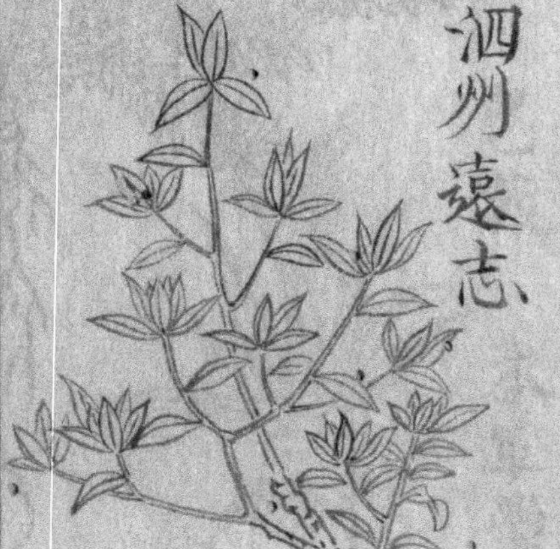

同上

商州遠志

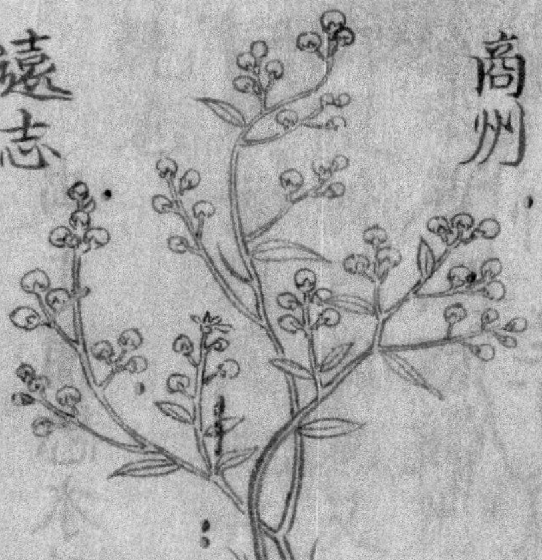

同上

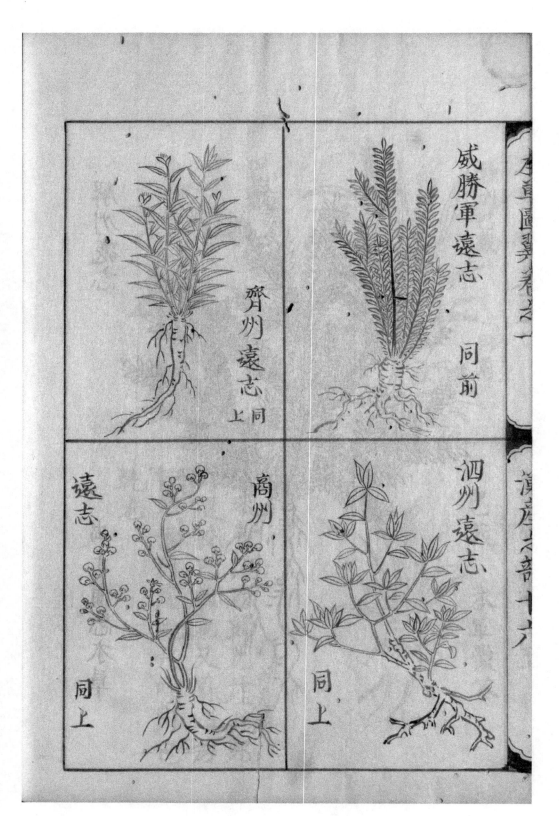

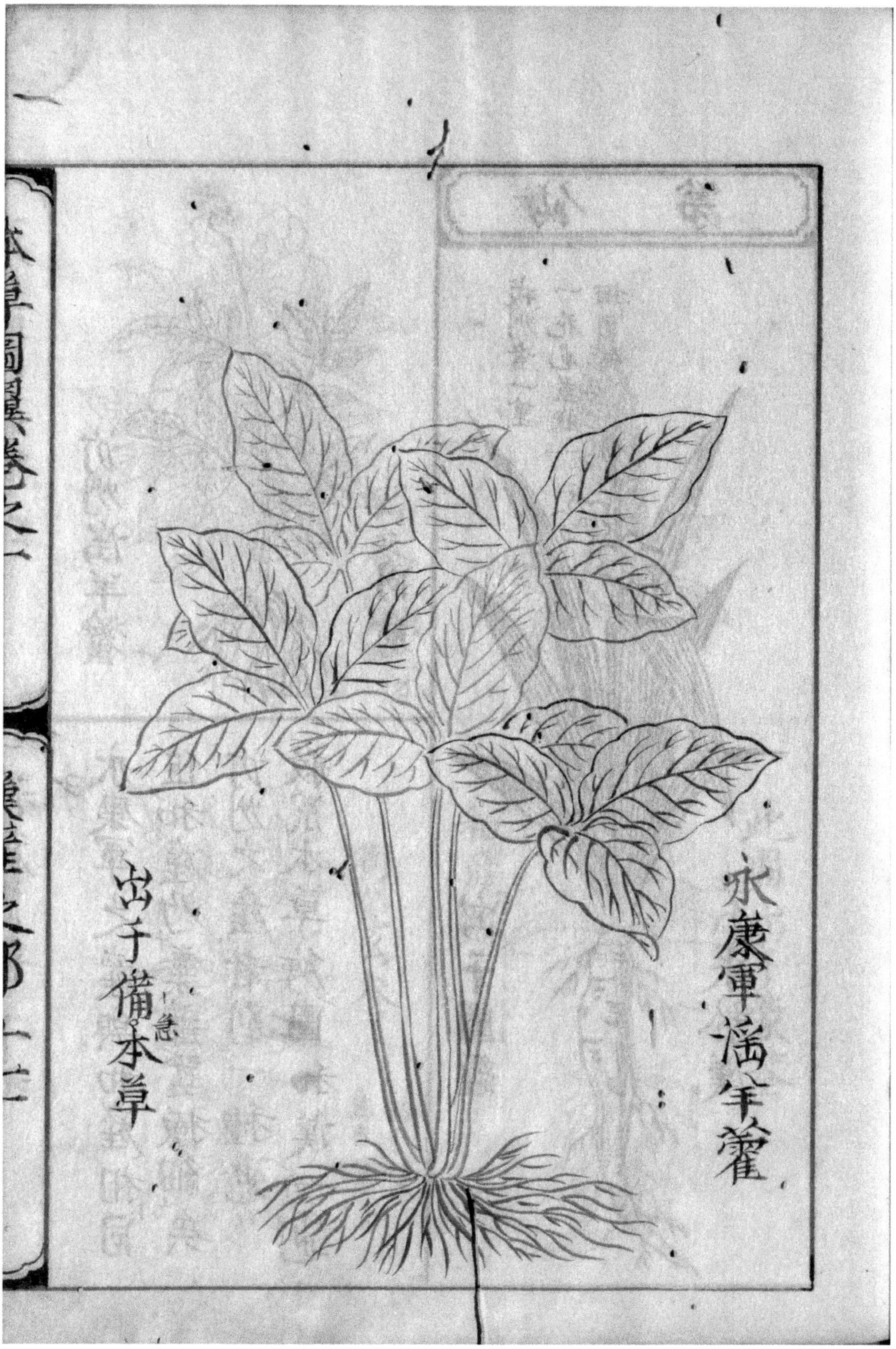
本草圖翼卷之二
隰草部 十二
永康軍滛羊藿
出千備急本草

## 沂州淫羊藿

同前

永康軍之產與和產相同
但和產乃葉薄莖擬細矣
沂州之產者別一種也
救荒本草所圖和漢一也

## 仙茅

戎州者一莖一花也草狀相同矣

出于圖經

不来於漢

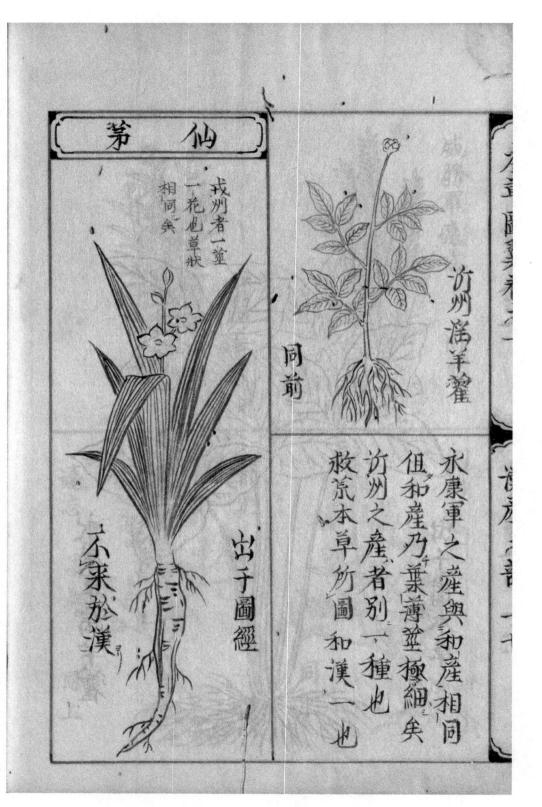

玄　參

玄參　出三才
　　　圖繪

衢州玄參　出于備
　　　　　急本草

和產祇于此

此圖出于蒙荃

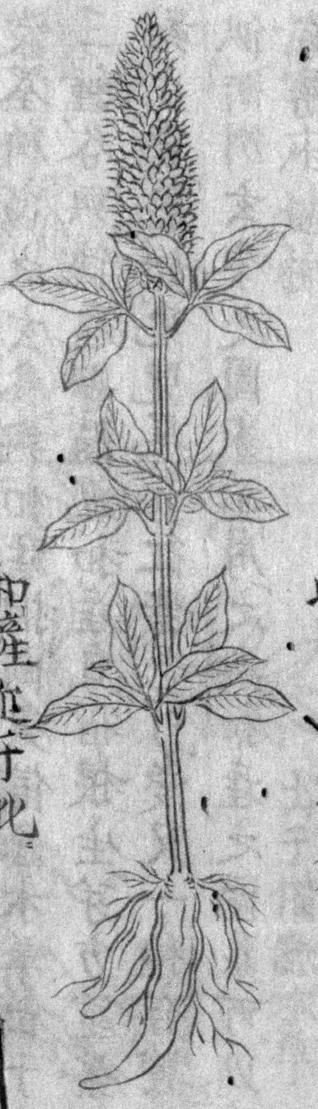

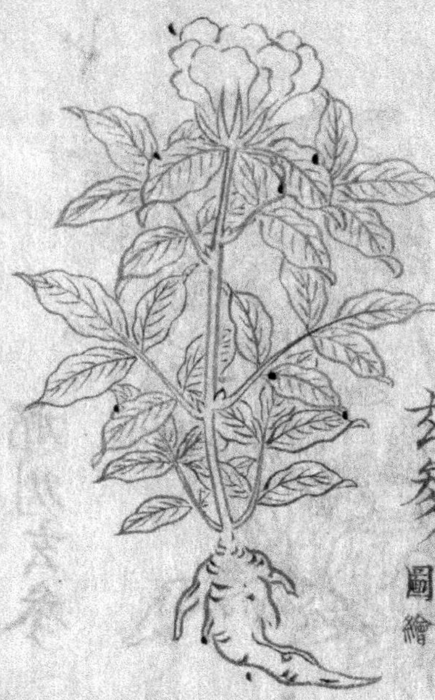

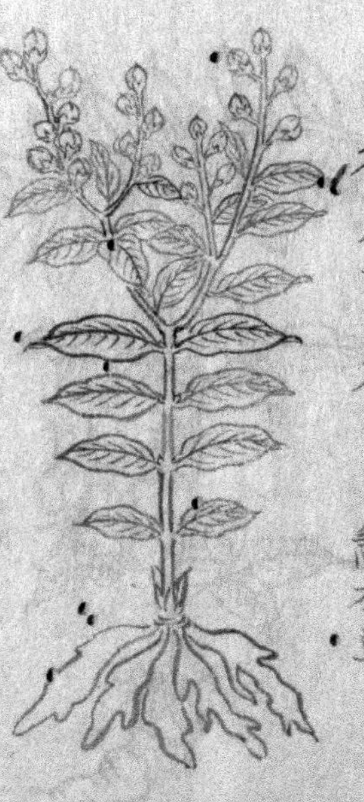

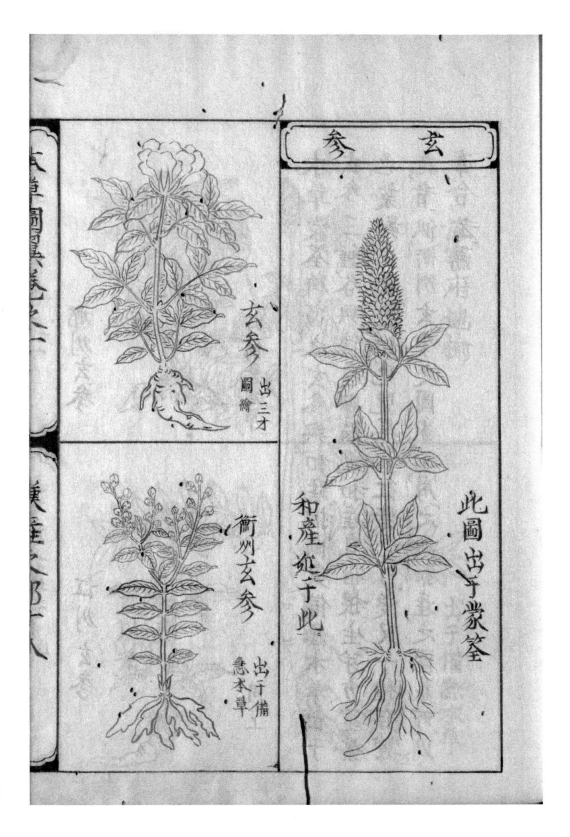

邢州玄参

出備急本草

江州玄参

同上

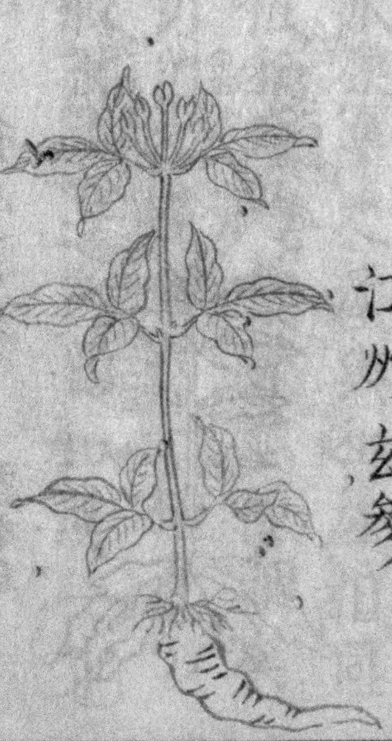

本草蒙筌所出之玄参與和産相同矣備急本草出于玄参三種各與倭産懸隔也和産自宿根生芽方莖紫色葉對生發花花如兎兒尾花紅紫色可愛又一種有黄花者似衡州玄参之圖象並用之與和産之圖象可以牽合考焉

本草圖翼卷之一

隰草之部十九

江寧府地榆

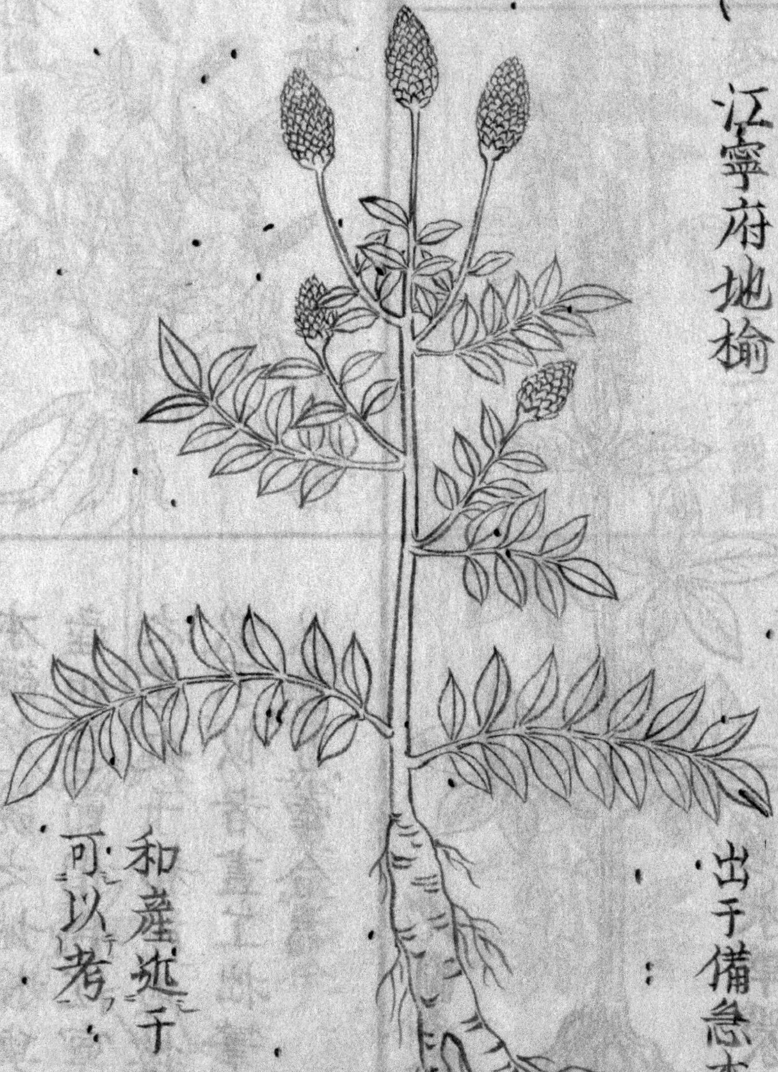

出于備急本草

和產延于此圖
可以考

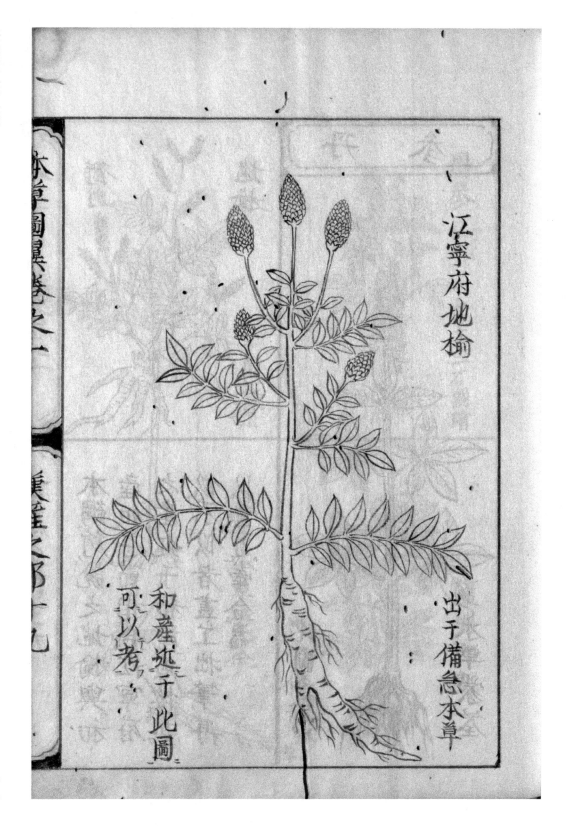

衡州地榆

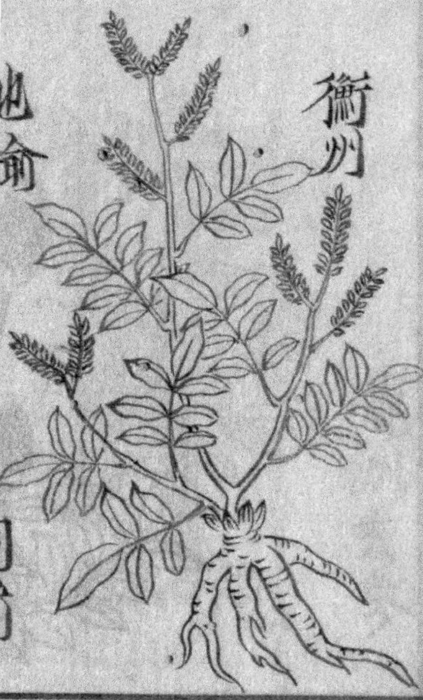

同前

本綱所說之地榆與和産如符節相合江寧府之産近于和産愚按其似不似者畫工拙筆耳以意可牽合焉

丹参

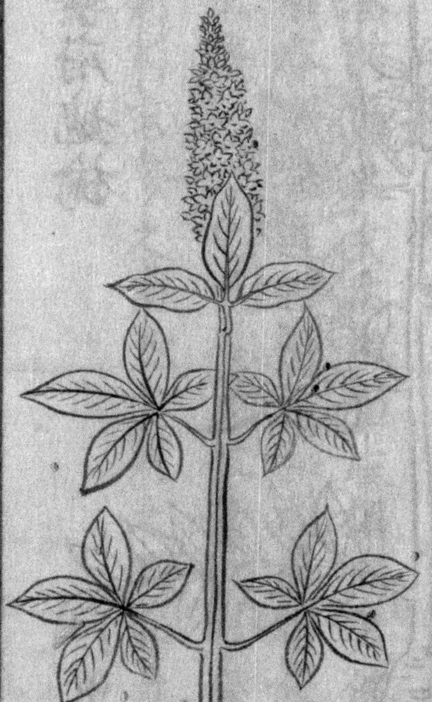

此圖象出本草蒙筌

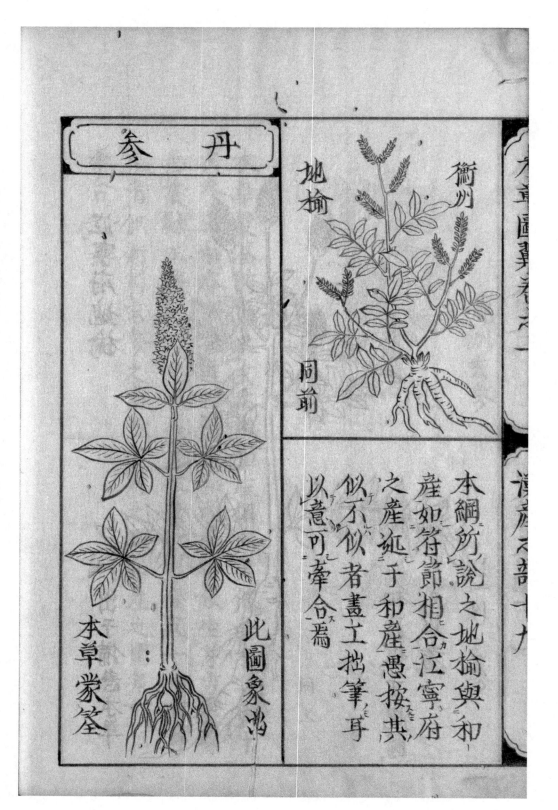

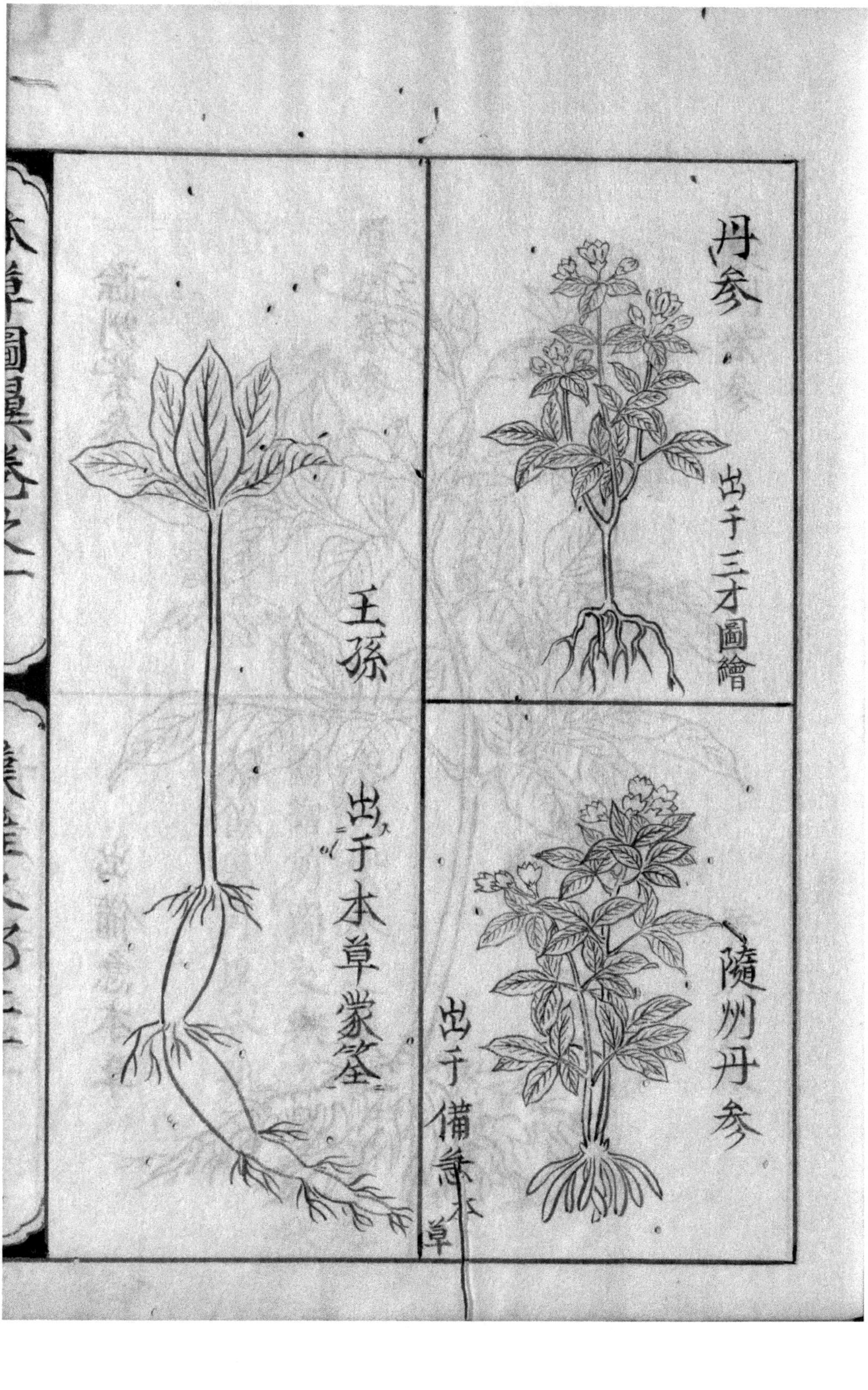
丹参
出于三才圖繪
隨州丹参
出于備急本草
王孫
出于本草蒙筌
本草圖翼卷之一

滁州紫参

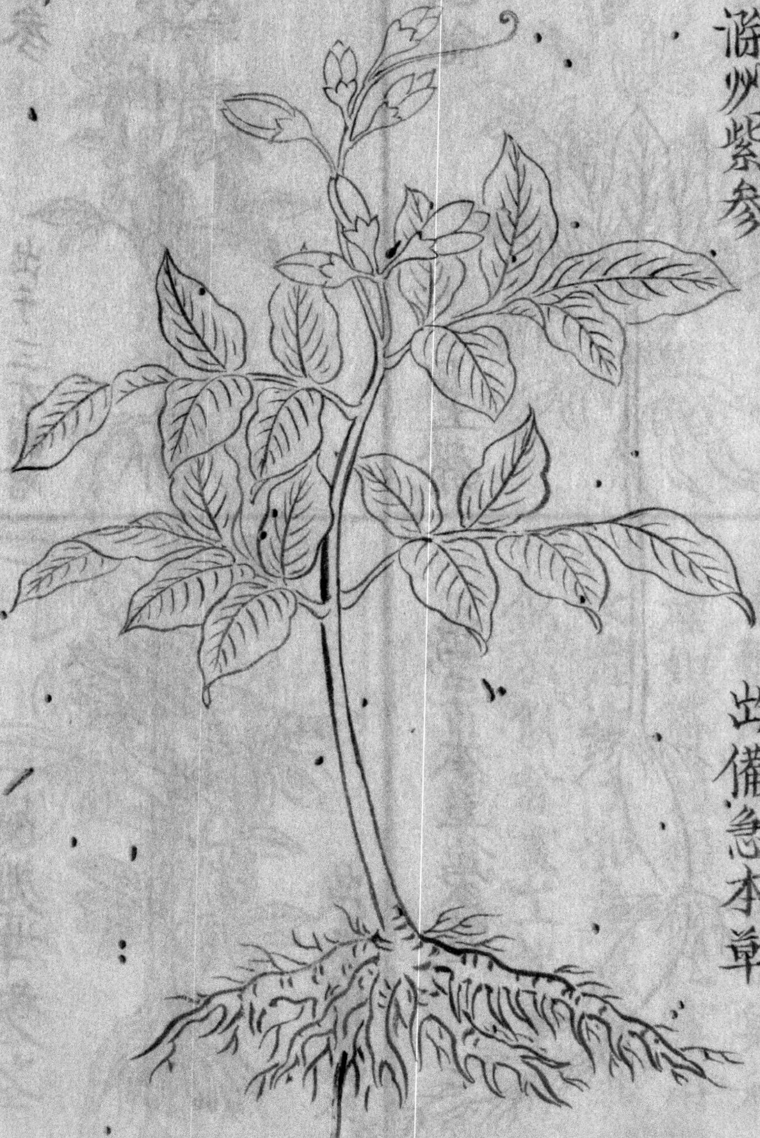

出備急本草

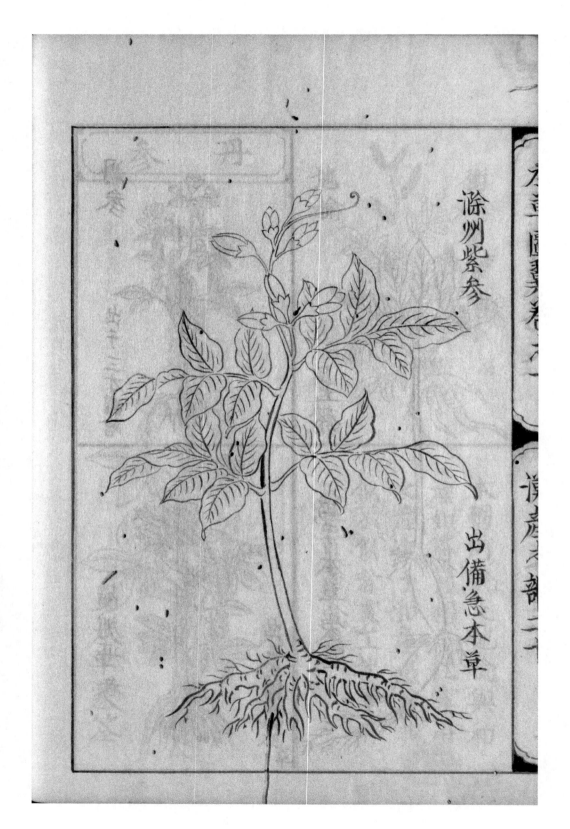

濠州紫参

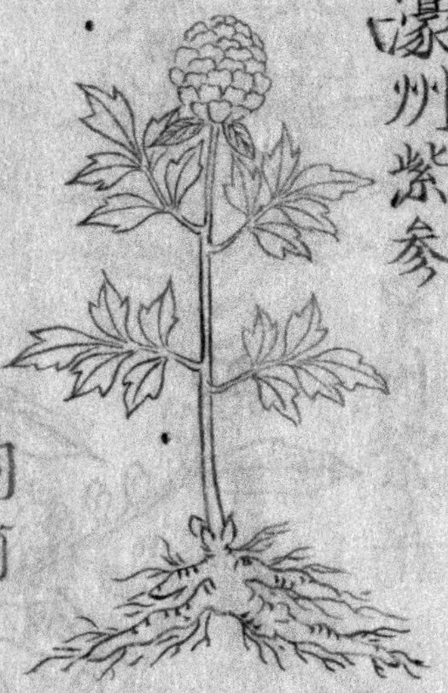

同前

眉州紫参

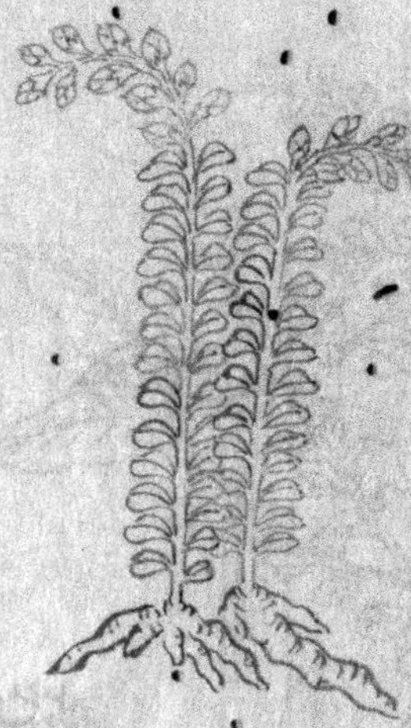

晉州紫参

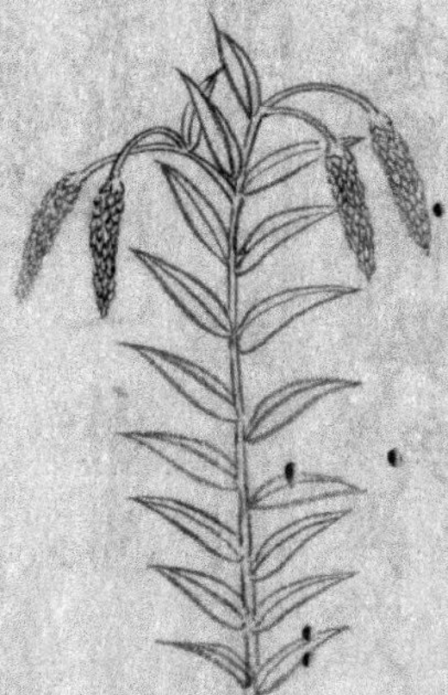

同前

濠州紫参之圖象乃三才圖繪所圖之與玄参形狀相似兵可以分別

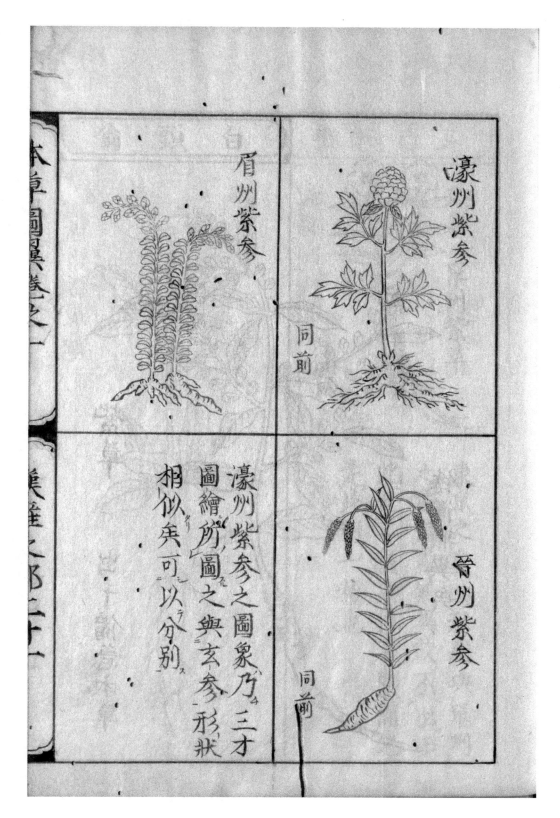

紫草 出于備急本草

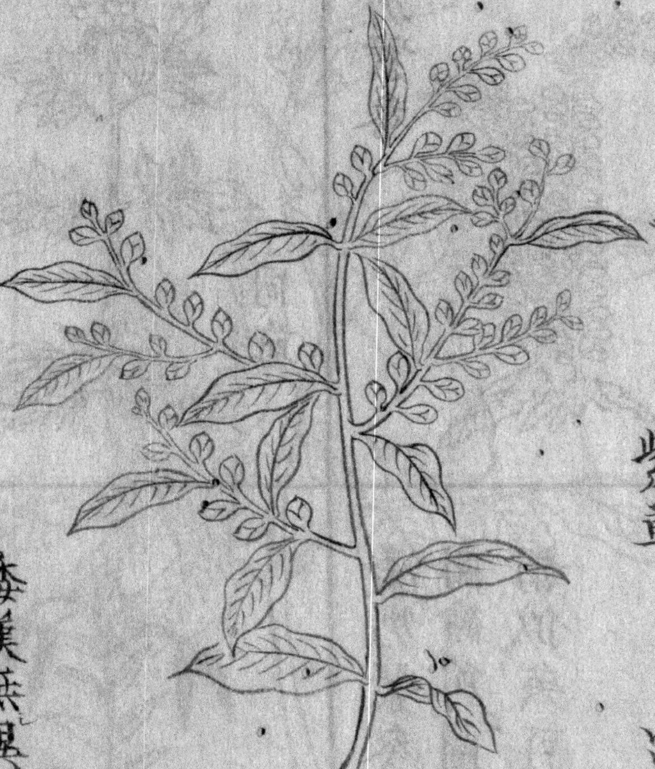

倭漢無異矣

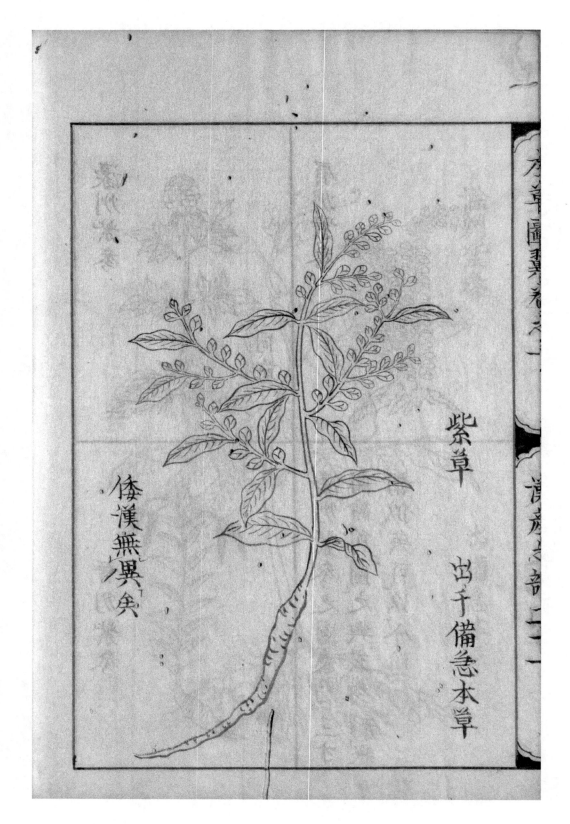

## 白頭翁

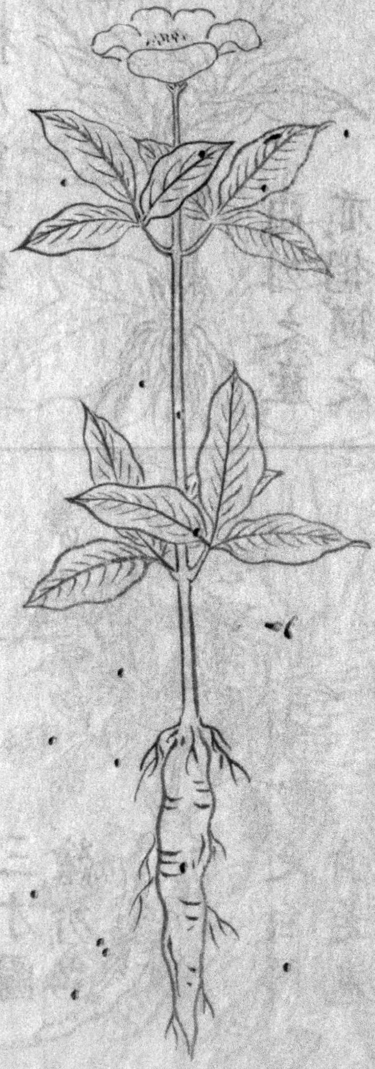

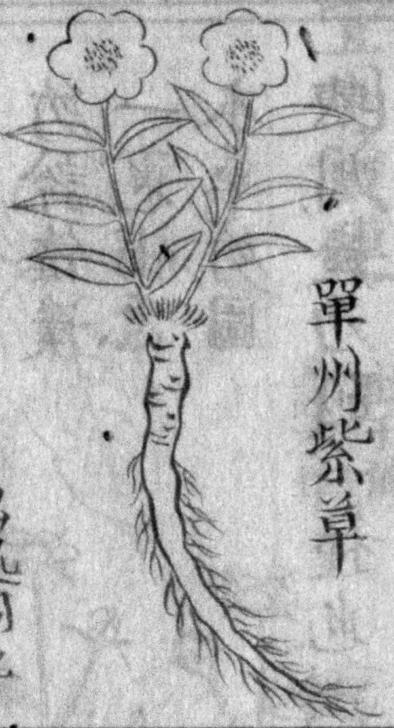

單州紫草

出處同上

東京之産其形狀與單州之産圖象無異故不出于此此二種與倭産懸隔也是此別一種也

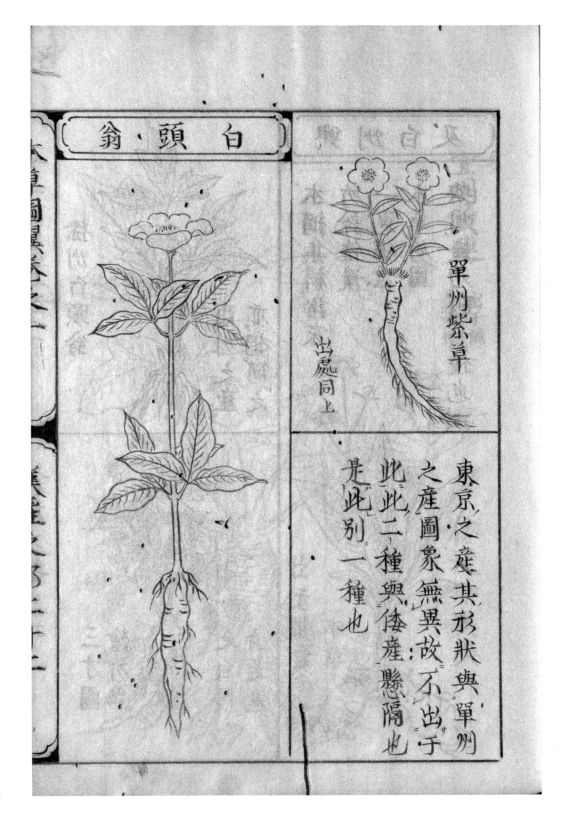

## 白頭翁

徐州白頭翁

商州之產亦相同之

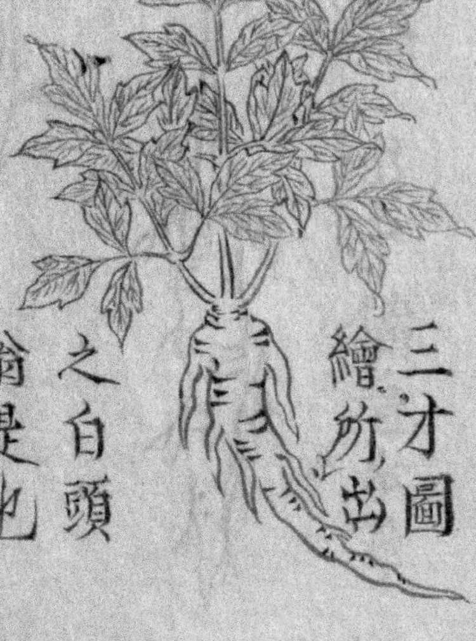

三才圖繪所出之白頭翁是也

## 興州白及

本綱集解諸家所說倭漢一也備急本草所圖興州產乃別一種也

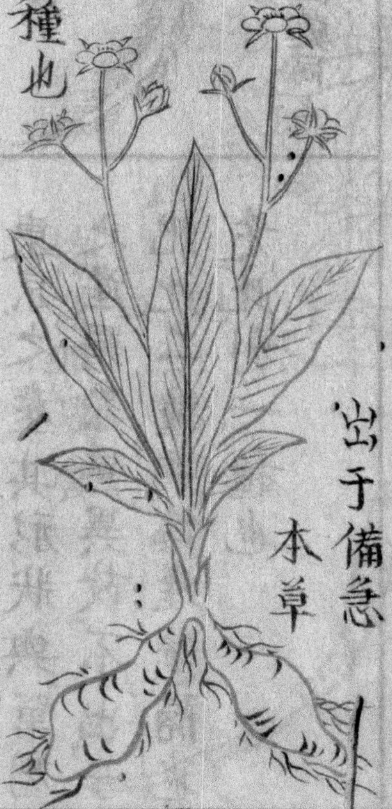

出于備急本草

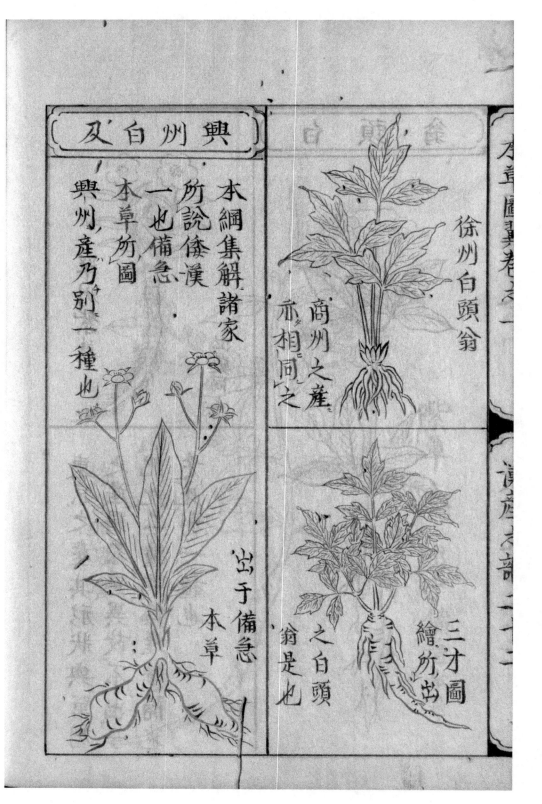

宣州黃連

出于備急本草

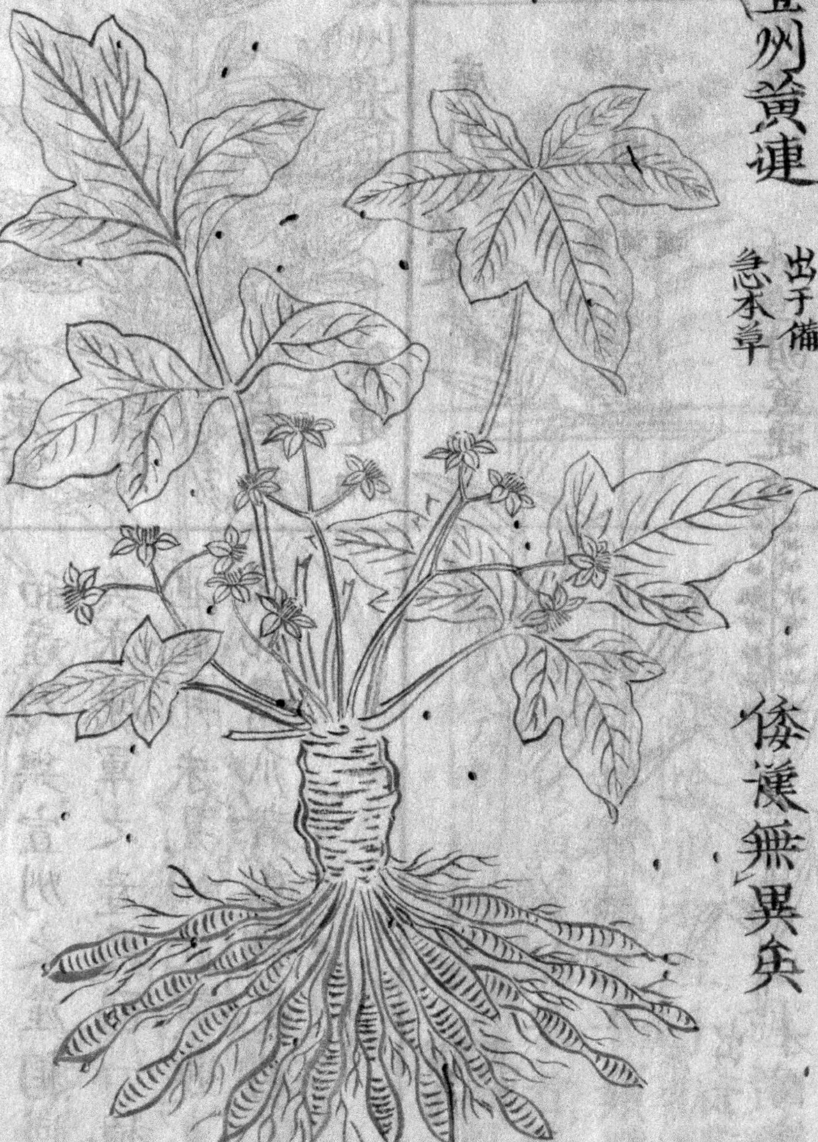

倭漢無異矣

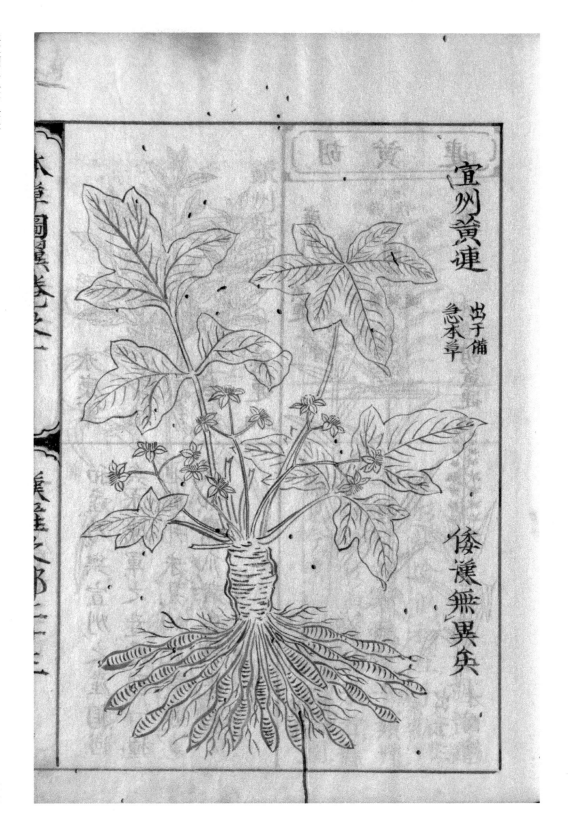

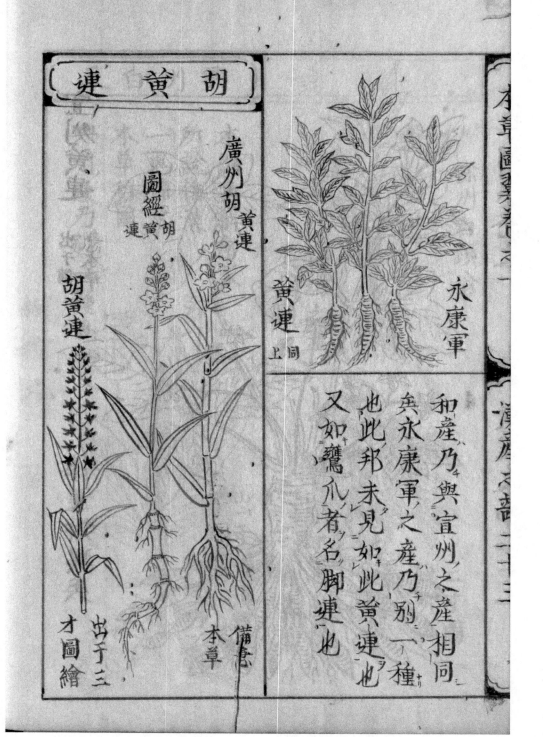

# 胡黄連

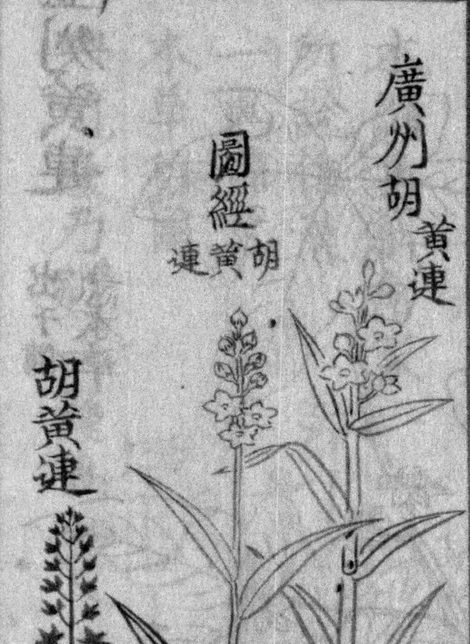


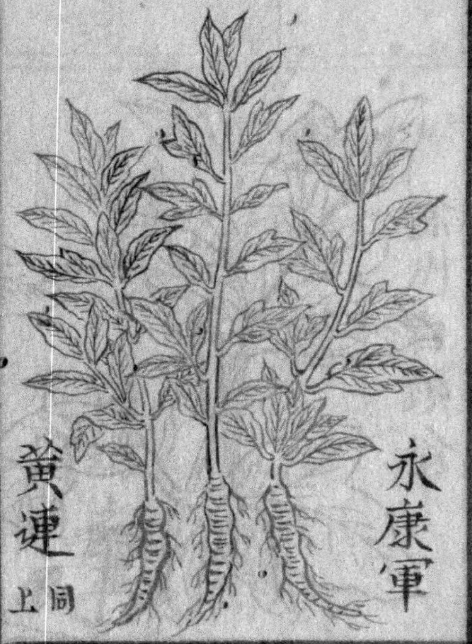


和產乃與宣州之產相同矣永康軍之產乃別一種也此邦未見如此黄連也又如鷹爪者名脚連也

胡黄連

本草　蒙筌

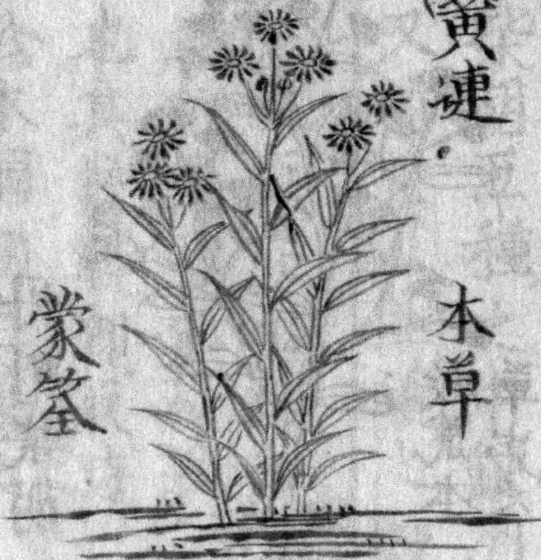

本草蒙筌所圖之胡黄連之形狀恰似和産千振艸千振示胡黄連之一類艸乎但根形與従舶来者懸隔也今来者如圖經之圖

銀州柴胡

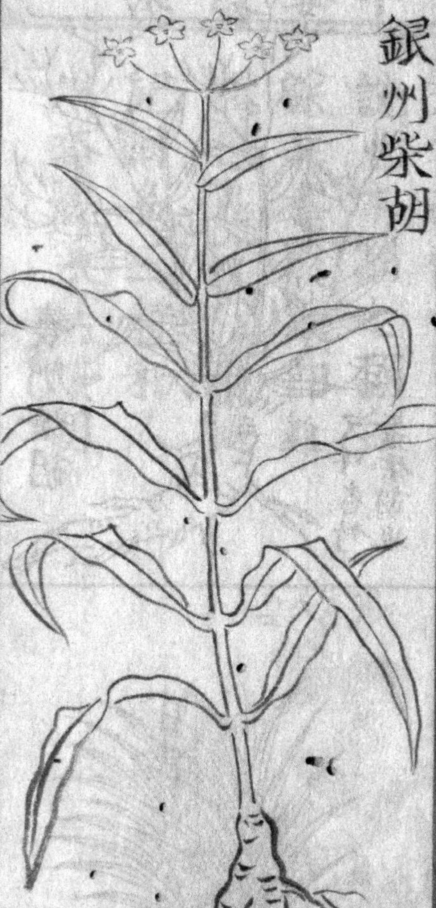

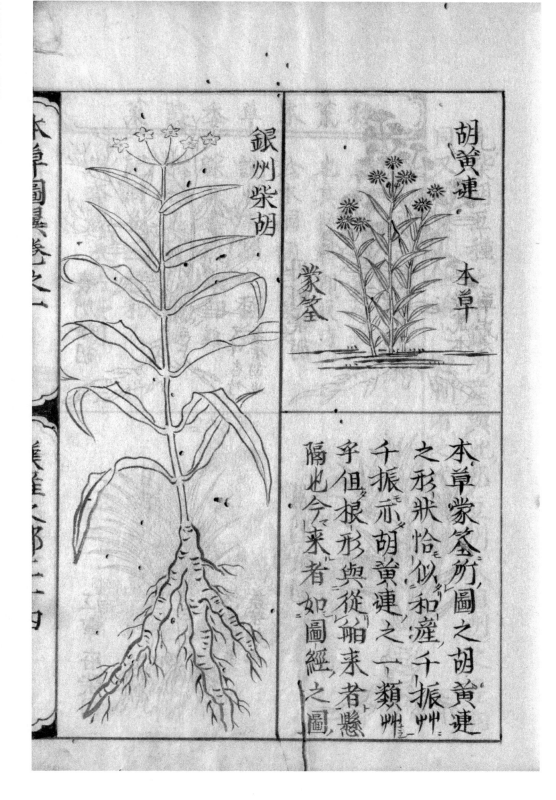

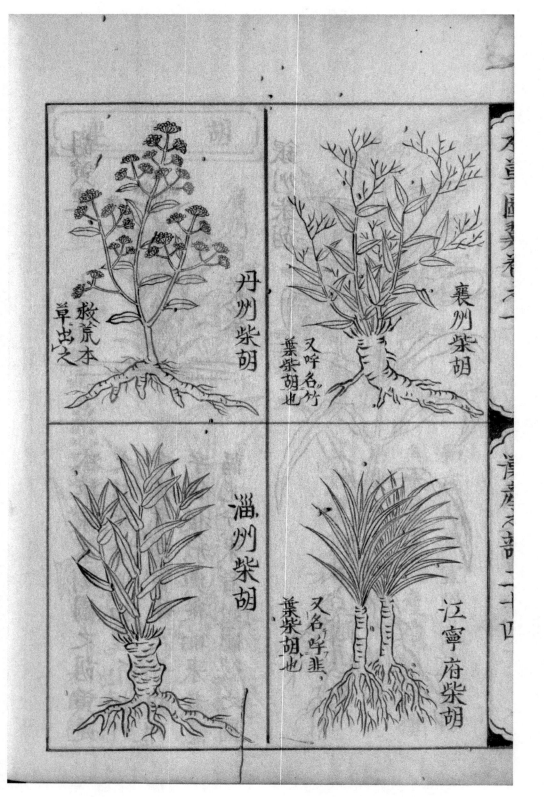

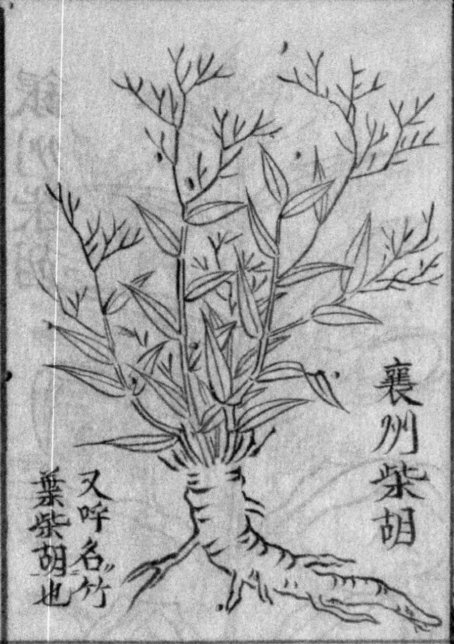
襄州柴胡
又呼名竹葉柴胡也

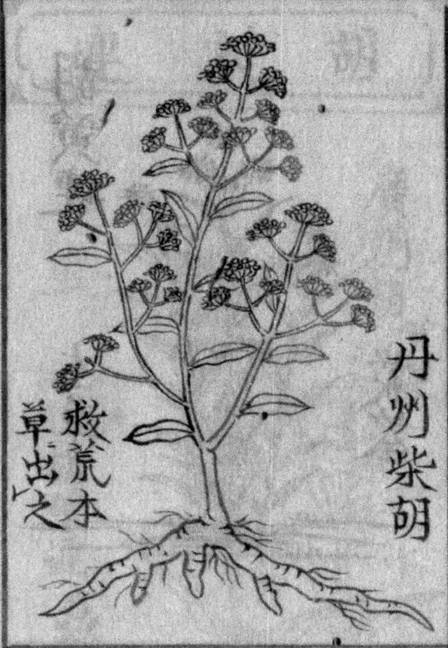
丹州柴胡
救荒本草出之

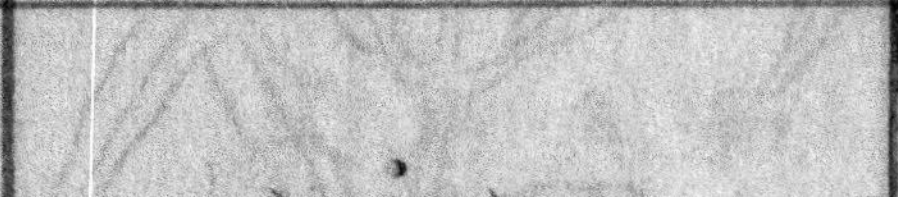
江寧府柴胡
又名韭葉柴胡也

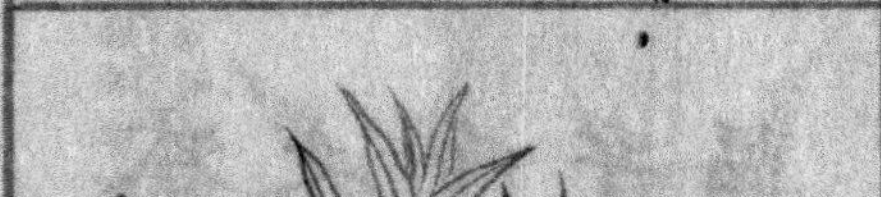
淄州柴胡

凡柴胡五種之中銀州産與此邦豆州及相州之産相同又竹葉及韭葉之種間有之尤稀也



## 救荒本草委陵菜

本草原始出翻白草所圖乃委陵菜也其説解即取時珍本綱翻白菜之説也本綱之翻白菜非委陵菜即雞腿根也又有雞腿兒同名三種和人以委陵菜爲柴胡

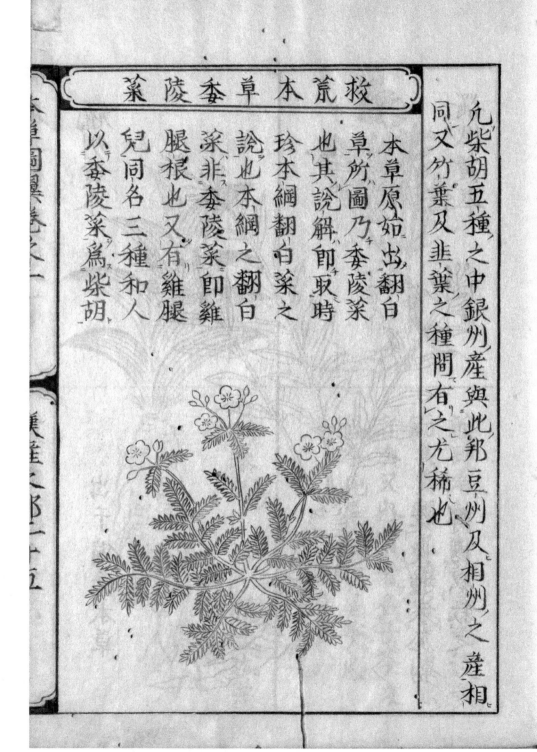

本草圖彙卷之一

漢産六部二十五

耀州黄芩

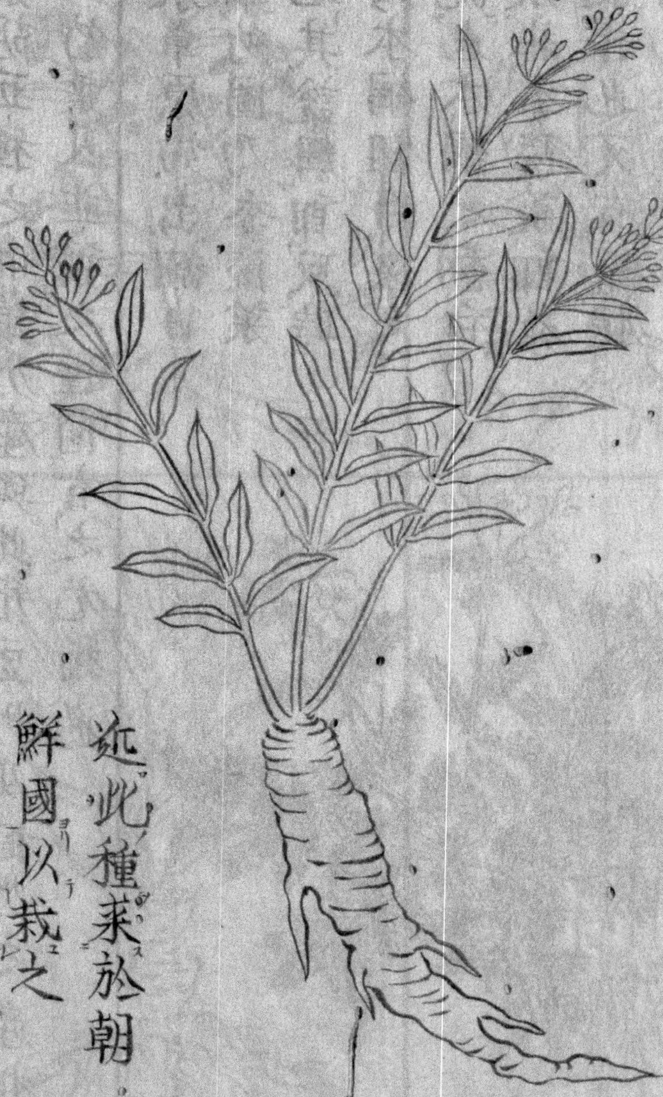

出于備急本草

近此種來於朝鮮國以栽之

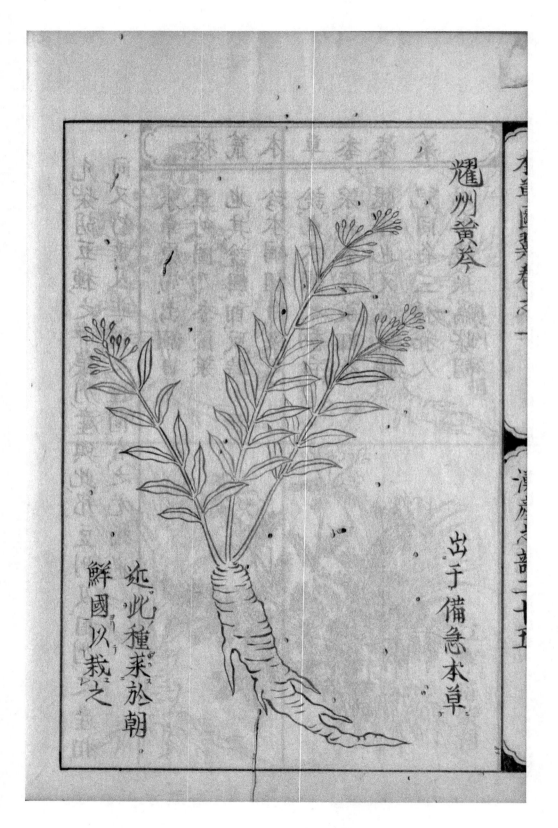

潞州黄芩

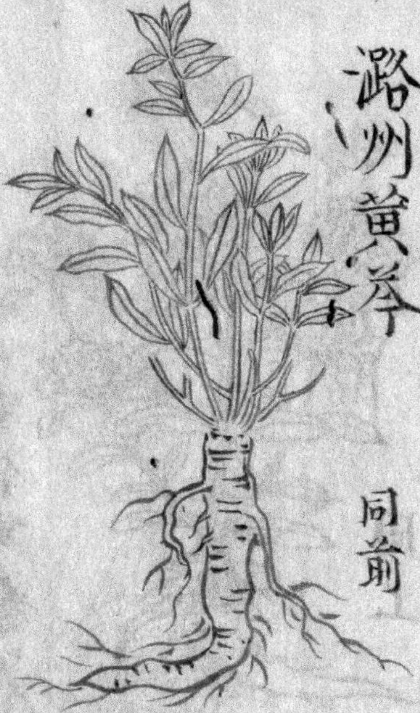

同前

蘂肆有朝鮮黄芩色淡黄而其質輕虛力劣于東京者矣又內實者名子芩及條芩㹠尾芩鼠尾芩也

石州秦艽

出于備急本草

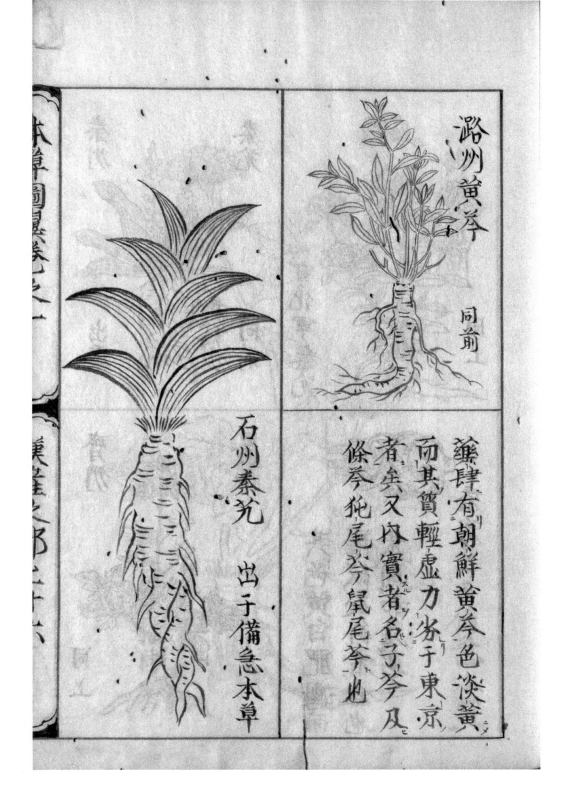

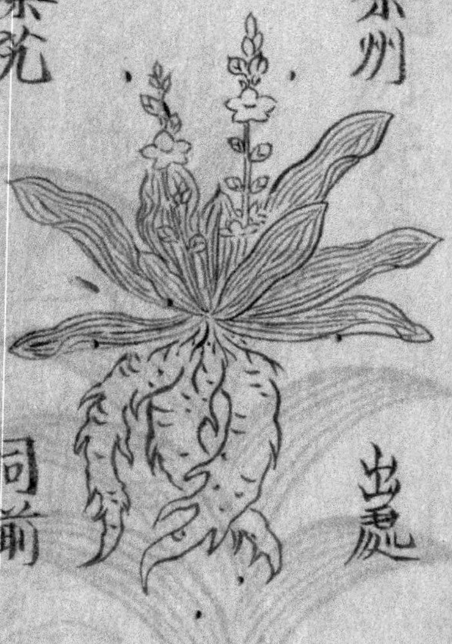

秦州秦艽

出處同前

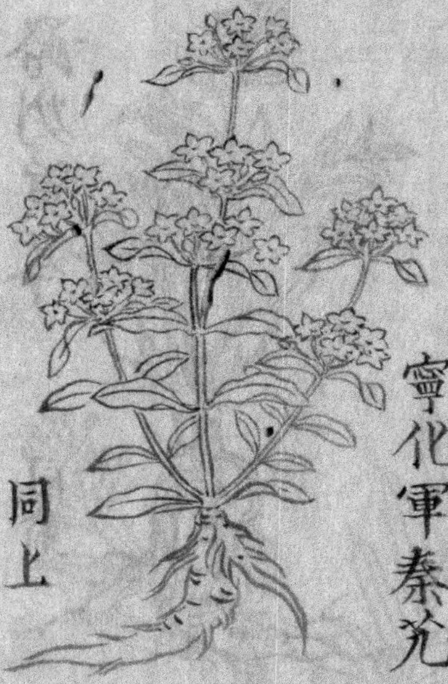

寧化軍秦艽

同上

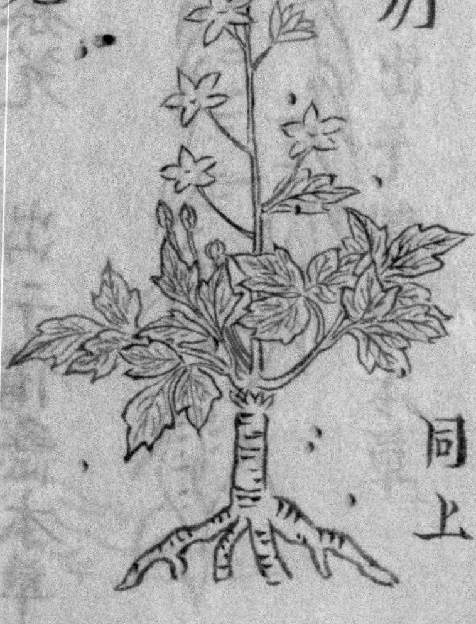

齊州秦艽

同上

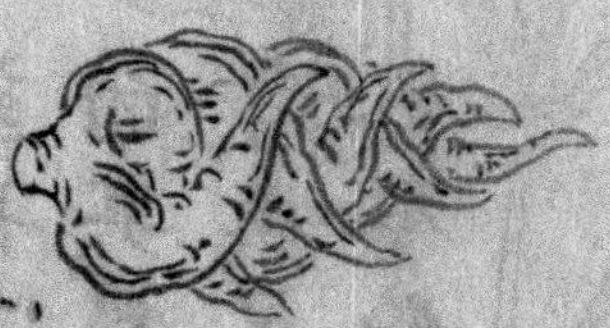

秦艽

其色黄白肥潤而羅紋交糾者佳也

未聞和産也

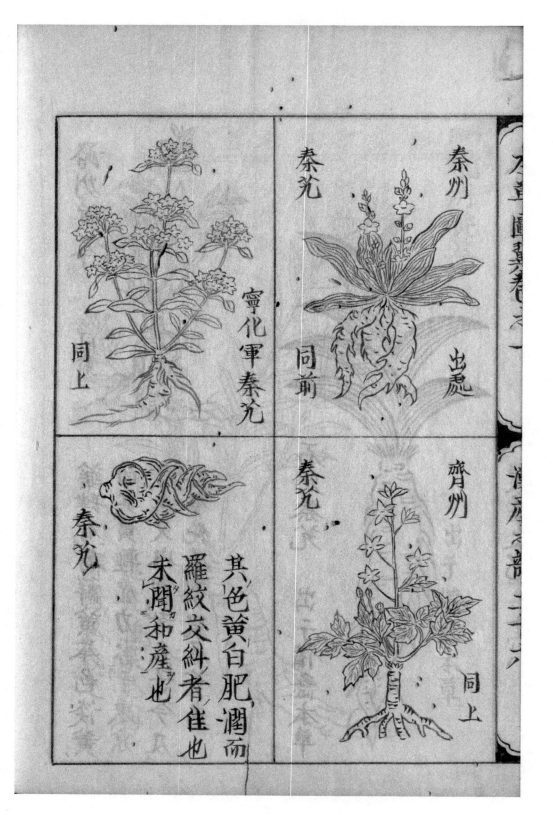

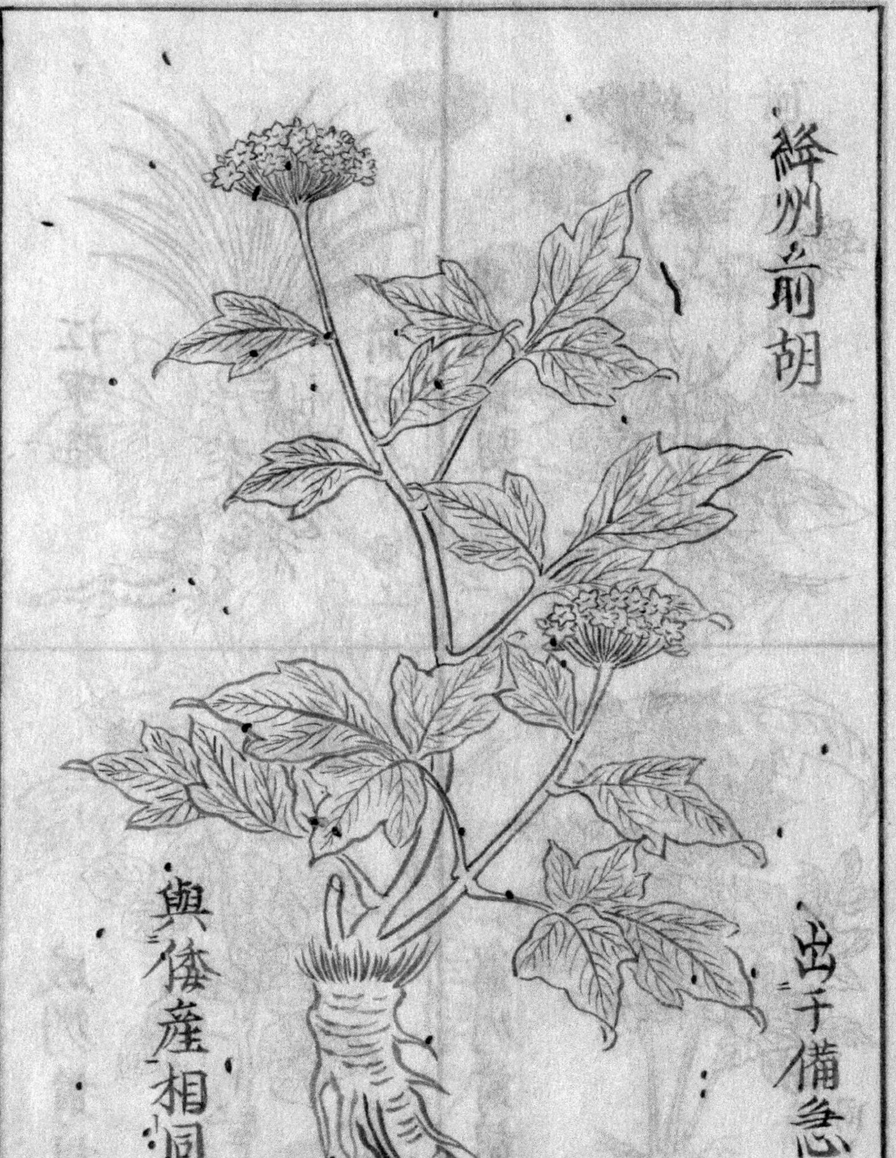
絳州前胡
出于備急本艸
與倭產相同矣

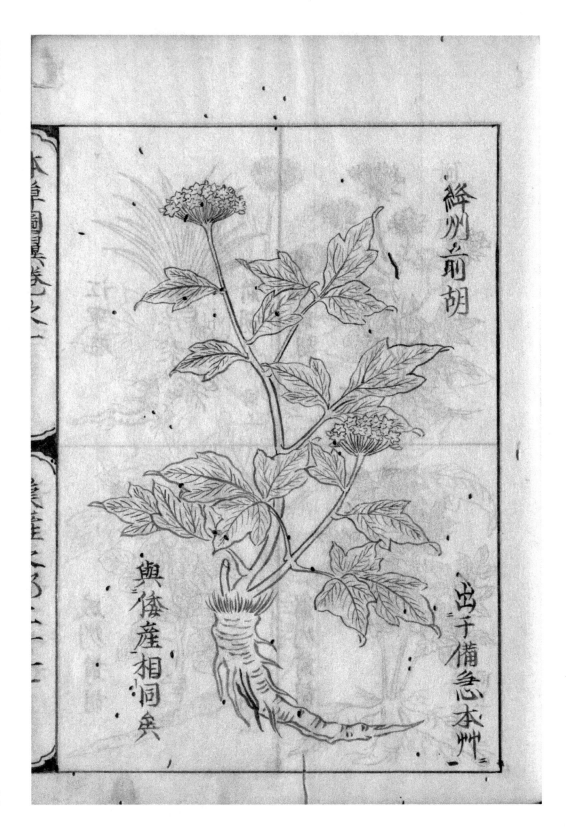

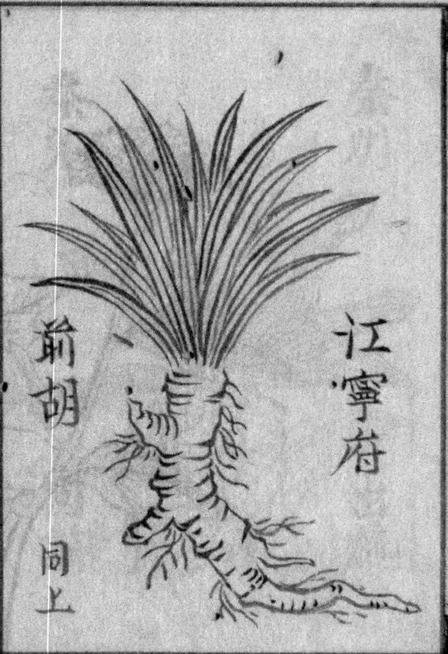
江寧府
前胡
同上

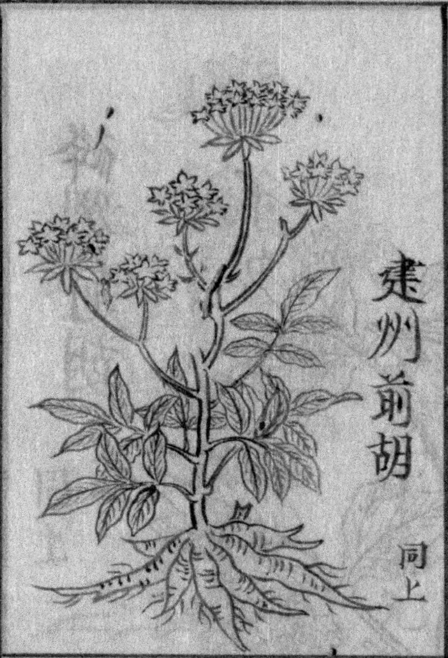
建州前胡
同上

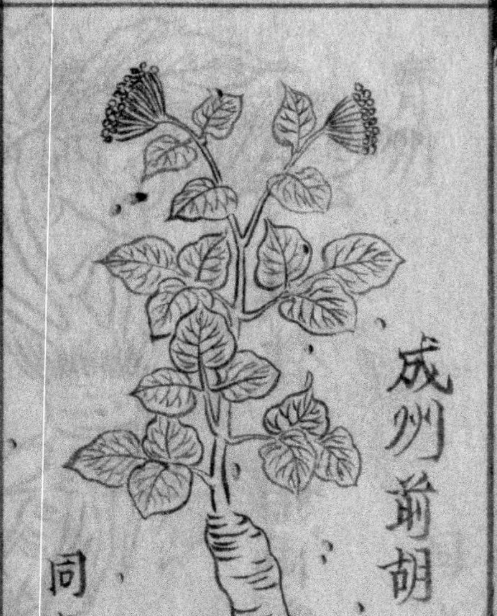
成州前胡
同上

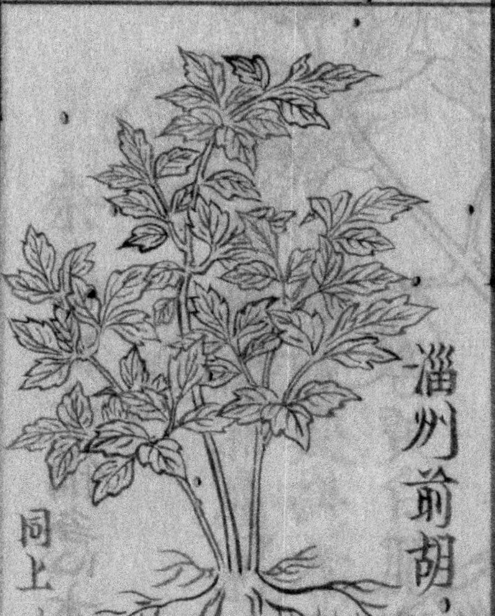
淄州前胡
同上

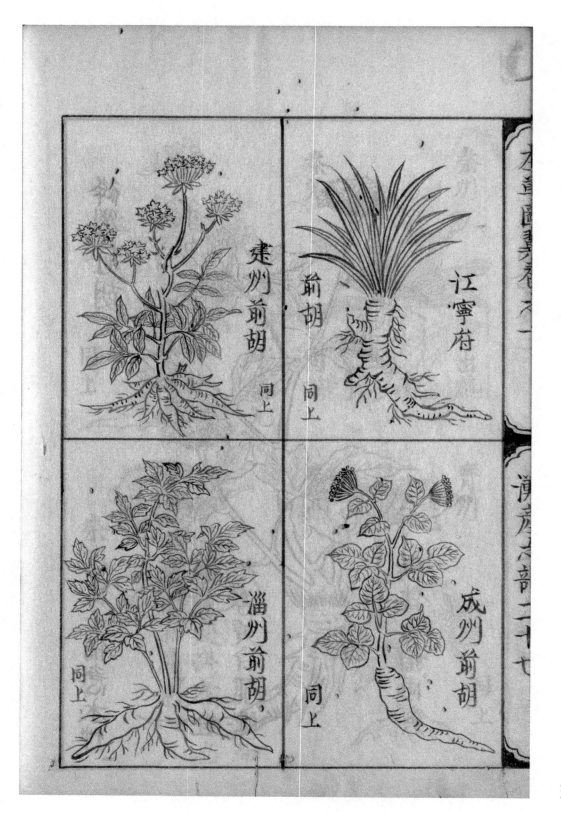

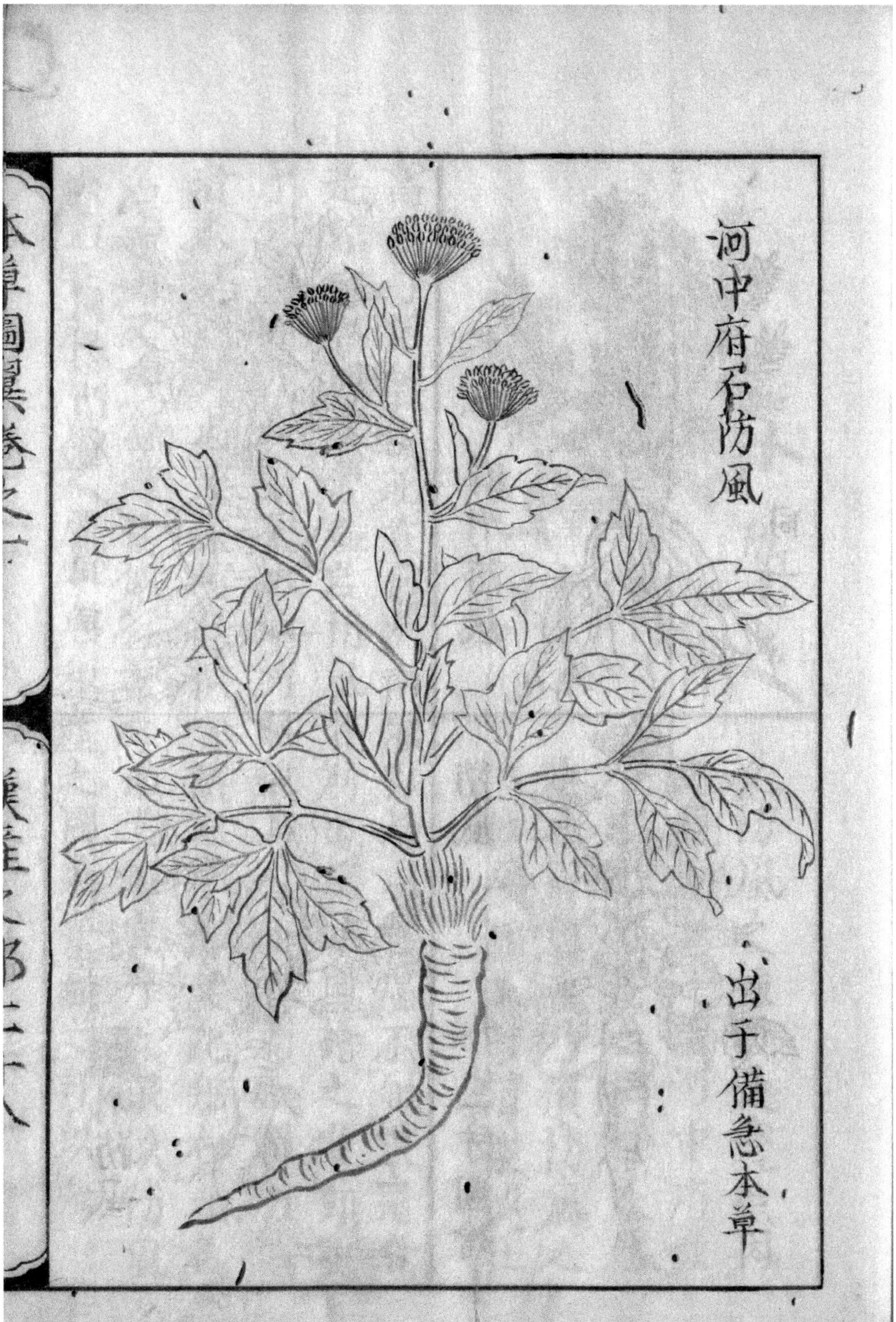
河中府石防風
出于備急本草

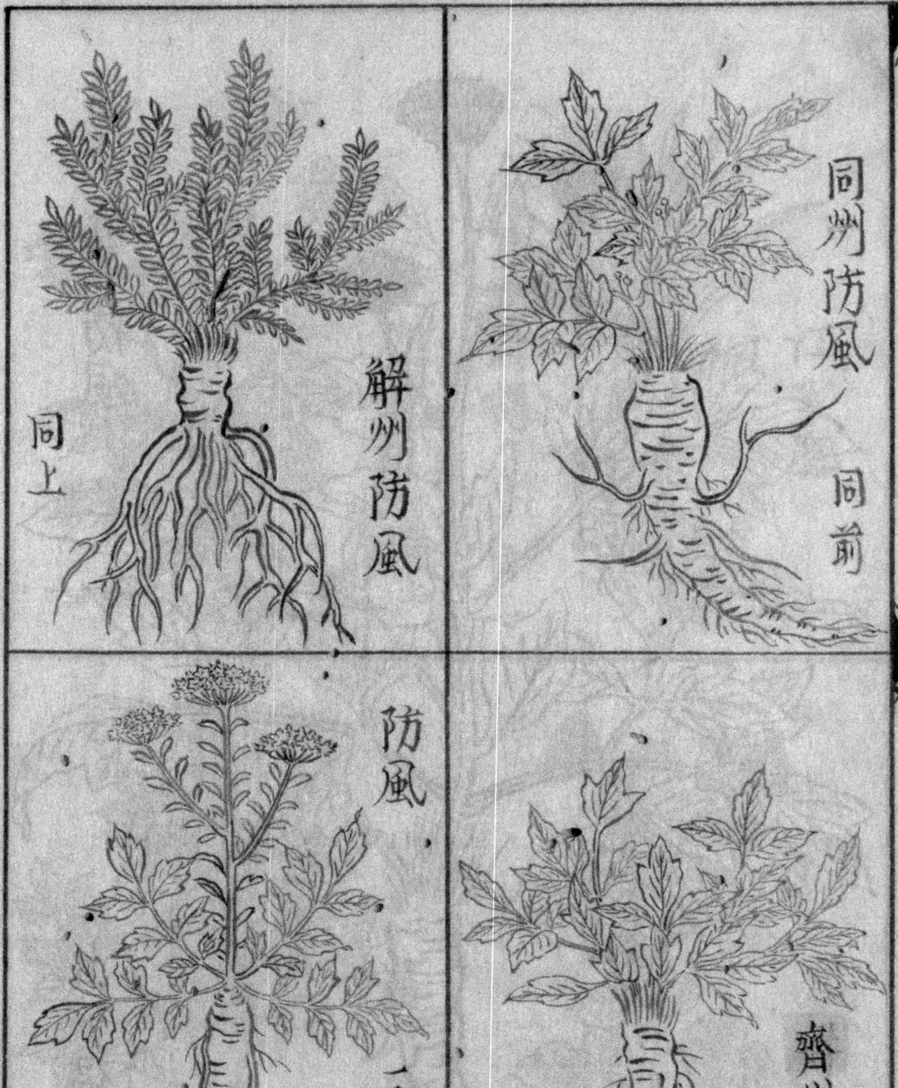
同州防風
同前
解州防風
同上
齊州防風
同上
防風
三才圖繪

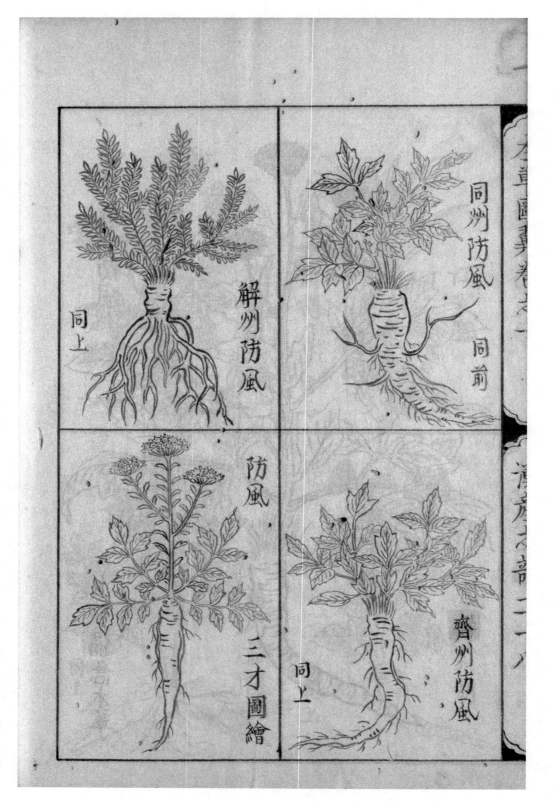

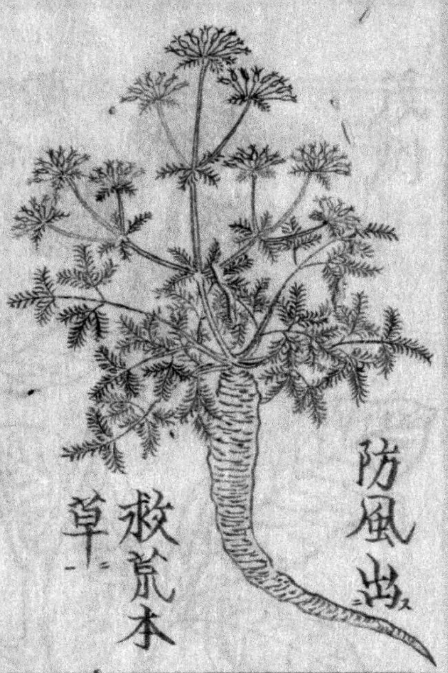


凡防風之種類最多矣因共圖說考之蓋河中府產乃此邦所名之牡丹人参是也同州產乃濱防風之一種乎蘇恭所謂葉似牡蒿附子苗等沙苑在同州南亦出防風輕虛不如東道者是者乎齊州產當名岩防風者所出三才圖繪之者即延于零餘子人参救荒本草所圖稱山人参者也如解州產者未見此邦也又蘇頌曰似青蒿短小者又此邦有之名名山芹又呼絲纈葉似芹葉厚而光澤有芹氣根似防風小也是亦防風之屬乎與和產之圖象牽合之可以考

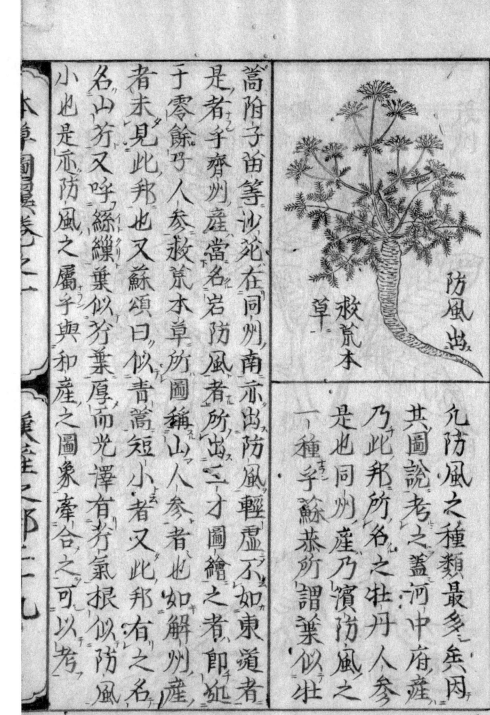

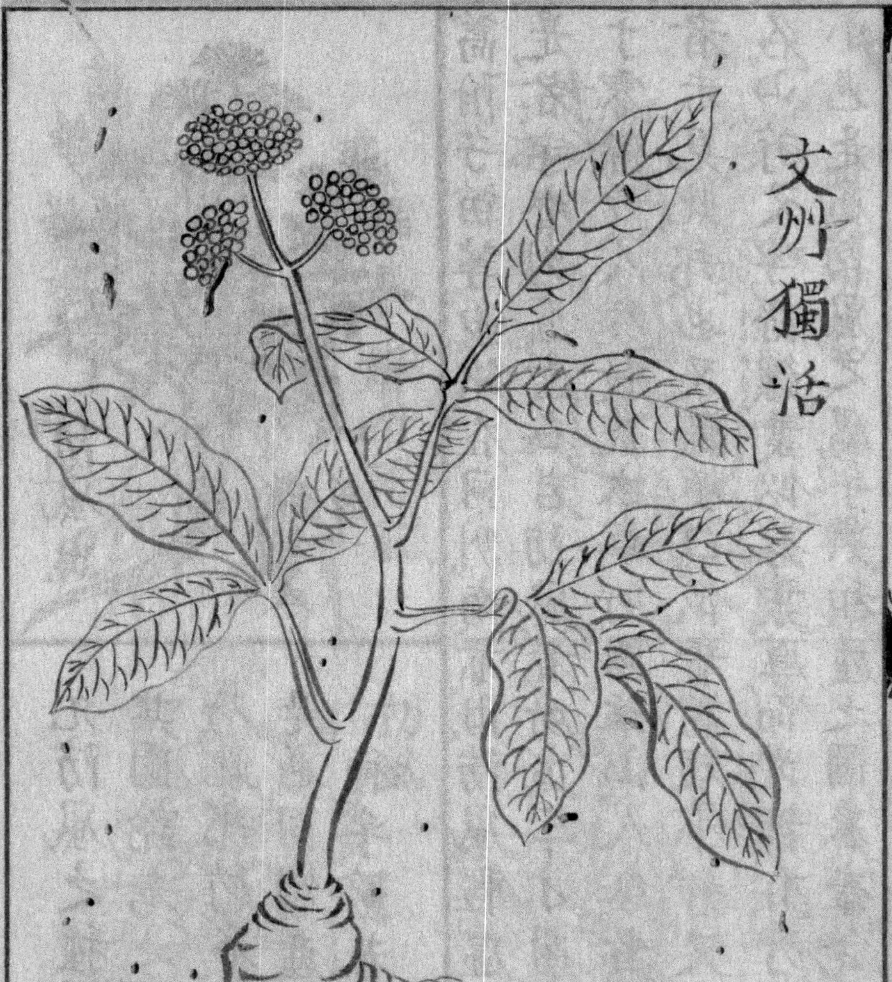
文州獨活

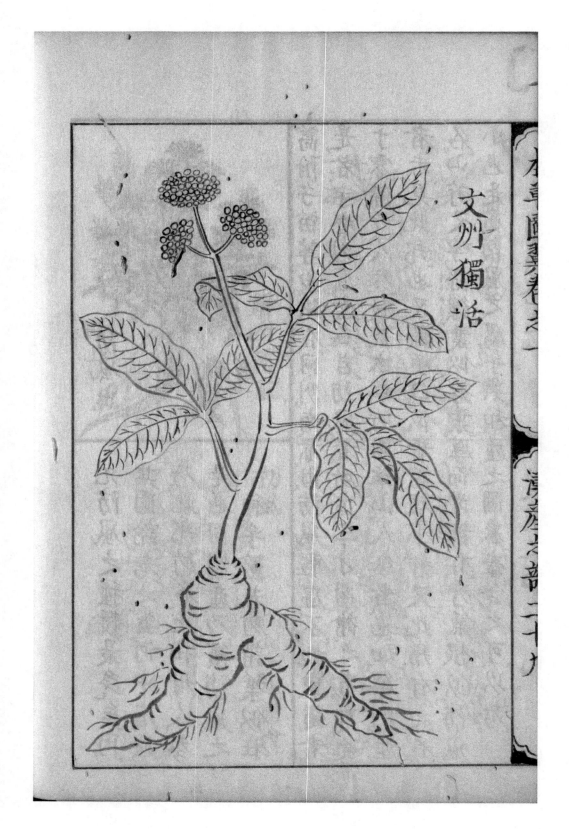

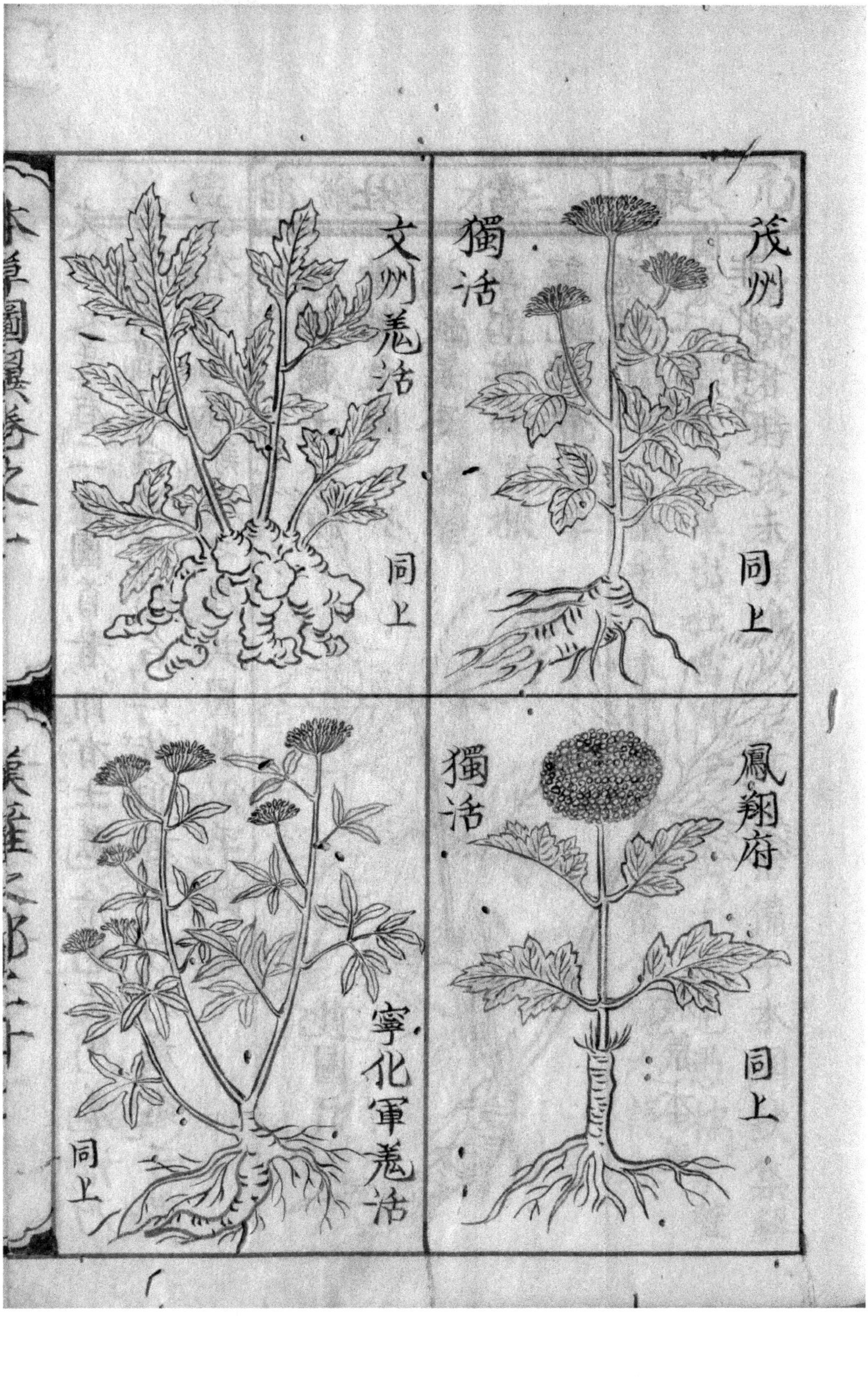
茂州獨活
同上
文州羌活
同上
鳳翔府獨活
同上
寧化軍羌活
同上

文州之産有二種圖首者即有土羌活也文州羌活乃時珍所謂水白芷此邦名呼佐伯者也茂州産迺予志志有土也鳳翔府之産共圖象似乎紅臺

# 杜當歸

本綱闕土當歸之圖說救荒本草出杜當歸也愚按羌活下所謂土當歸非此者乎

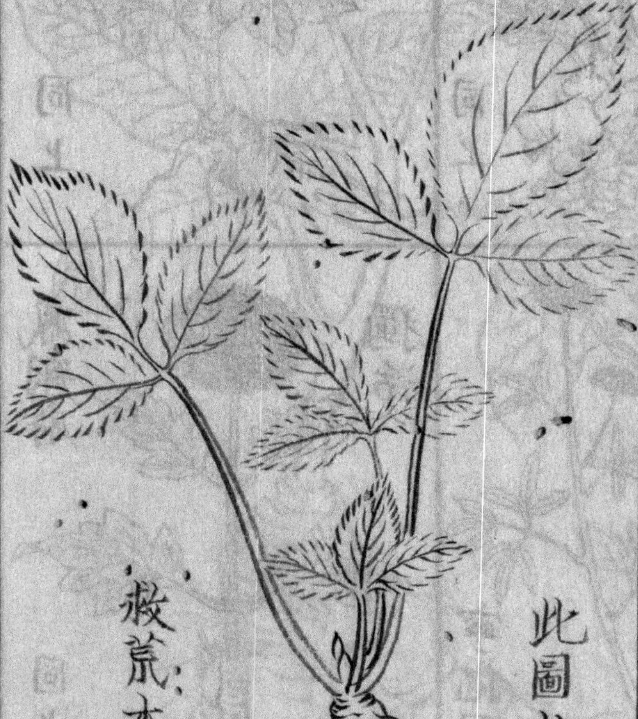

此圖出于救荒本草

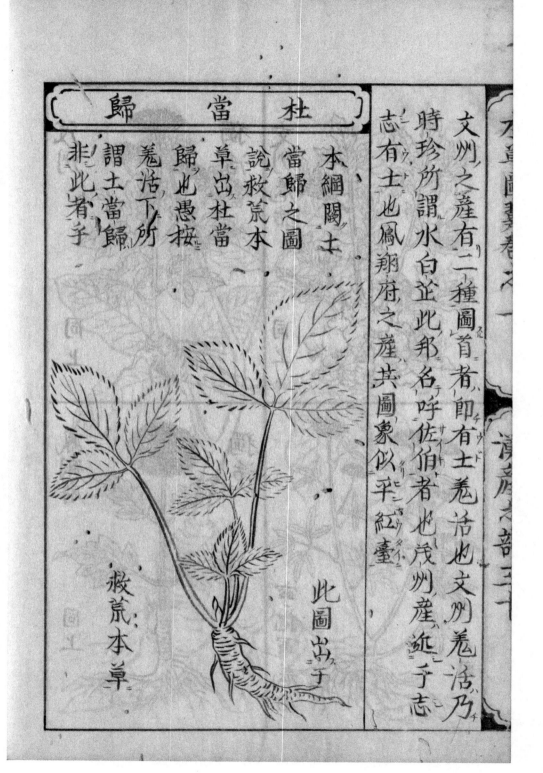

凡土當歸者時珍未詳唯以有其主治備于本綱缺集解及圖象也蘇恭本草出杜當歸今合出于此也愚按東壁不取之乃同名二種乎一本作王當歸當傳寫之誤乎

## 三才圖繪都管草

蘇頌曰都管草生宜州田野根似羌活頭歲襄有節苗高一尺許葉似土當歸有重臺云云三才圖繪所圖此邪有土也和本歲襄作歲長恐非也

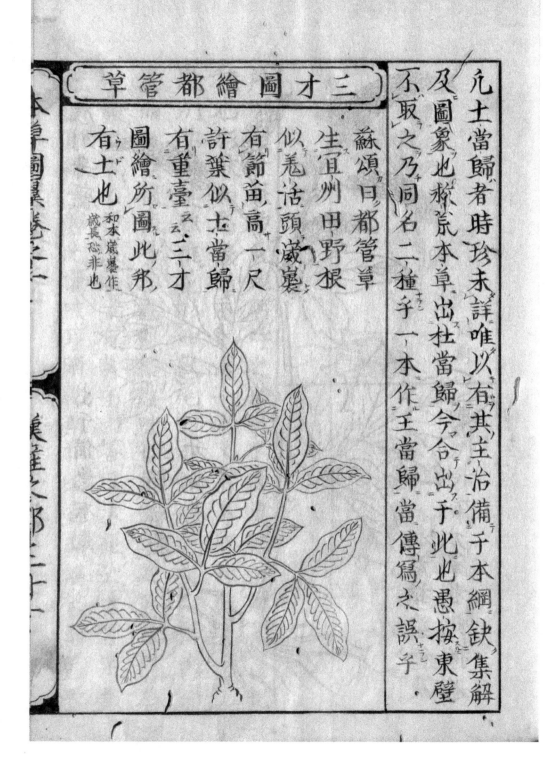

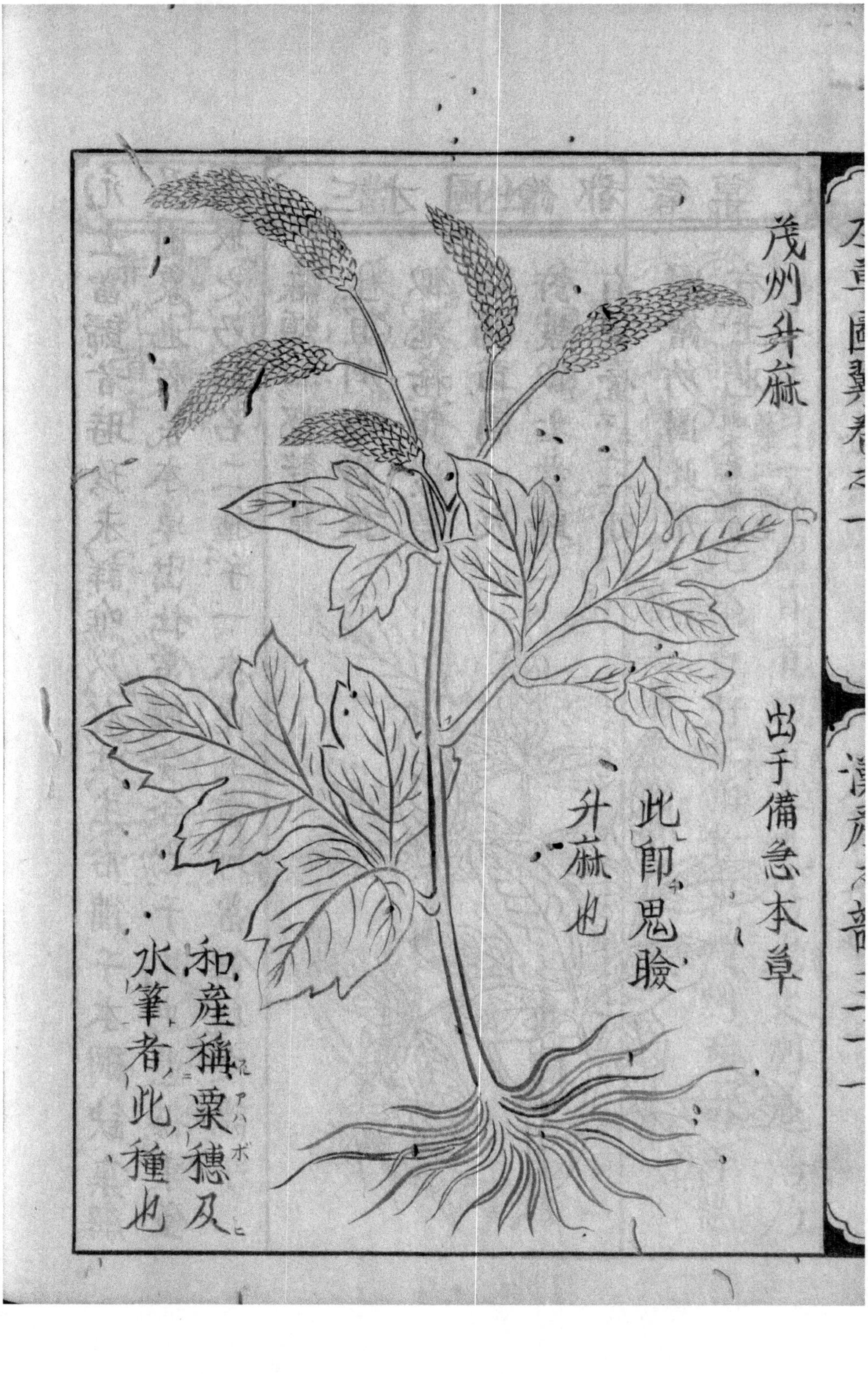
本草圖彙卷之一
漢産之部
茂州升麻
出于備急本草
此即鬼瞼升麻也
和産稱粟穗及水筆者此種也

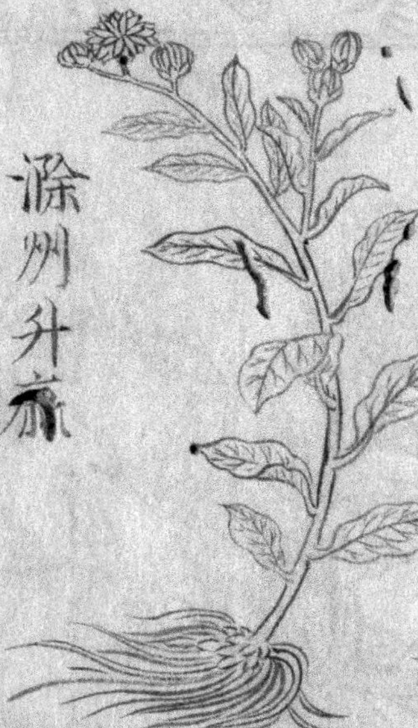

滁州升麻 同前

秦州升麻 同上

茂州之升麻乃此邦所呼之岩恩木及粟穗水筆升麻此種也形狀如寫根形示和漢一也又有鳥脚升麻葉形似滁州升麻葉強唯花形如獸尾而不似滁州產其根色紫黑而味淡微微耳○或問倭產味苦於漢產其苦者何為生發之氣上行哉吾子有辨乎 予答曰本經云甘苦平微寒是卽謂生藥之氣味耳晒乾則甘味自去偏苦而已蓋

本草圖翼卷之一　藥產之部　一二

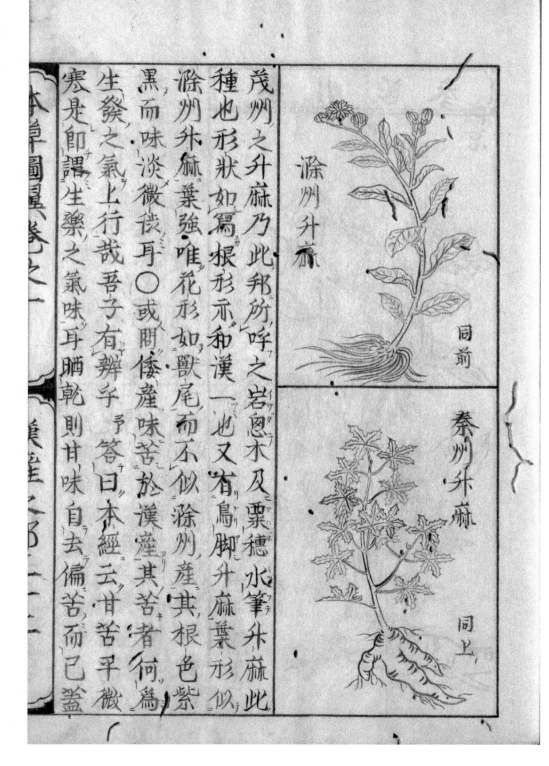

升麻本經不謂上於生發之氣也愚按升麻之主治解百毒清熱耳苦寒可以堅于陽明之氣陽明氣堅則清陽自升上故生發之氣上行而能發浮汗而其解百毒與入于陽明則自然性也豈夫升麻甘温而為堅陽明氣乎哉

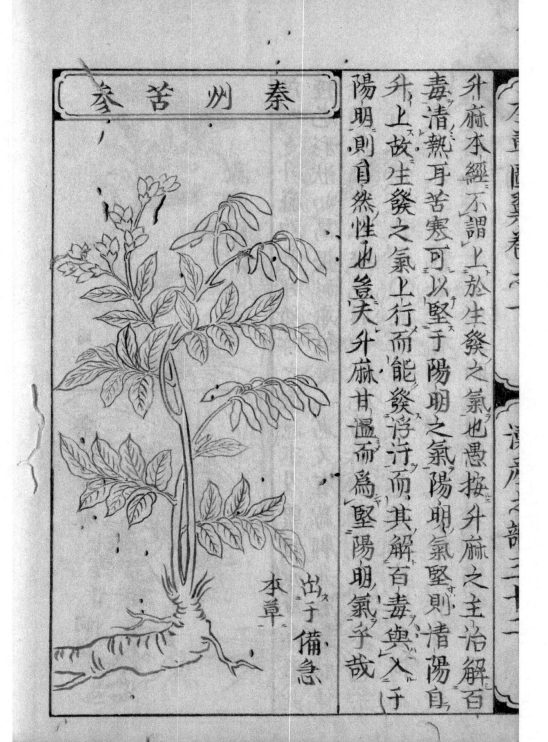

## 秦州苦參

出于備急本草

西京苦参

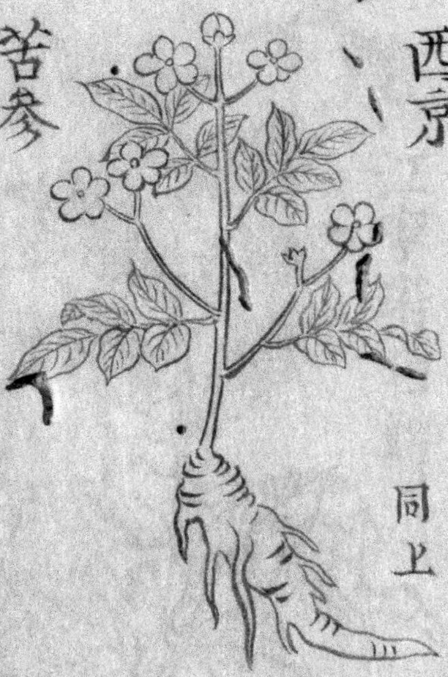

同上

成德軍苦参

出于本草蒙筌

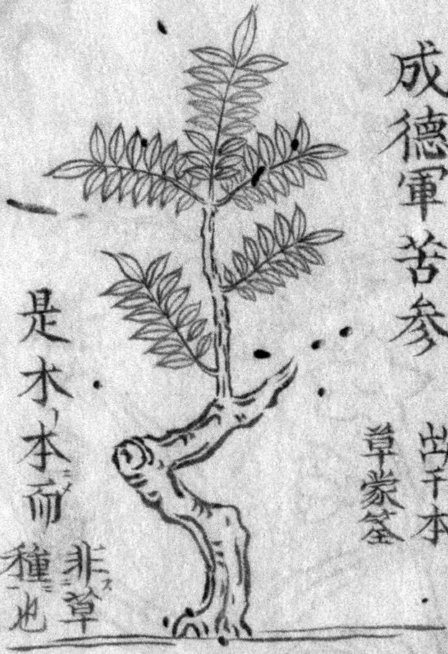

是木本而非草種也

郡州苦参

同上

秦州産與和産無異又郡州及西京之産乃別一種也成德軍之産即木種而此邦所謂布久良也倭人未知有木種也

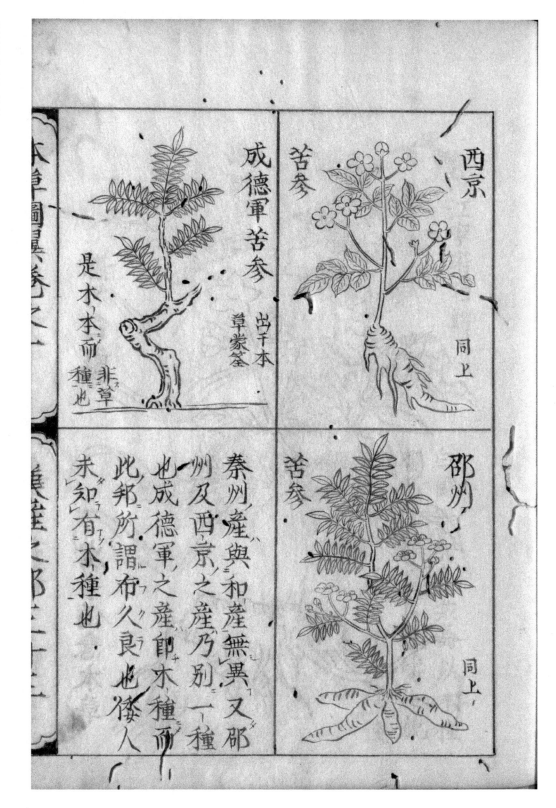

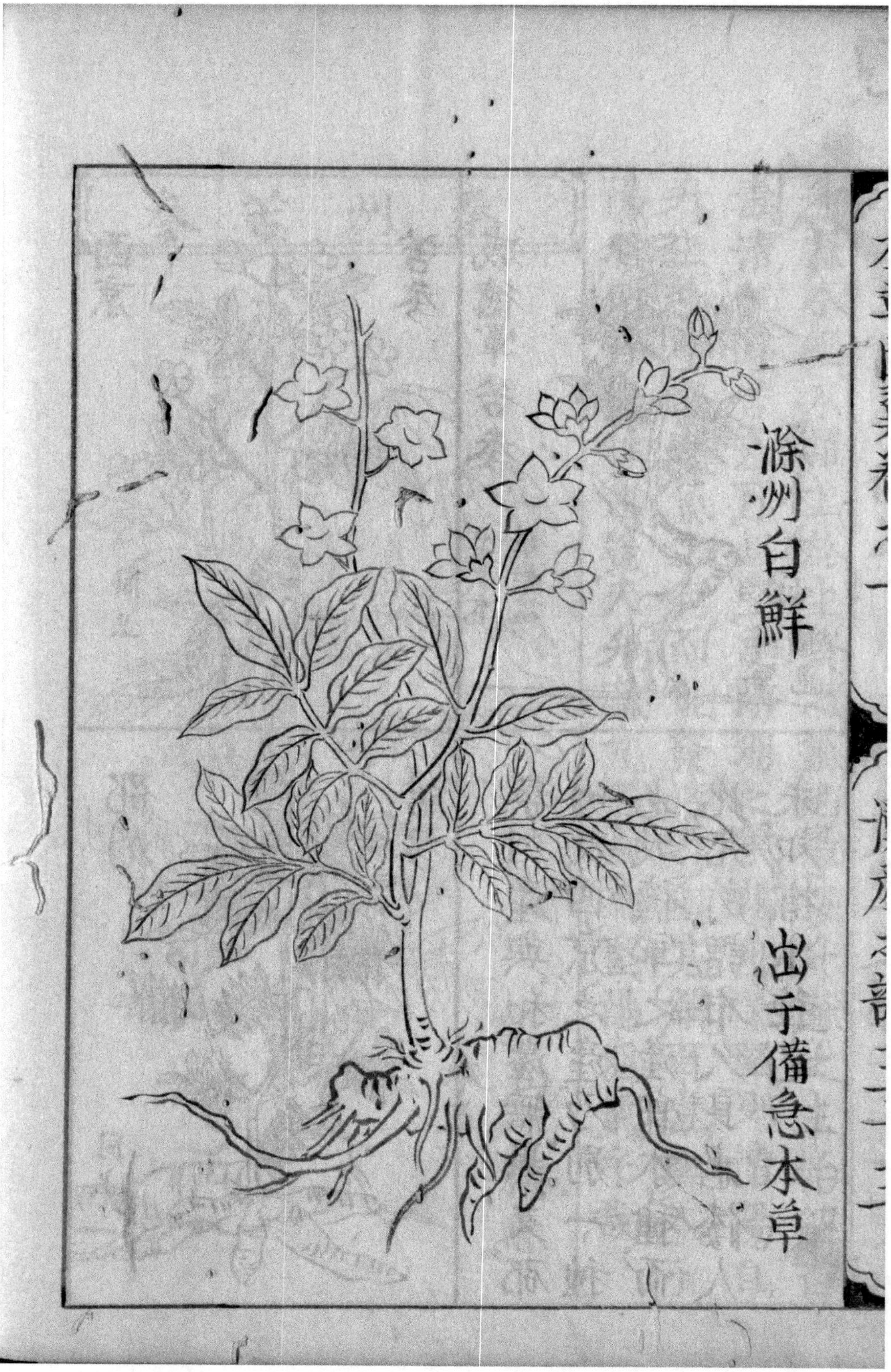
滁州白鮮
出于備急本草

江寧府白鮮

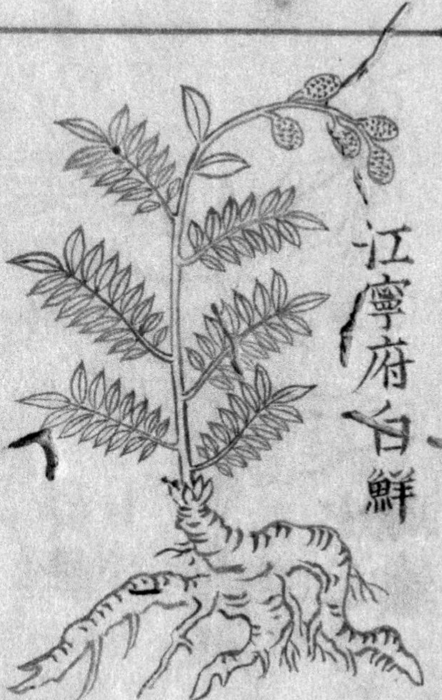

白鮮無和産奸商以木槿皮充白鮮皮眞者嚼之脆味苦者是也強勁而味淡微鹹者僞也

峽州貝母

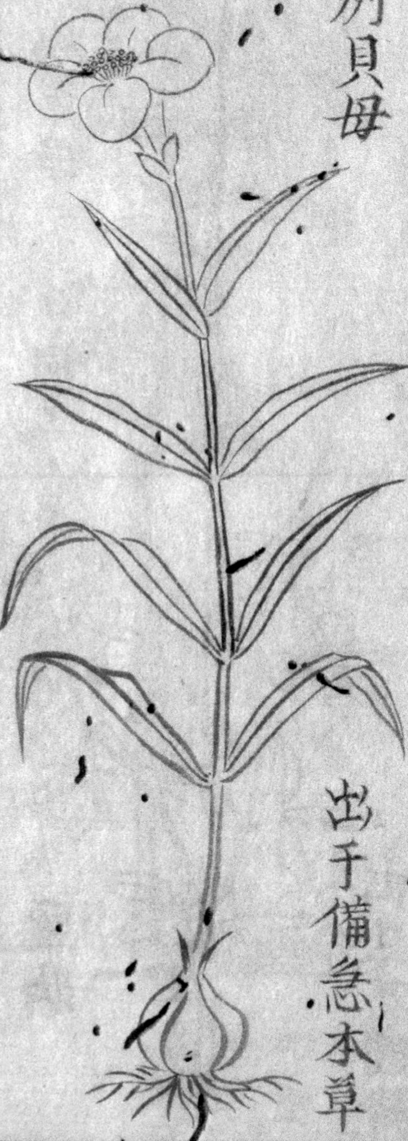

出于備急本草

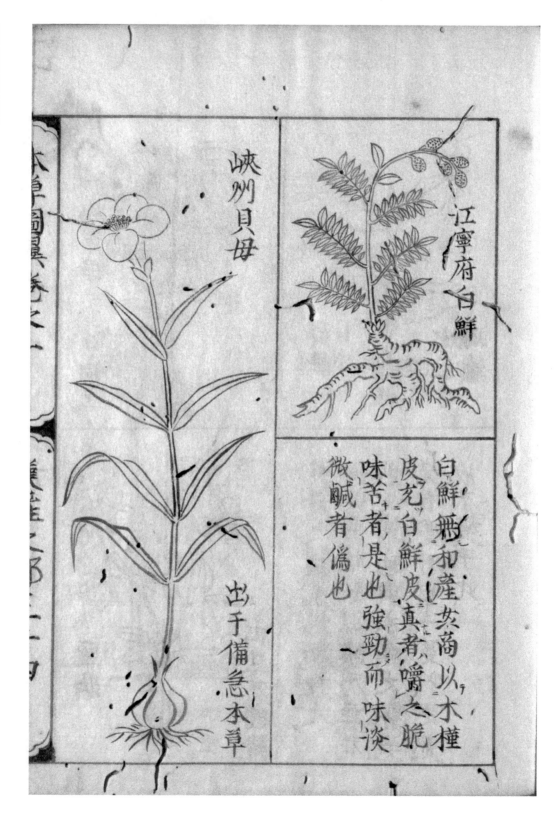

越州貝母

同上

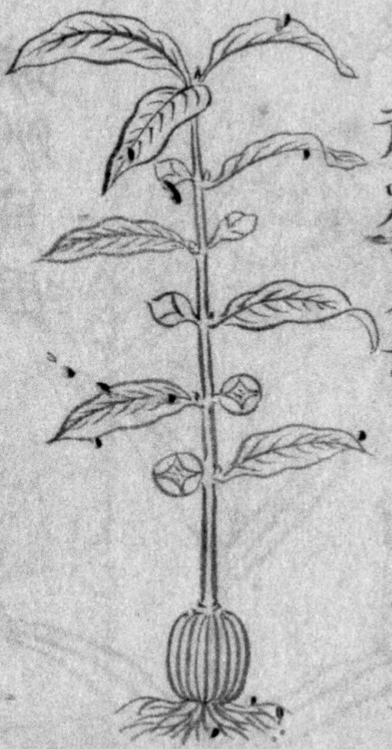

貝母

出三才圖繪

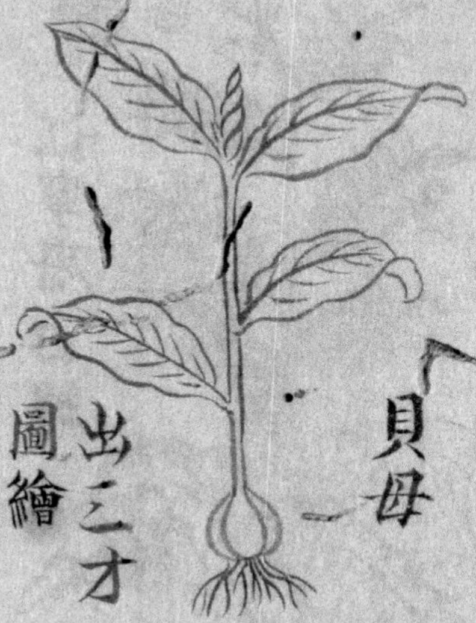



貝母

出三才圖繪

貝母之種來於船種之
御藥園草狀似峽州産花
色淡黄也與本綱之說異
又有蔓艸出于蔓艸之部
故不贅于此

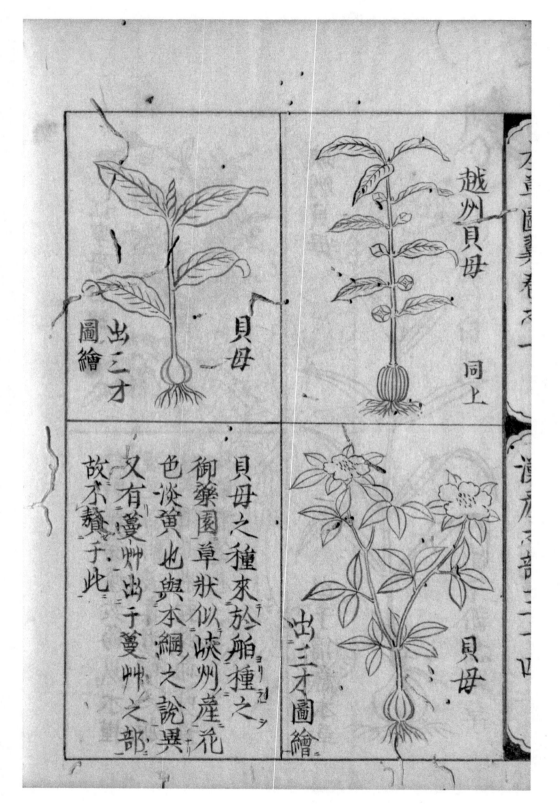

## 山慈姑 圖經

葉細而深綠，冬月生葉，如水仙花之葉而狹。二月中枯。三四月抽一莖，莖端開朱花五六朶，長鬚如絲紐，故有金燈及朱姑名也。時珍謂開花白色者非也。

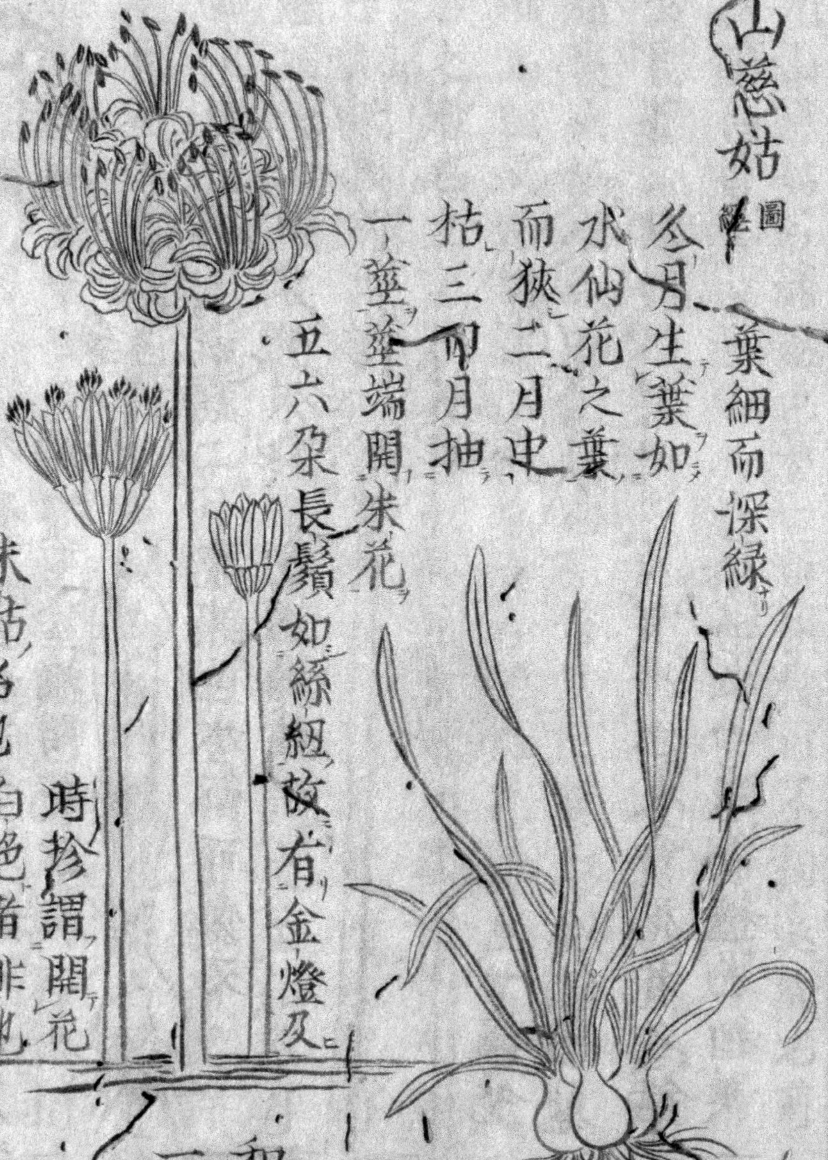

和漢一也

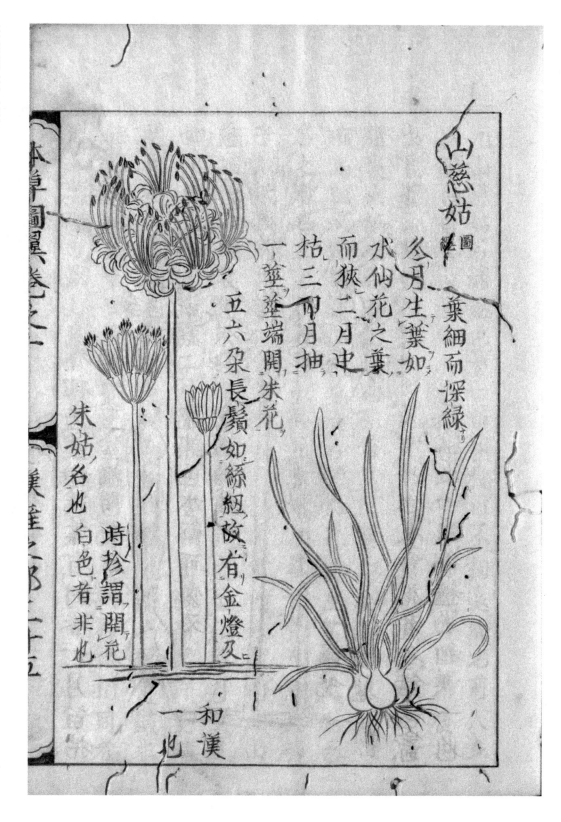

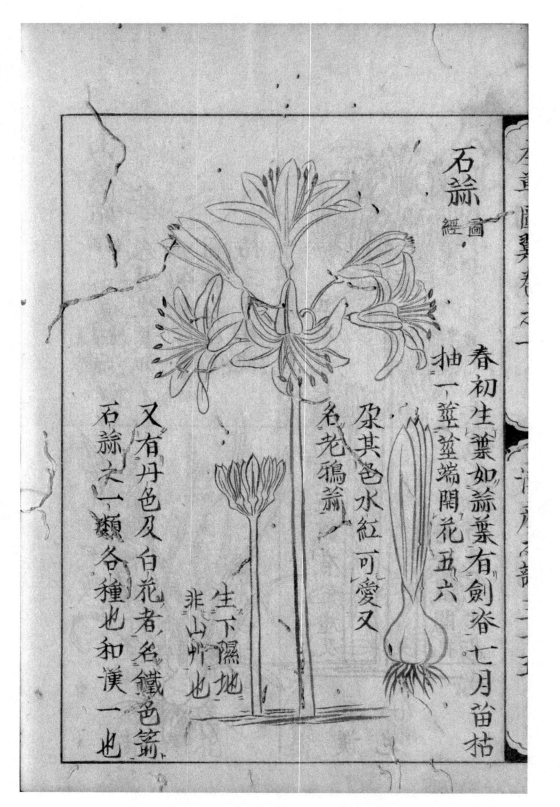

石蒜 圖經

春初生葉如蒜葉有劍脊七月苗枯抽一莖莖端開花五六朶其色水紅可愛又名老鴉蒜

生下濕地非山草也

又有丹色及白花者名鐵色箭石蒜之一類各種也和漢一也

凡山慈姑石蒜鐵色箭一類各種而不相遠者也前人多以鐵色箭爲山慈姑也愚按古人命名必有所因而後其出言蓋山慈姑以根形名之又以花之形色有金燈及鬼燈檠朱姑之名石蒜以初芽苗葉及根形似蒜根及頭苗有烏蒜及老鴉蒜蒜頭草之名又鐵色箭以莖幹之形色名之者也主治各大同小異耳然讀本草者豈夫無其辨乎哉藏器所謂葉似車前根如慈姑云者卽蓉蒜而非山慈姑陳氏明哲何不精乎是哉時珍說之至謂冬月生葉如水仙花之葉而狹二月中抽一莖如箭簳高尺許莖端開花至山慈姑也謂白色黄色者乃鐵色箭也疑是誠非時珍之說襲于綱目者贅說乎鐵色箭乃與石蒜相同者也又集驗方以山慈姑爲血見愁也

白茅

和漢一也

茅根

芒

芭芒

地筋

白茅此邦所謂甘傳是也
地筋時珍所説乃和産之
姫茅也藏器所説別一種
也芒所謂須々岐也石茅
加屋也

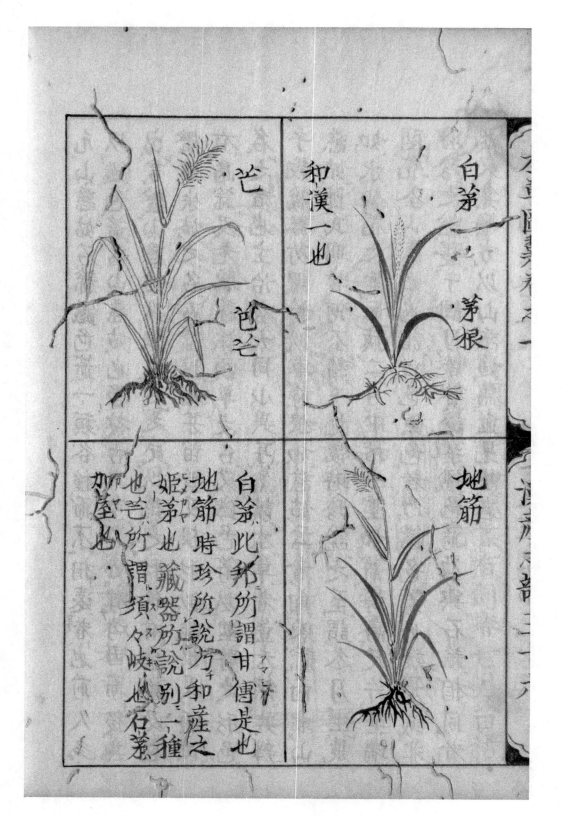

本草圖翼卷之二

隰草之部二

信陵軍草龍膽

出本備急本草

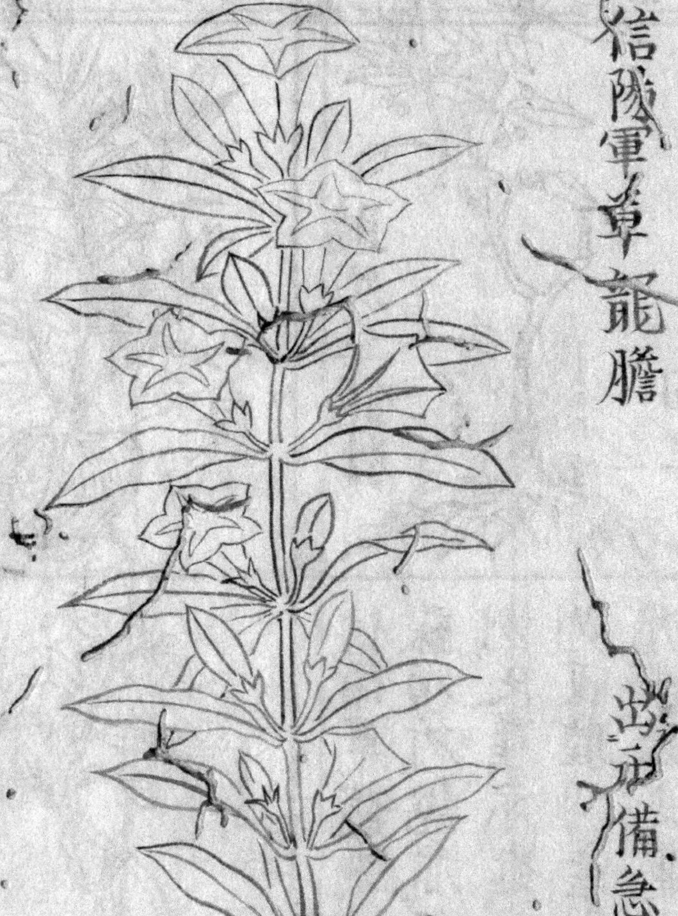

和漢一也

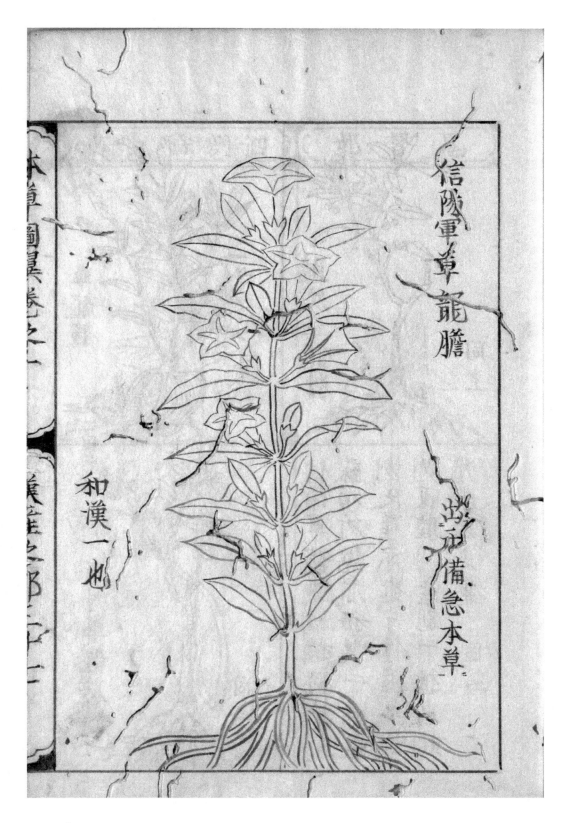

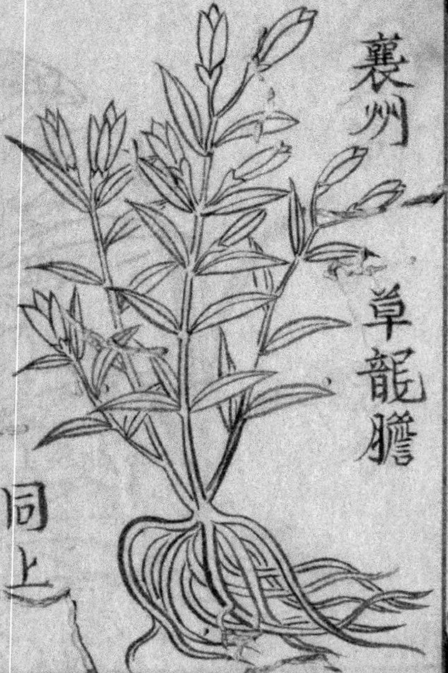
襄州草龍膽

同上

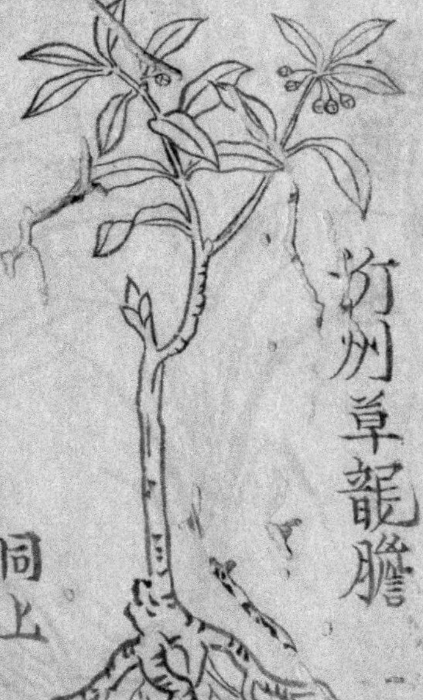
沂州草龍膽

同上

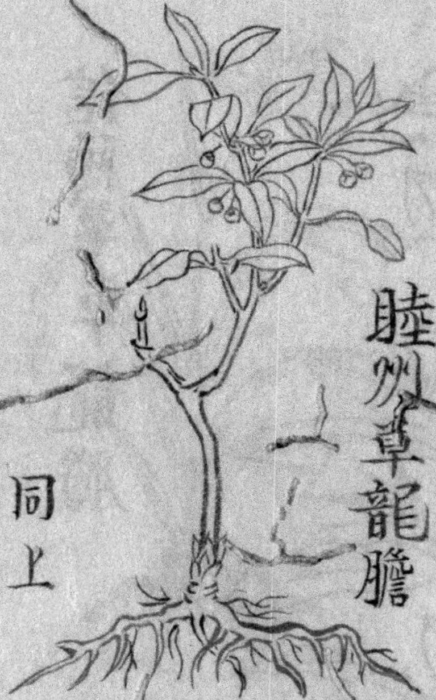
睦州草龍膽

同上

信陽軍龍膽即相同和産蘇頌所說亦和漢一也襄州之産亦延于倭産矣沂州及睦州産別一種皆此邦未見之也

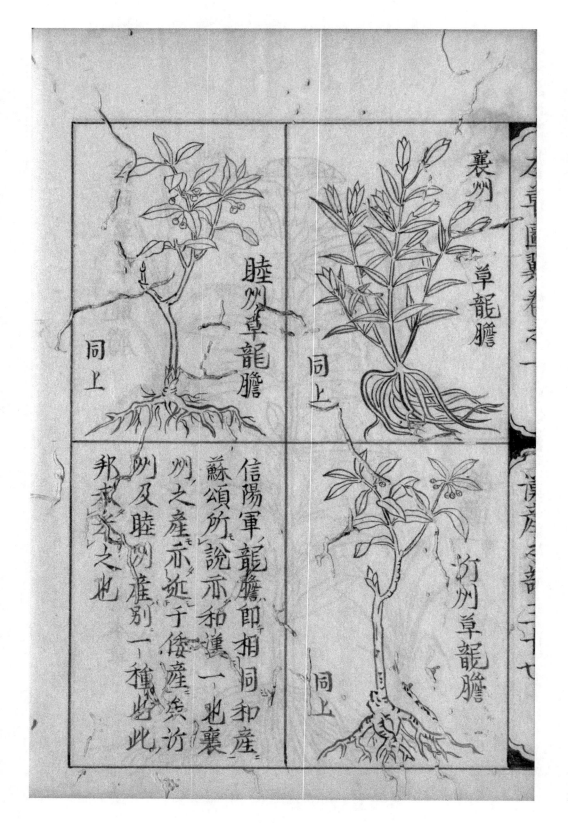

鬼督郵

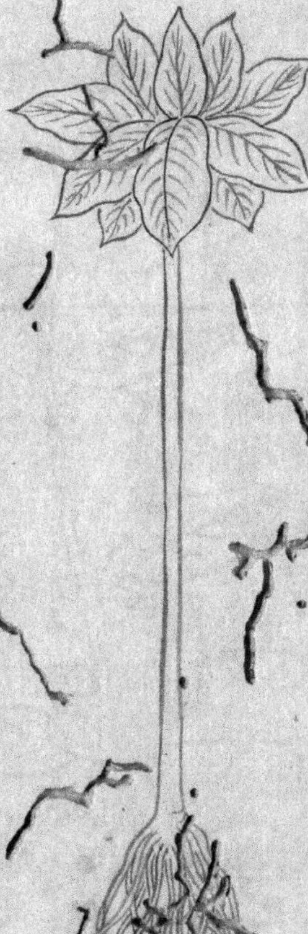

圖經

泗州徐長卿

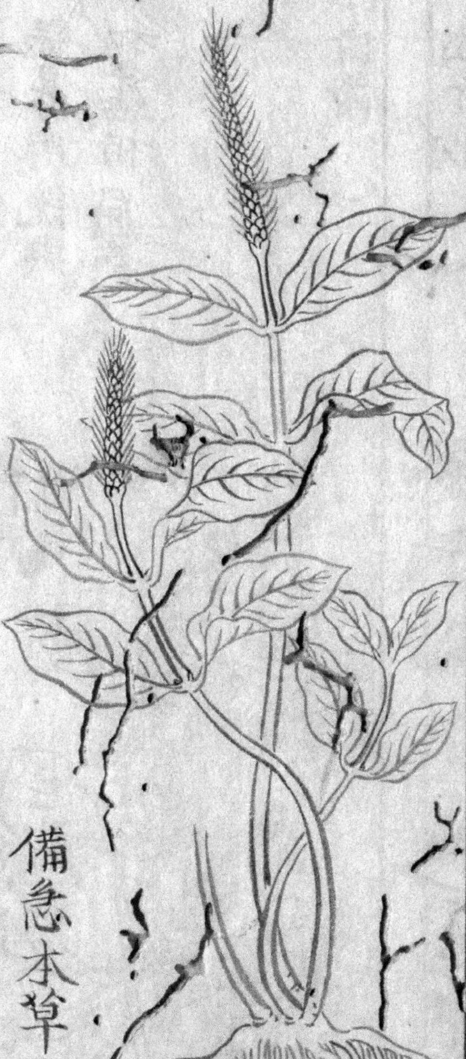

備急本草

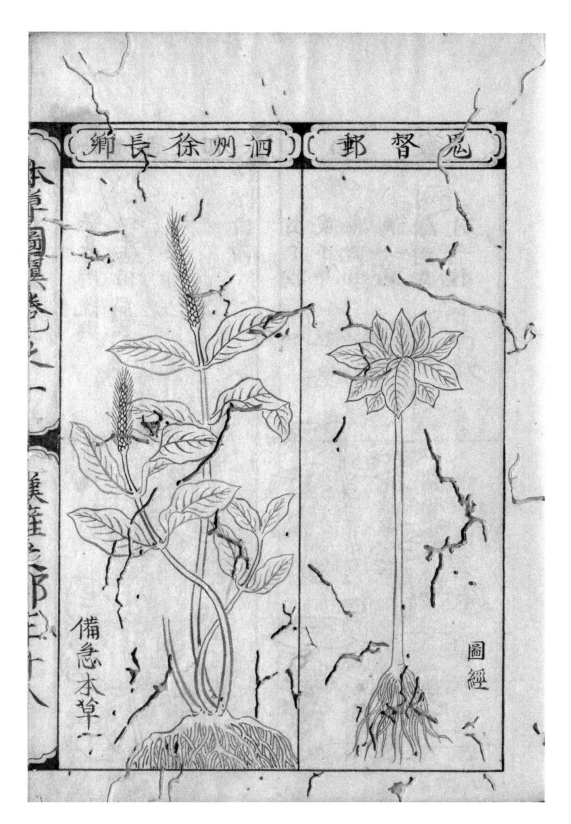

淄州徐長卿

保昇所說與和產相同矣

同前

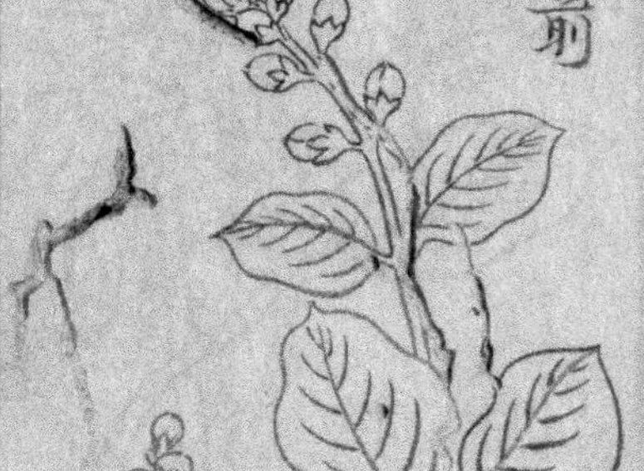

白薇

出于救荒本草其說和漢一也滁州產別一種

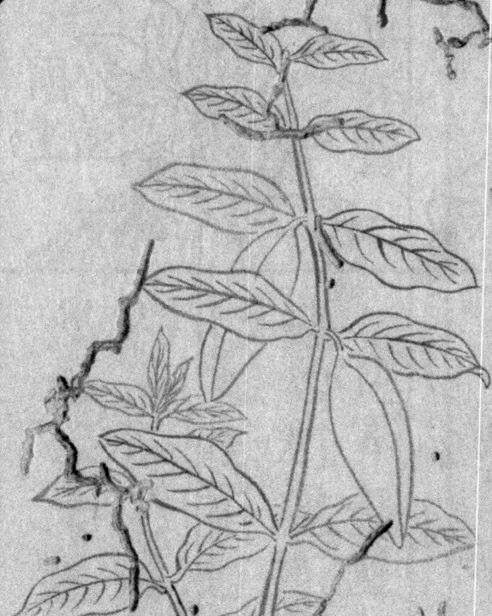

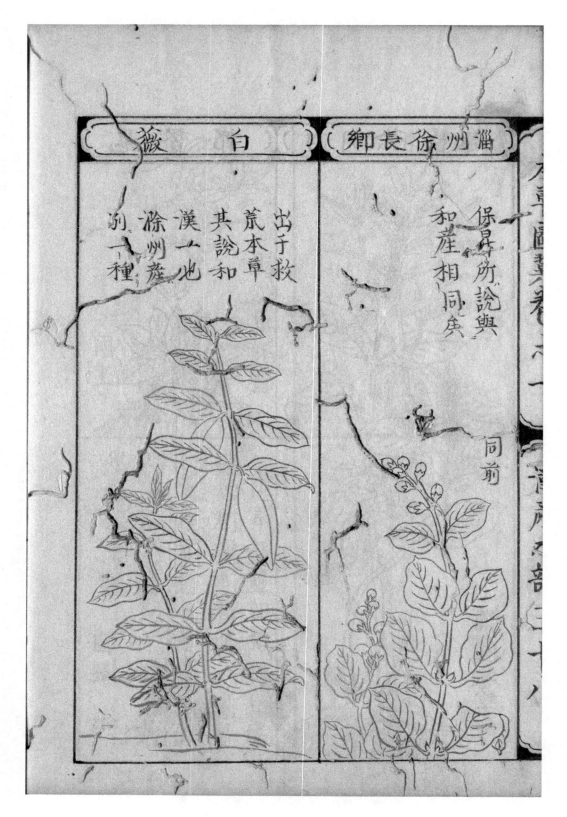

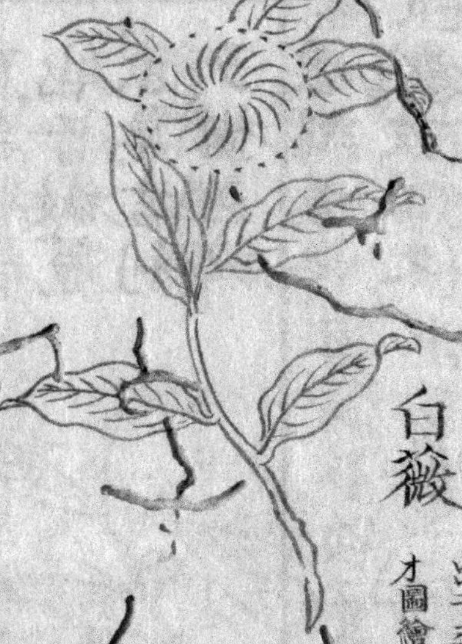

白薇

出于三才圖繪

和産與漢産之圖懸隔也蘇頌所說與和産相同矣本草蒙筌云信州細辛乃白薇也云云此邦京村醫自采名細葉細辛以藥用也

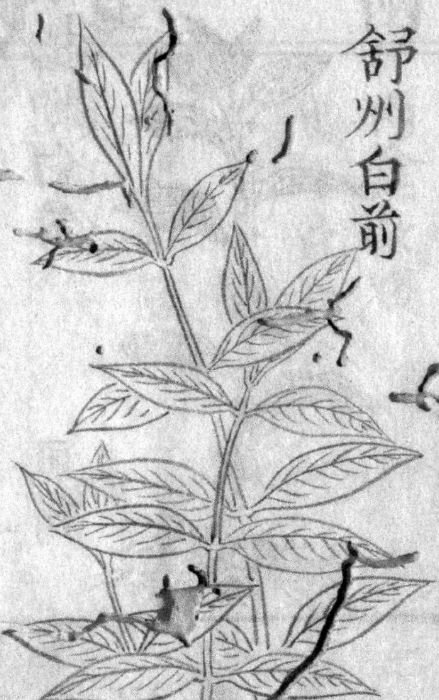

舒州白前

出于備急本草

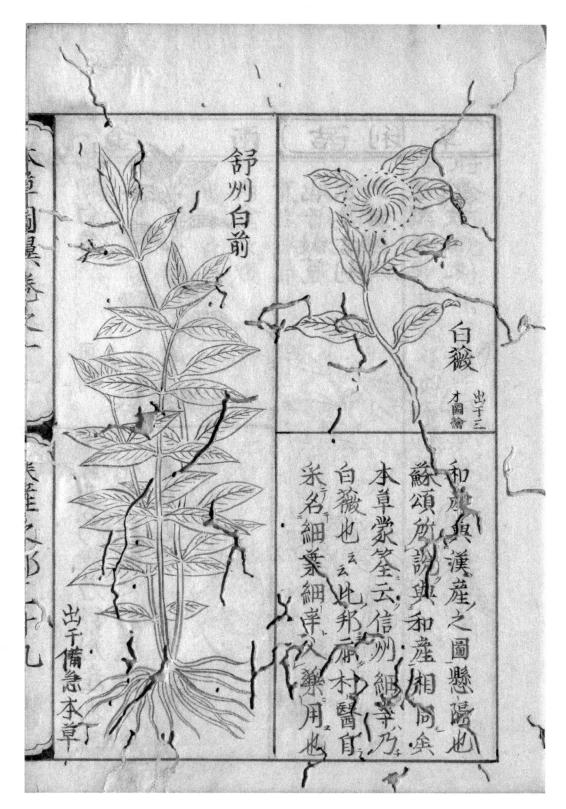

越州白前

同前

蘇恭所說乃舒州産也其佗皆謂根之形狀而不論草狀也

吉利草

出于救荒本草吉利子樹也似良耀草之說故出之

救荒本草

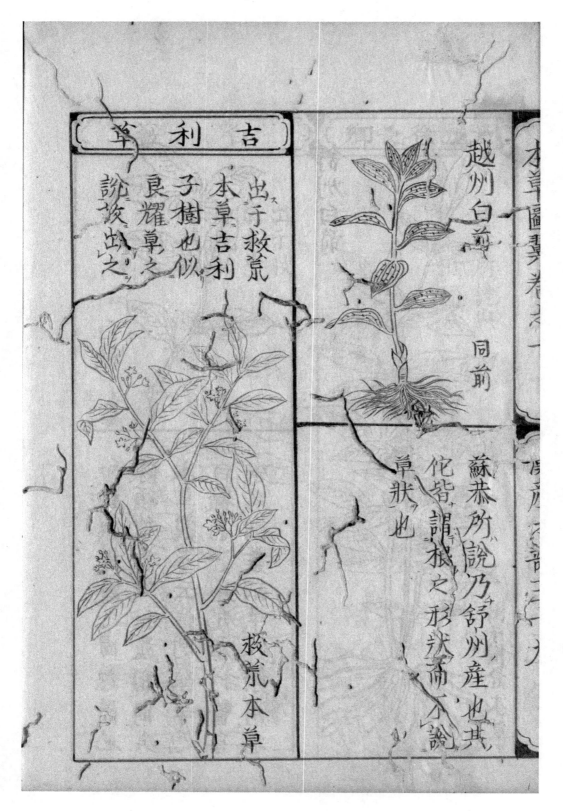

時珍所説則非吉利子樹只其[illegible]猬良耀草之形状而畧似吉利子樹故襍出于此矣

百兩金

花譜珊瑚其形狀花實恰似百兩金故複出于此和名呼千兩者也如蘇頌所説矣

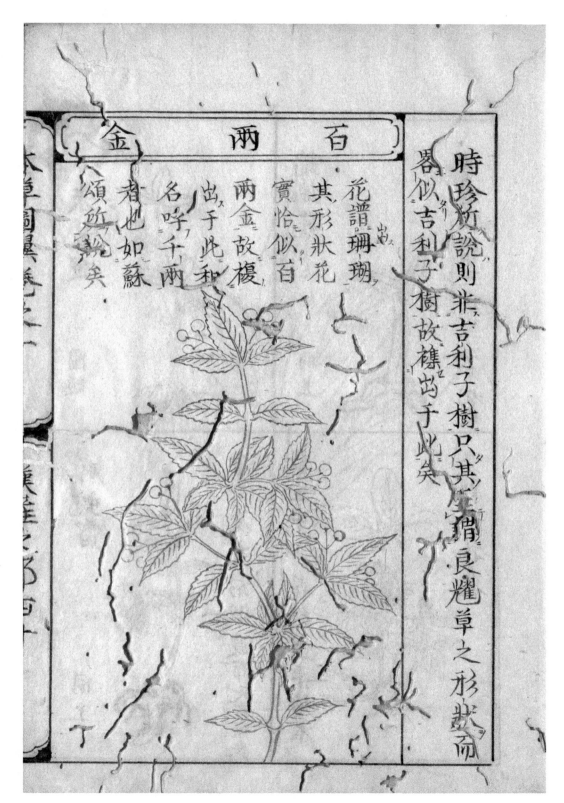

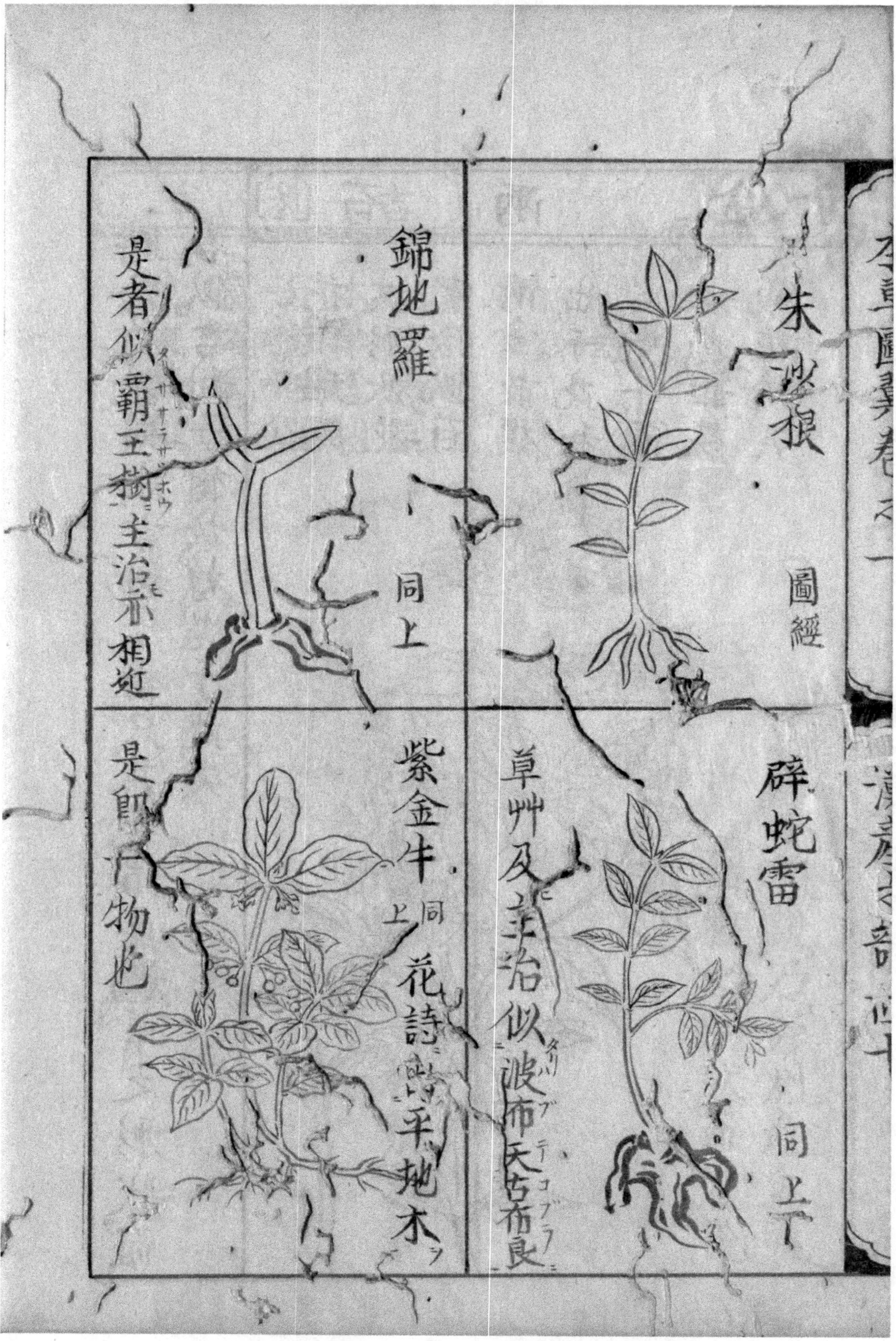
朱砂根
圖經
錦地羅
同上
是者似霸王樹主治亦相近
辟蛇雷
同上
草州及主治似波布天古布良
紫金牛
同上
花詩[illegible]平地木
是即一物也

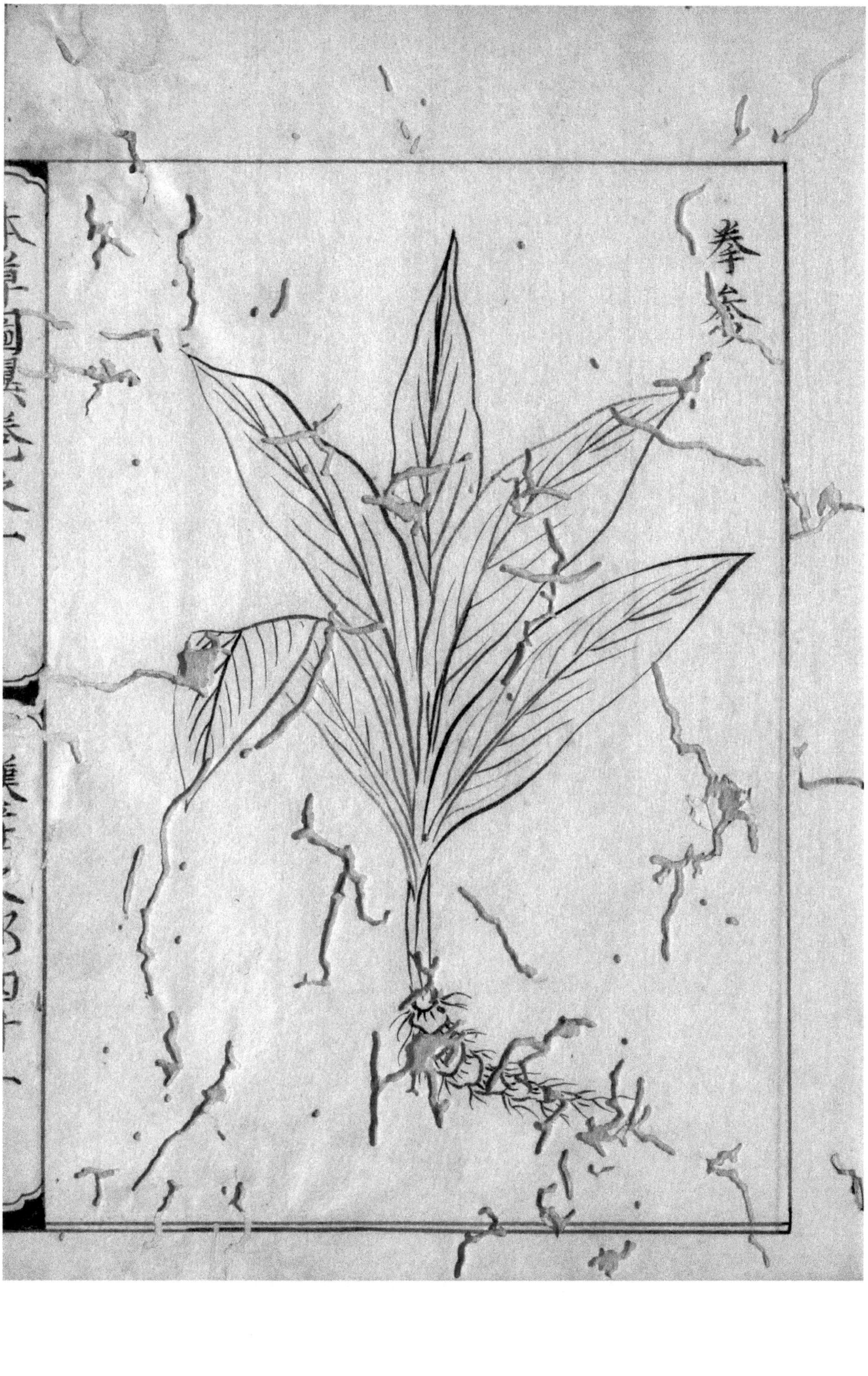
拳參

本草圖彙卷之一

濕草部四一

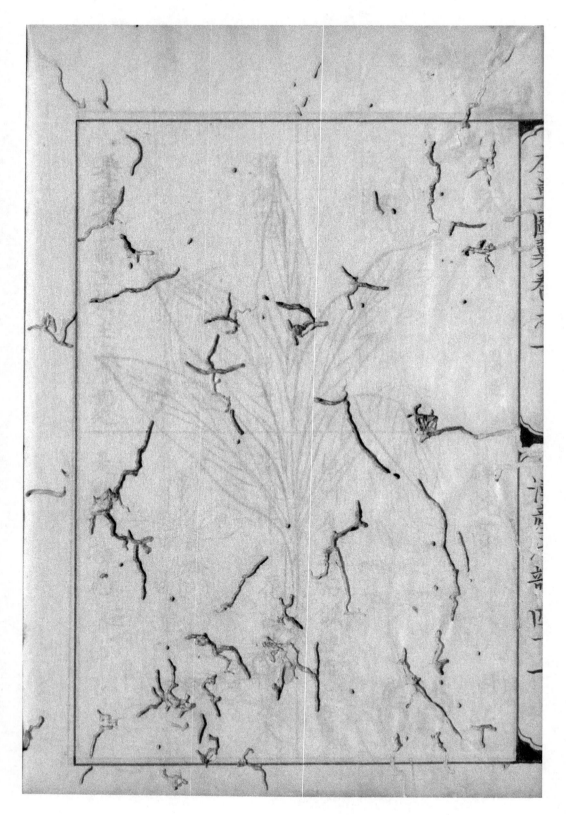

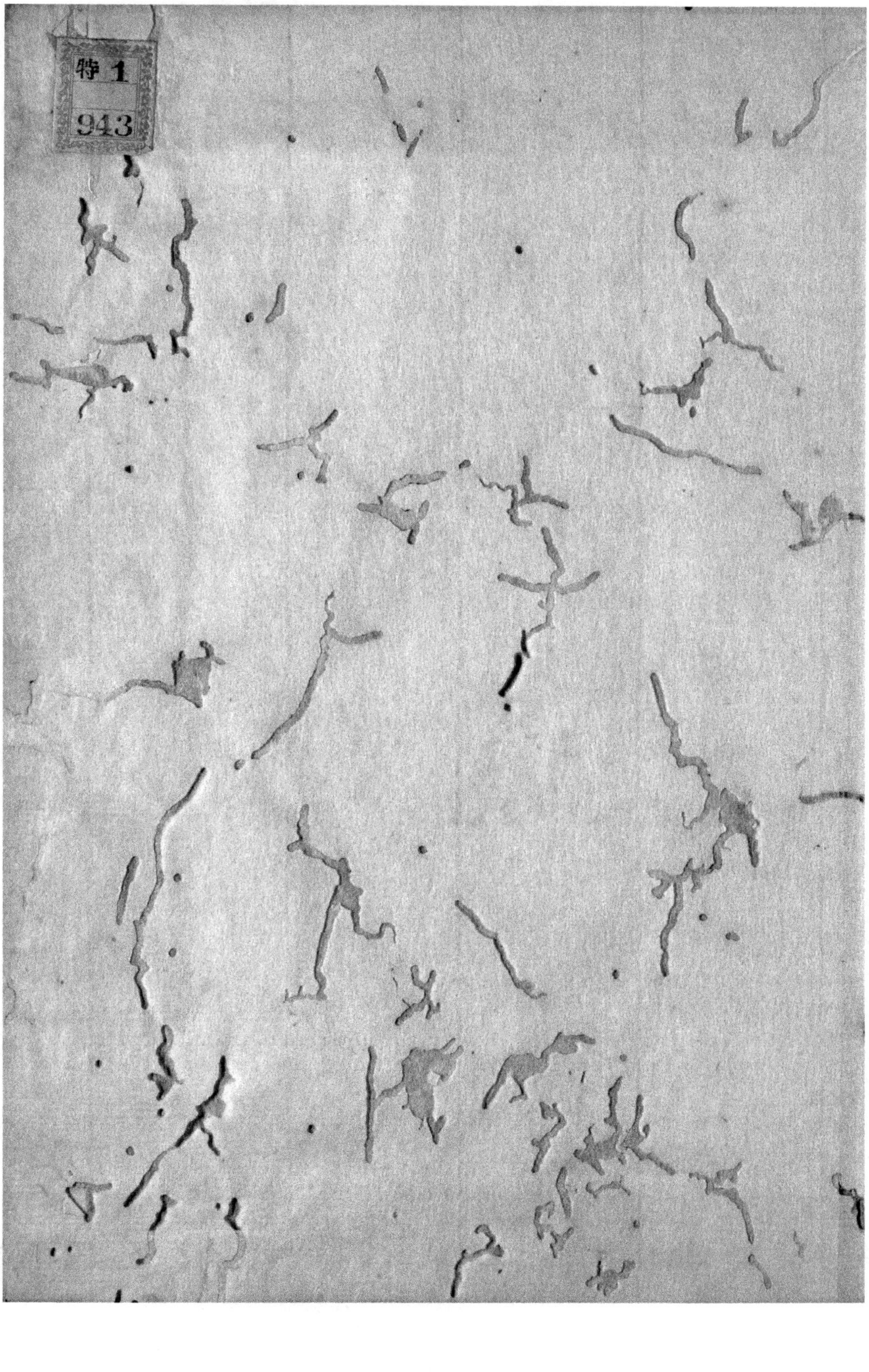
特 1
943

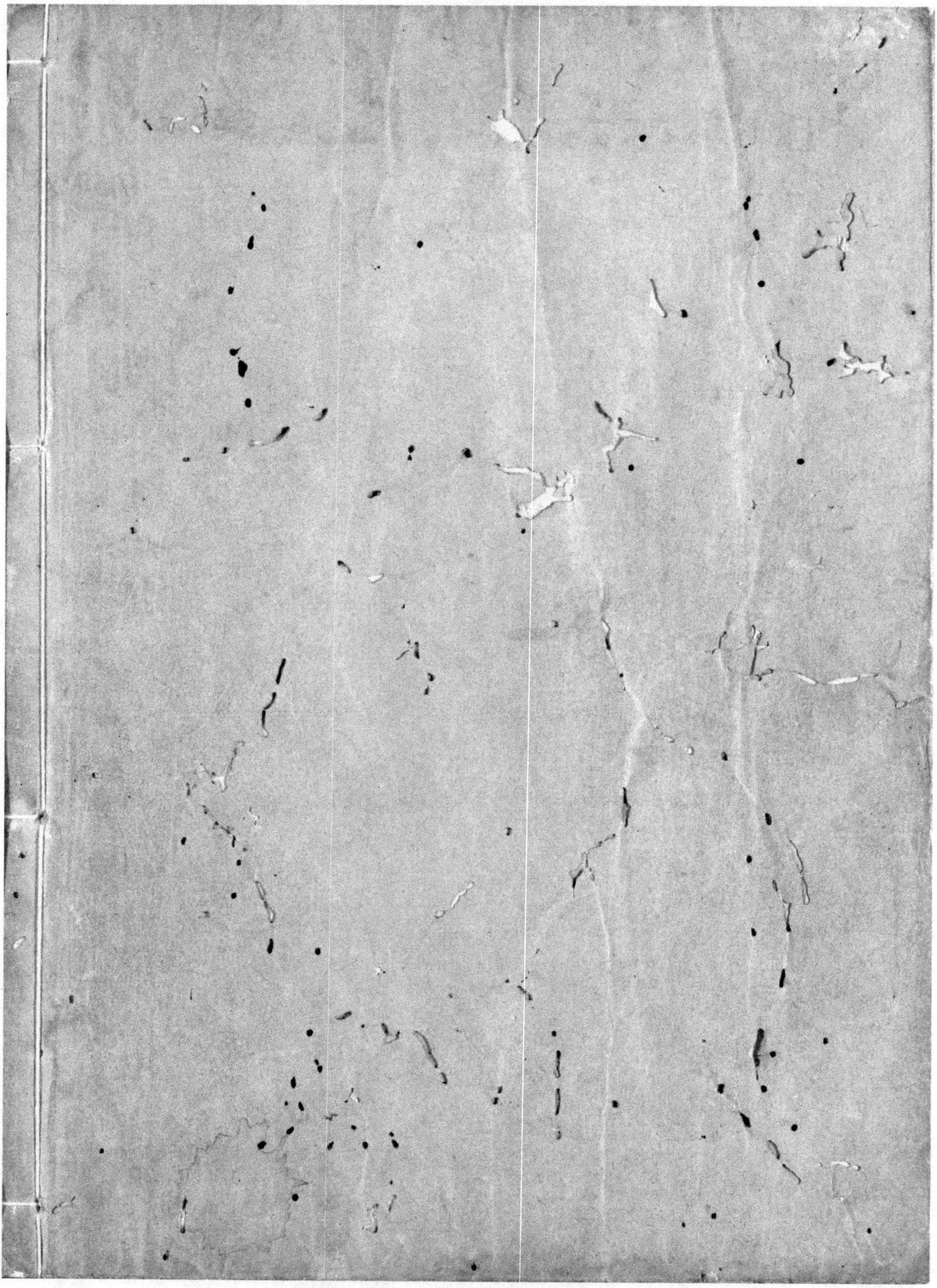

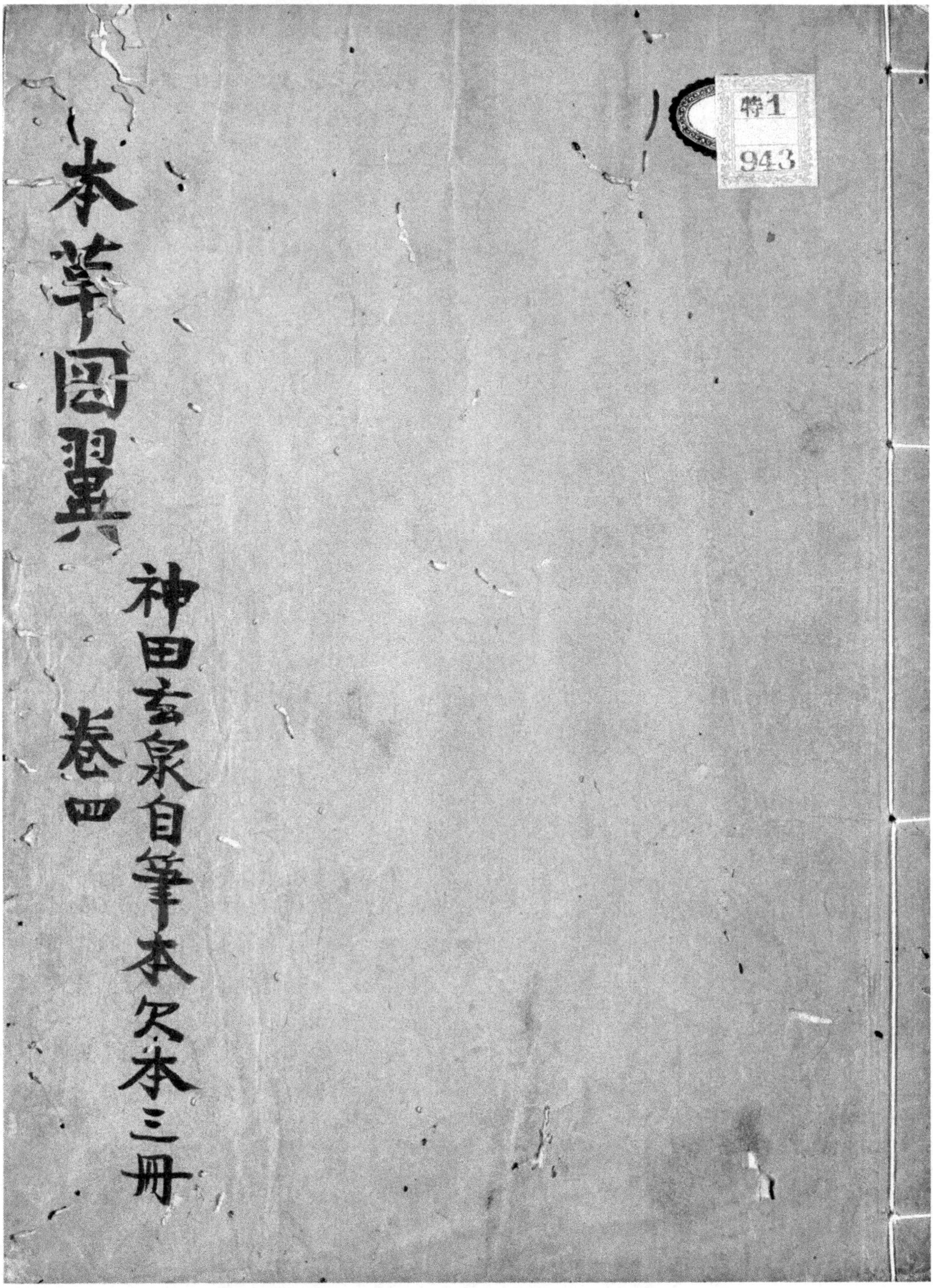
特1
943
本草圖翼
卷四
神田玄泉自筆本
欠本三冊

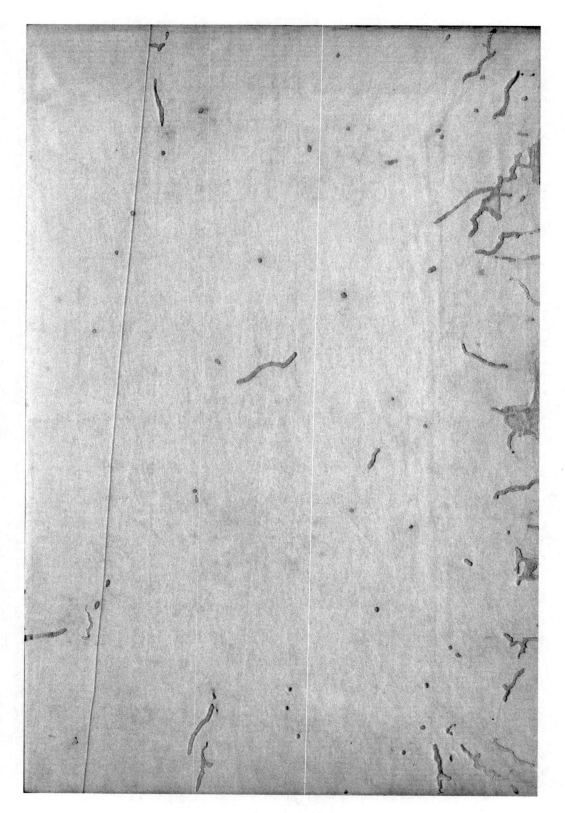

景天草 一種　苔類
佛甲草 同　地衣草 三種
虎耳草 同　石蕊 一種
石胡荽 同　井中苔 同
螺靨草 同　屋遊 二種
酸漿草 同　垣衣 一種
地錦草 同　烏韭 同
崖椶 同　土馬騣 同
雞翁藤 同　卷柏 同
半天回 同　玉柏 同
野蘭根 同　白龍鬚 同
紫背金盤 同　桑花 馬勃

海藻類　石蕈 壹種
落首 一種　石花菜 同
海蘊 同　鹿角菜 二種
海帶 同　龍鬚菜 一種
昆布 同　穀部
越王餘算 同　胡麻 二種
乾苔 同　亞麻 一種
氷松 同　大麻 同
石帆 同　大小麥 各一種
海柏 同　稻 穄 同前
水松 同　蜀黍 同
紫菜 同　玉蜀黍 同

菜類

目錄終

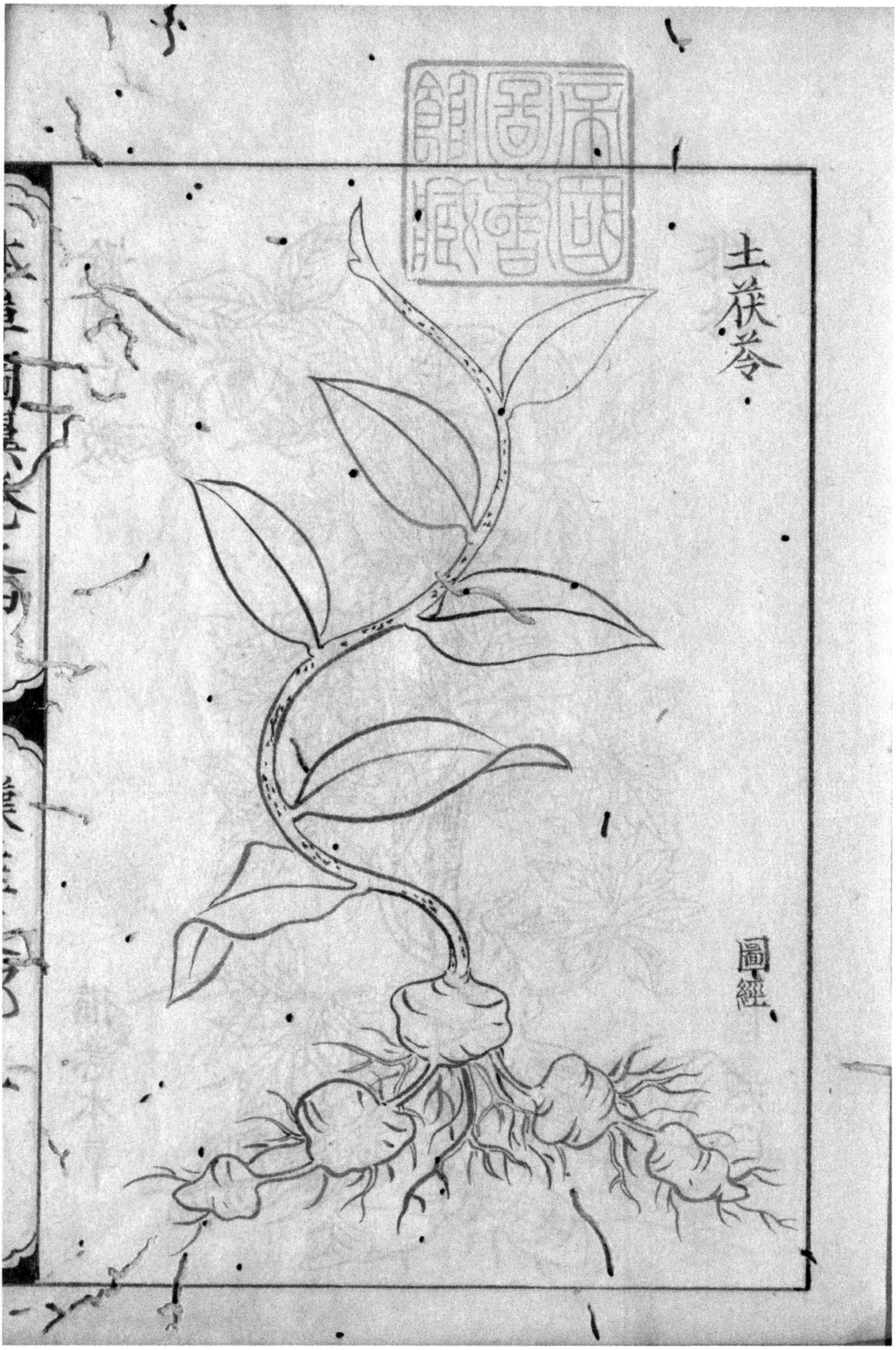
土茯苓
圖經

滁州白斂

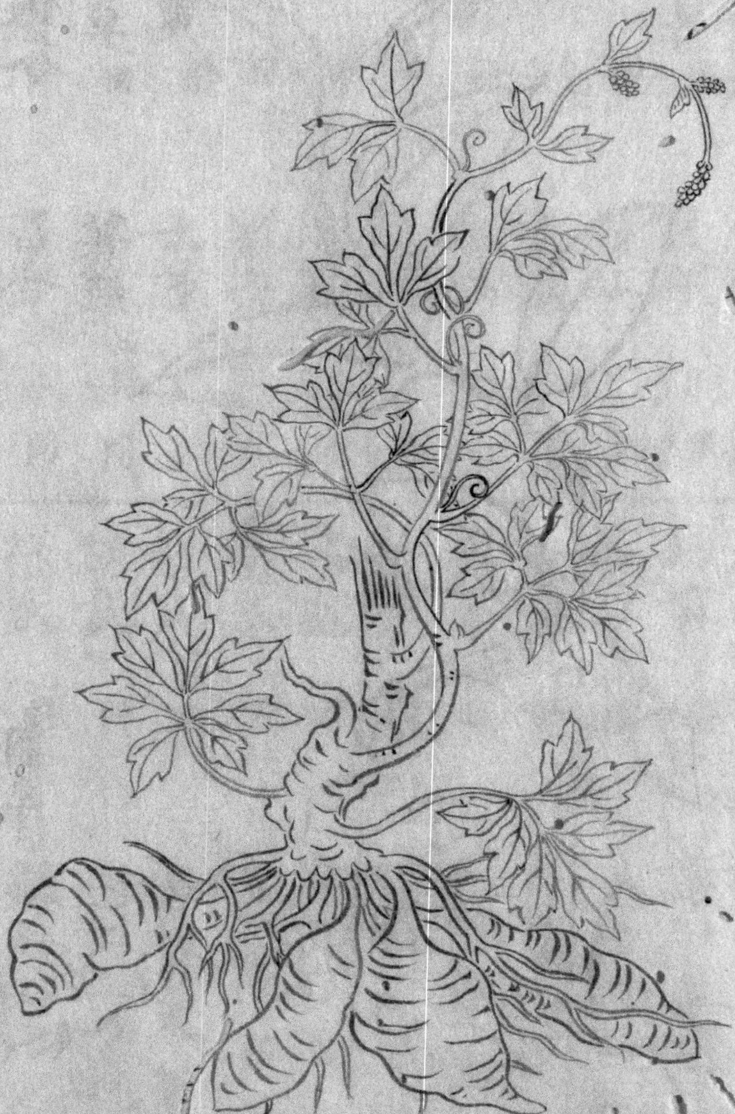

備急本草

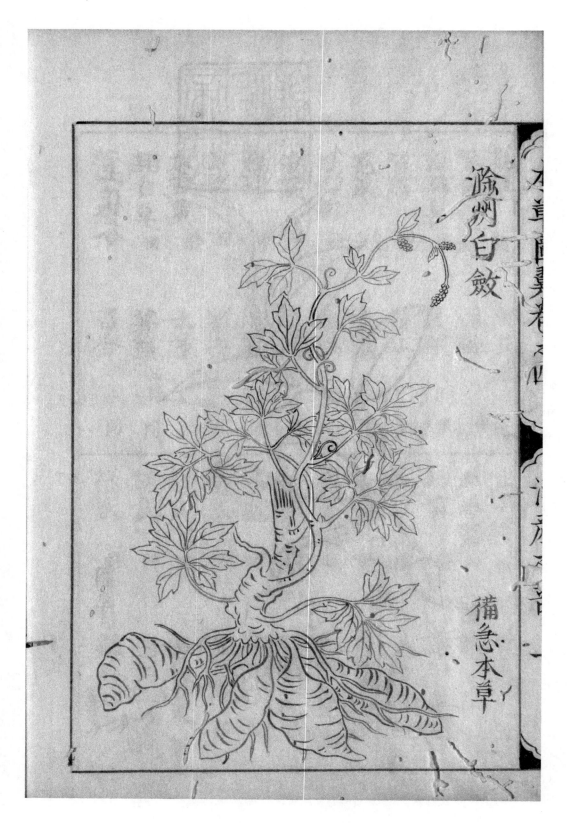

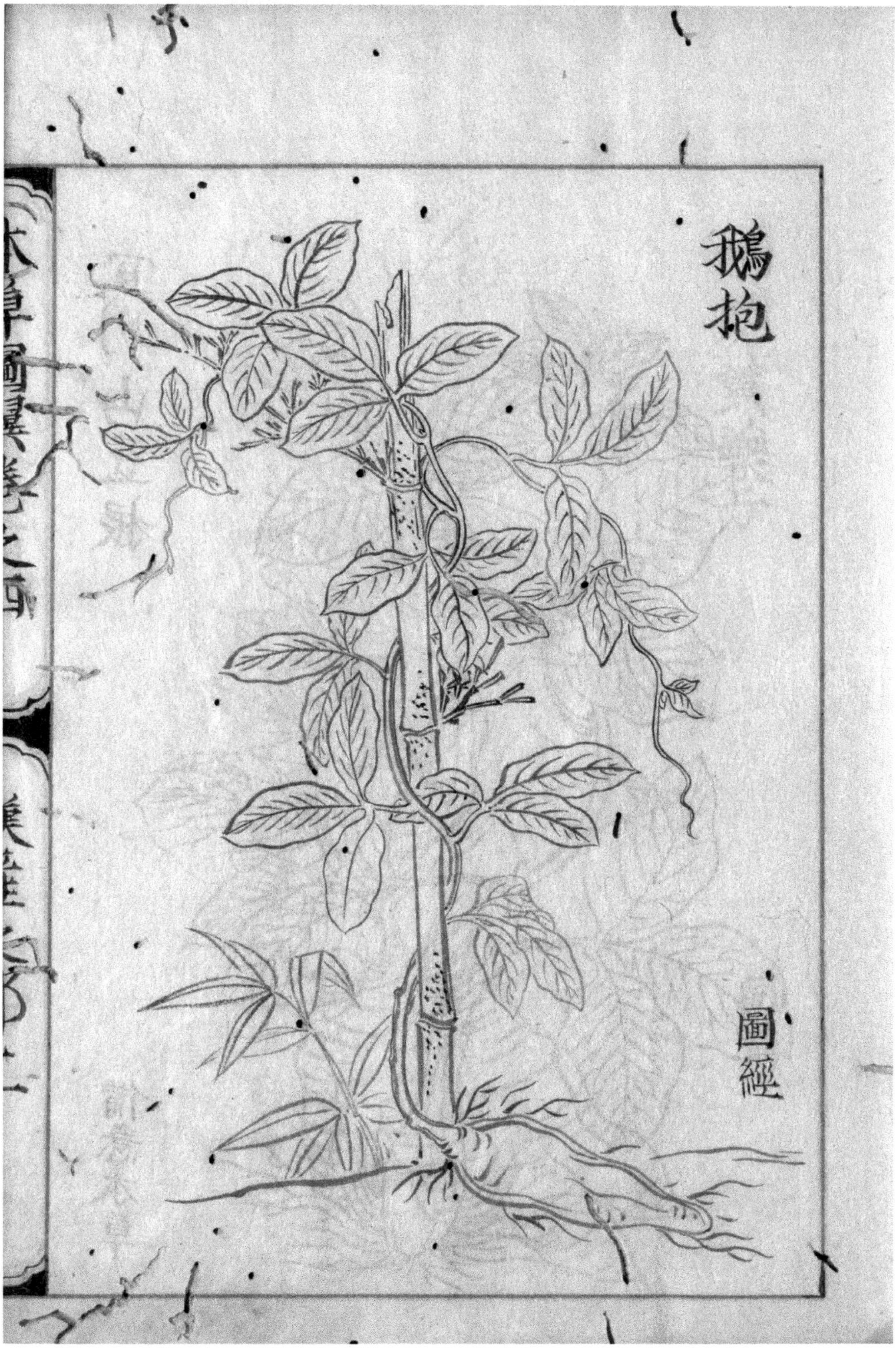
鵝抱
圖經

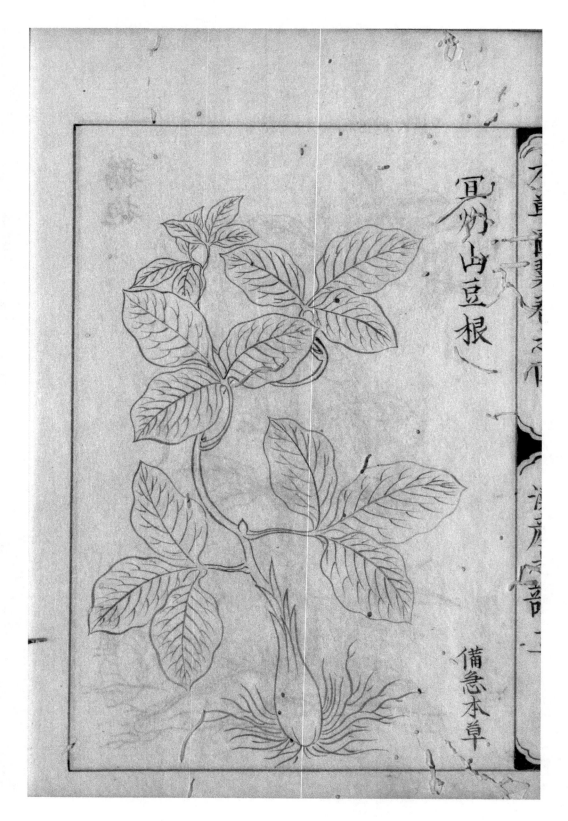

宜州山豆根

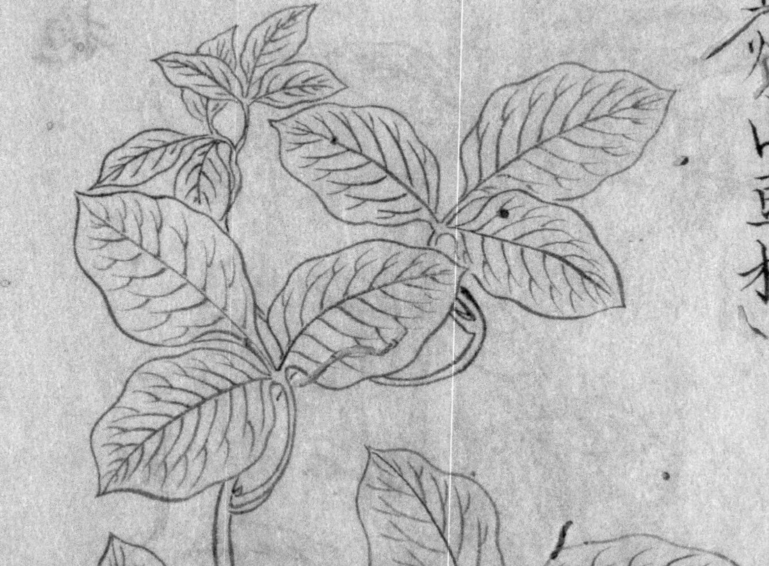

備急本草

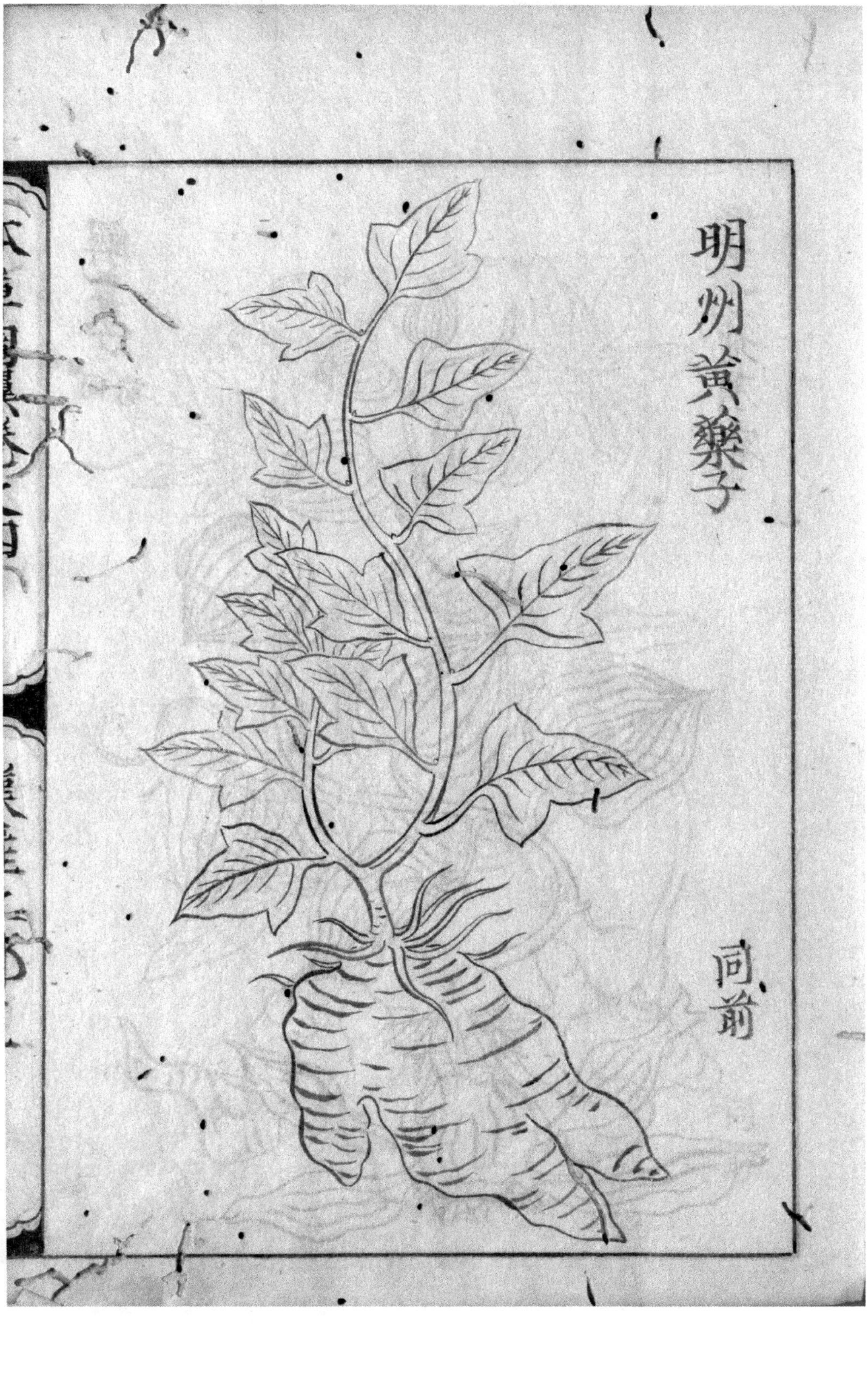
明州黃藥子
同前

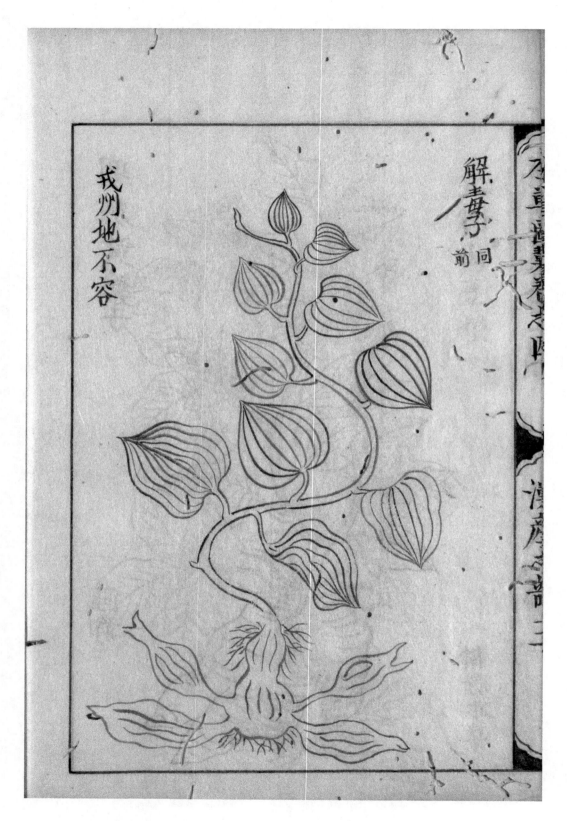

解毒子 同前

戎州地不容

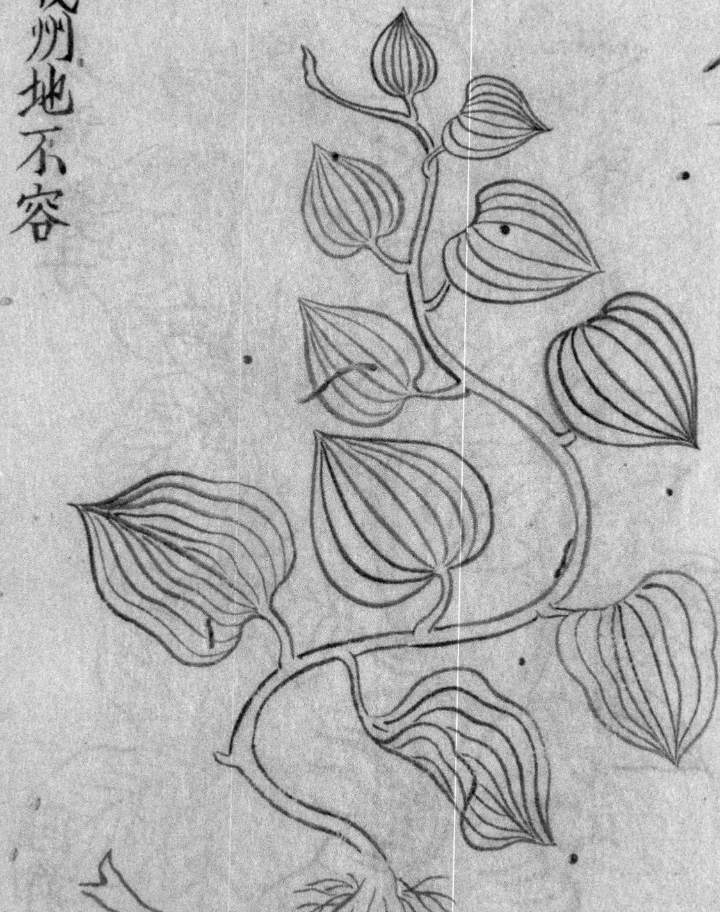

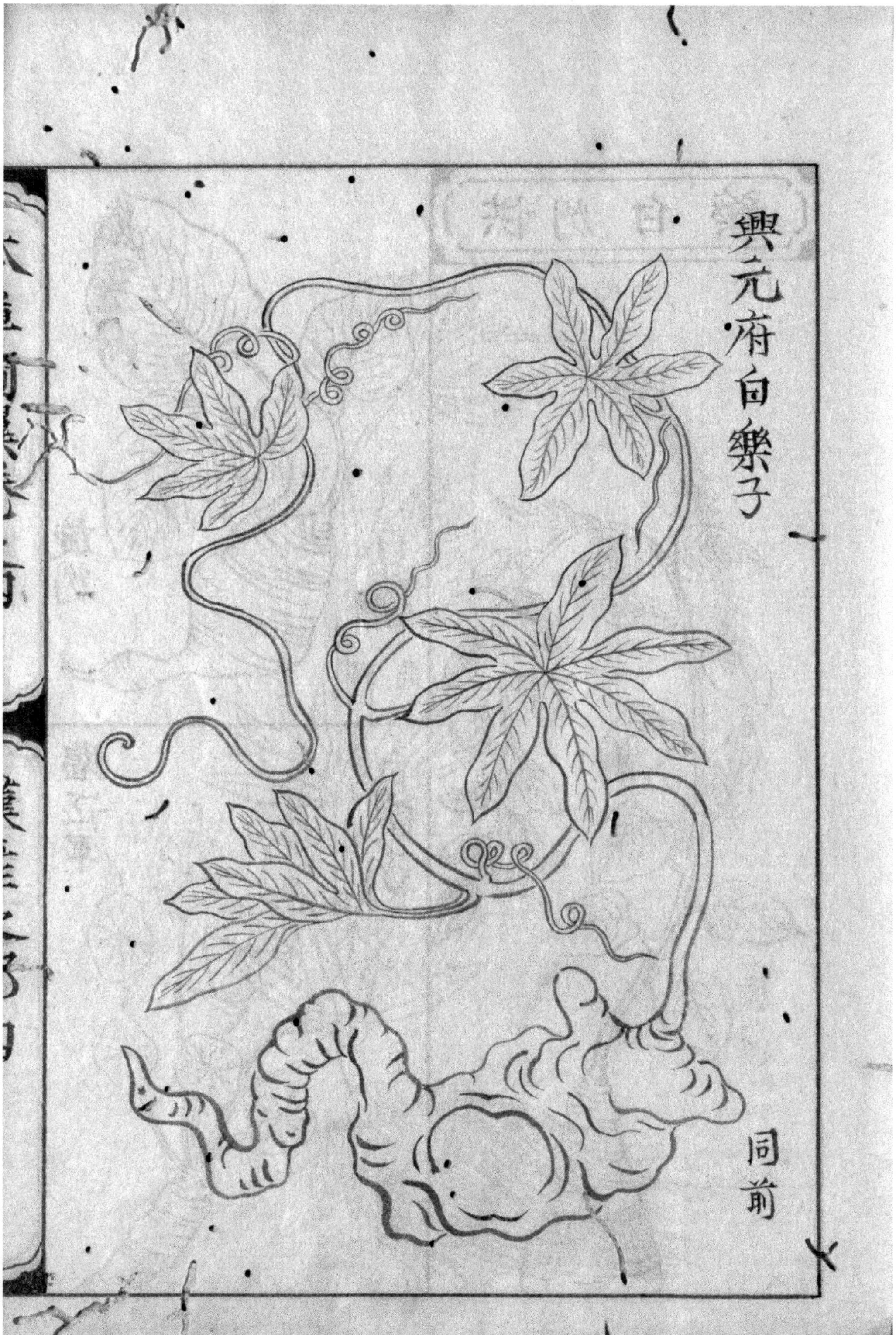
興元府白藥子
同前

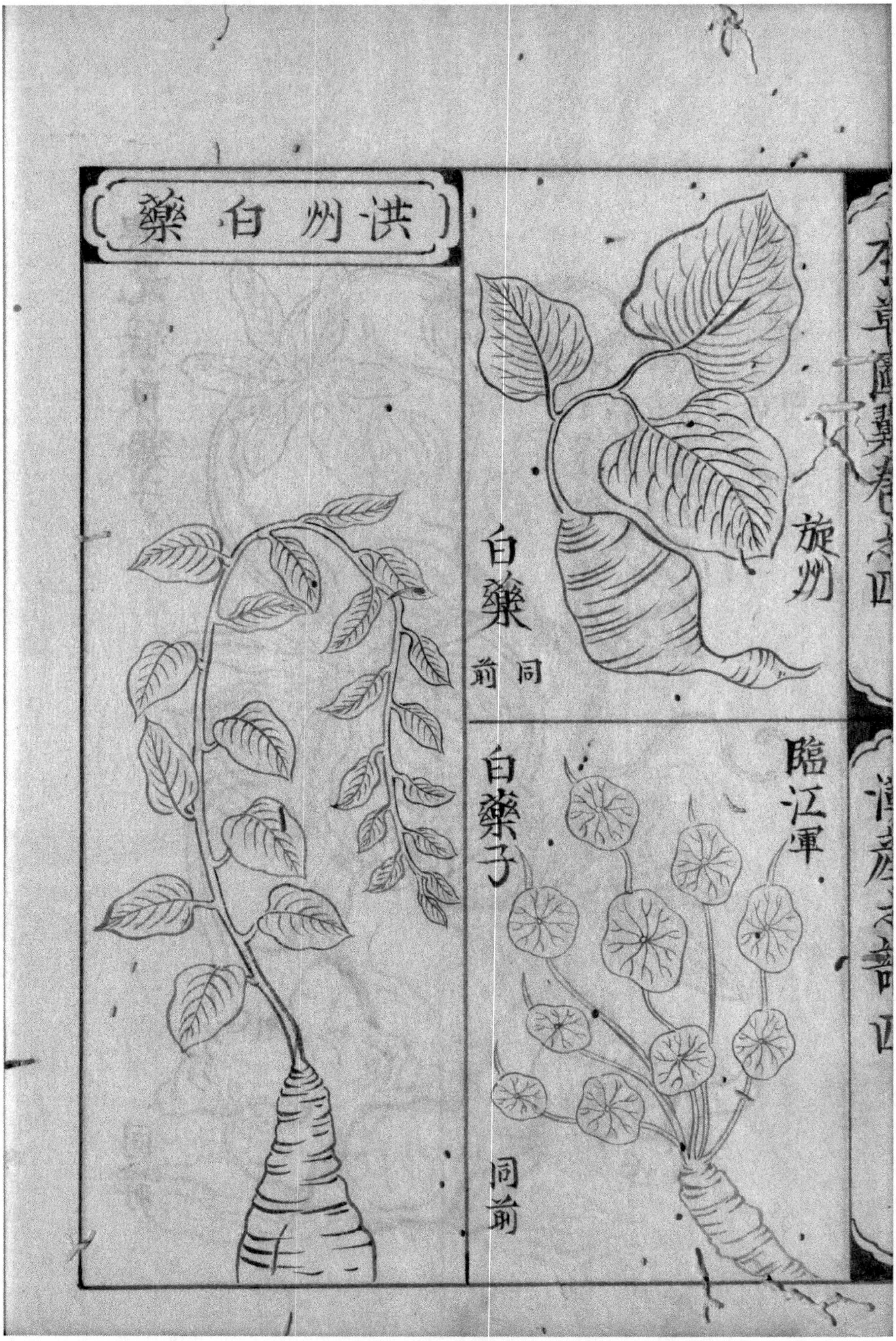
洪州白藥
旋州
白藥
同前
臨江軍
白藥子
同前

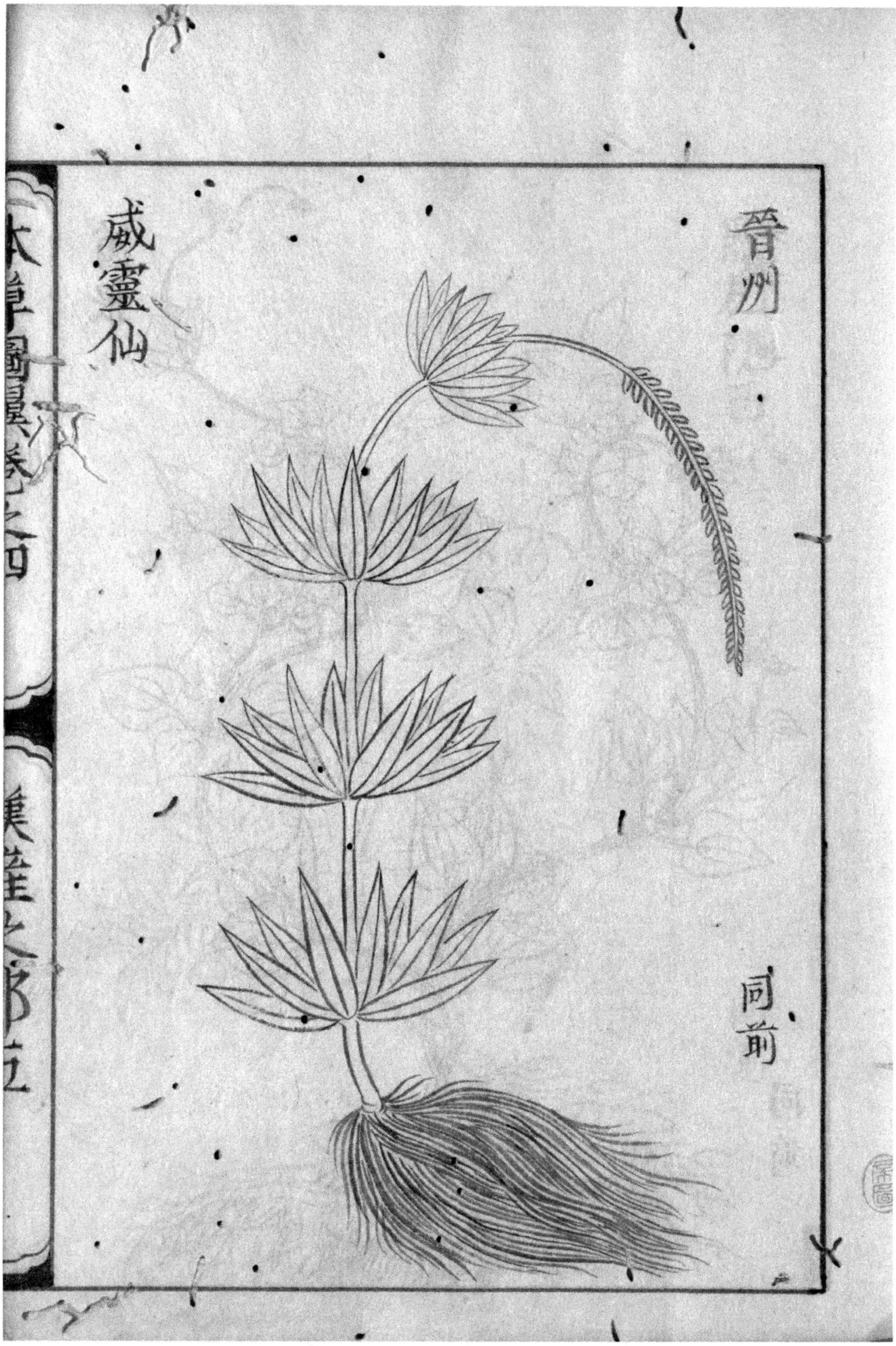
威靈仙
晉州
同前

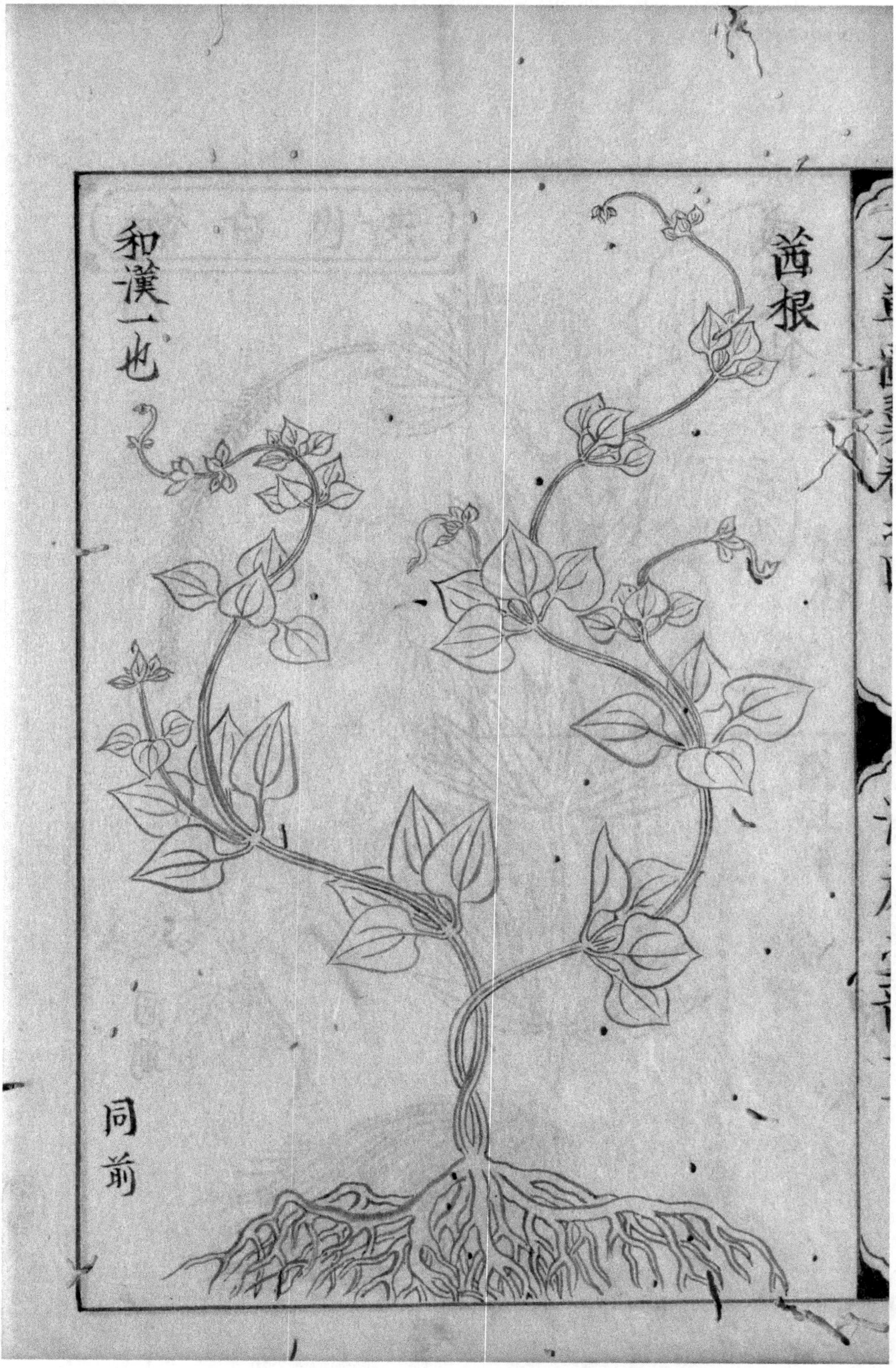
茜根
和漢一也
同前

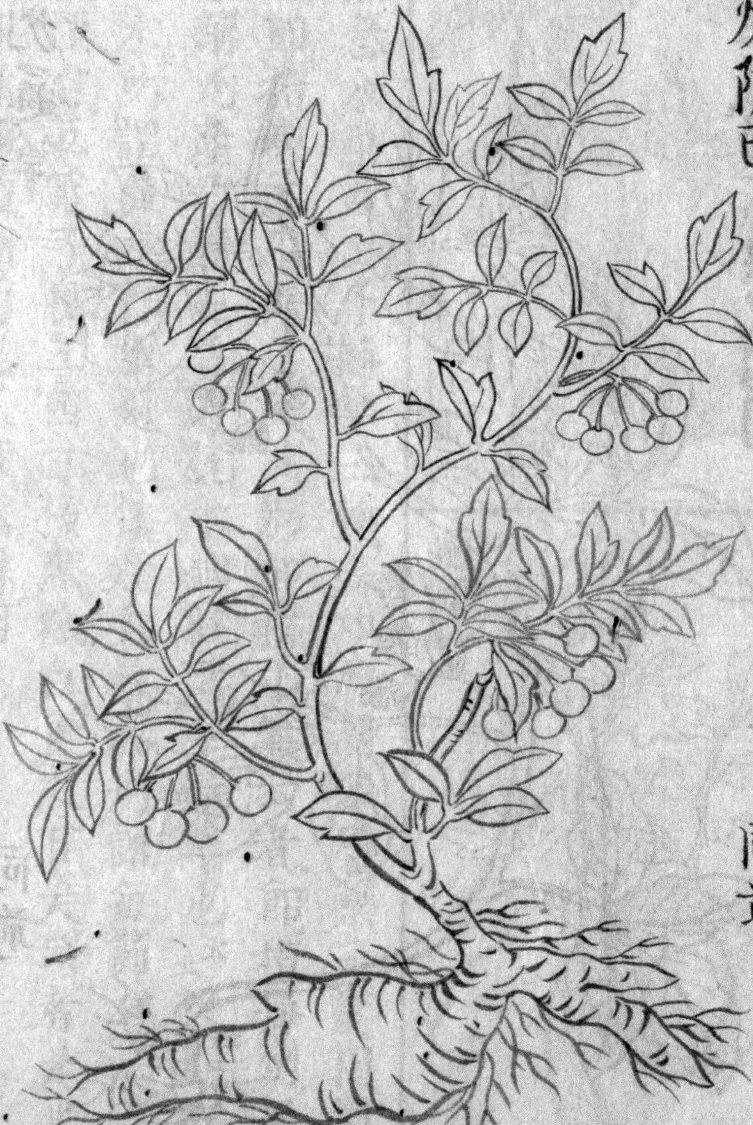
黔州防己
同前

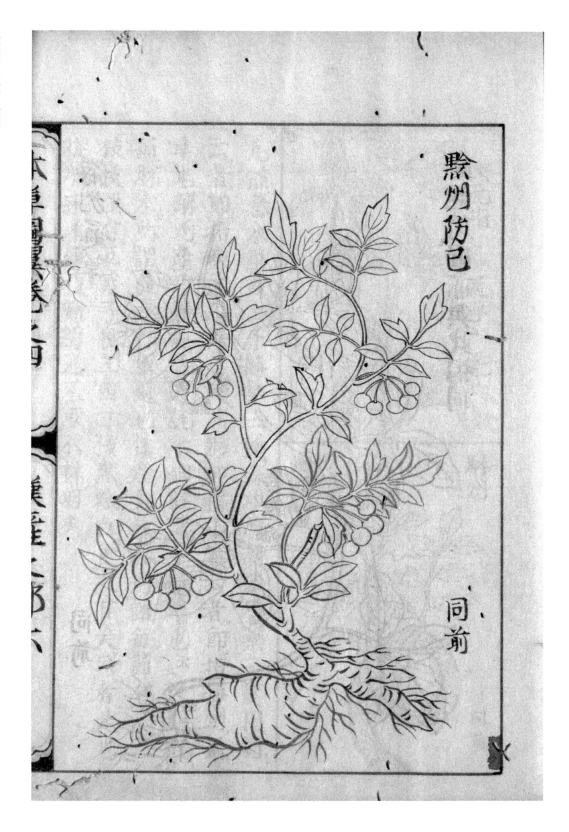

海州通草

同前

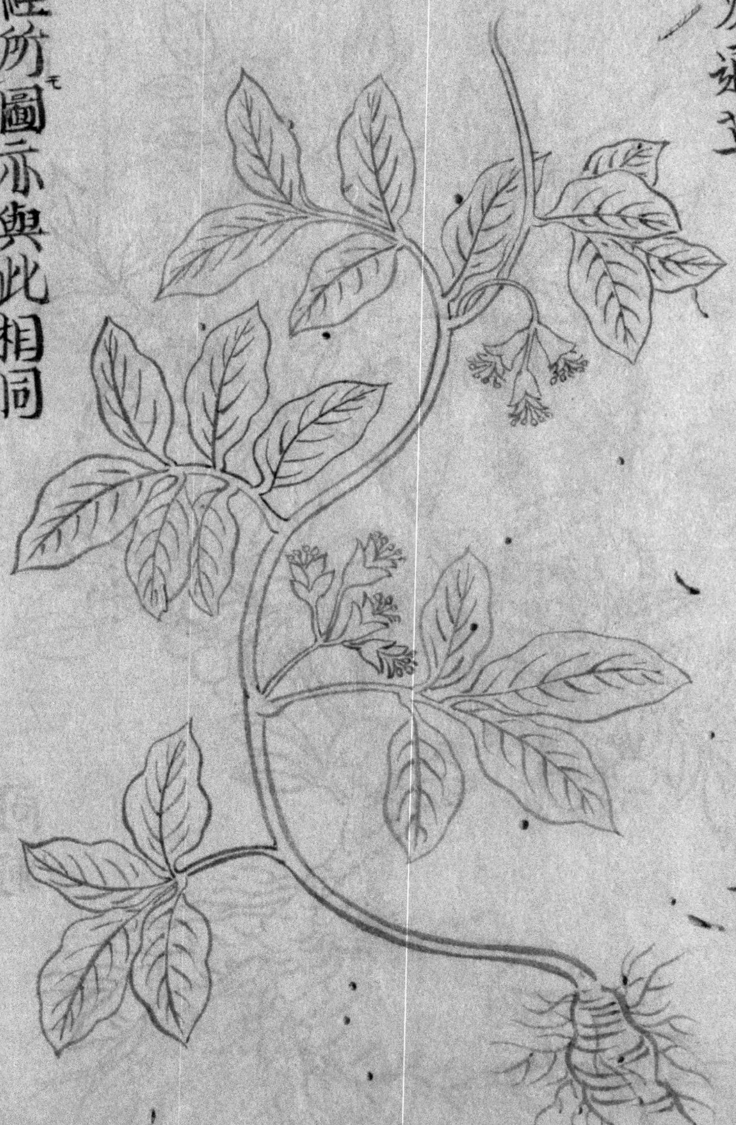

圖經所圖亦與此相同

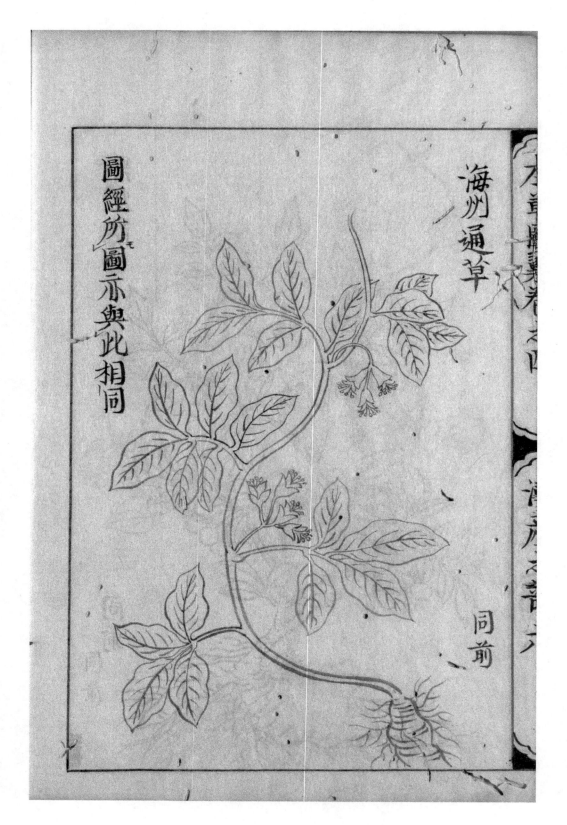

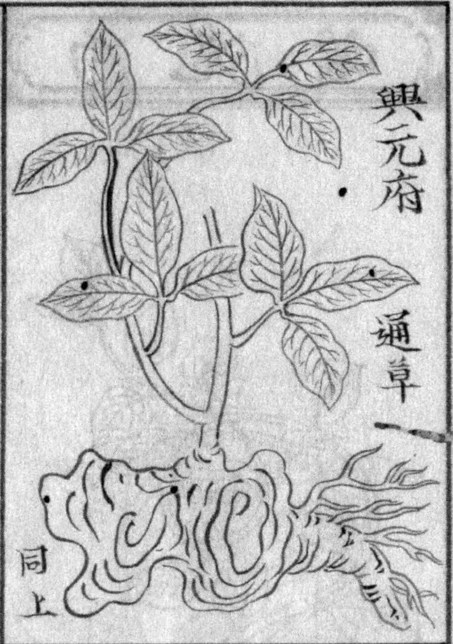

凡備急本草畫出于通草三種蘇頌所謂似芍藥三葉相對云者即指興元府通草又其形如椿少葉云者即指海州通草也解州產乃圖經爲通脫木細註云今通草也云云又別有通脫木所謂通草即木通也倭產即蘇恭所謂每節有二三枝枝頭有五葉子長三四寸核黑瓤白食之甘美云者是也從舶來木通乃葡萄也不可不辨明矣

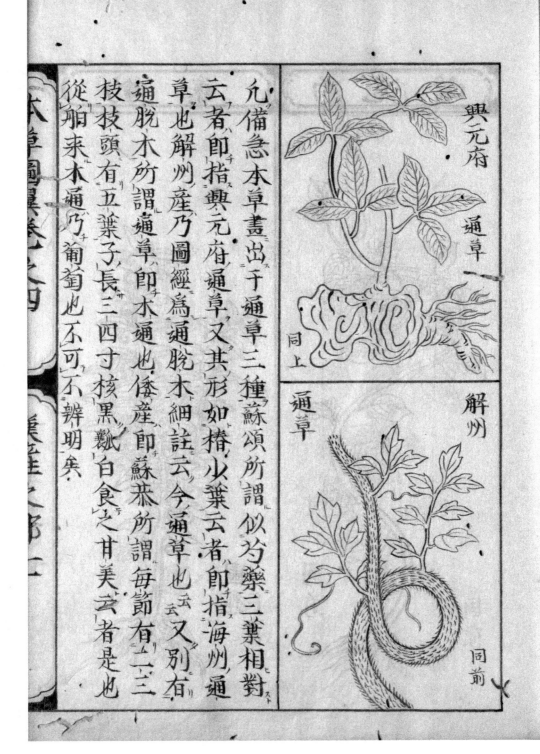

## 釣藤

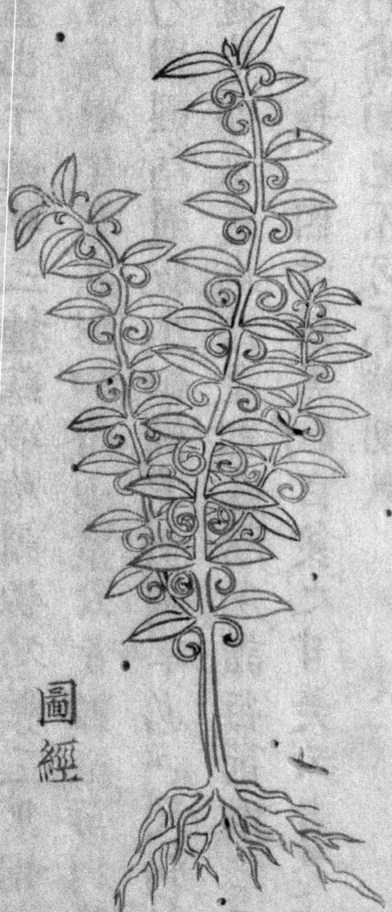

圖經

## 白兎藿

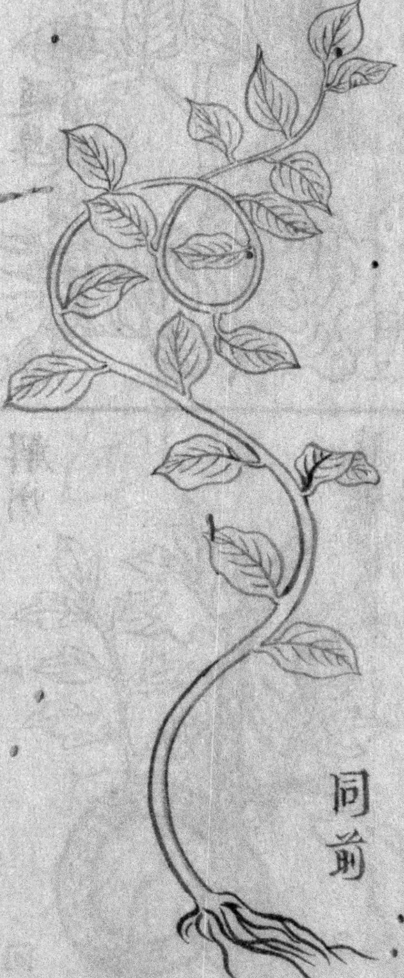

同前

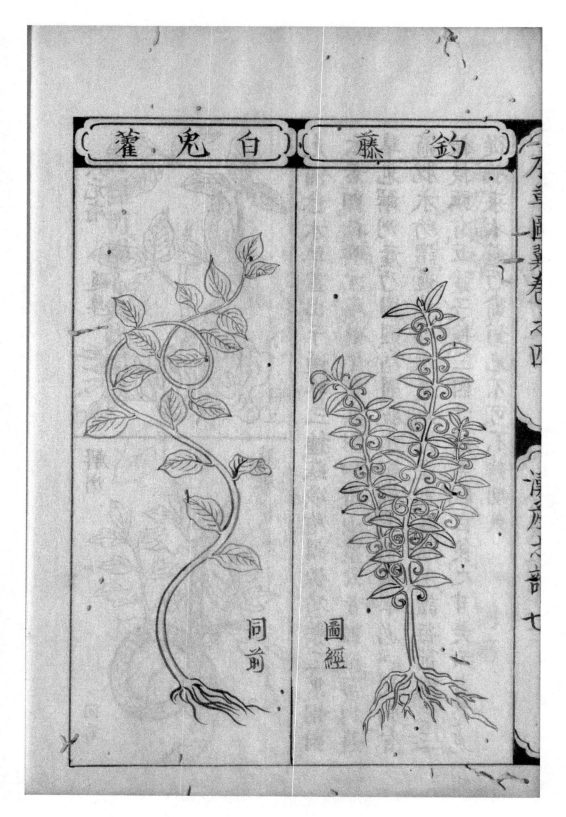

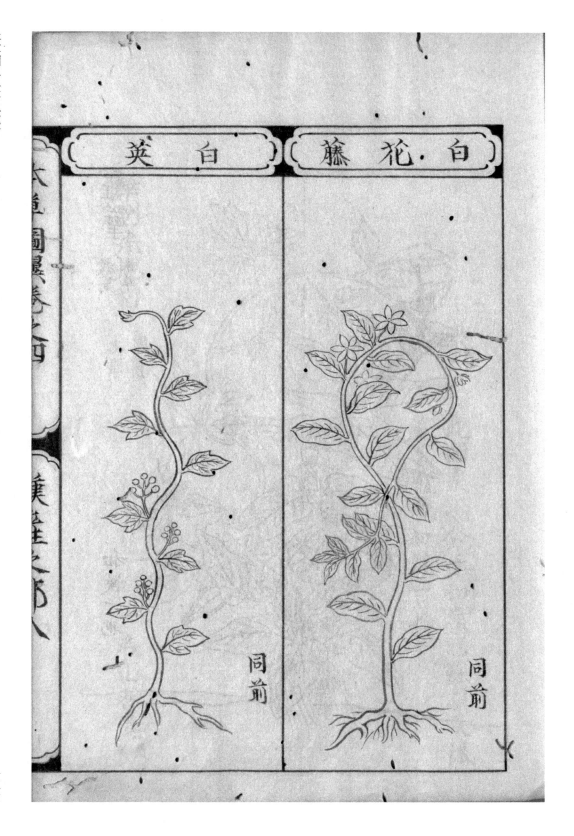

白花藤

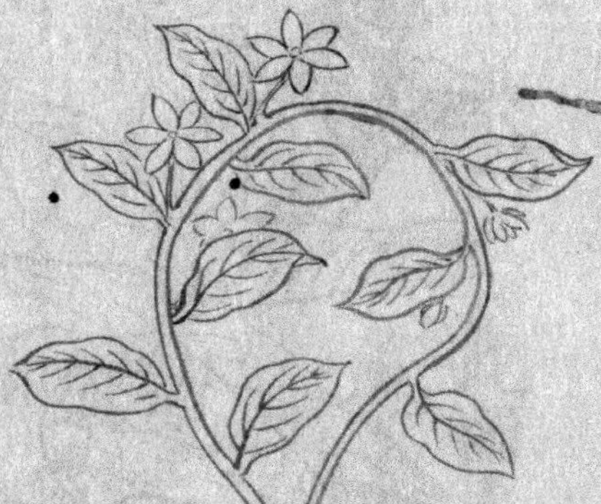

同前

白英

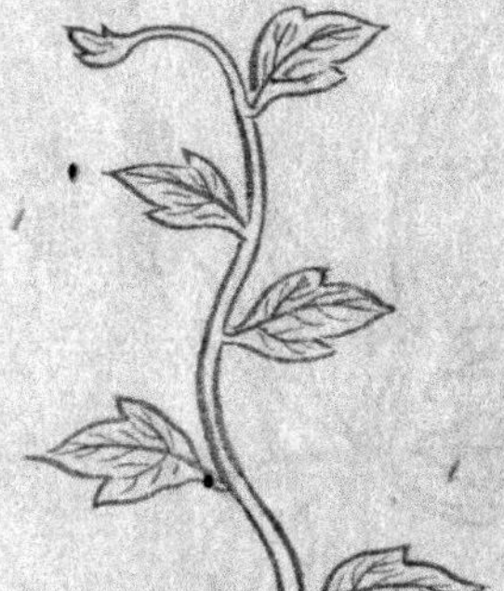

同前

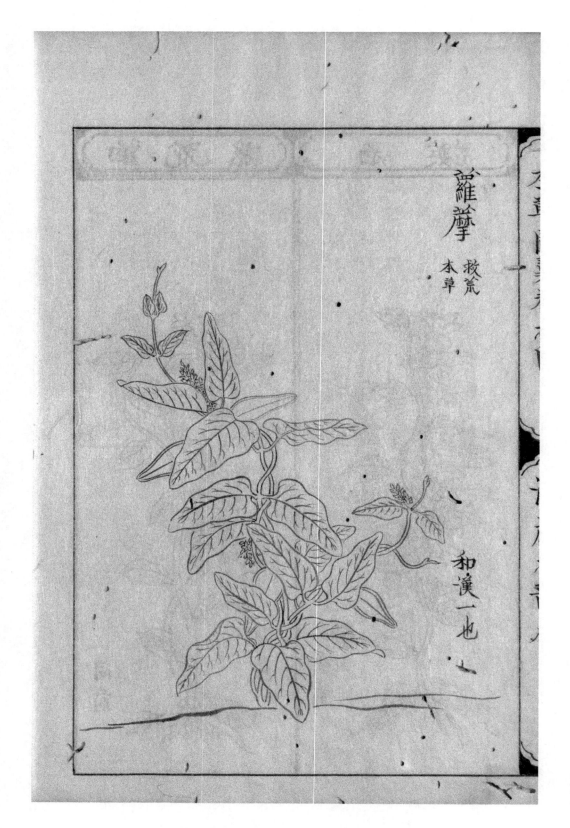

# 蘿藦

救荒本草

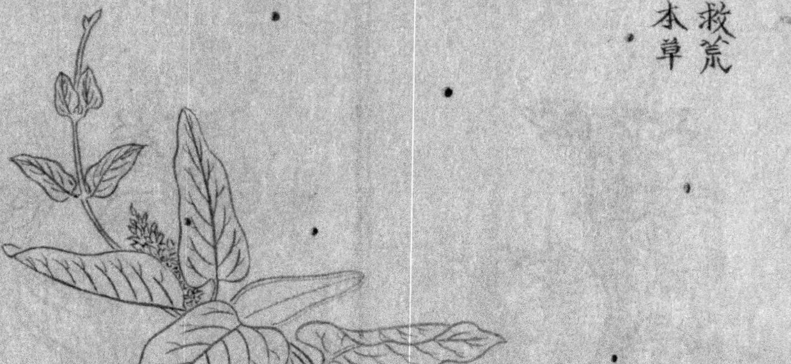

和漢一也

此圖象不合于和産也蘇頌及陳藏器所說和漢一也

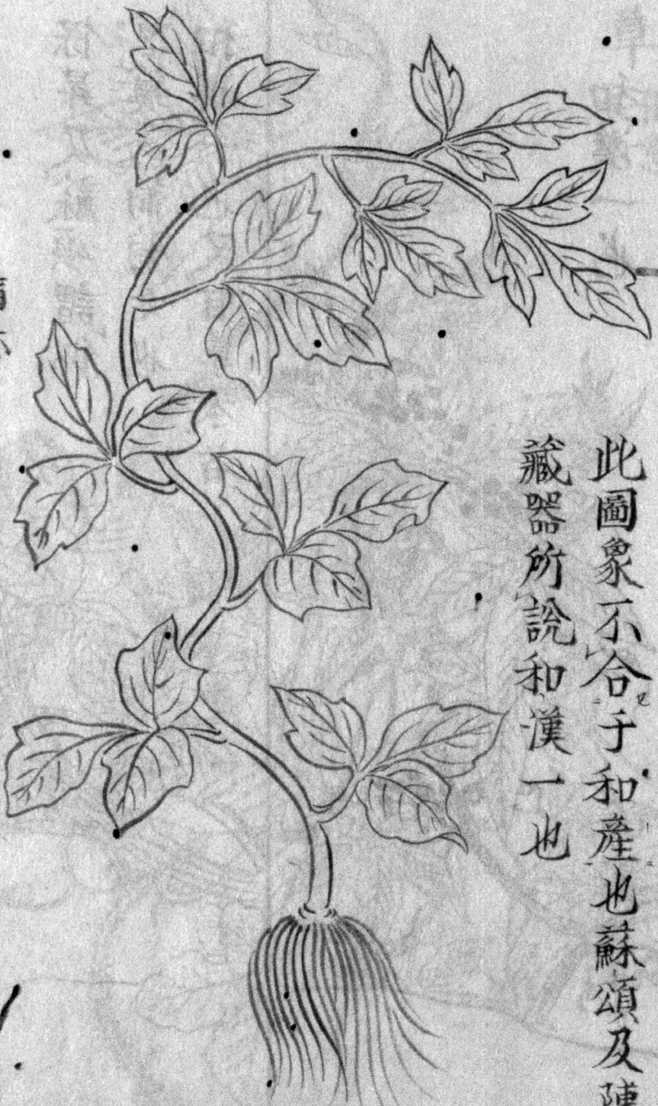

華州赤地利 備急本草

一名山蕎麥 圖經

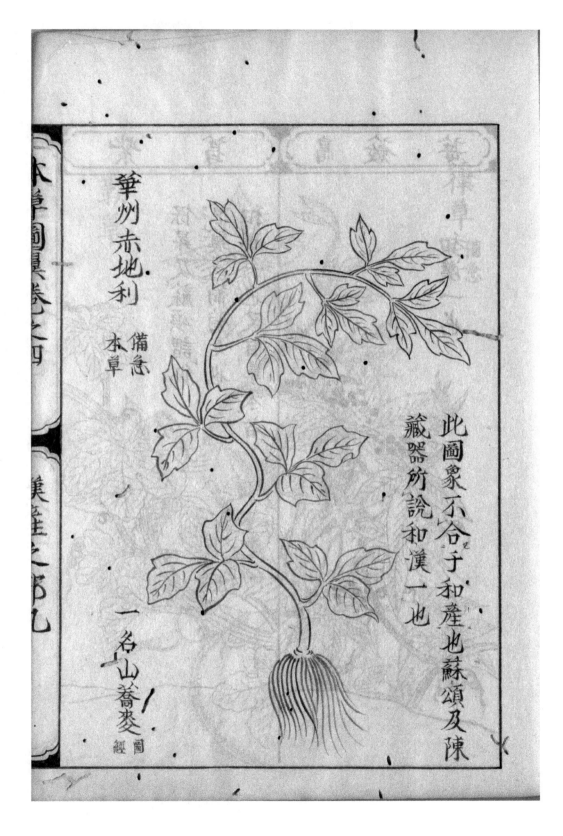

## 紫葛

保昇及蘇頌謂似蘡薁及葡萄是也
和漢一也又有草本者

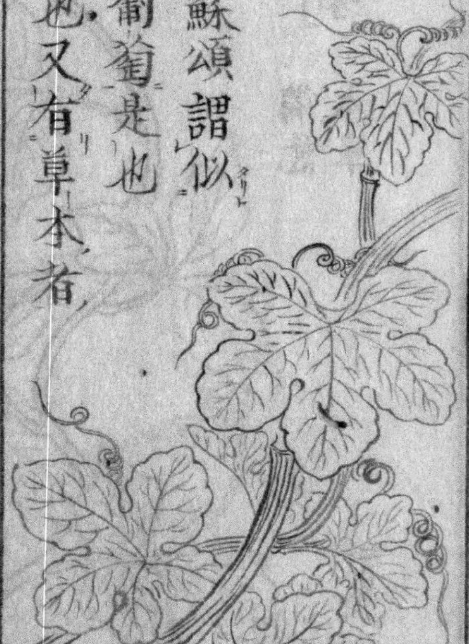

## 烏蘞苺

和漢一也

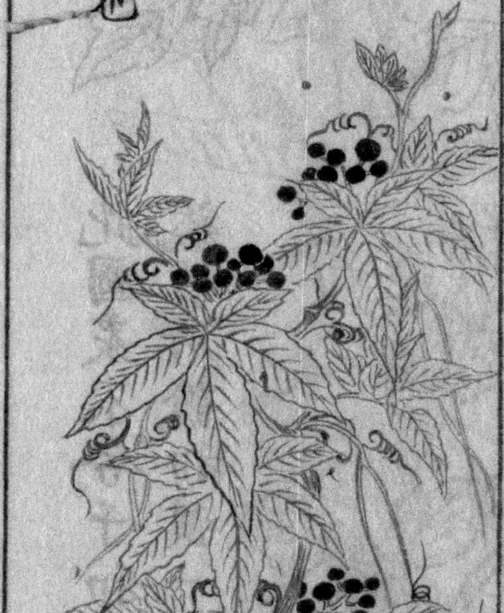

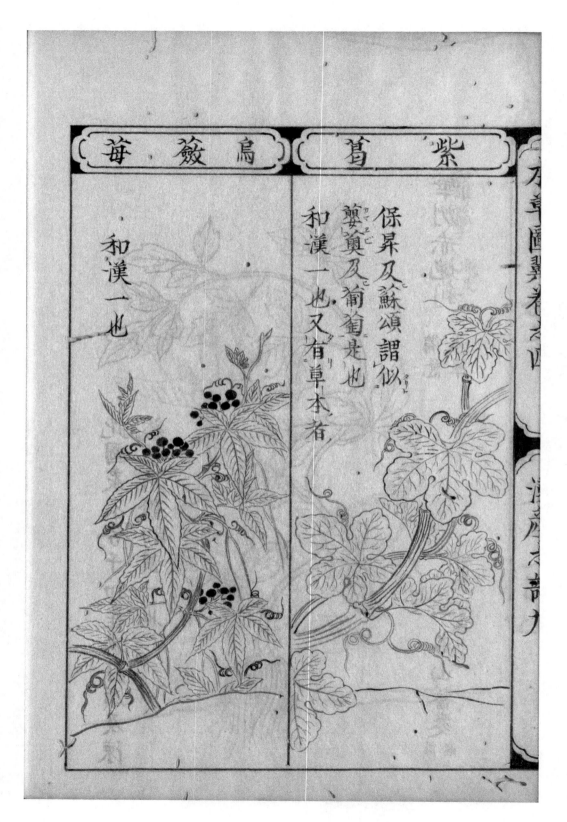

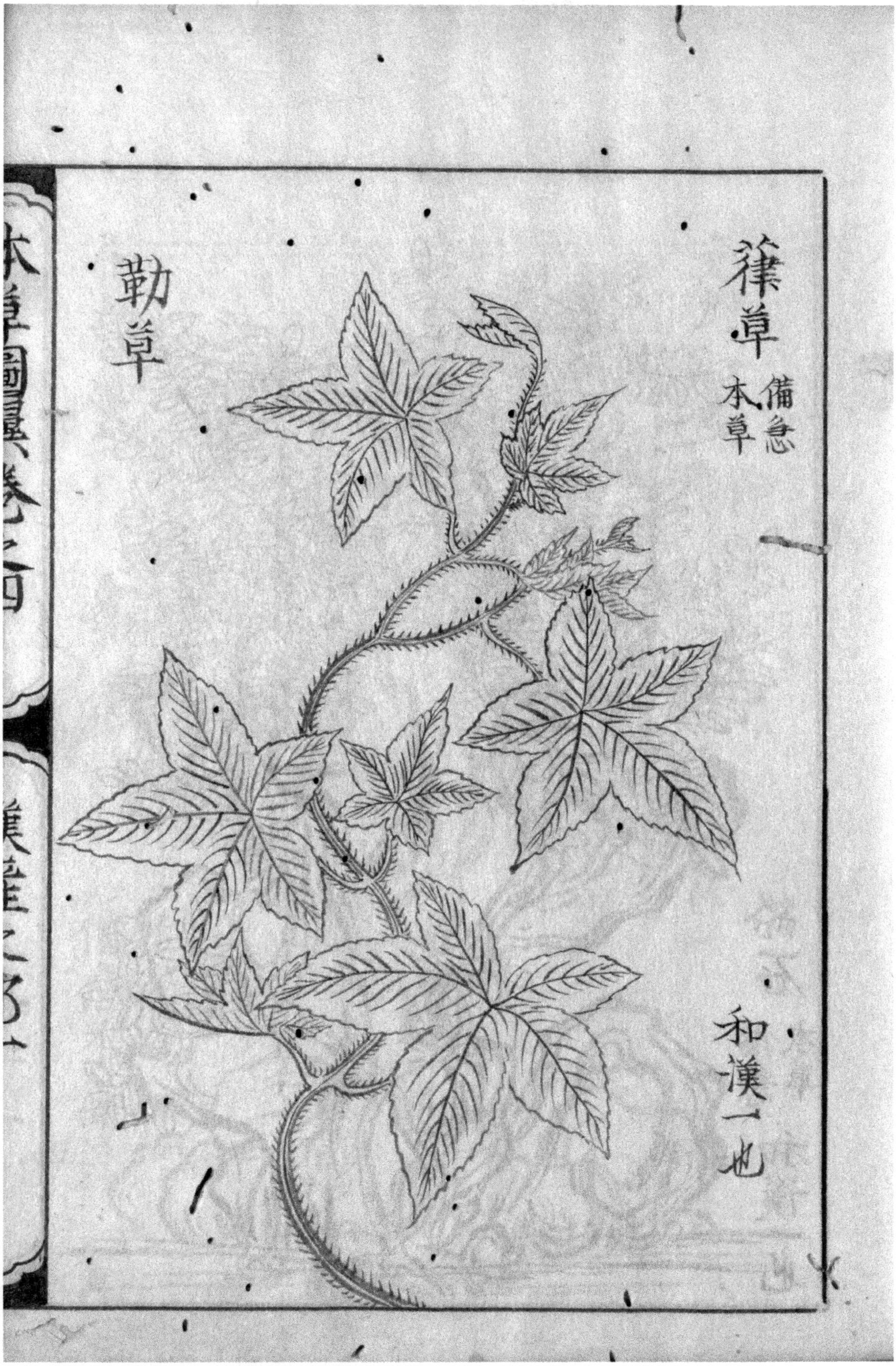
葎草
備急本草
勒草
和漢一也

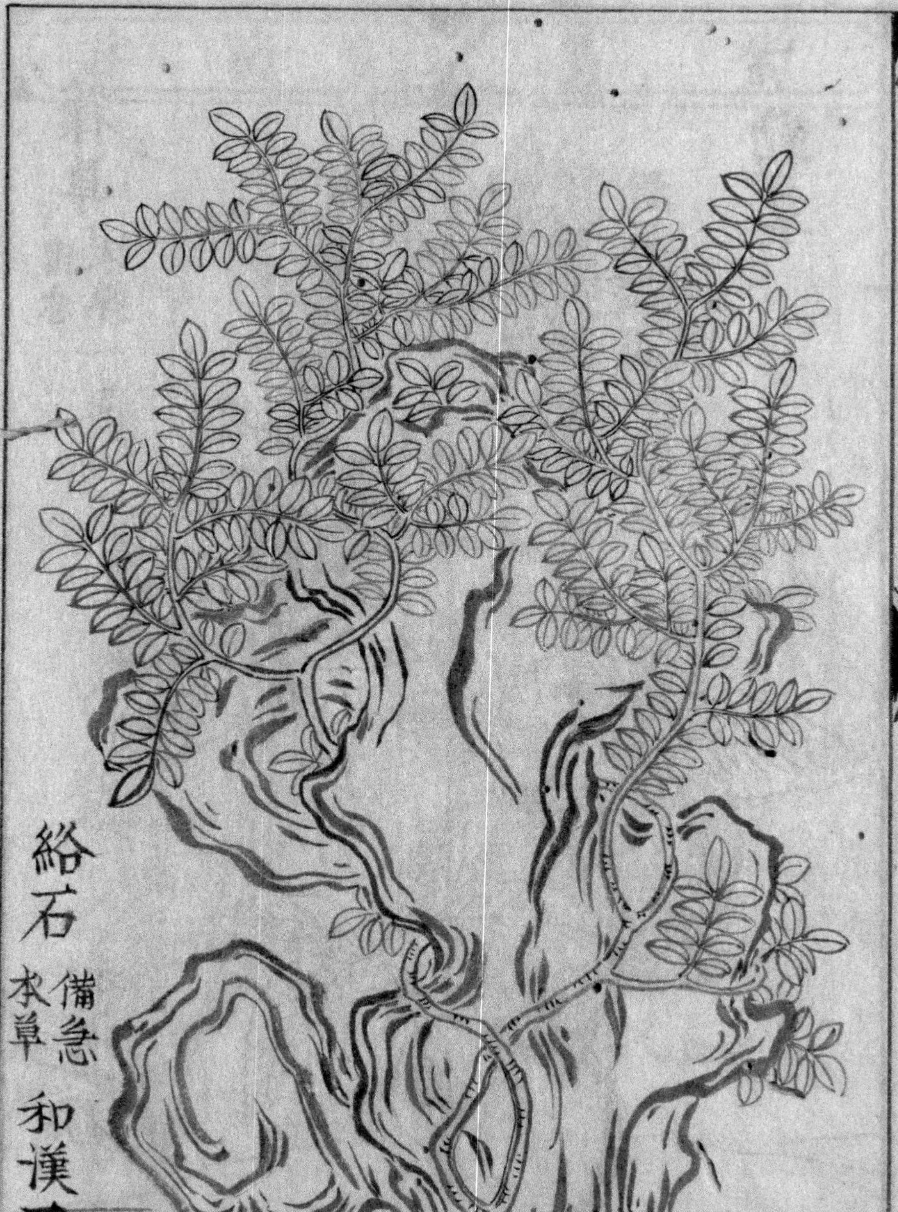
絡石
備急本草
和漢一也

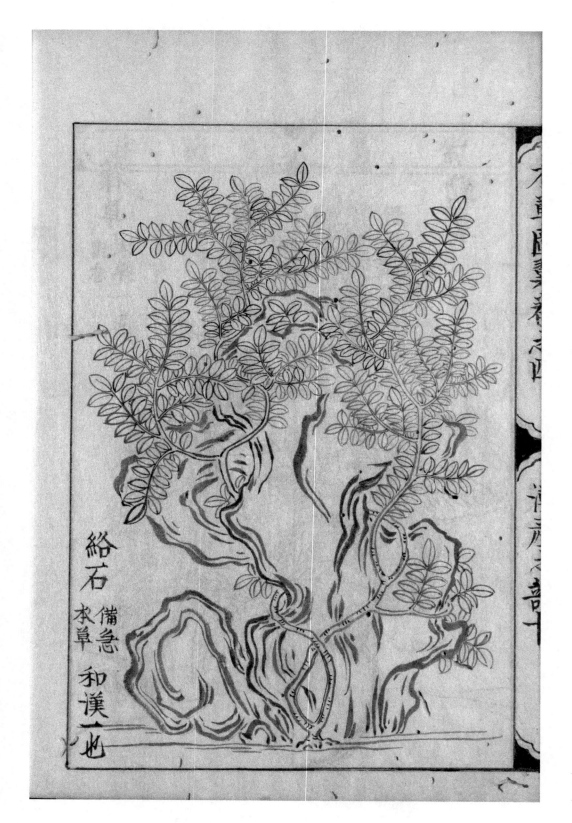

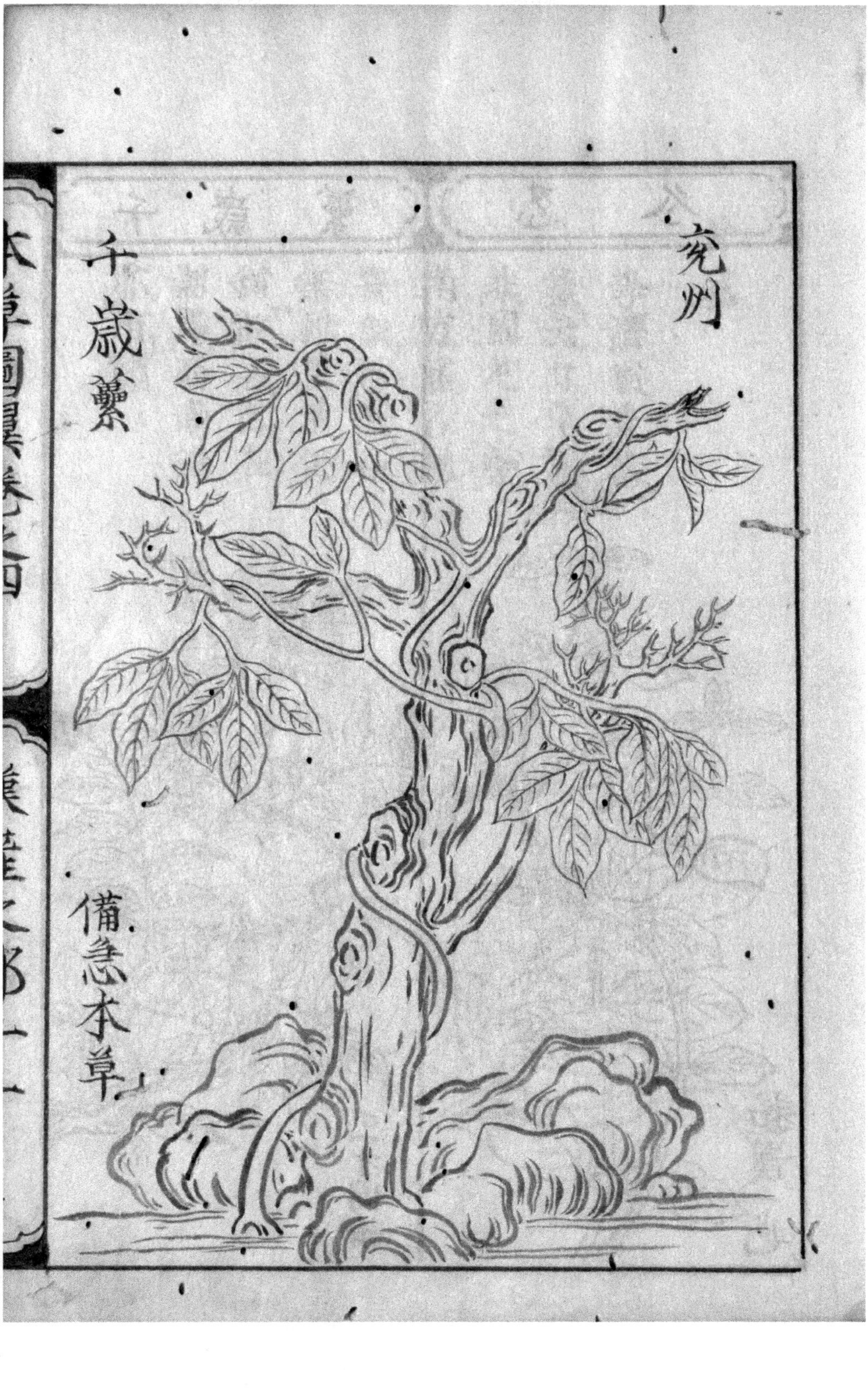
兗州
千歲虆
備急本草

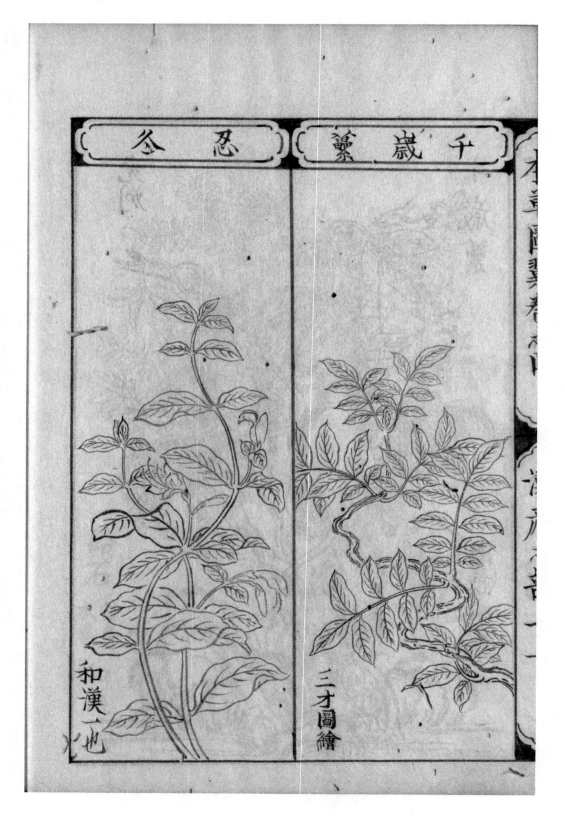

本草圖翼卷 漢産部一

千歲蘽

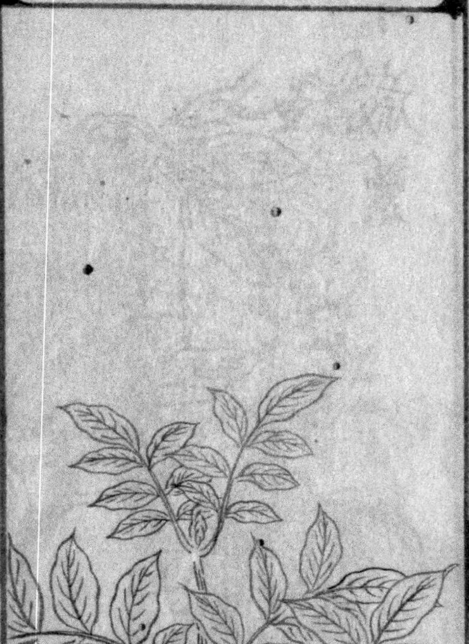


忍冬

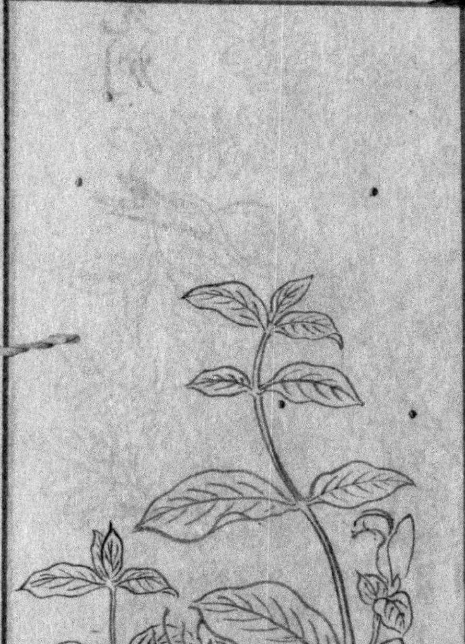

甘藤

李濟翁資暇集云甘草藤非國老之藥南方藤名也叢似薔薇而無刺枝葉俱甜故名出在潮陽而南漳亦有（漳州府志）

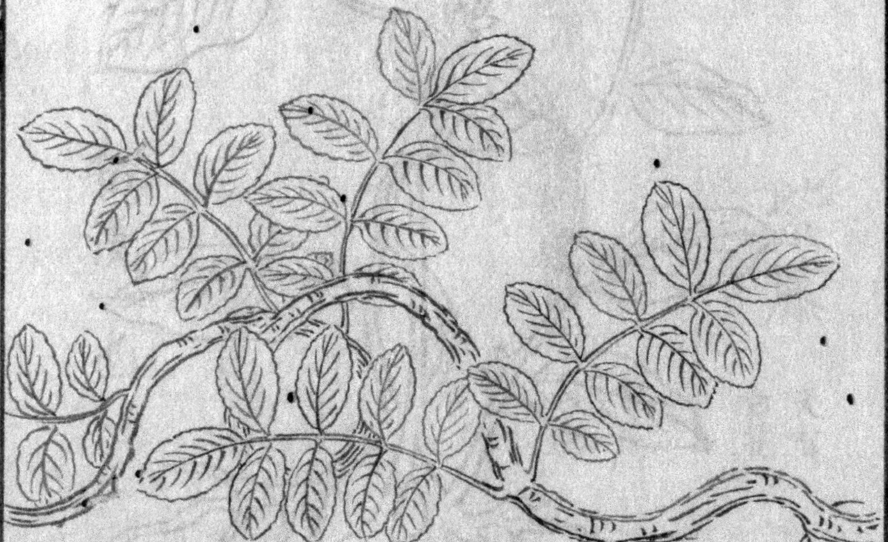

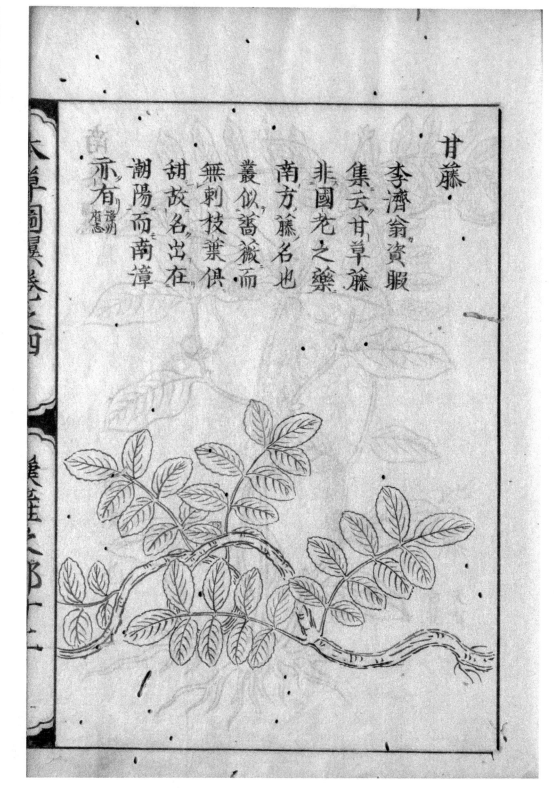

南藤 備急本草

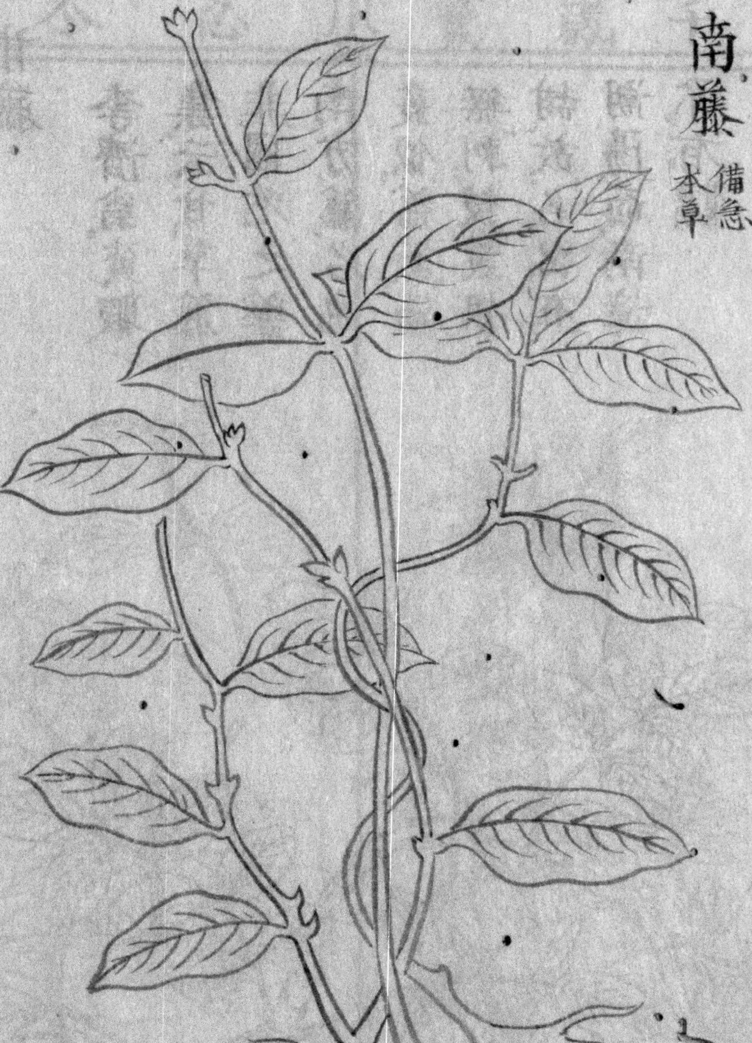

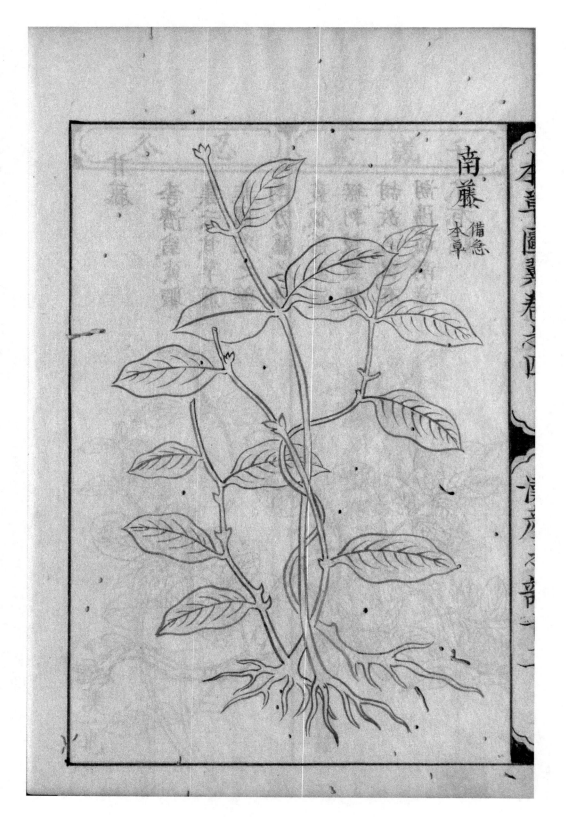

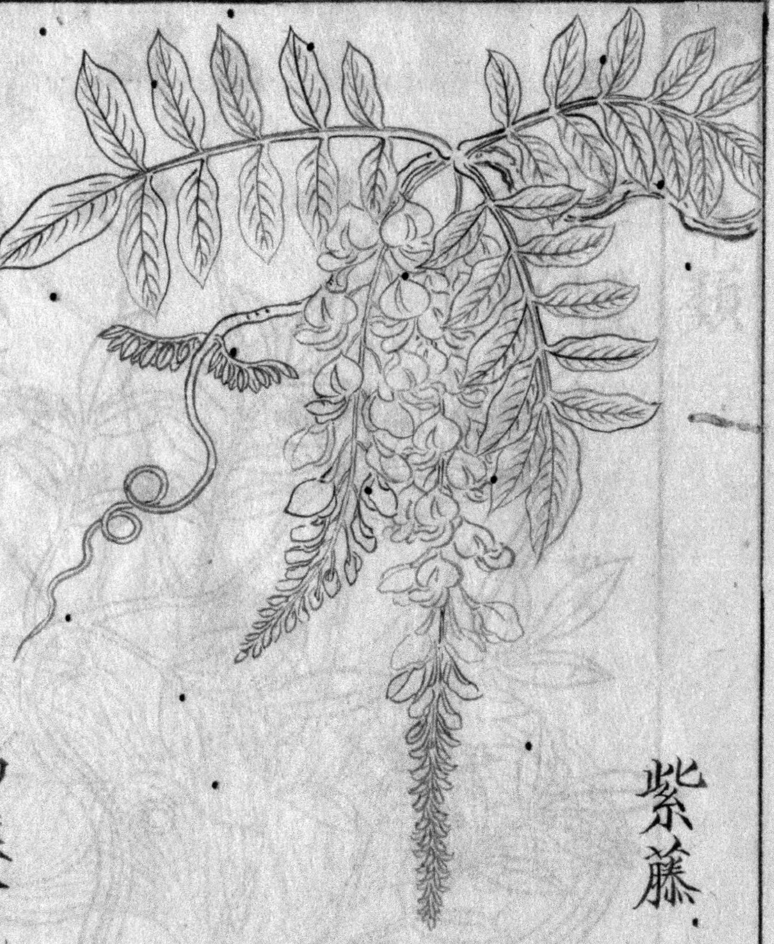

紫藤

又有白花

和漢一也

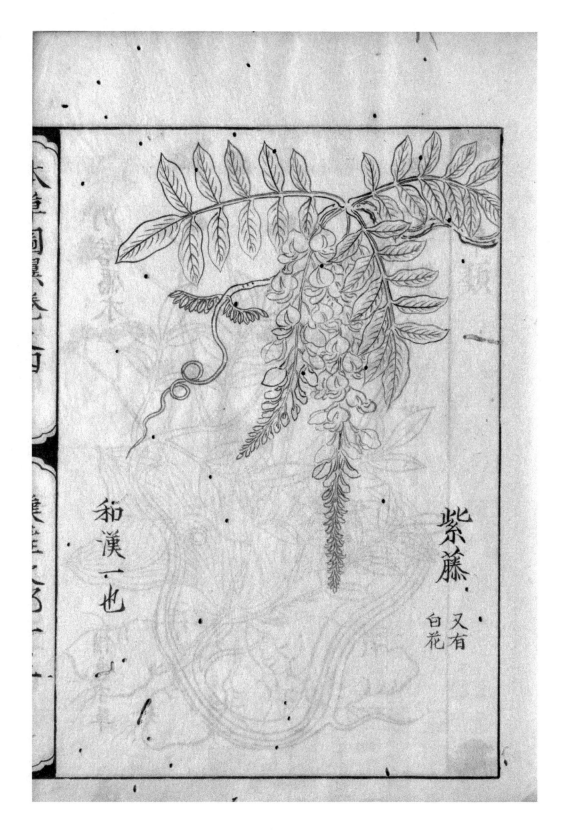

雅州落鴈木

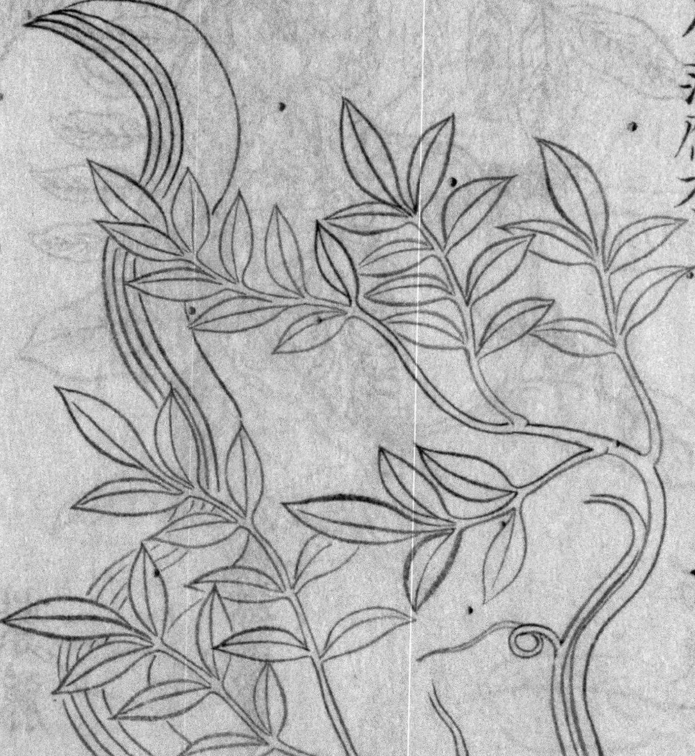

備急本草

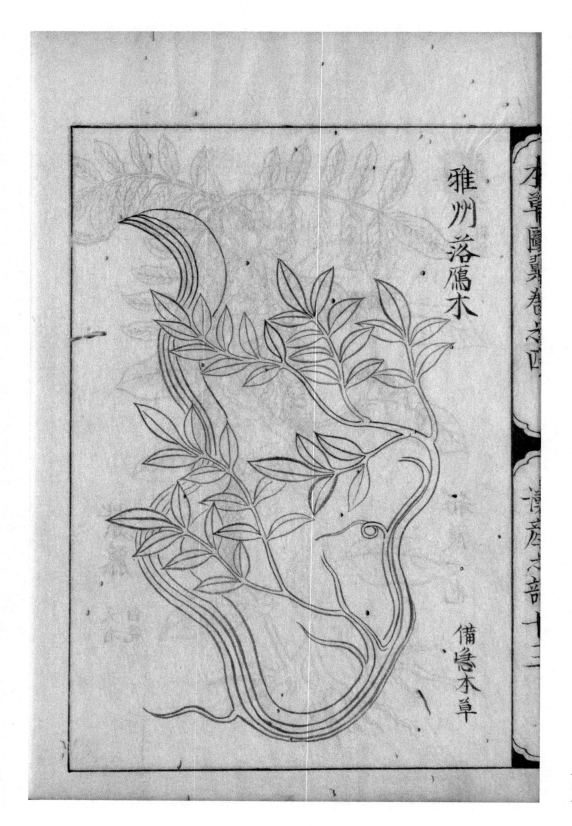

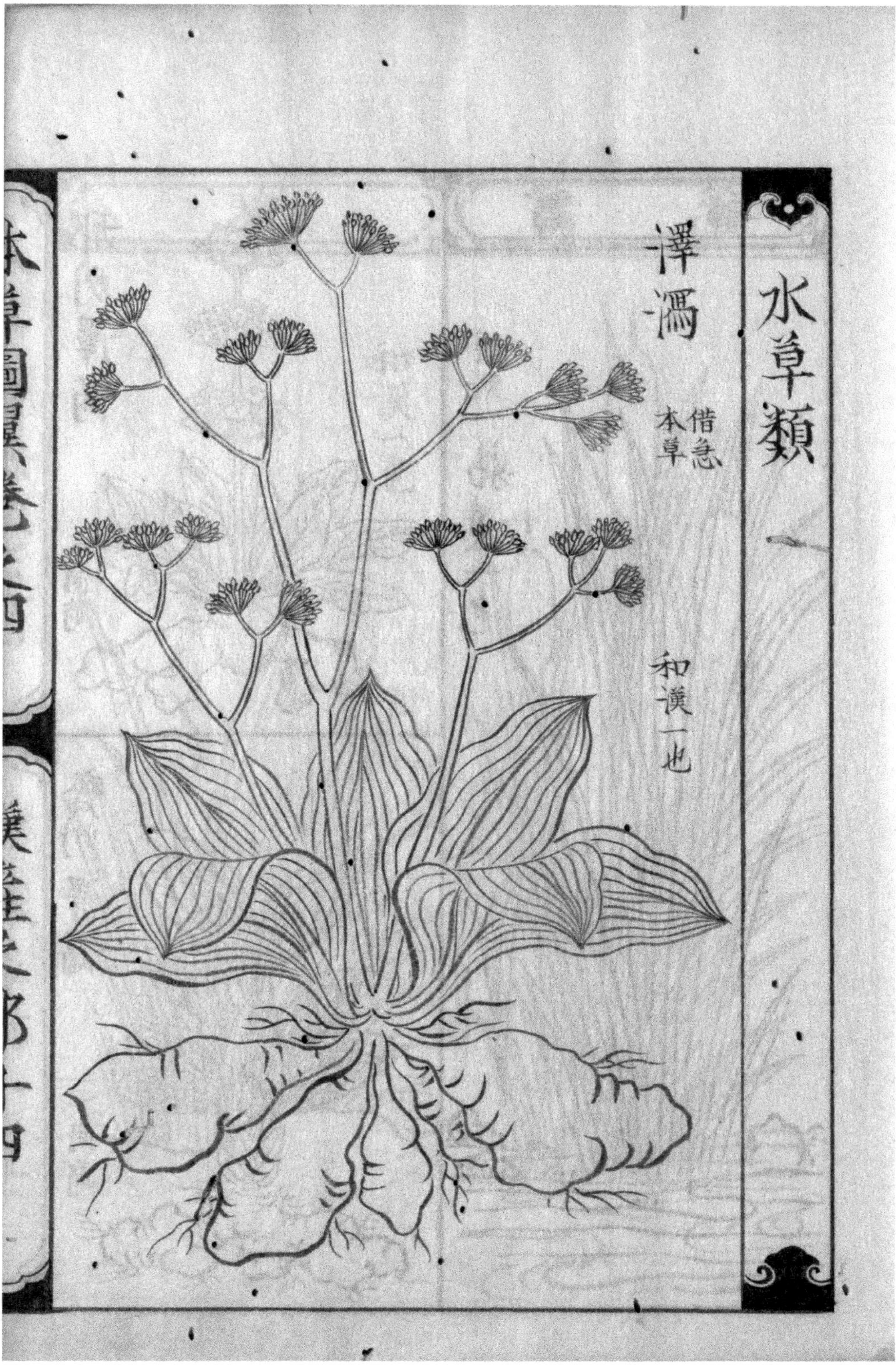
水草類
澤瀉
借急本草
和漢一也

菖蒲

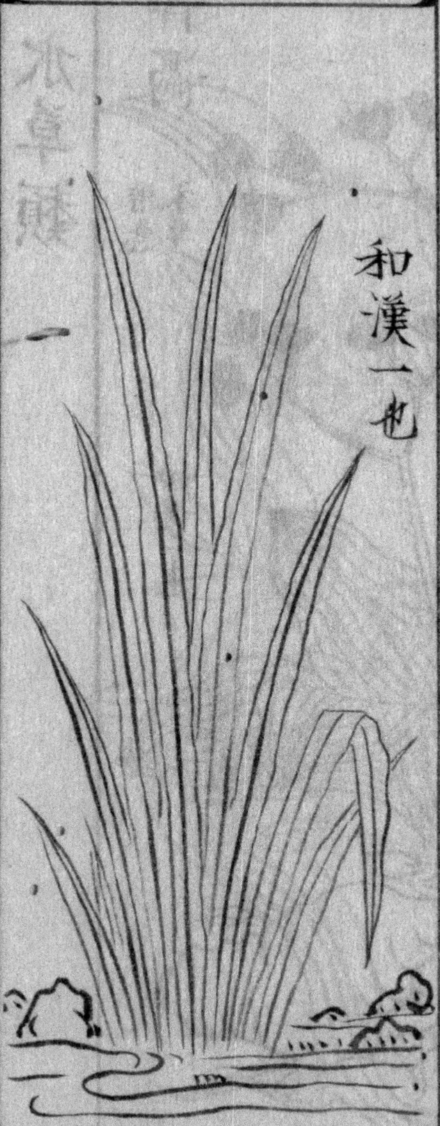

和漢一也

邢州澤瀉

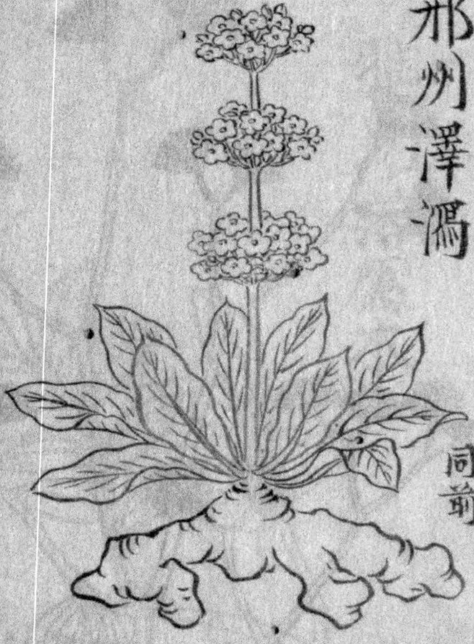

同前

齊州澤瀉

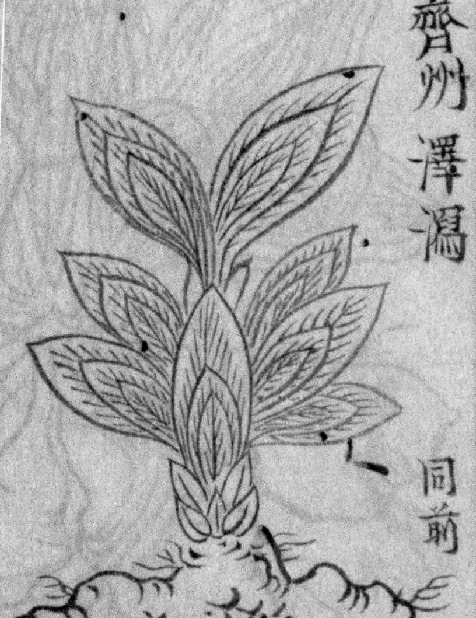

同前

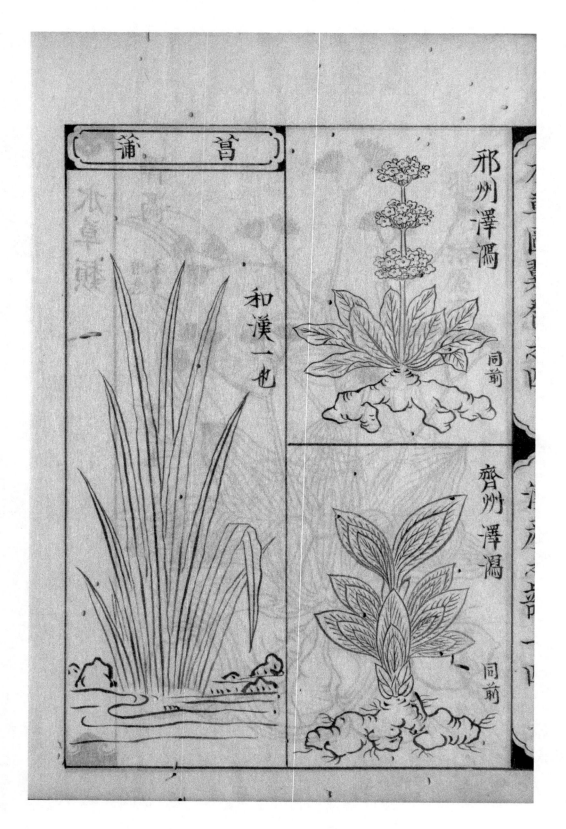

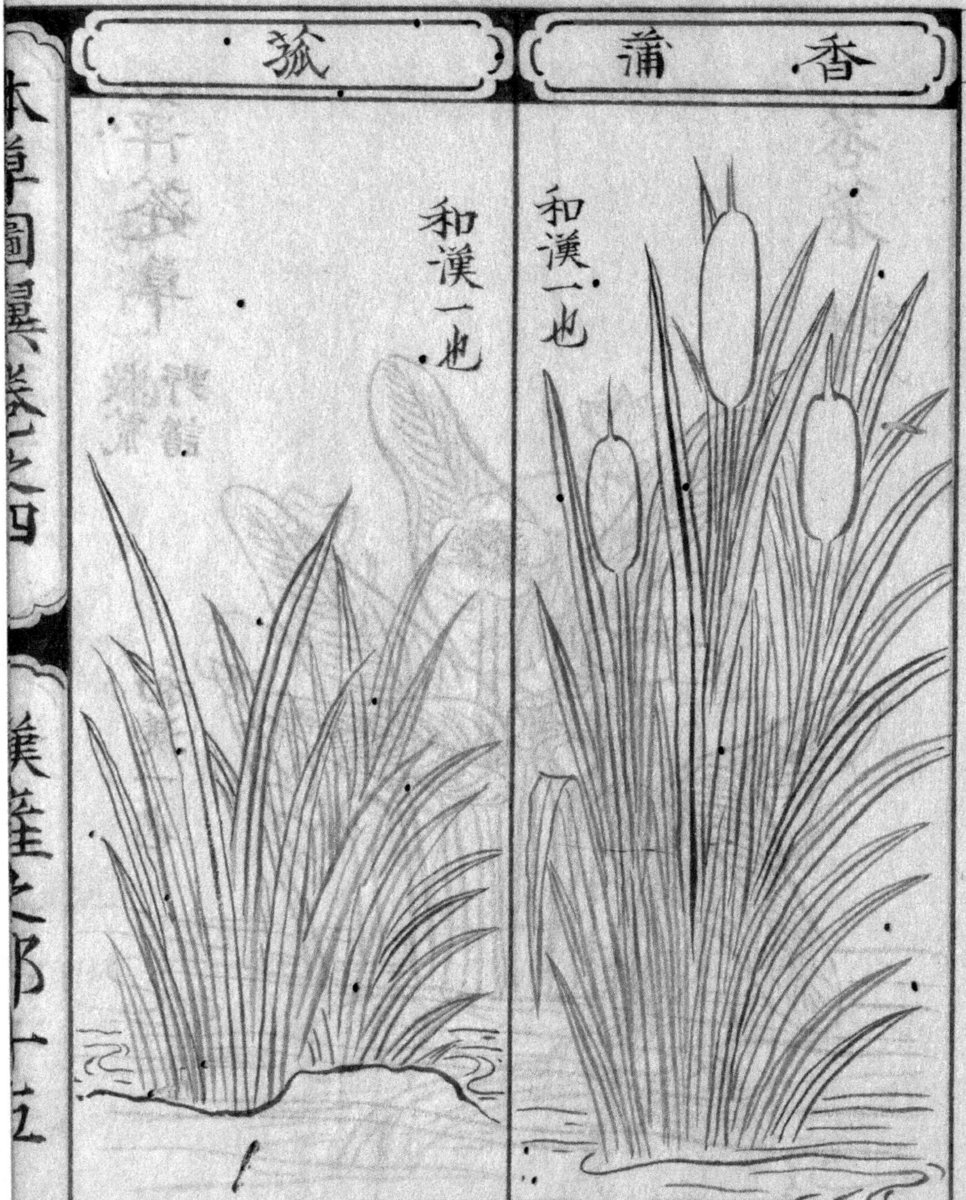
香蒲
和漢一也
菰
和漢一也
本草圖翼卷之四
隰草之部十五

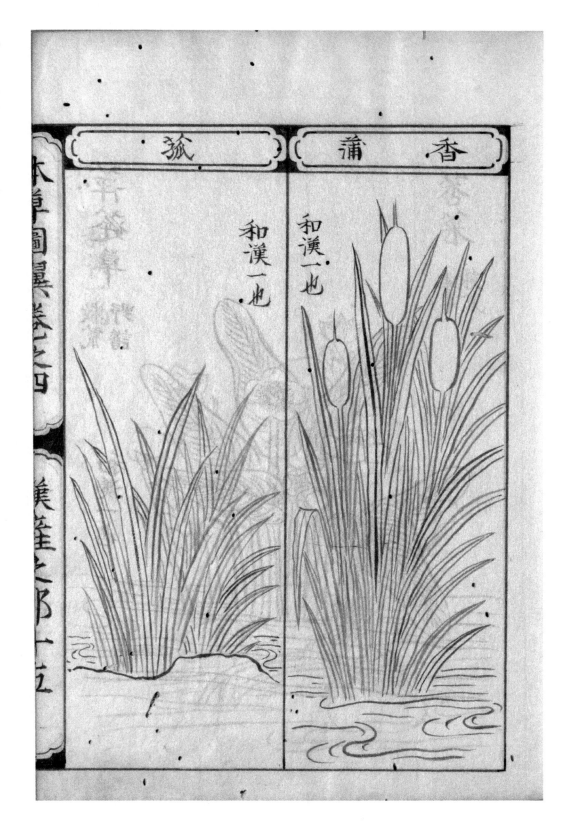

萍蓬草
救荒野譜
和漢一也

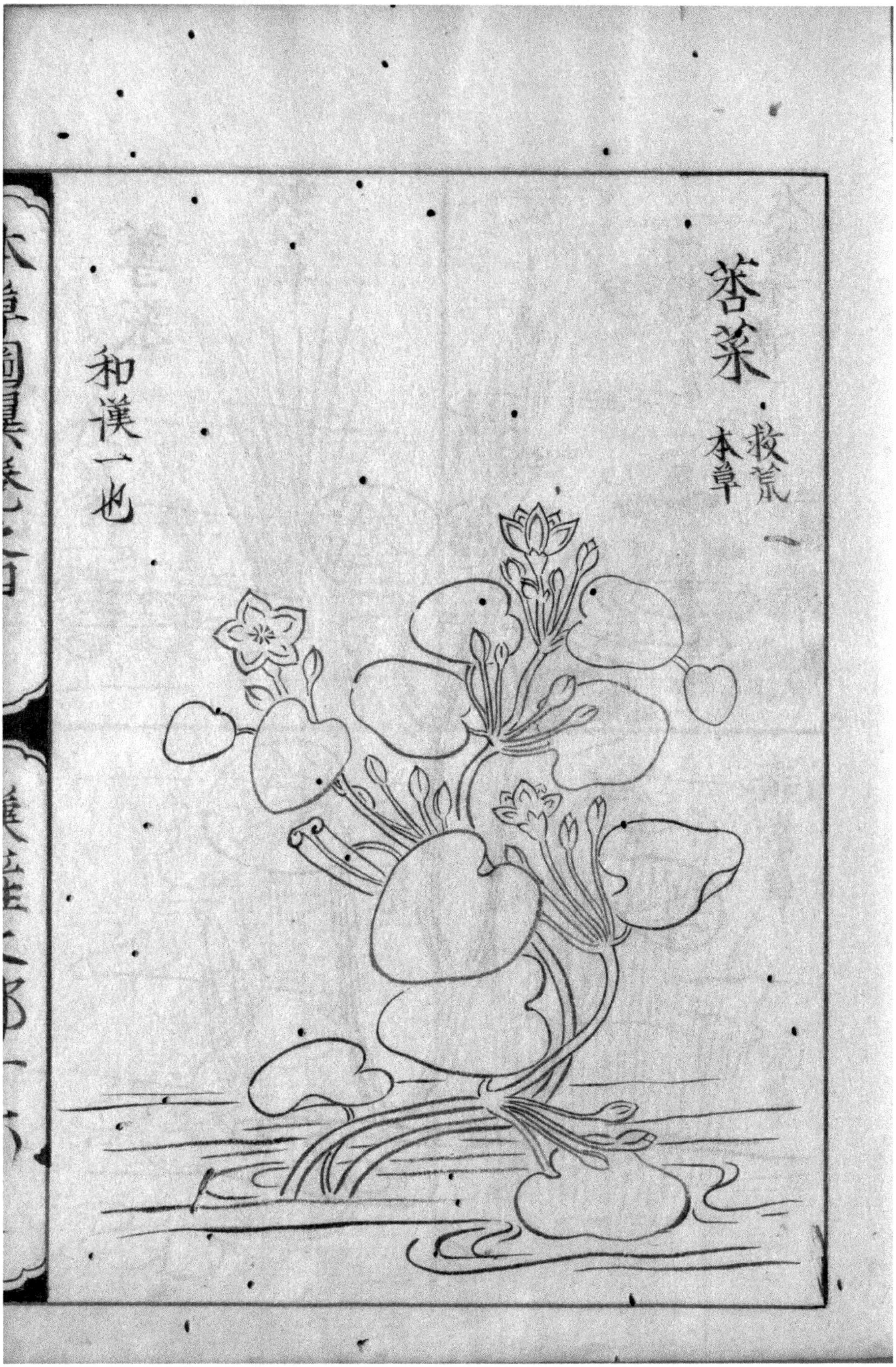
莕菜
救荒本草
和漢一也

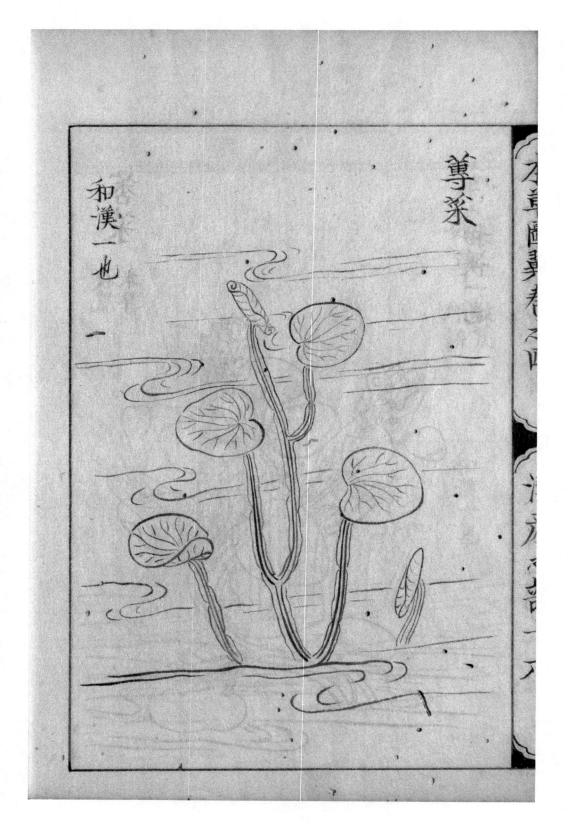

蓴菜

和漢一也

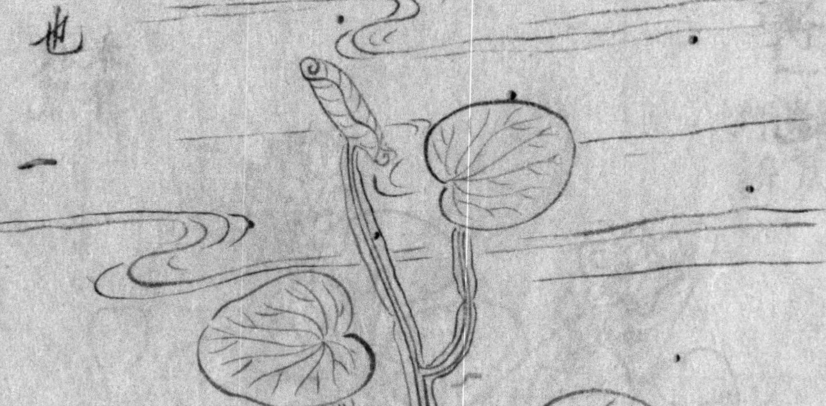

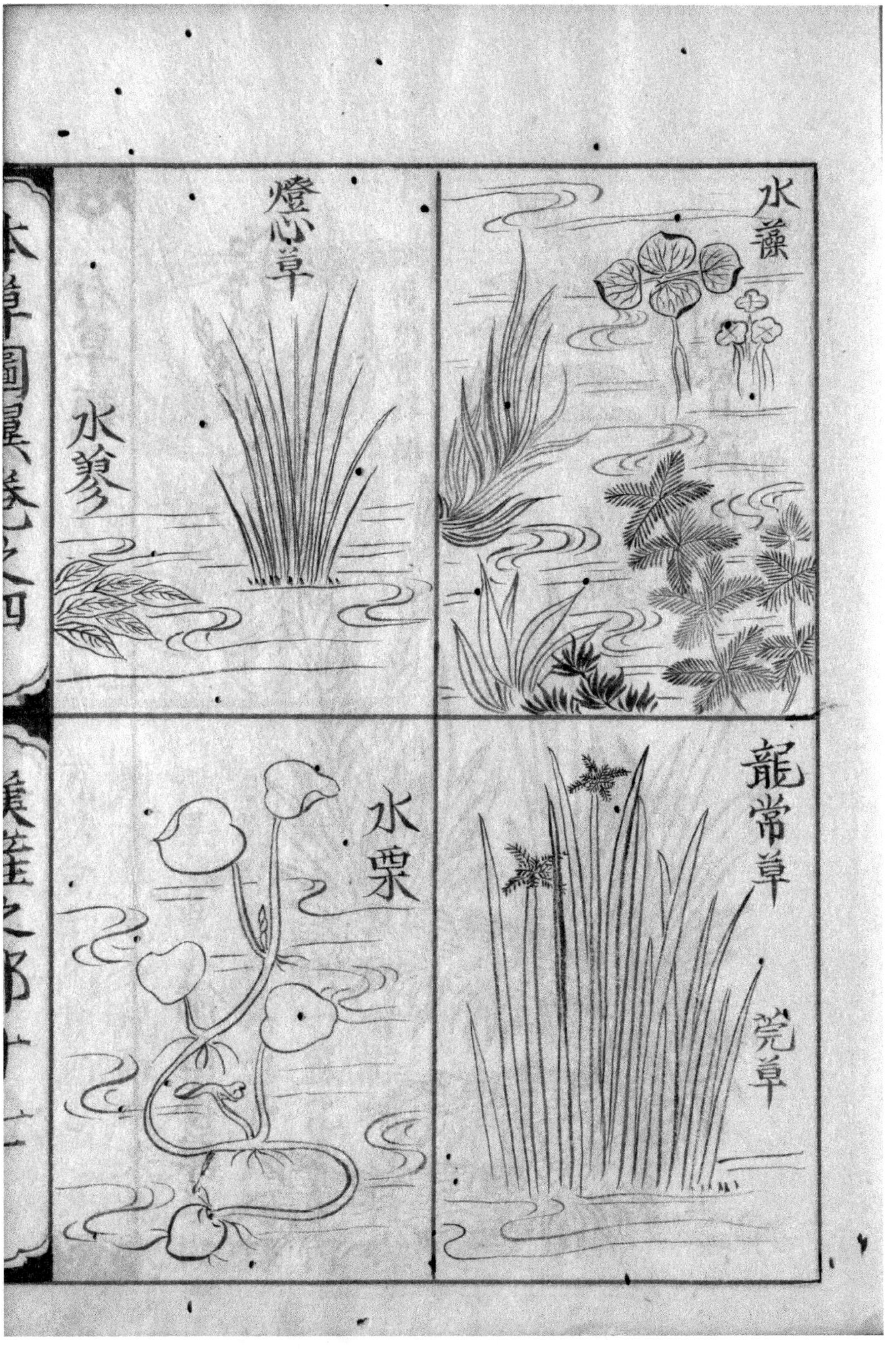
水藻
燈心草
水蓼
龍常草
莞草
水栗

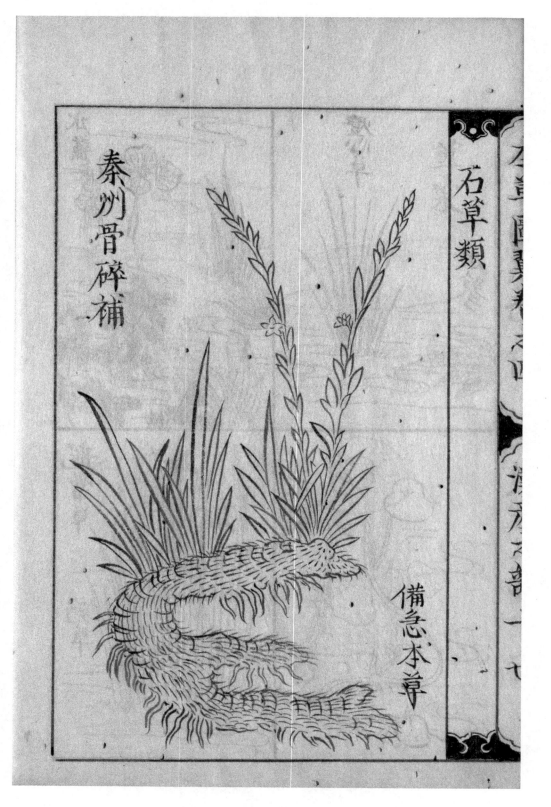

本草圖翼卷之四

濱府之部　一七

石草類

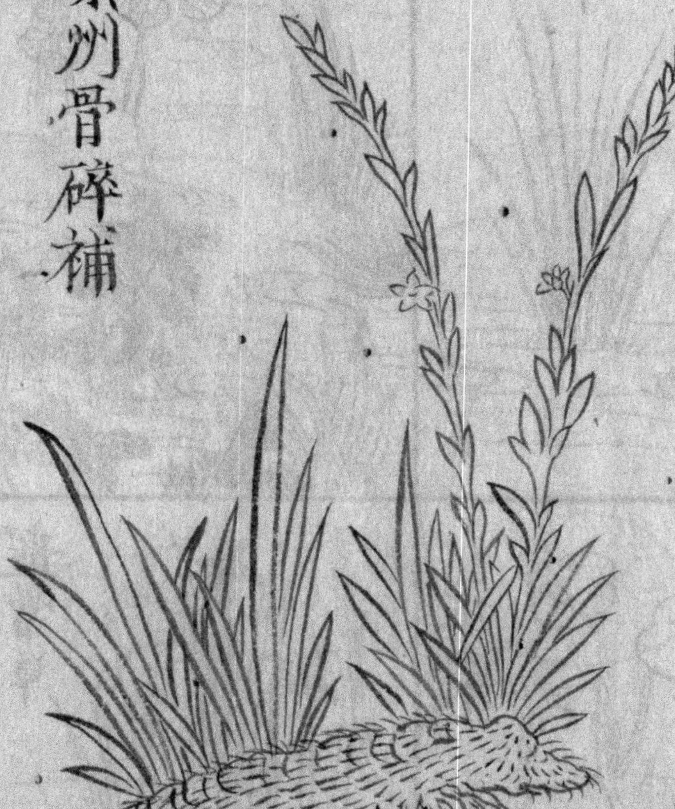

備急本草

秦州骨碎補

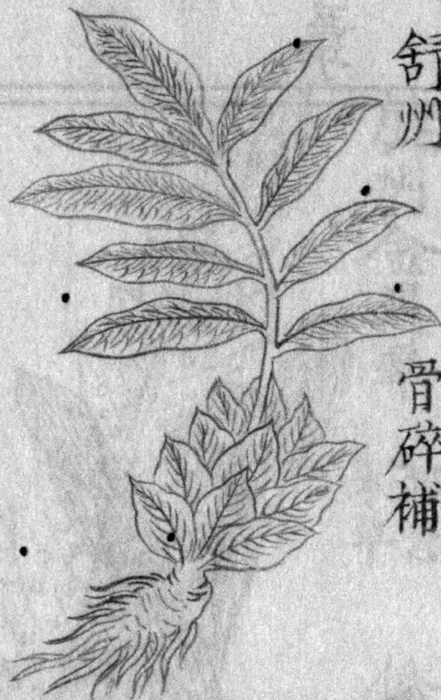

舒州骨碎補

戎州骨碎補

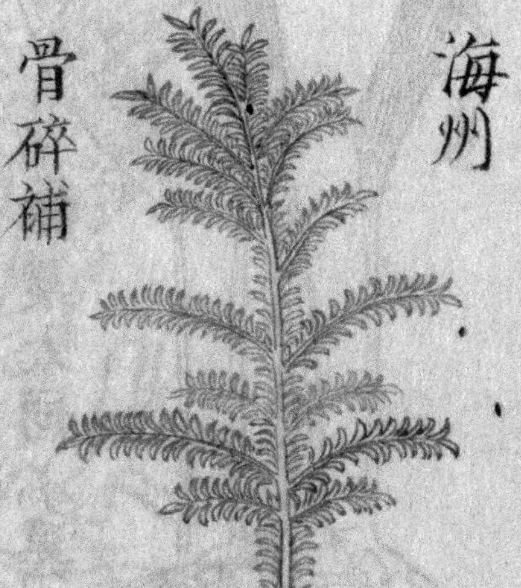

海州骨碎補

備急本草載骨碎補四種其形狀不一矣一風化之中因于州郡同名異形如此矧倭漢異域豈夫有相同物耶哉讀本草者多觀而明其氣味可以合于此者也

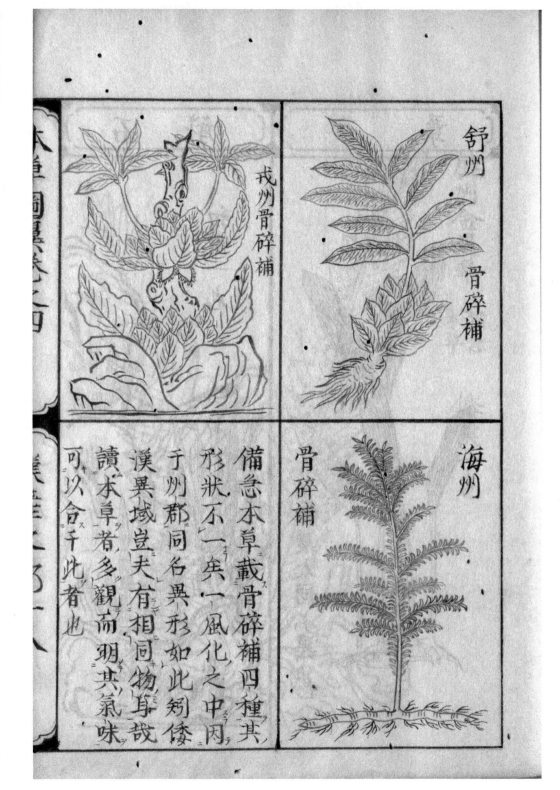

本草圖譜卷之四
漢產之部十八

石斛

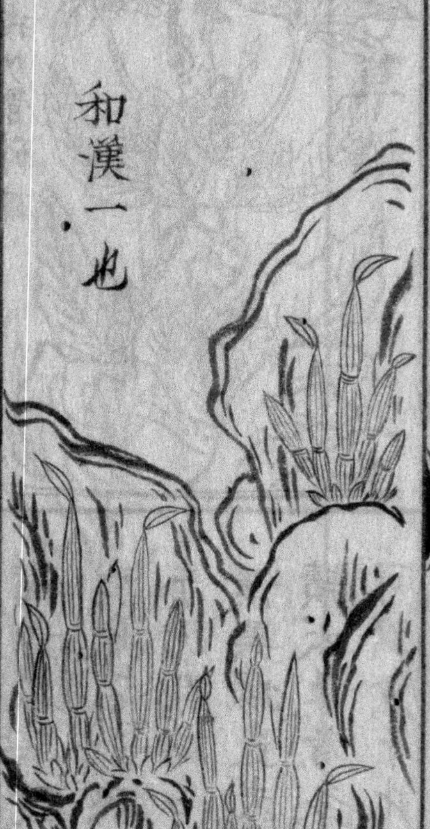


石尋

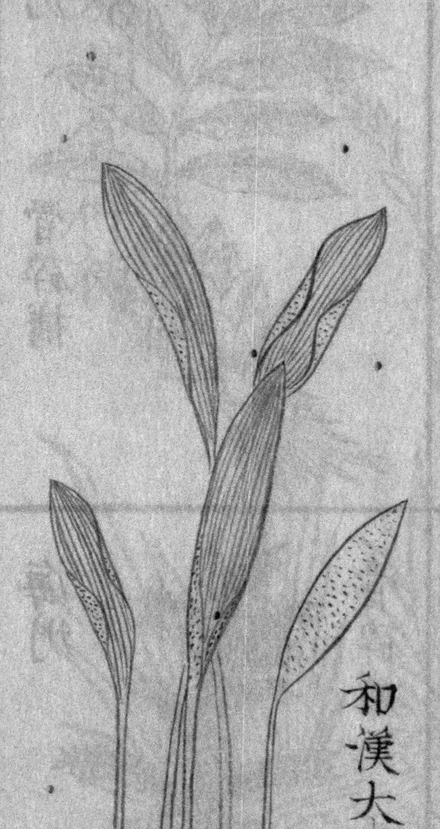

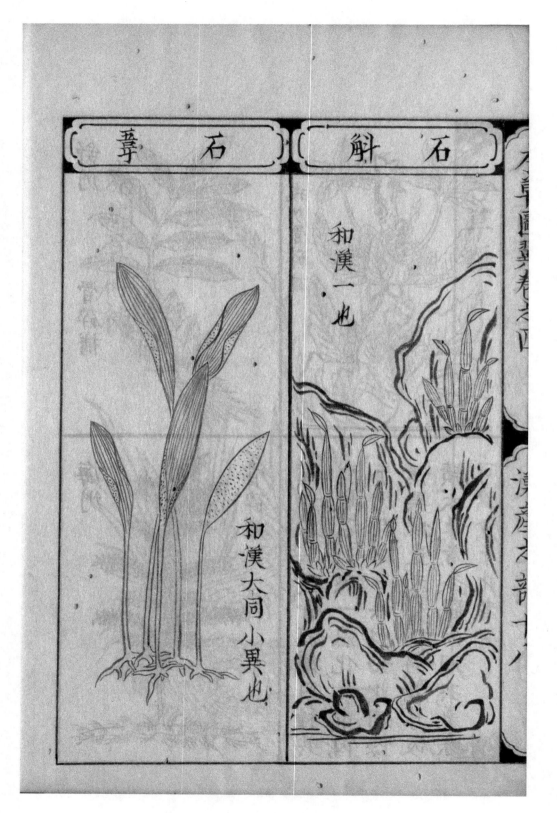

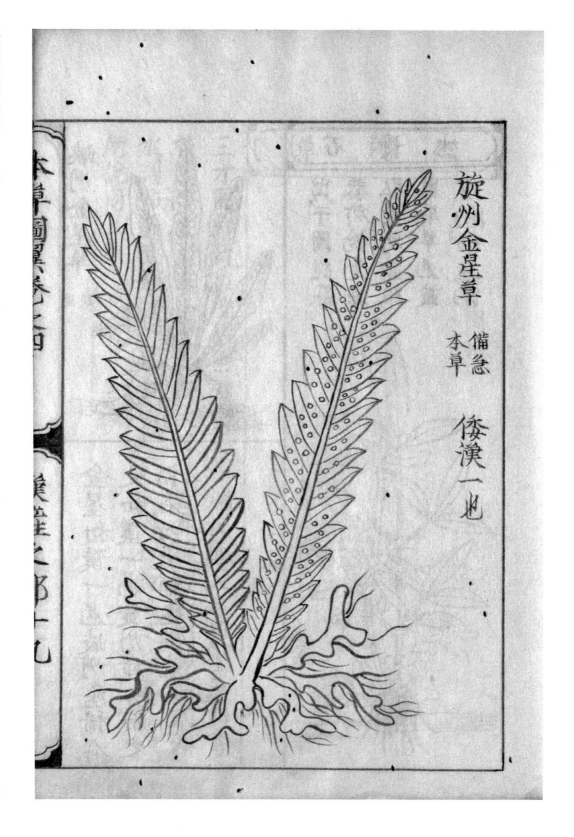

旋州金星草

備急本草

倭漢一也

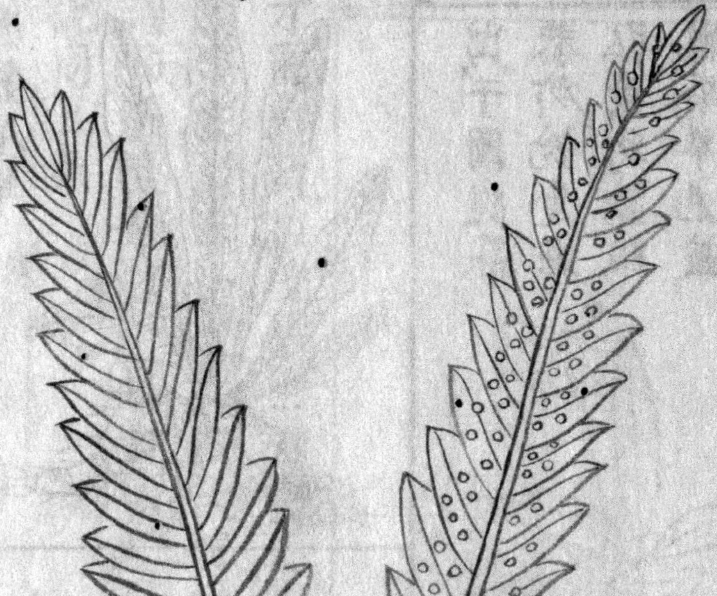

本草圖翼卷之四

峽州金星草　同前

金星和漢一也岐州産稀有之和漢一也旋州産多有之俗名呼犬前遂是也

## 石長生

出于圖經蘇恭所説是也弘景所説即鳳尾草也並有兩和産也

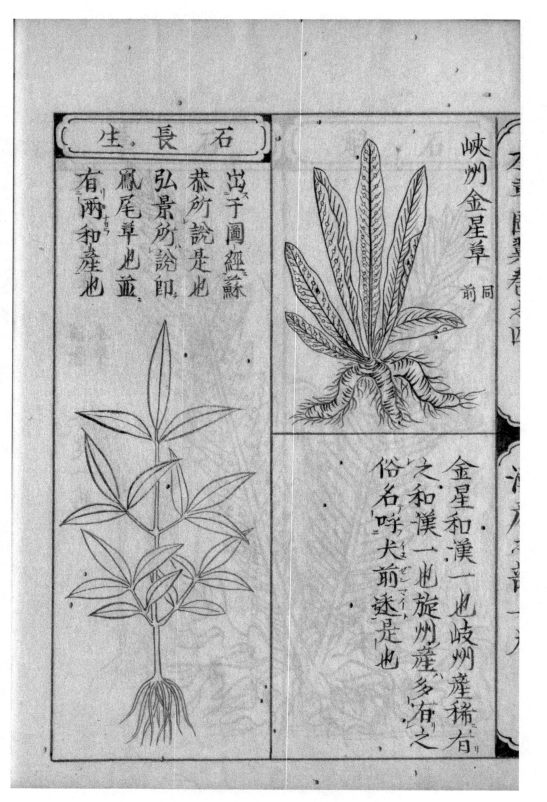

## 紅茂草

出于三才圖繪

三才圖繪云紅茂草生旋州又名地没藥又名長生草四季枝葉繁盛故有長生之名大凉味苦春採根葉焙乾爲末冷水調貼癰疽瘡腫云云此藥草載于本綱石長生之附録蘇頌所説同上矣

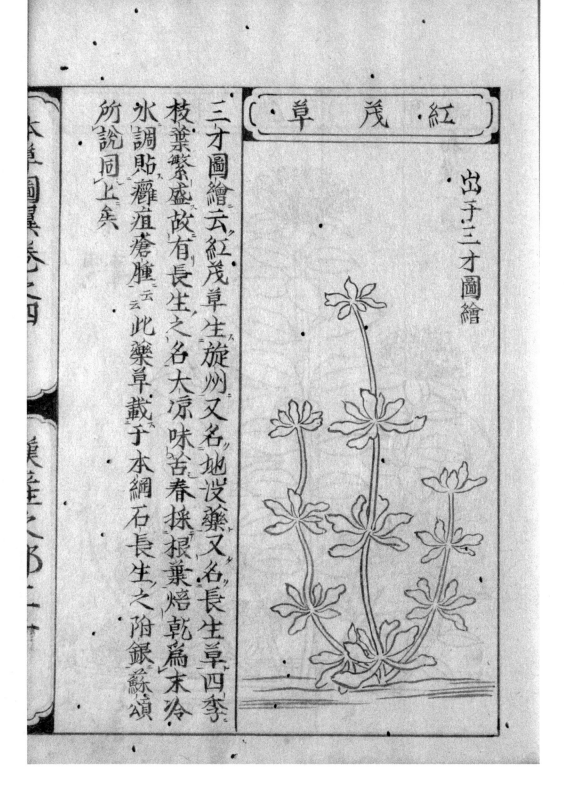

本草圖彙卷之四

景天草 備急本草

和漢一也

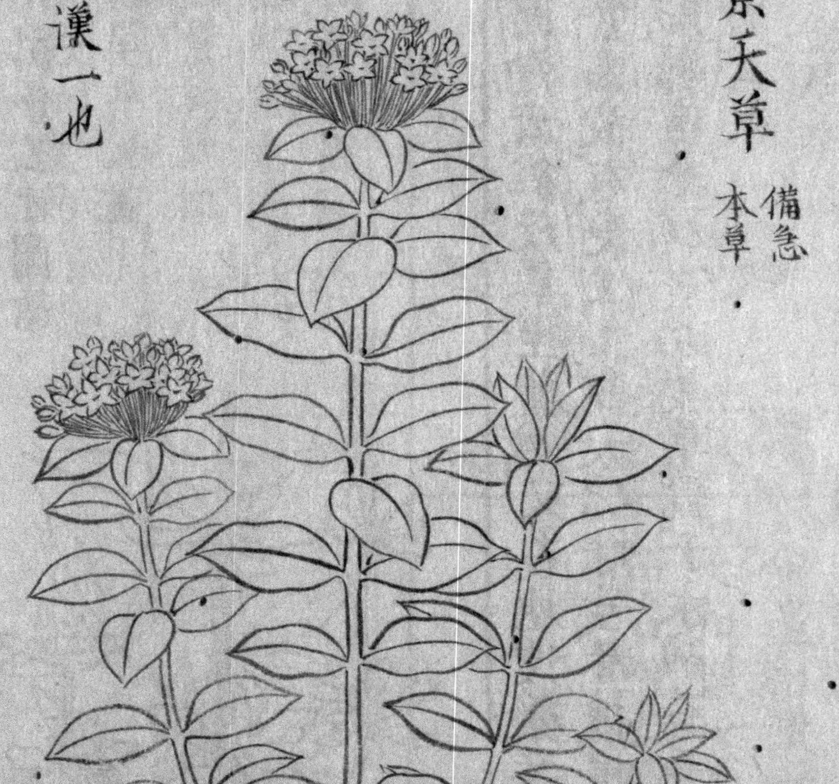

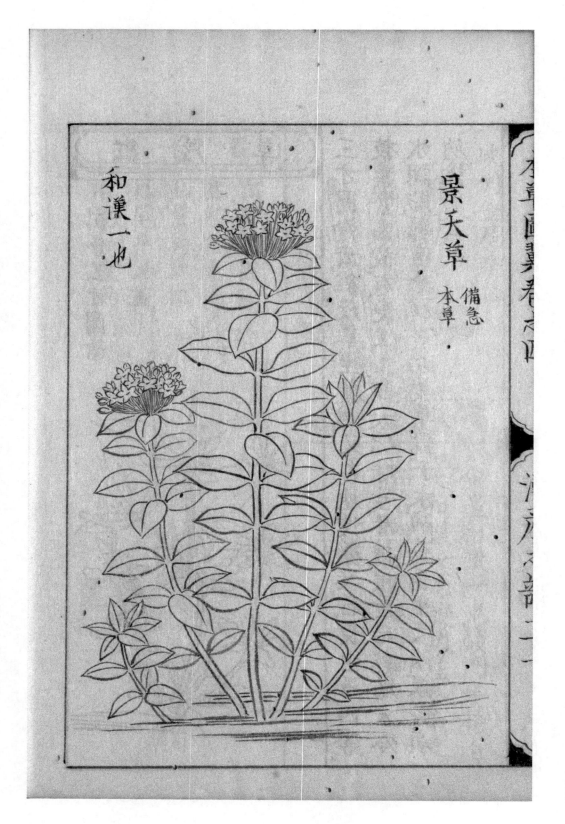

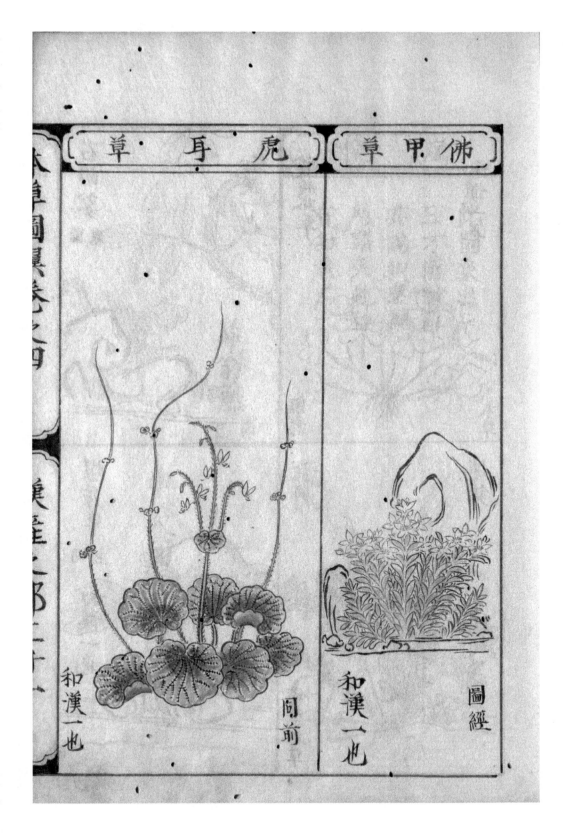

## 佛甲草

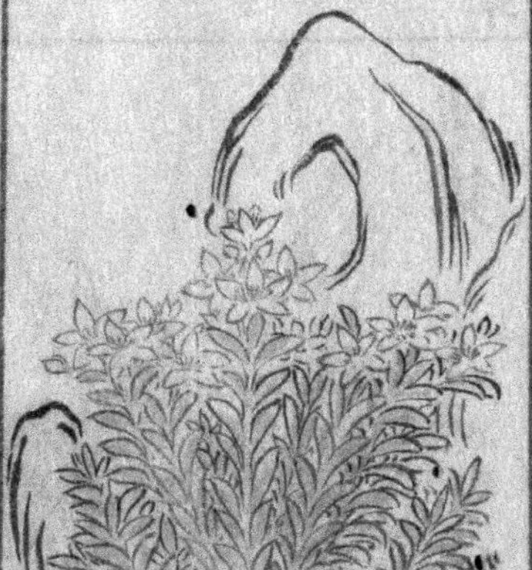

圖經

和漢一也

## 虎耳草

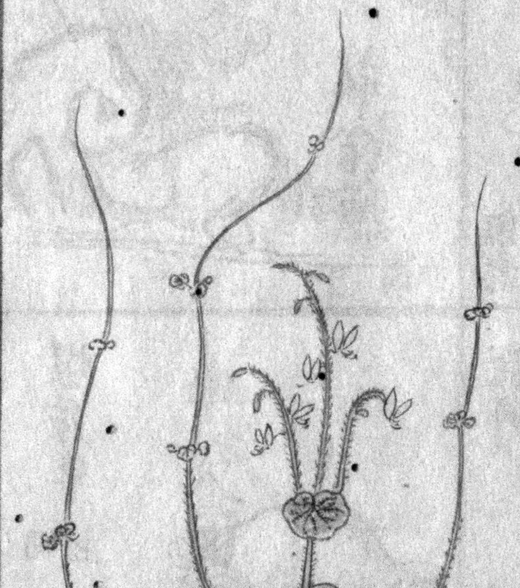

同前

和漢一也

石胡荽 圖經

和漢一也

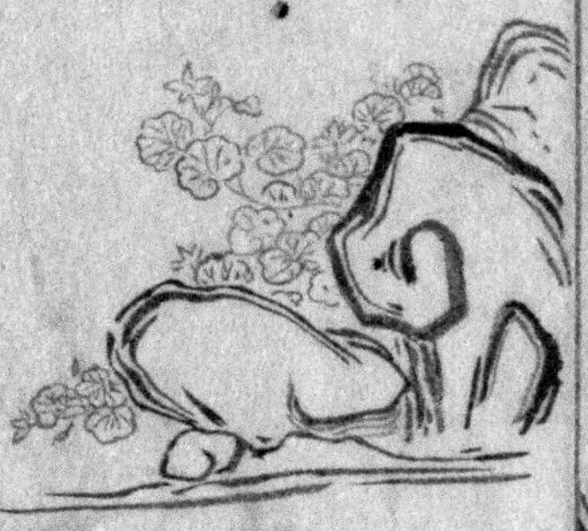

酸漿草

和漢一也

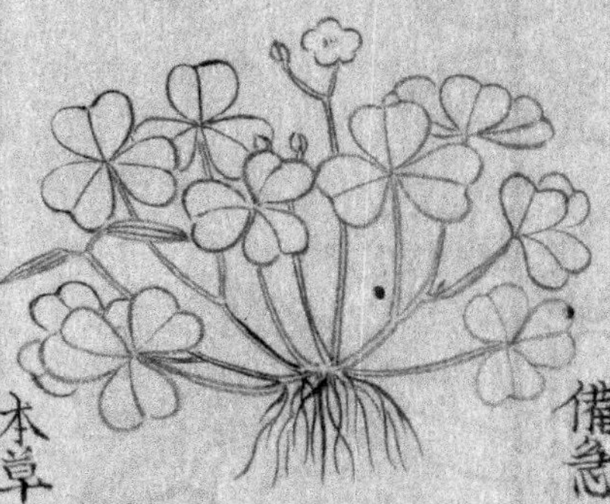

本草

備急

螺靨草 同上

和漢一也

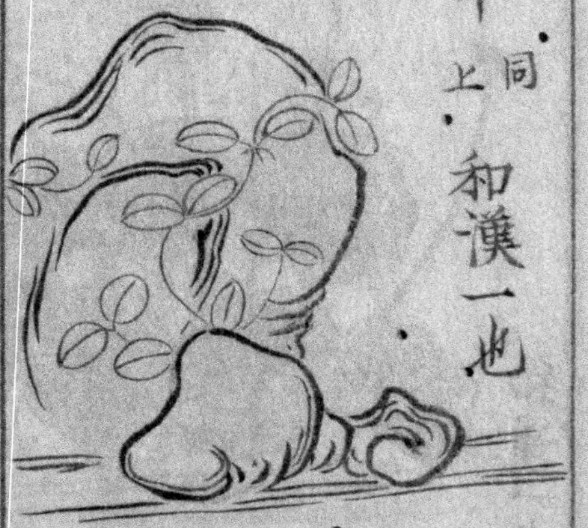

滁州 地錦

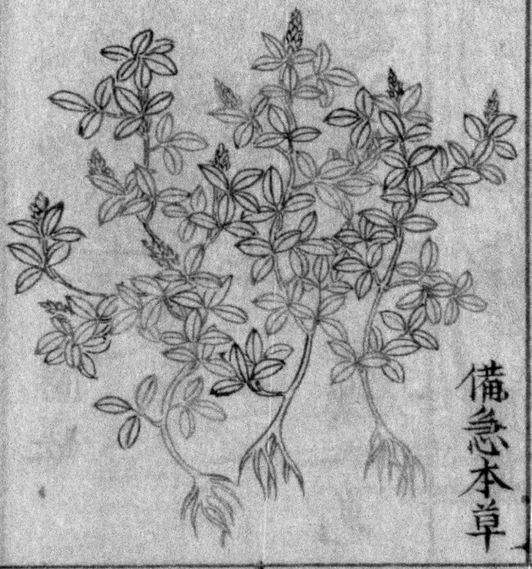

備急本草

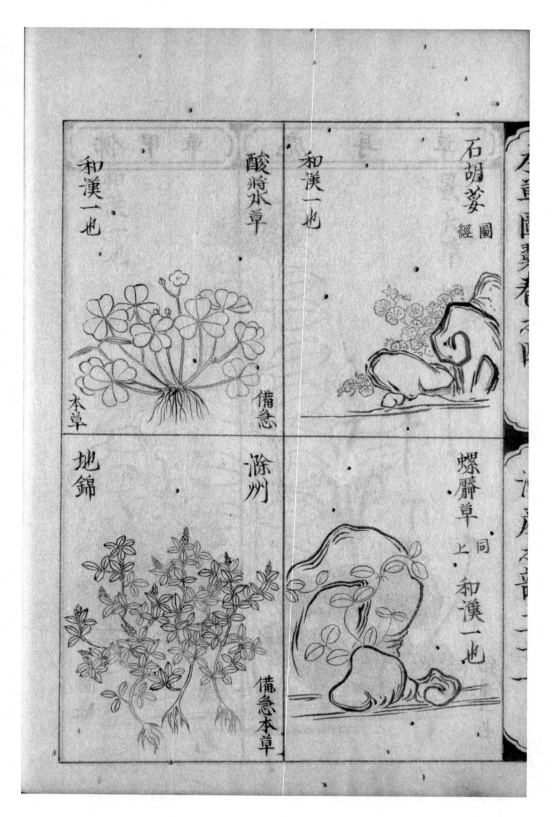

## 崖椶

此圖象出于三才圖繪而其說如本綱所謂矣此種有和產也

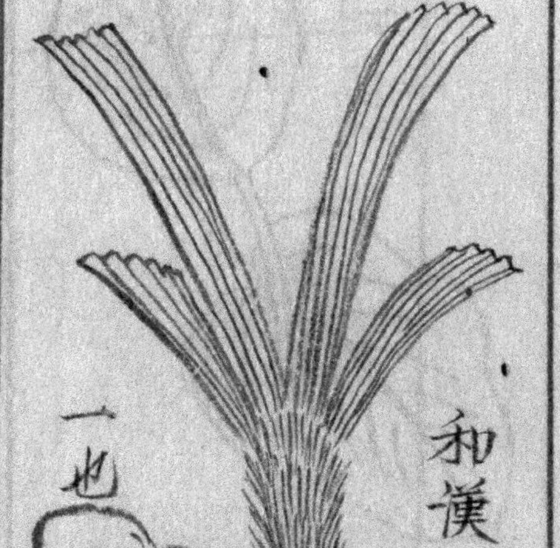


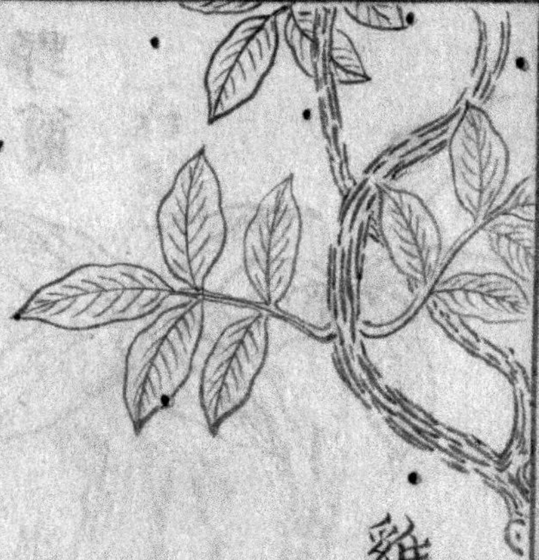

雞翁藤 同上

半天回

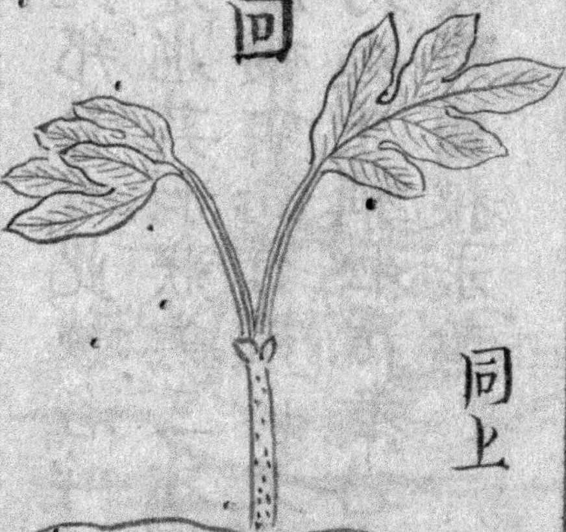

同上

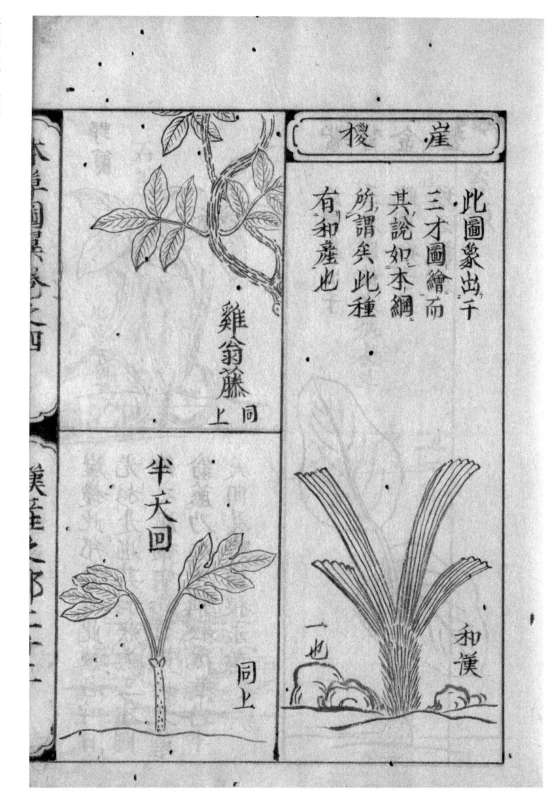

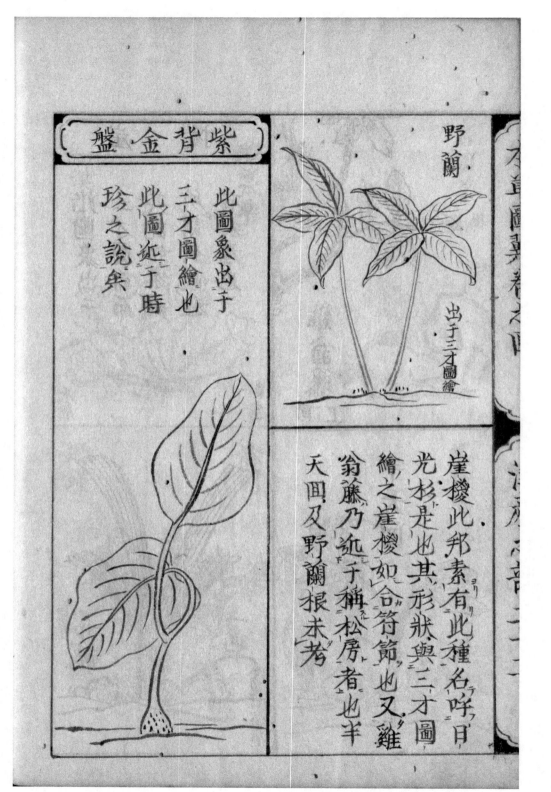

## 野蘭

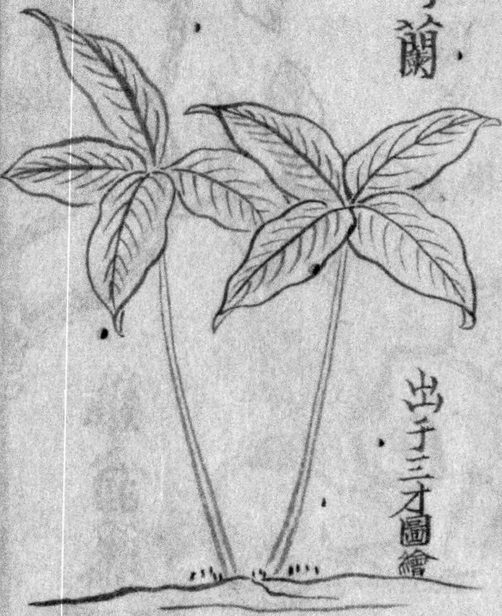

出于三才圖繪

崖椶此邦素有此種名呼曰光杉是也其形狀與三才圖繪之崖椶如合符節也又雞翁藤乃延于稱松房者也半天回及野蘭根未考

## 紫背金盤

此圖象出于三才圖繪也此圖延于時珍之說矣

苔類

地衣草

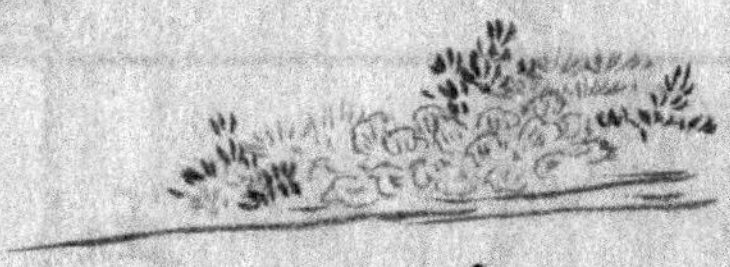

石蕊

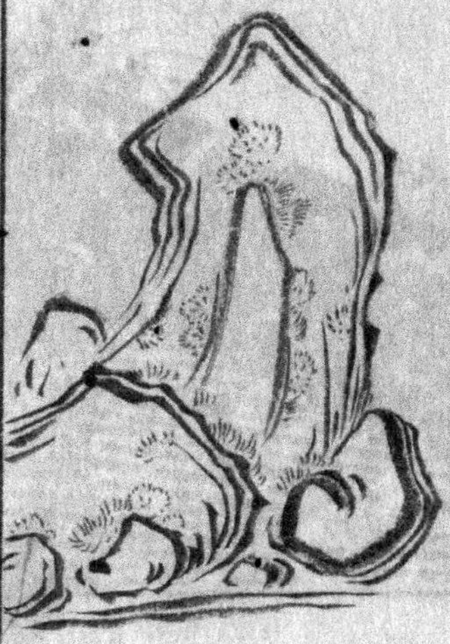

井中苔

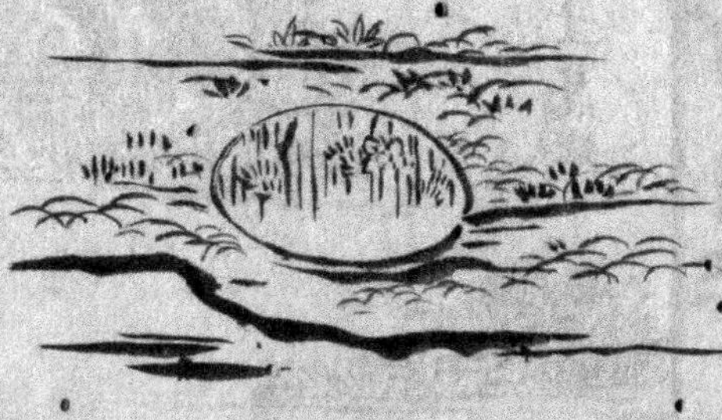

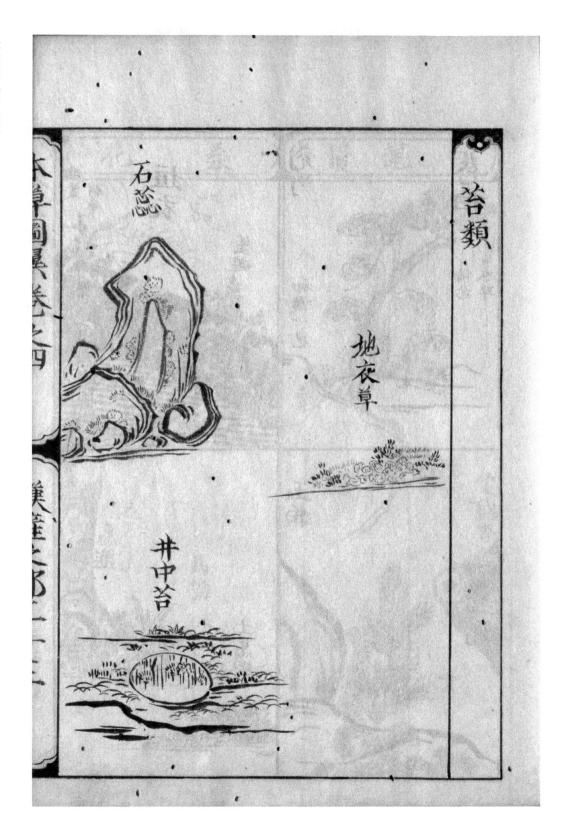

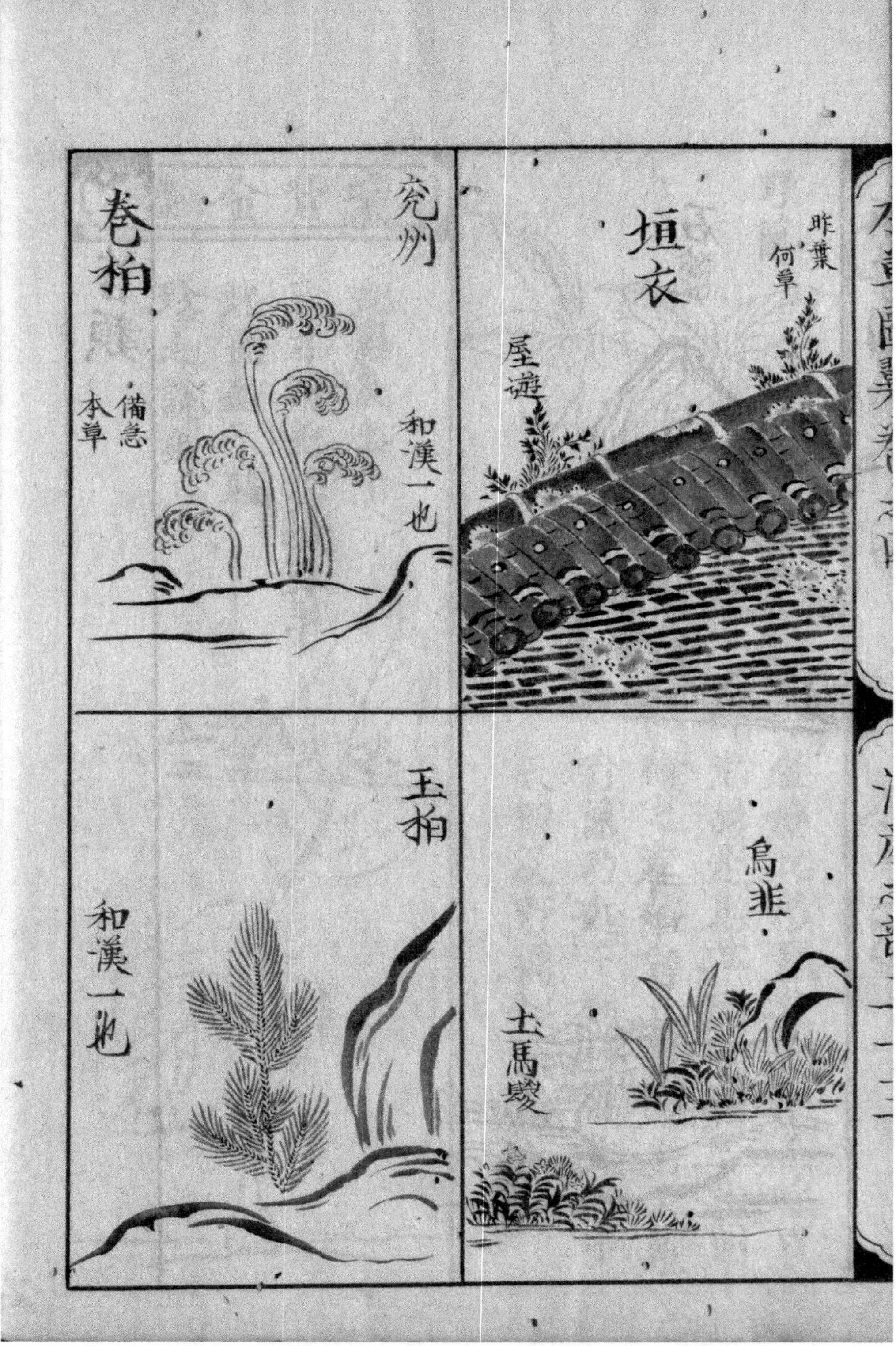
垣衣
昨葉
何草
屋遊
卷柏
兗州
和漢一也
備急
本草
烏韭
土馬騣
玉柏
和漢一也

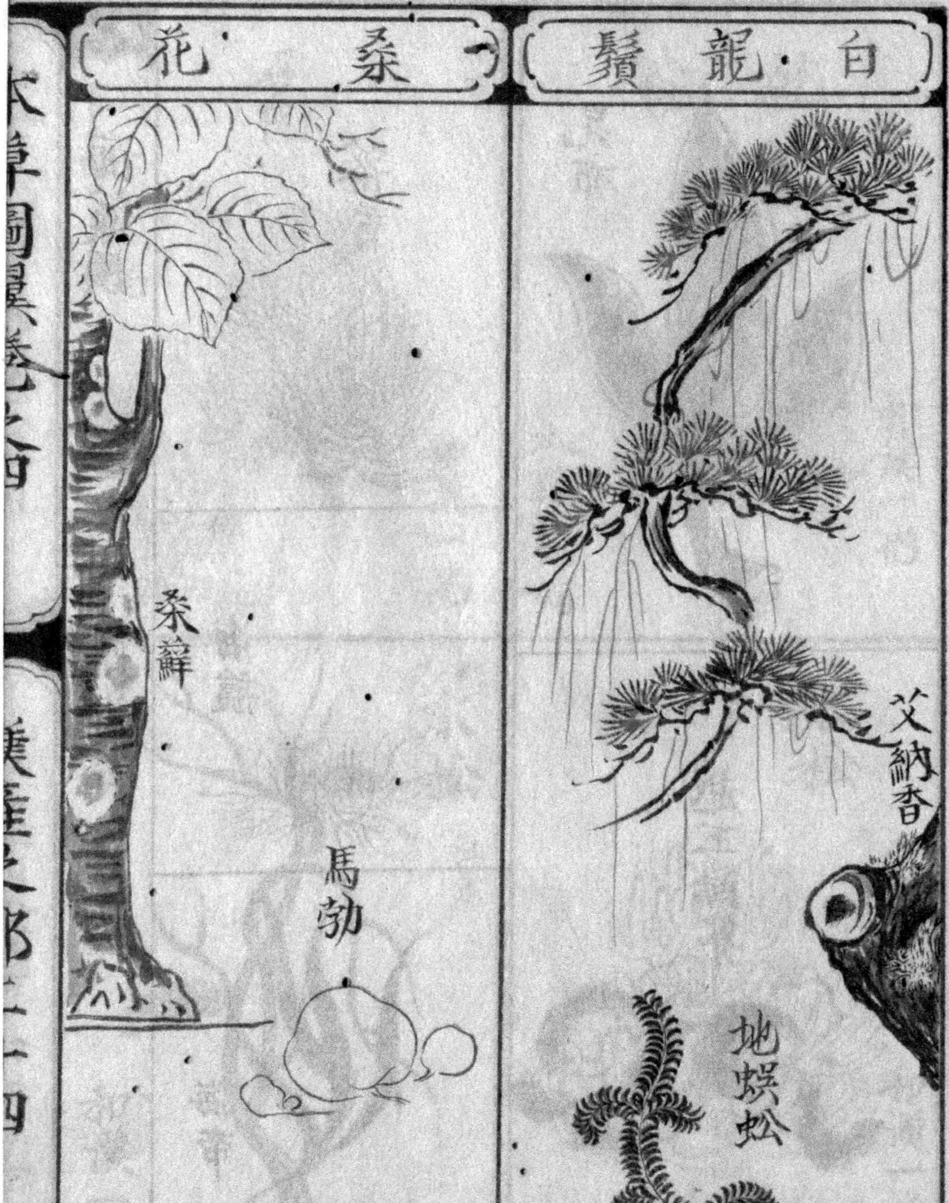
白龍鬚
艾納香
地蜈蚣
桑花
桑蘚
馬勃
本草圖翼卷之四

海藻類

附海苔

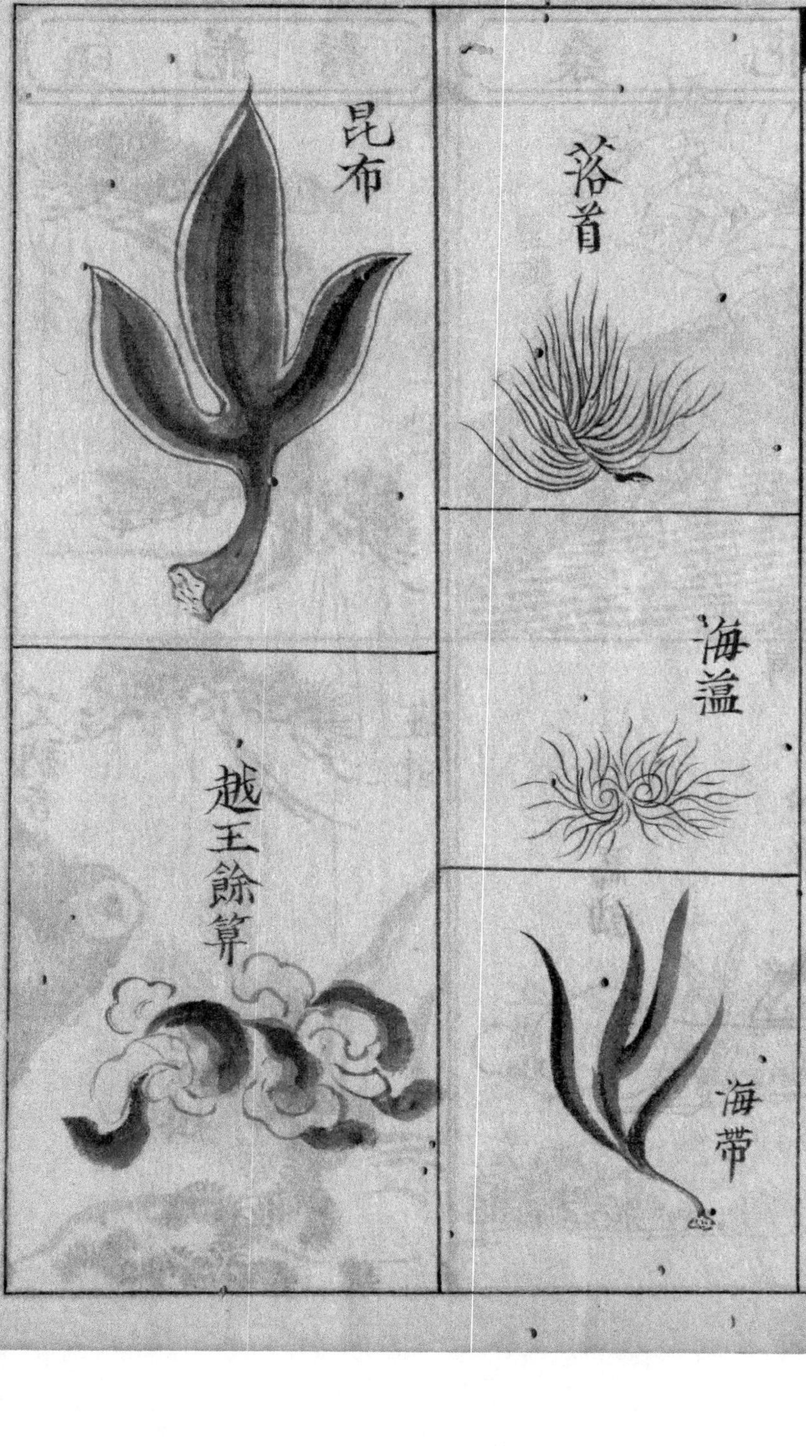

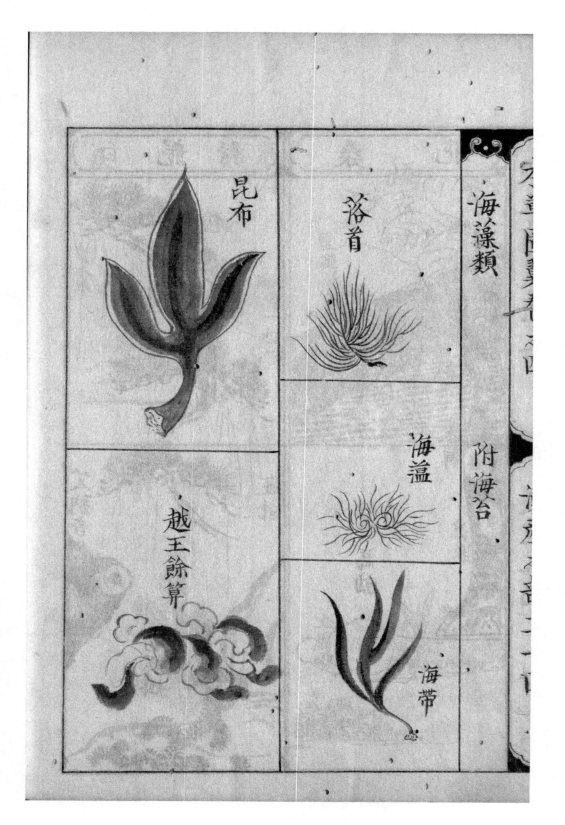

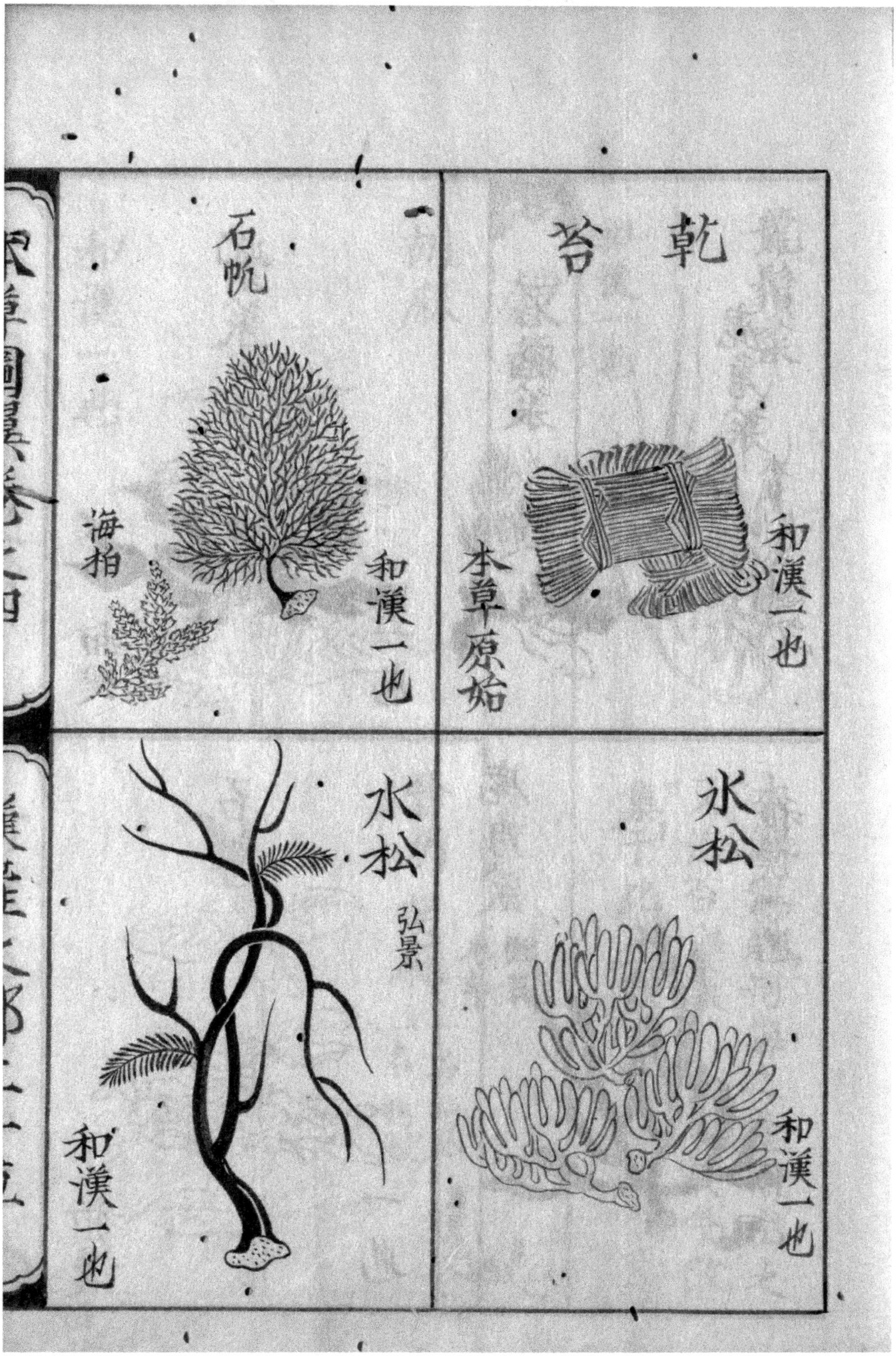
乾苔
本草原始
和漢一也
石帆
海柏
和漢一也
氷松
和漢一也
水松
弘景
和漢一也

紫菜

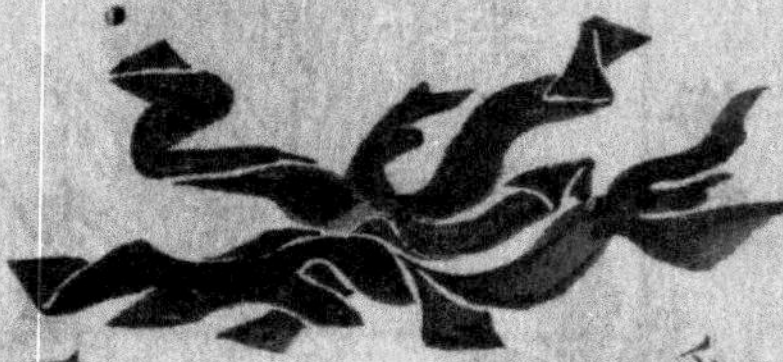

和漢

一也

石花菜

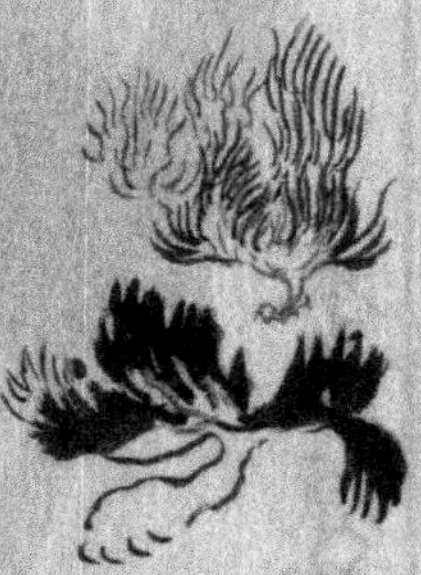

鹿角菜

時珍食物本草

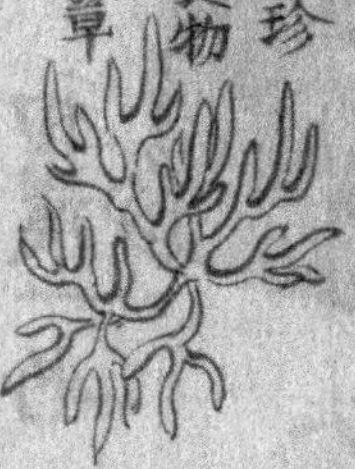

石蓴

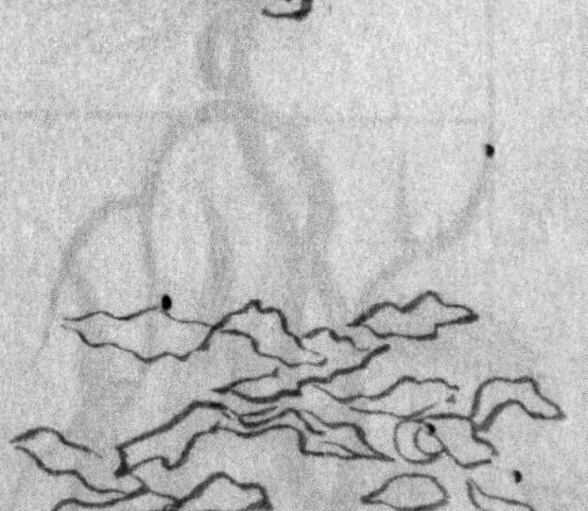

和漢

一也

鹿角菜

本草綱目

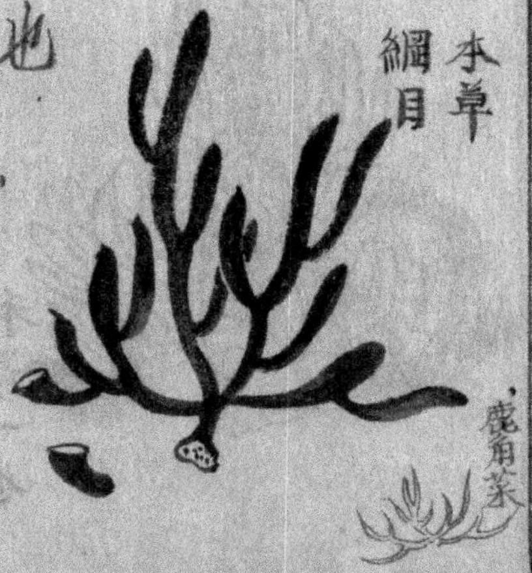


和漢一也

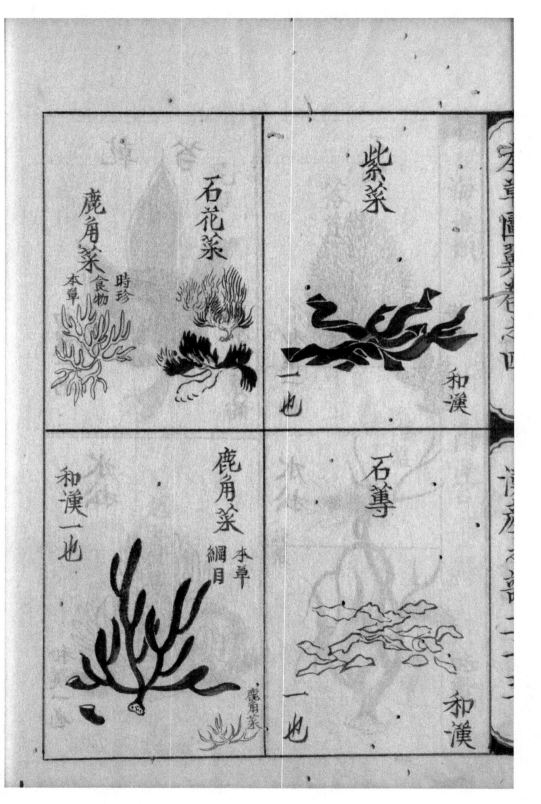

龍鬚菜

和漢一也

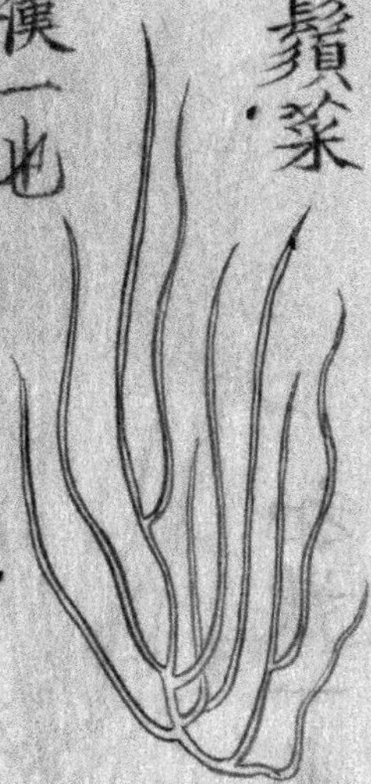

本綱混雜河海之產而出之又海苔海藻不分之故今改集于此分類也

穀類

胡麻

和漢一也

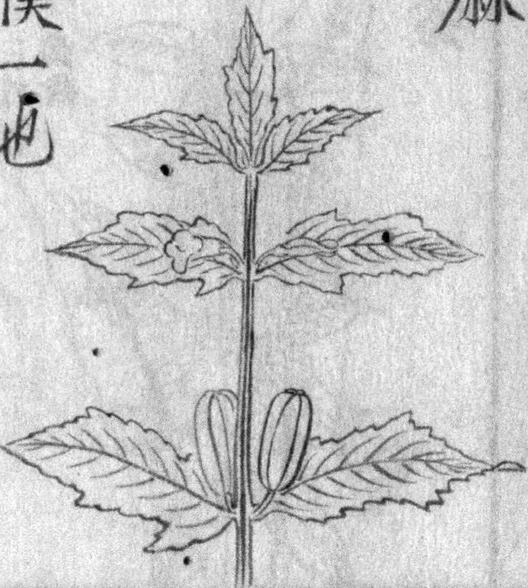

晉州胡麻

一名狗虱

一名鴻藏

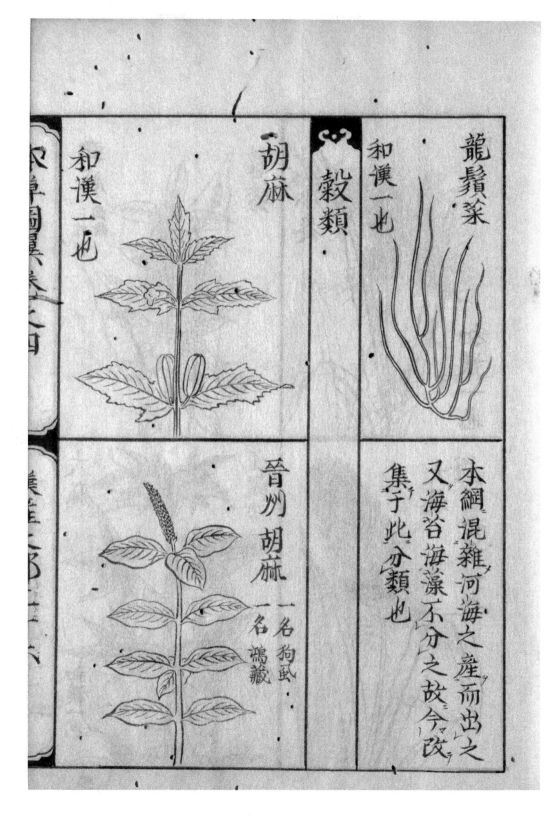

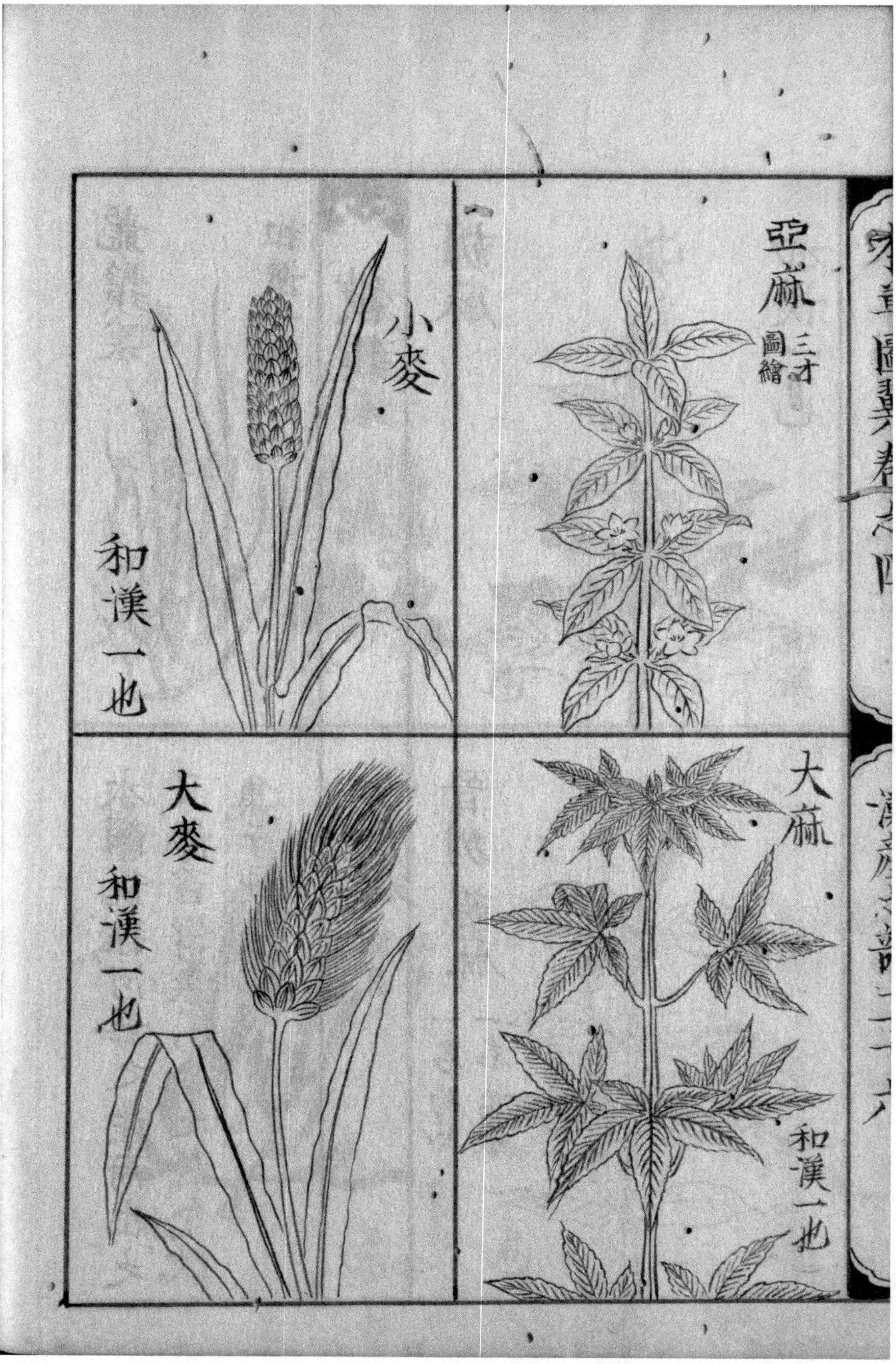
亞麻
三才圖繪
小麥
和漢一也
大麻
和漢一也
大麥
和漢一也

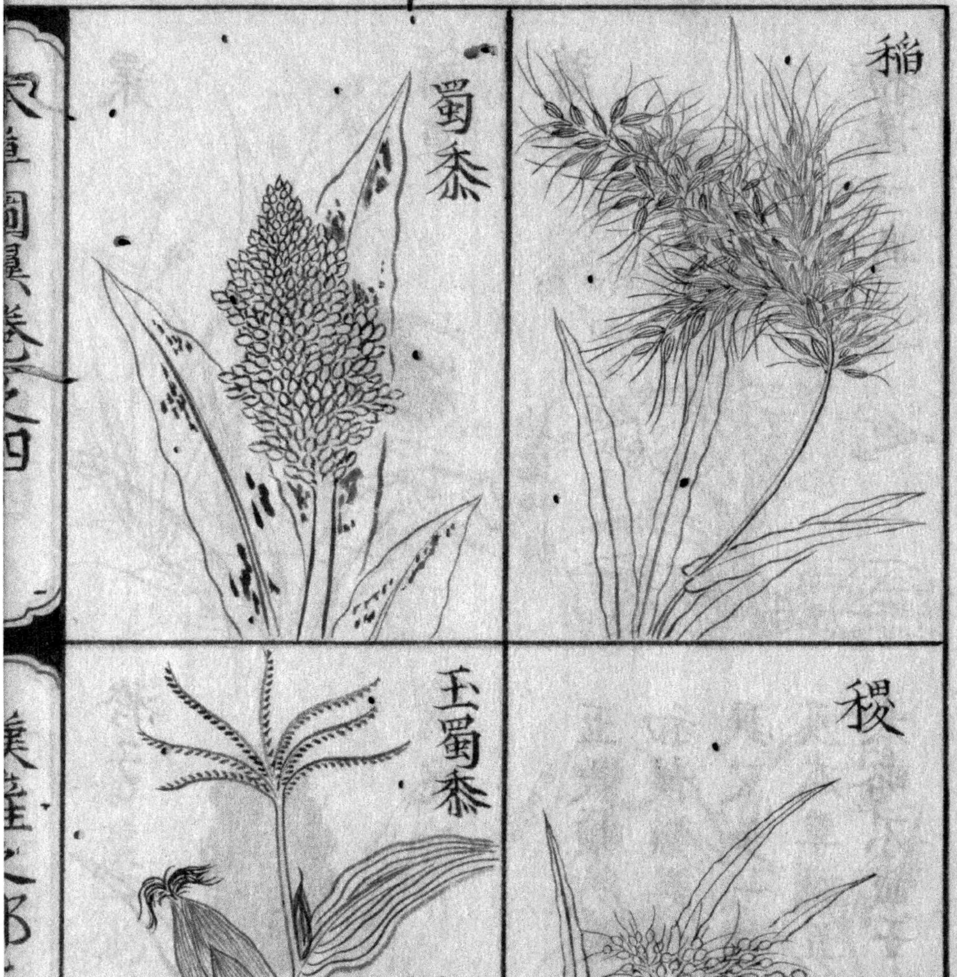
稻
蜀黍
稷
玉蜀黍

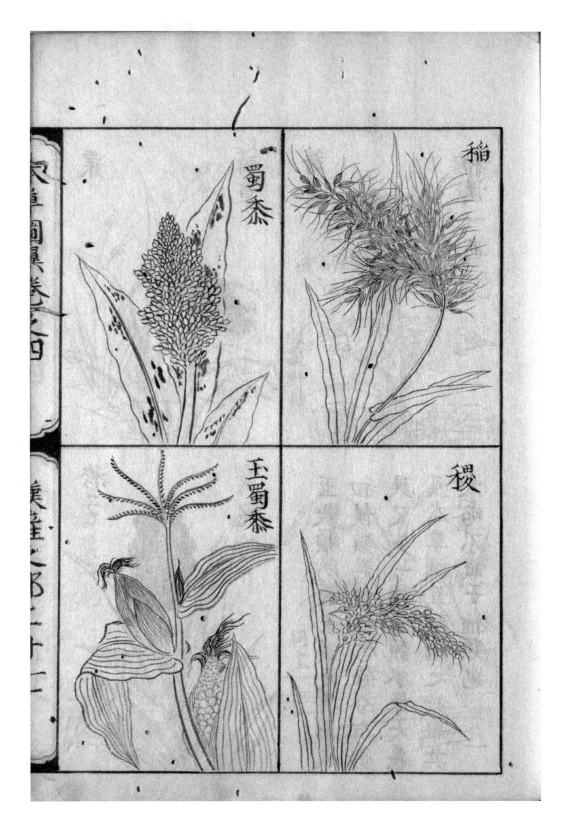

粟

蕎麥

和漢一也

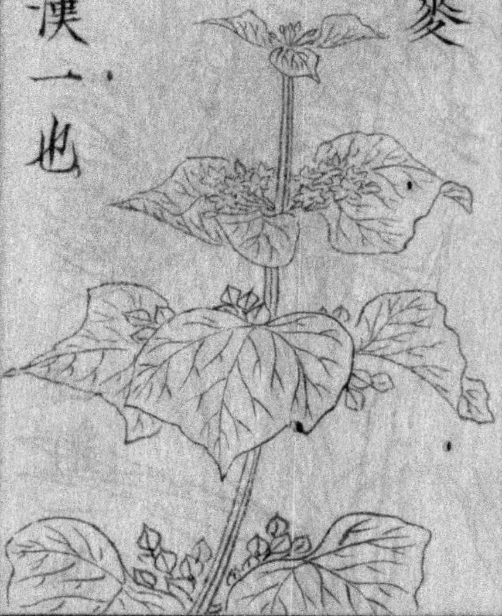

穇子

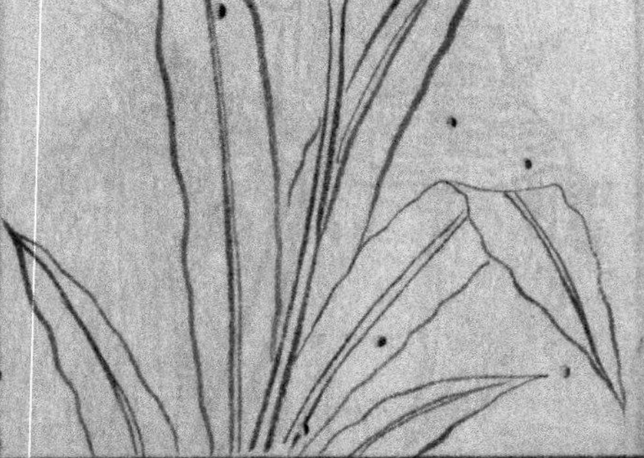

五穀類所載于漢之書圖象和漢無異但味厚薄各有微異又多一種各類本草大義及本草補苴詳論之故舉其大略不載于種類也

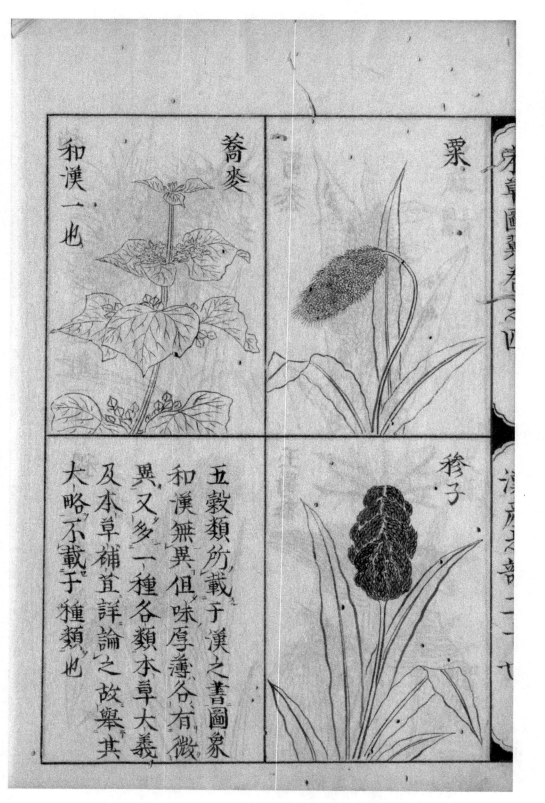

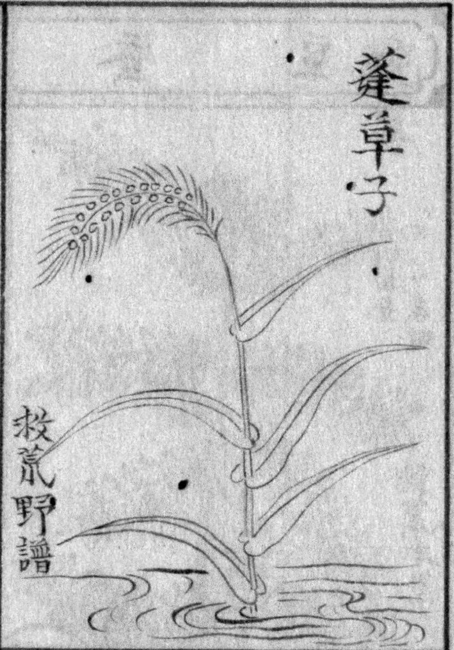
蓬草子
救荒野譜

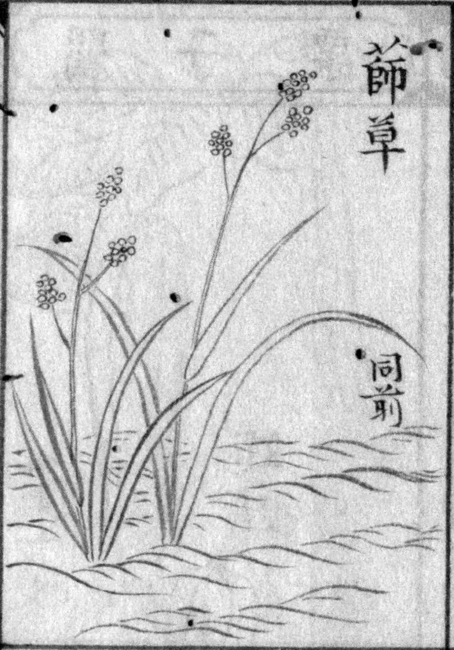
節草
同前

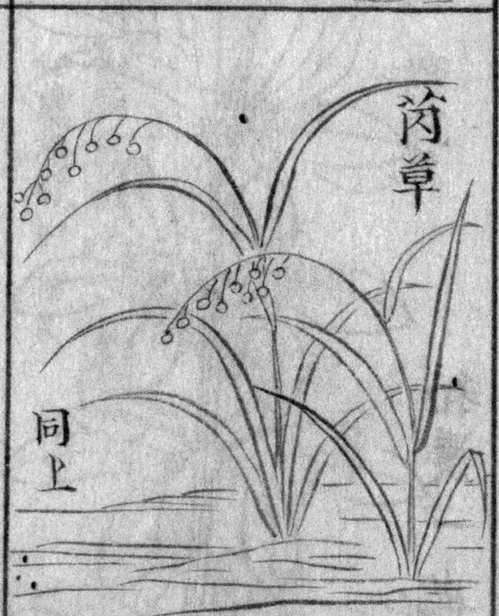
菵草
同上

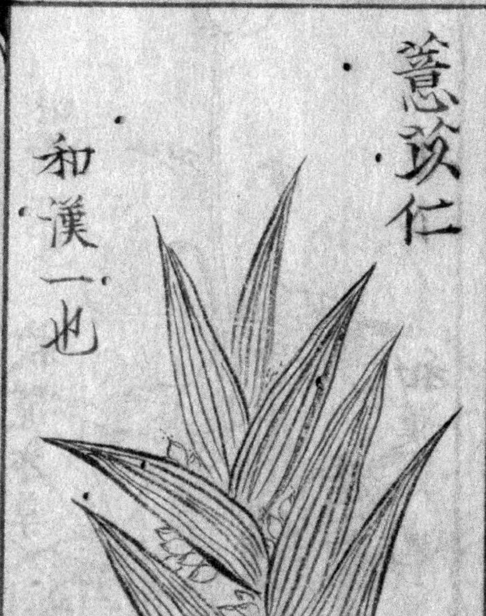
薏苡仁
和漢一也

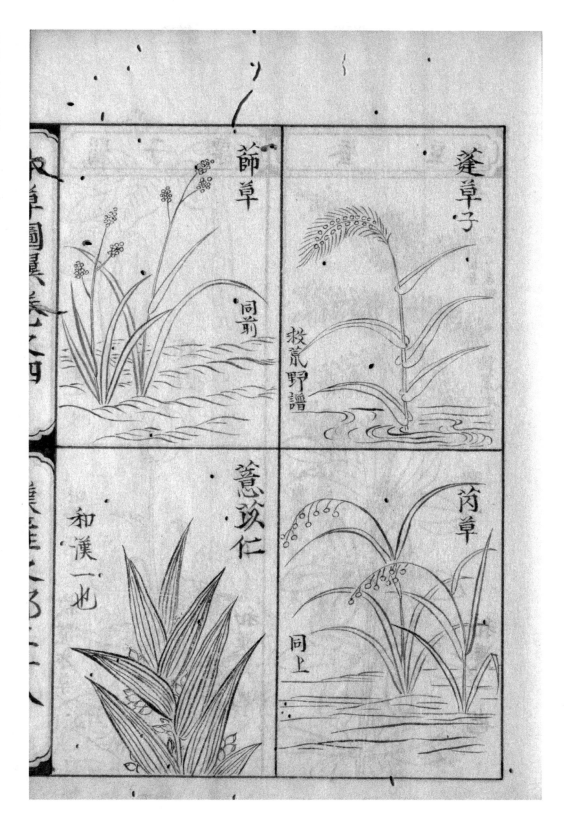

罌子粟

蚕豆

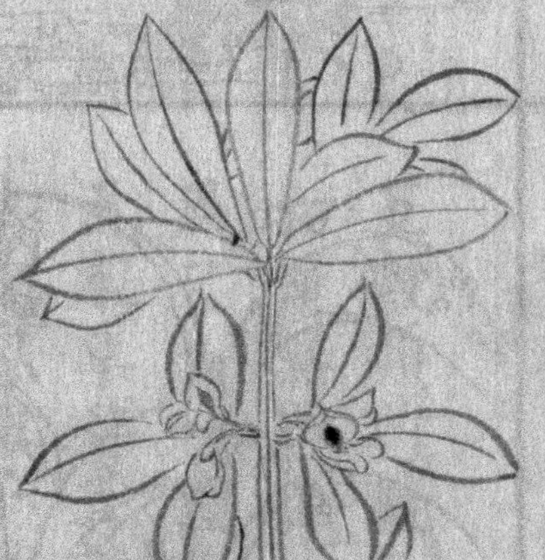

豌豆

一名回回豆

救荒本草

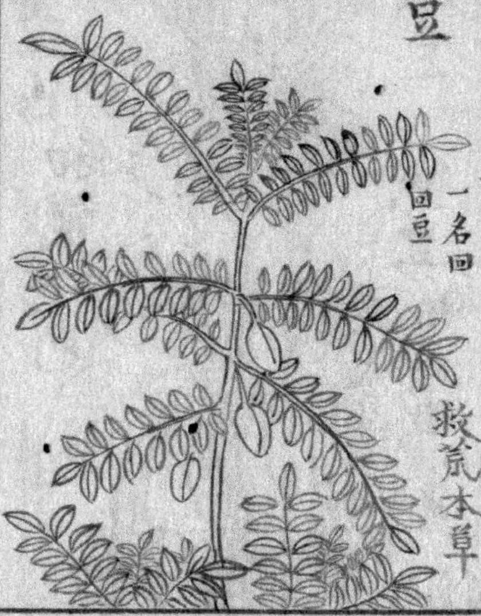

豇豆

和漢一也

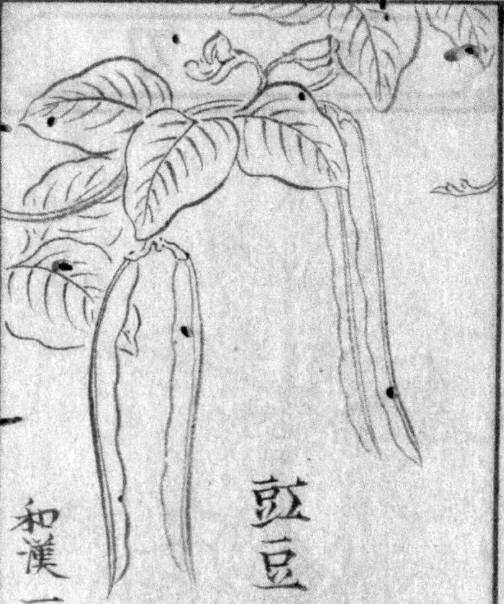

野豌豆

同上

山扁豆亦此一種也
和産亦有四種矣

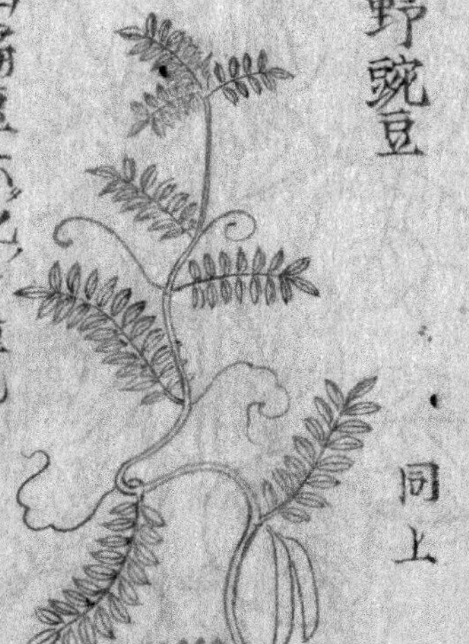

藊豆

和漢一也

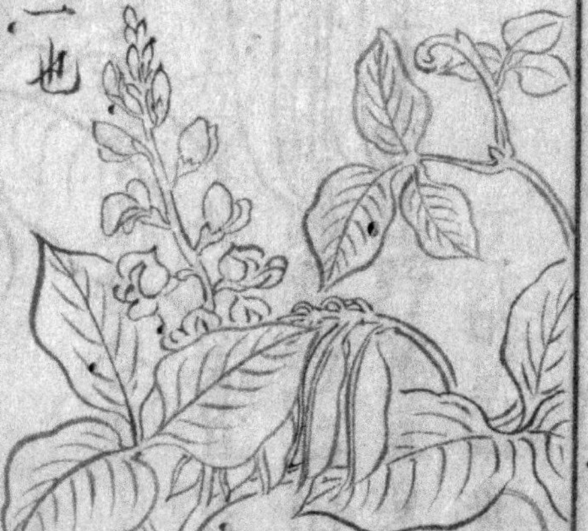

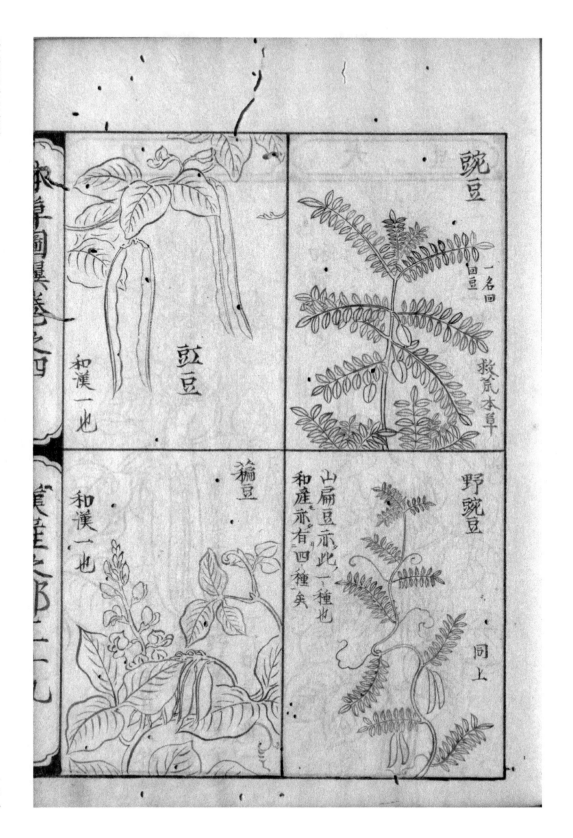

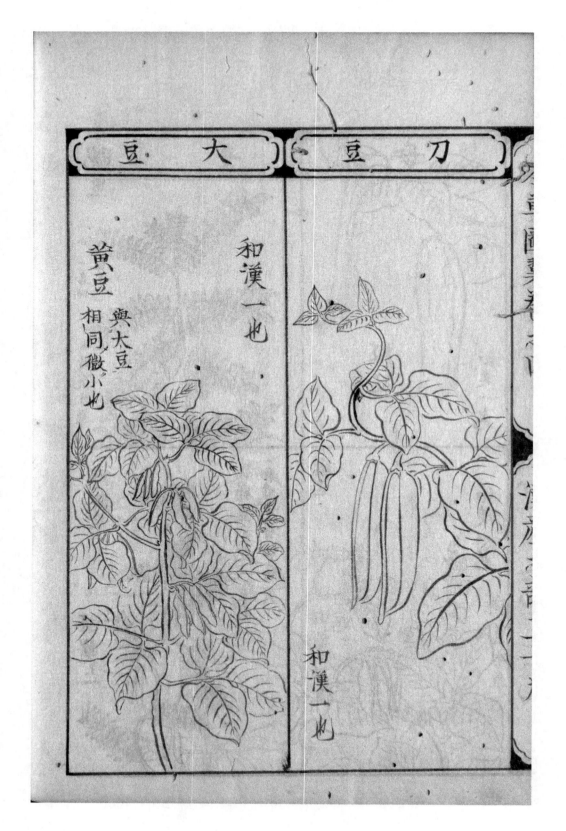

## 刀豆

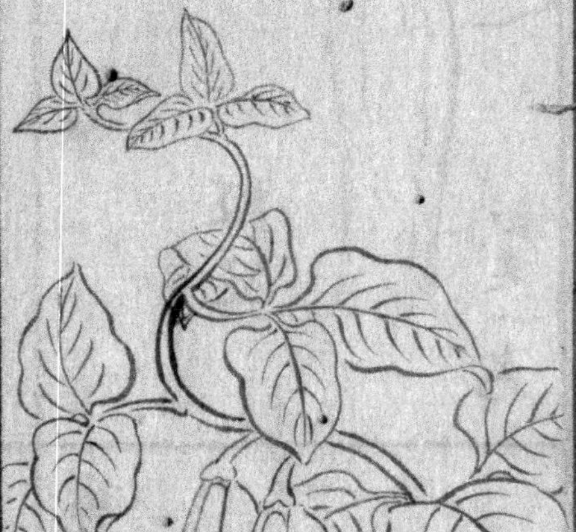

和漢一也

## 大豆

和漢一也

黄豆 與大豆相同微小也

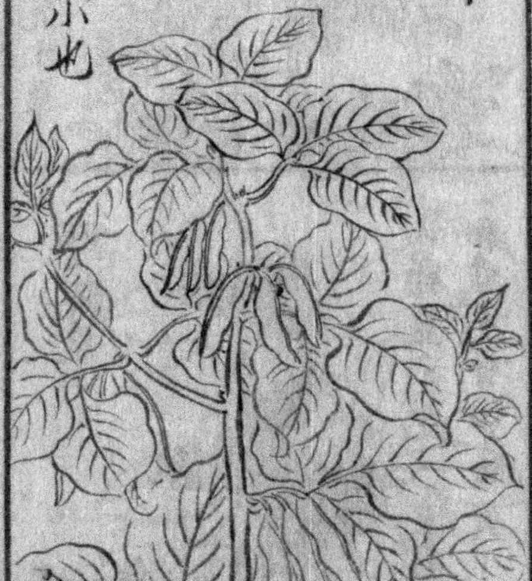

赤小豆

和漢一也

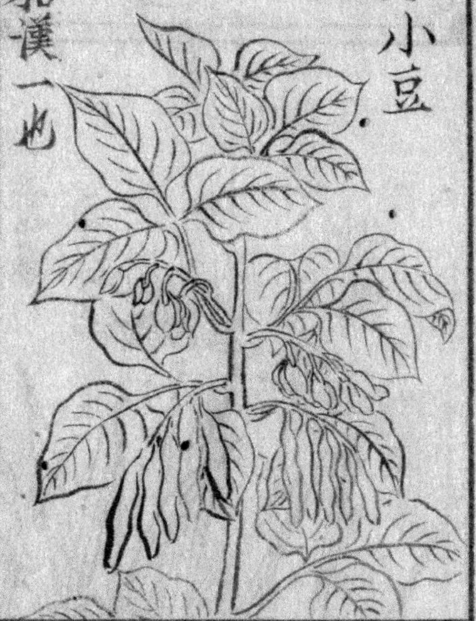

菉豆

和漢一也

穭豆

和漢一也

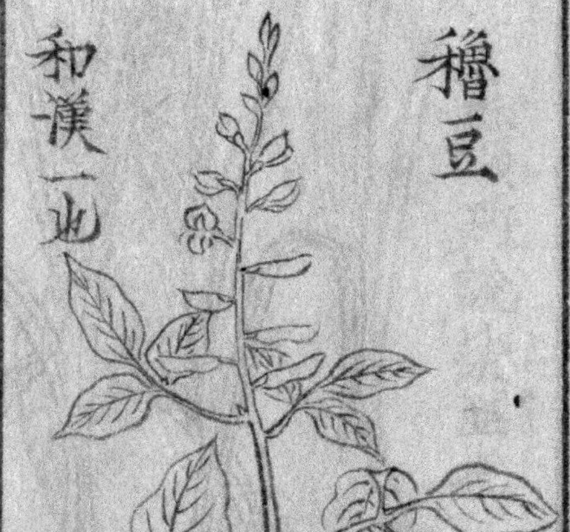

豆菽之類載于本綱和漢一也黎豆及豍豆野菉豆見于救荒本草其圖象乃出附録及本草大義本草補苴食物知新等中可以牽合焉

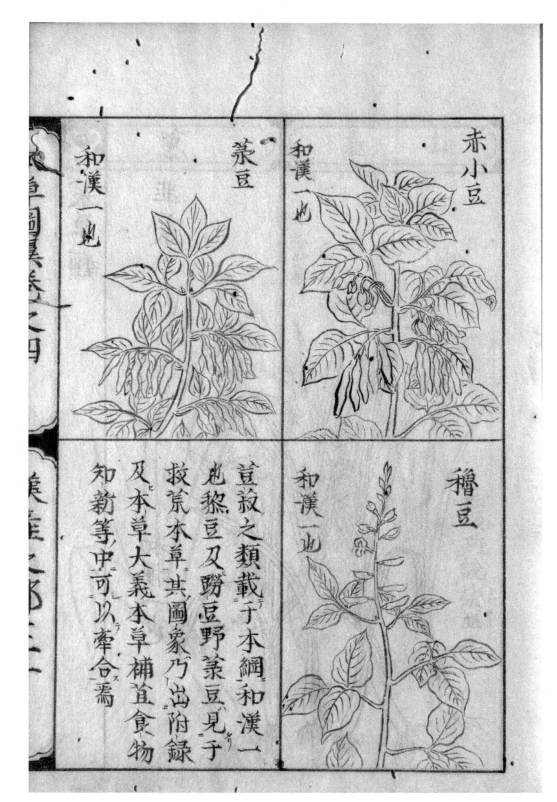

菜草類

韭菜

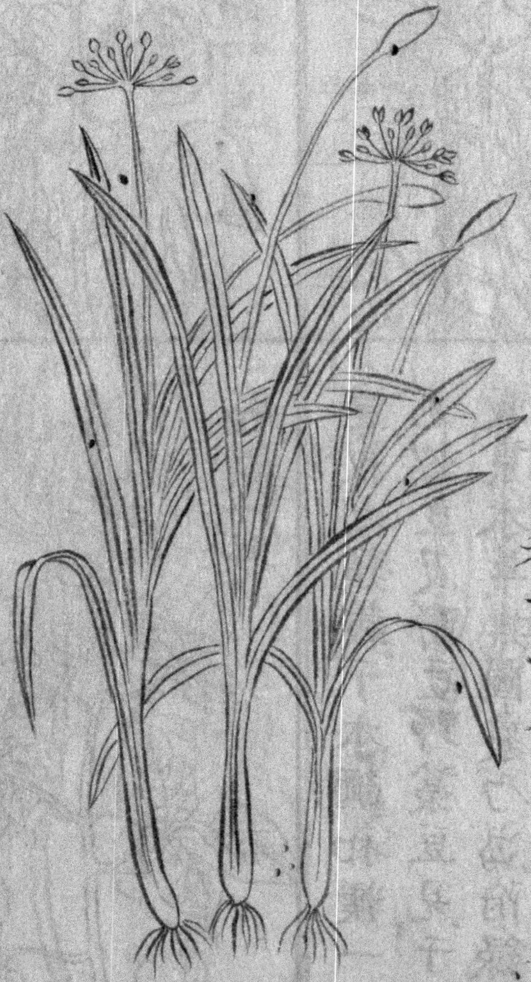

和漢一也

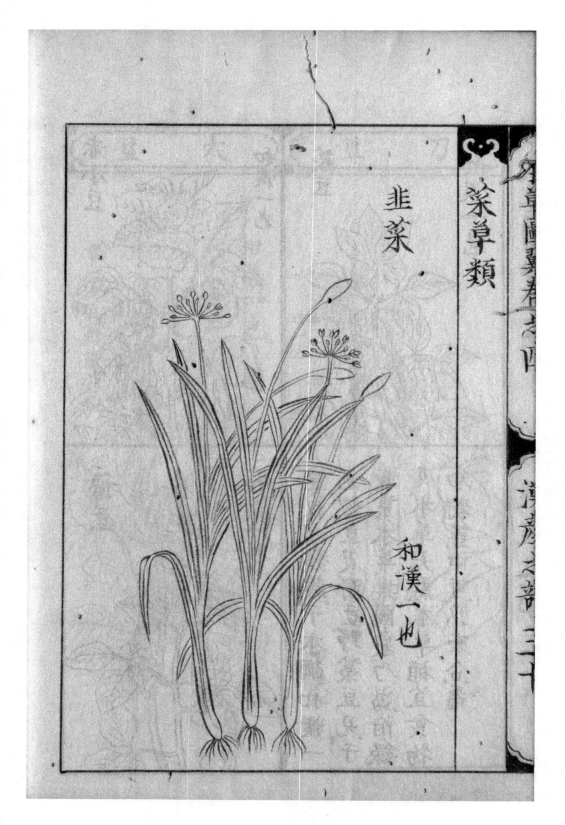

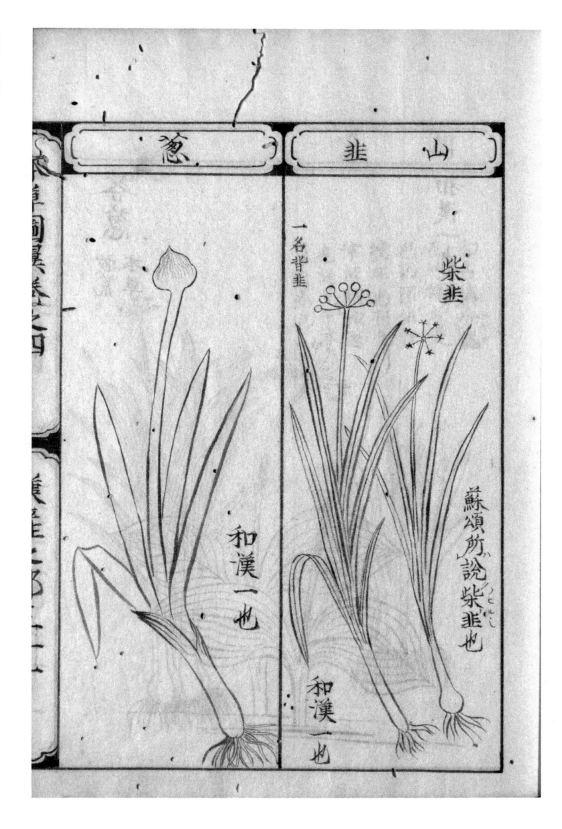

## 山韮

紫韮

蘇頌所説紫韮也

一名背韮

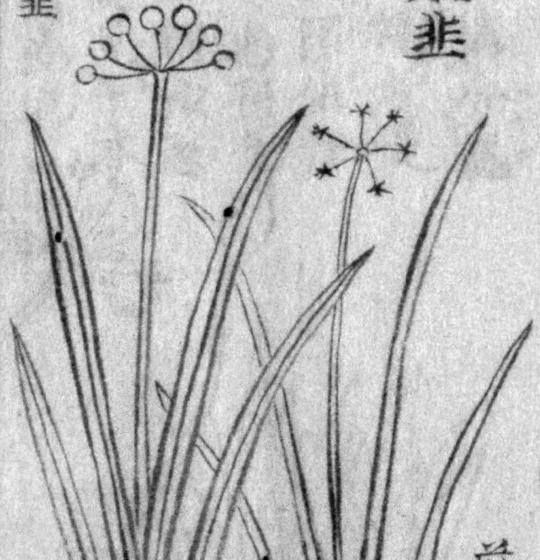

和漢一也

## 葱

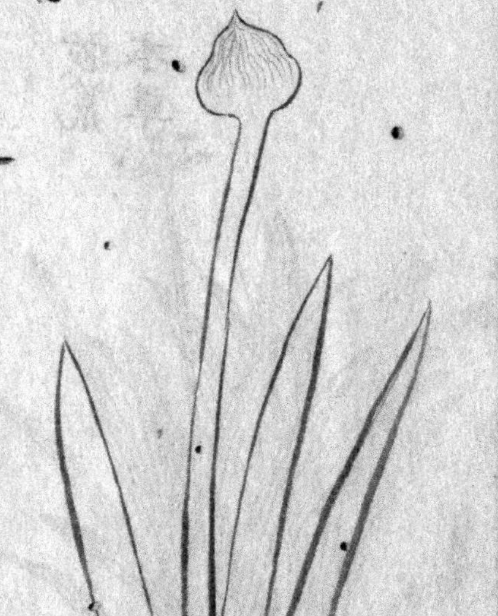

和漢一也

茖葱 救荒本草

和漢一也

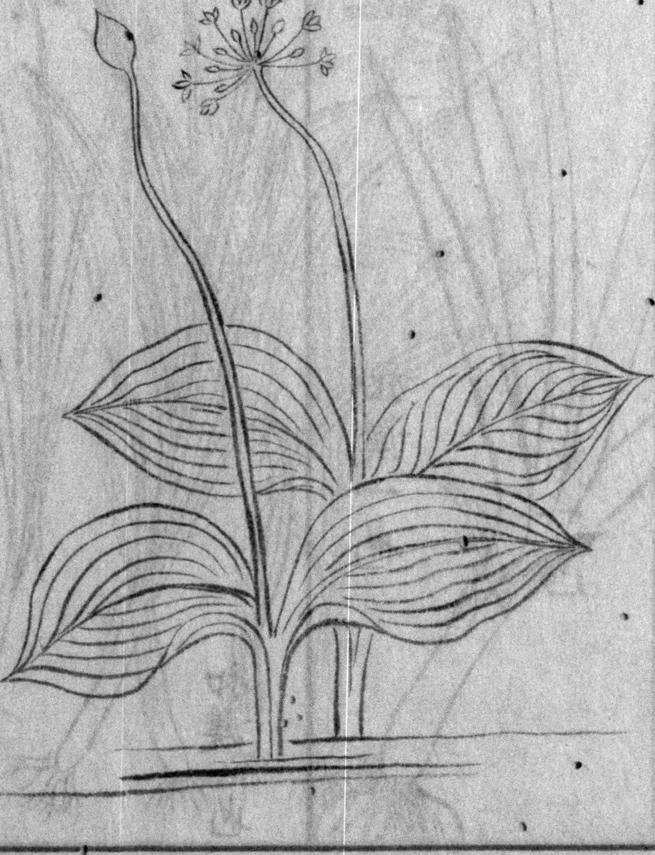

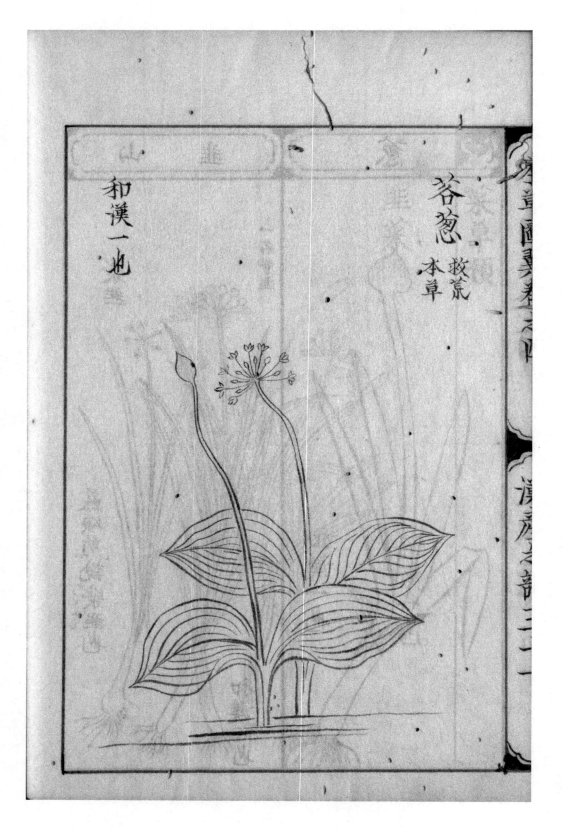

本草圖翼 卷之四

葷菜之部 三十一

薤

胡葱

和名稱分葱及刈葱者是也訓阿佐津岐非也阿佐津岐即沙葱也說見于本草大義也

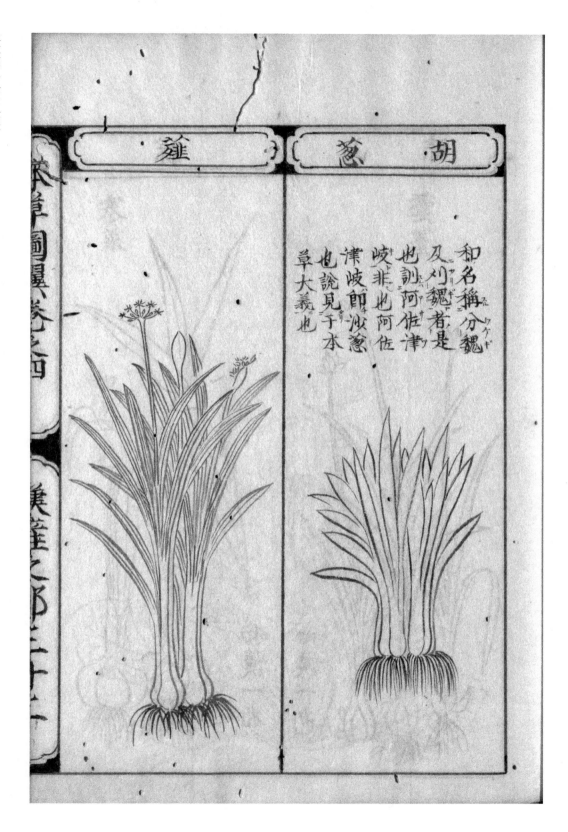

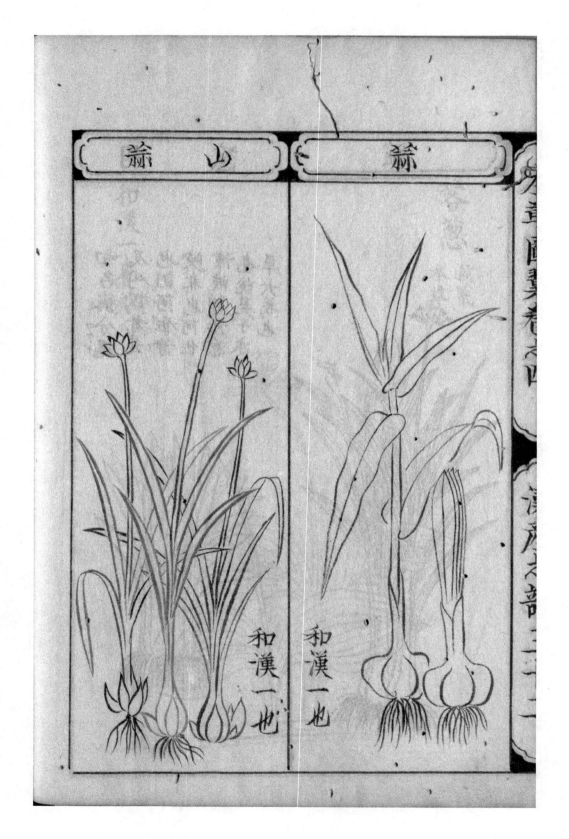

蒜

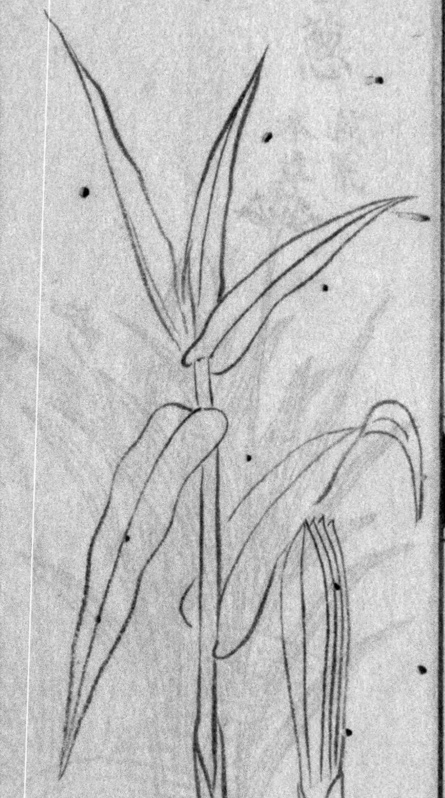


山蒜

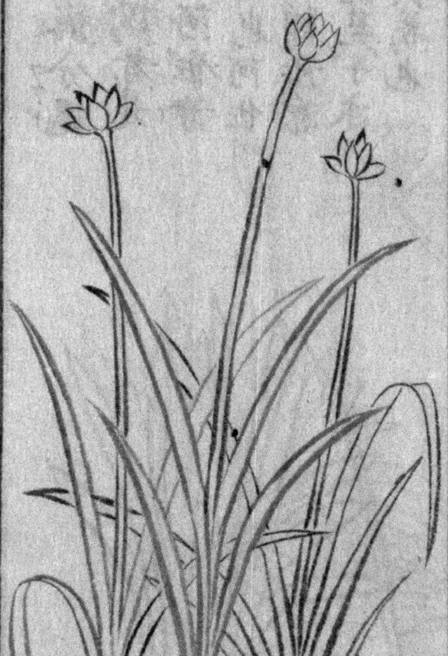

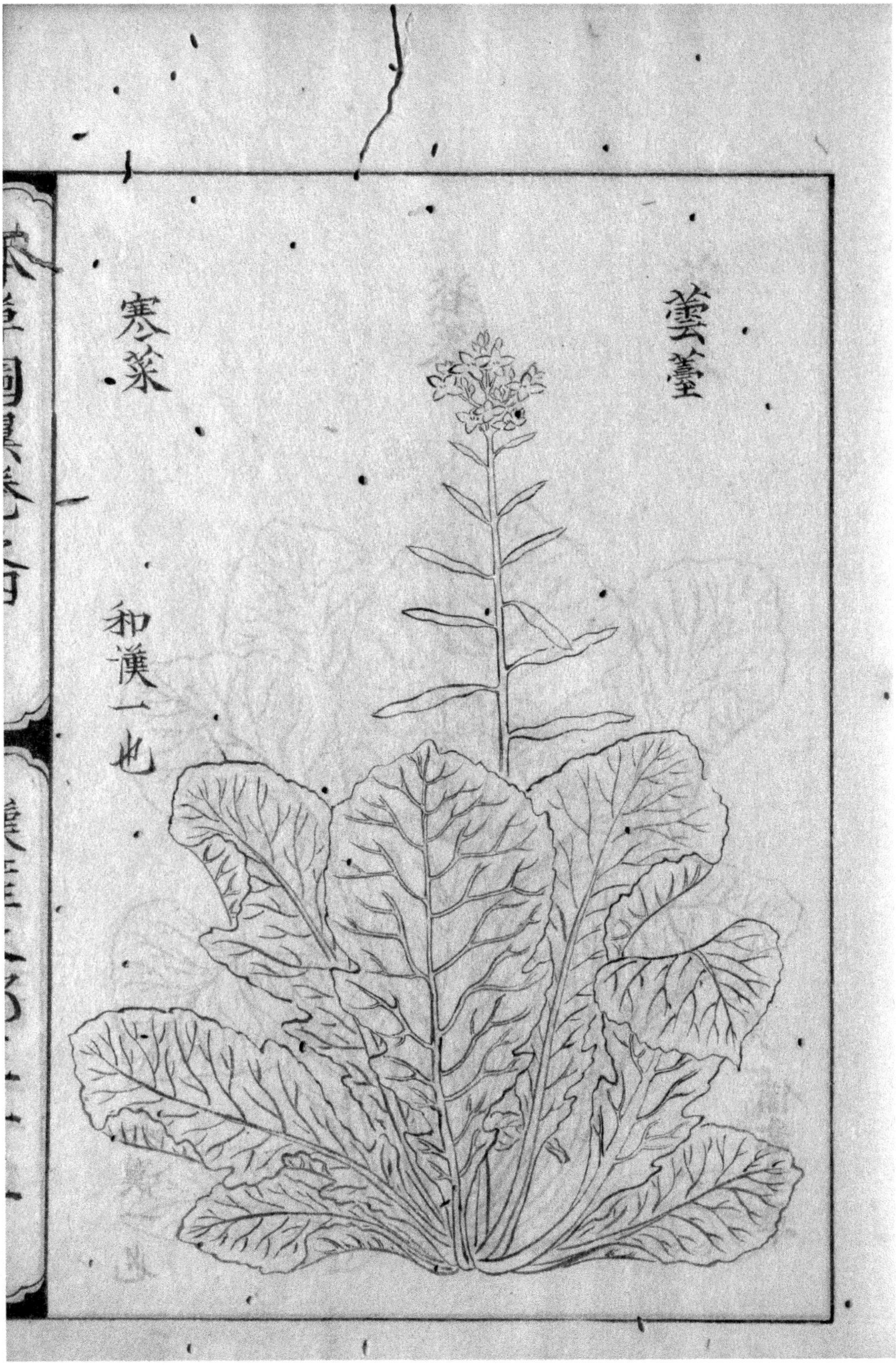
蕓薹
寒菜
和漢一也

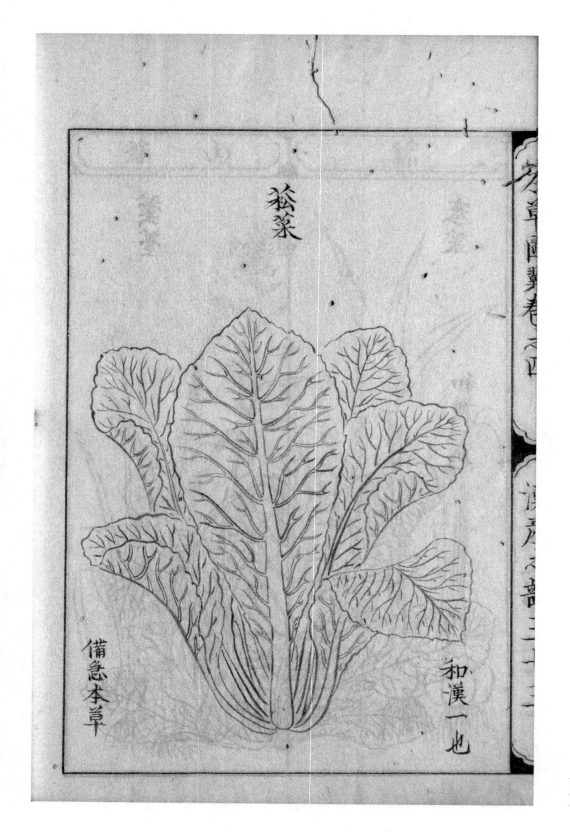

菘菜

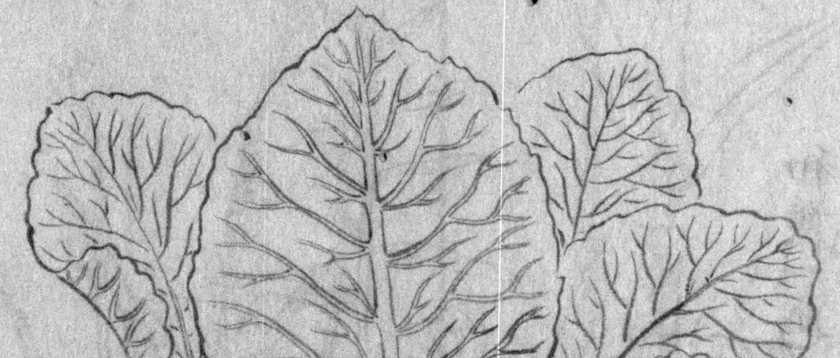

備急本草

和漢一也

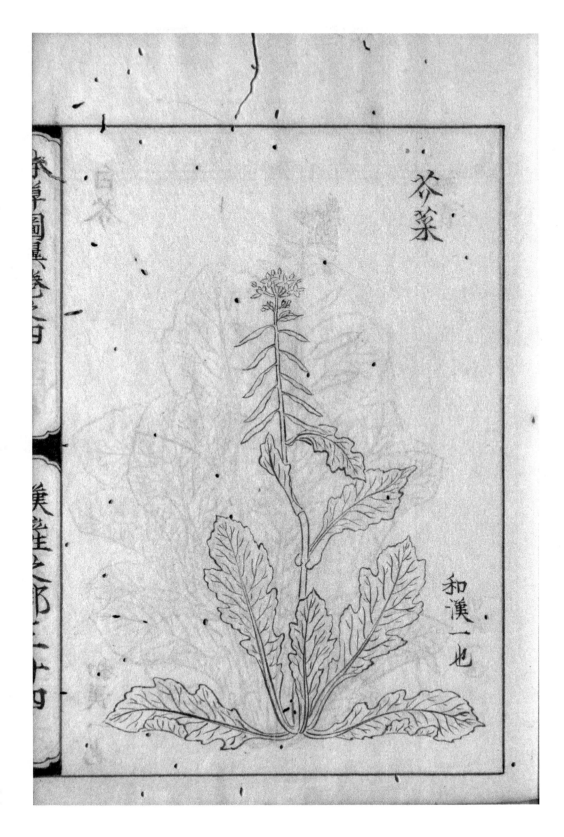

芥菜

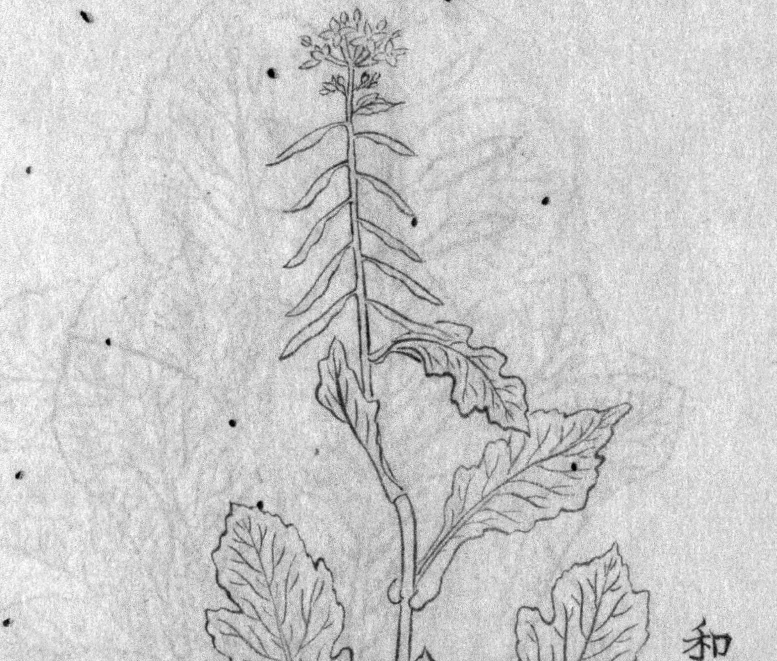

和漢一也

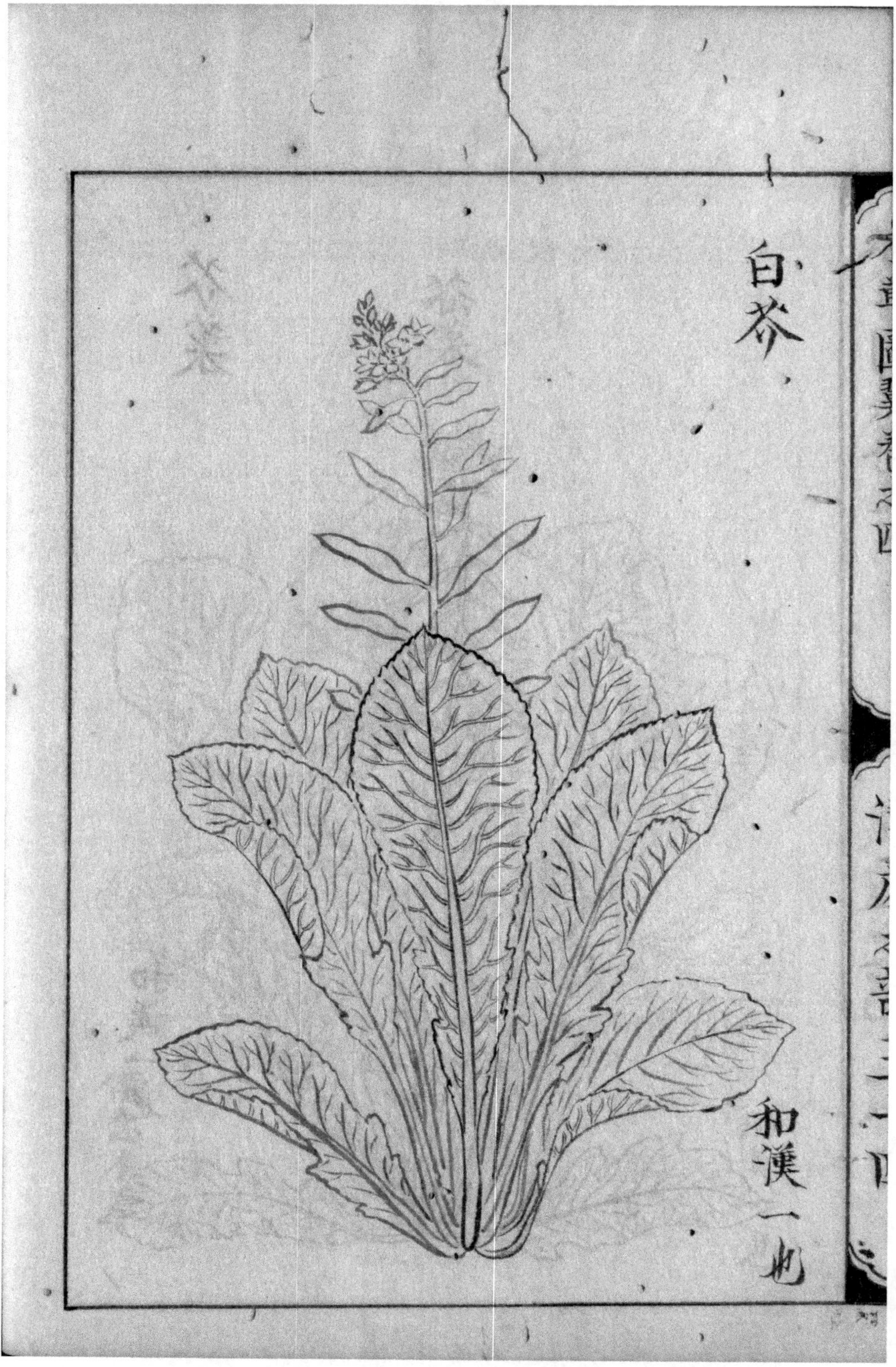
白芥
和漢一也

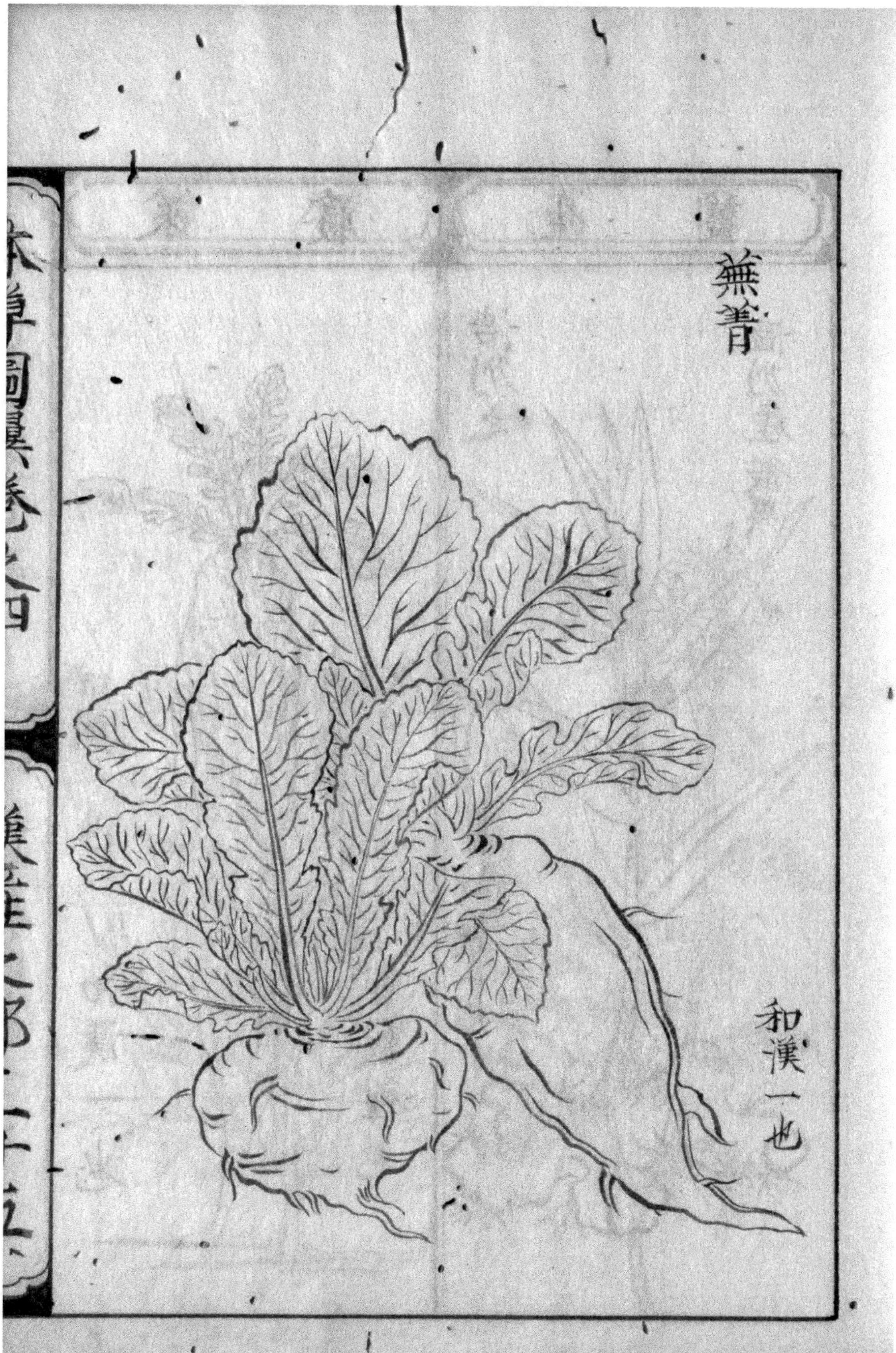
蕪菁
和漢一也

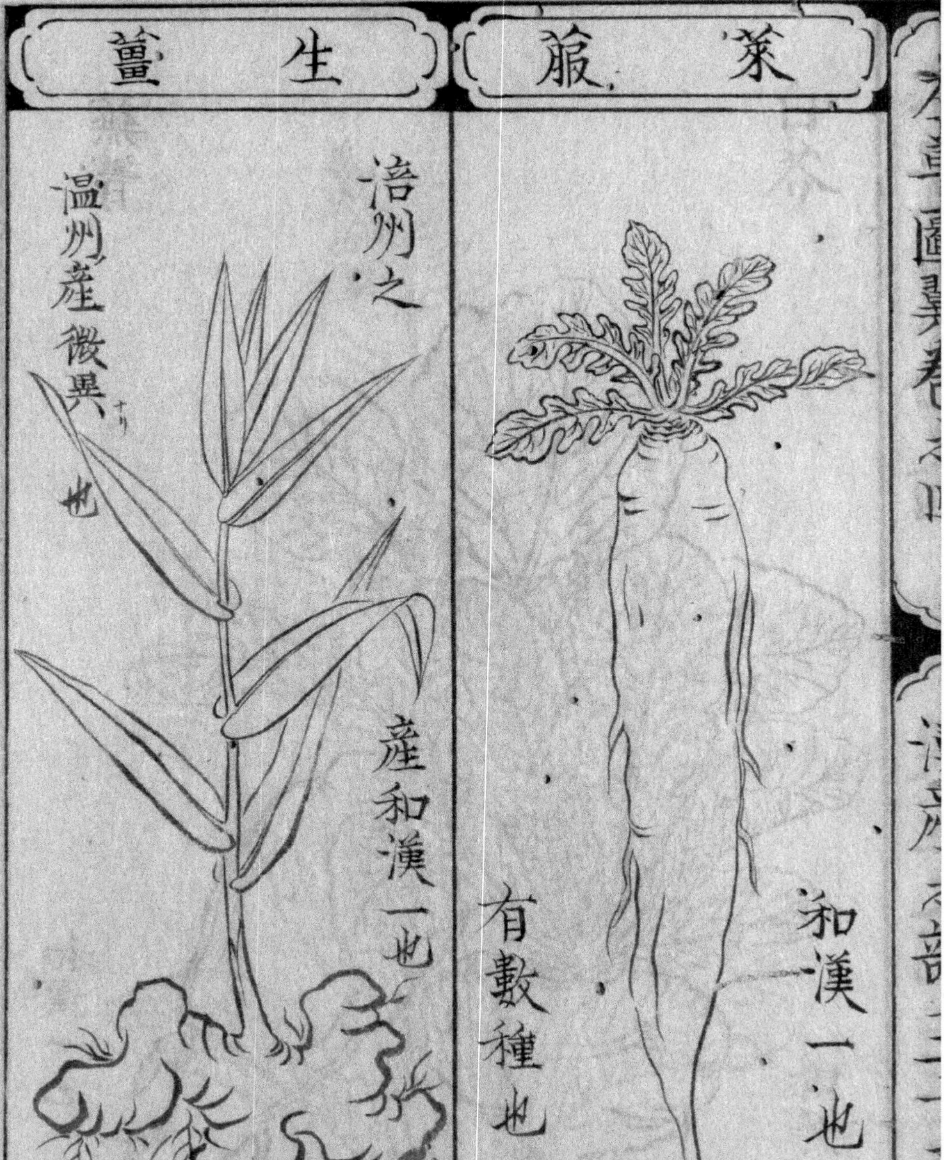
萊菔
和漢一也
有數種也
生薑
產和漢一也
涪州之
溫州產微異也

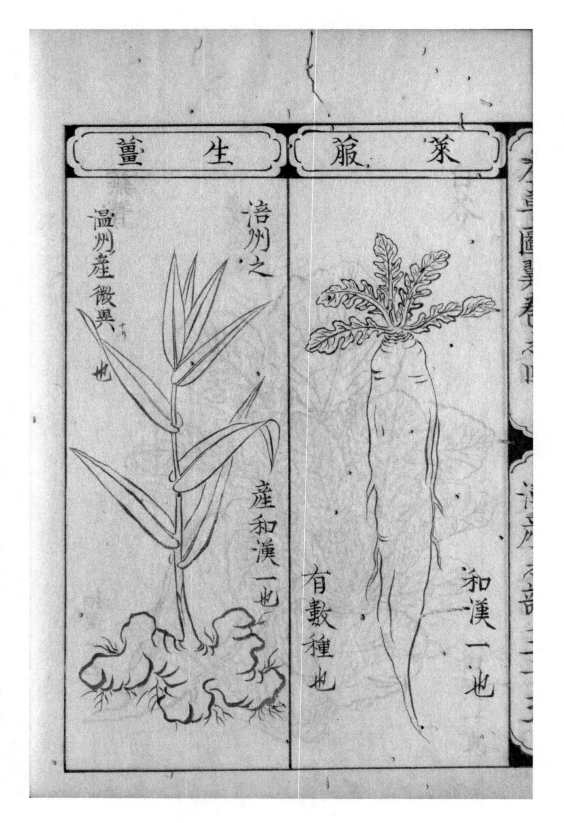

同蒿

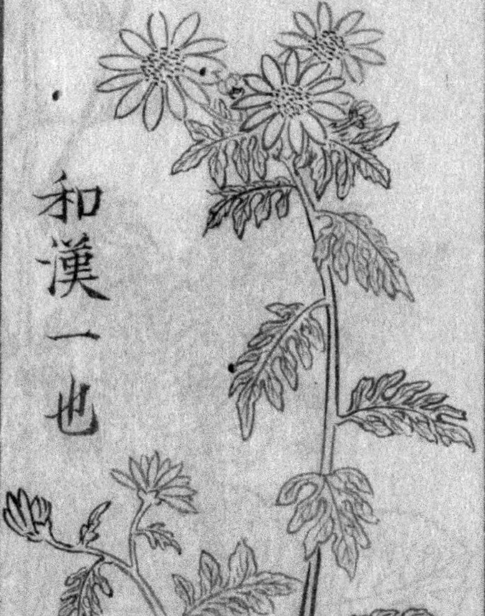

和漢一也

邪蒿

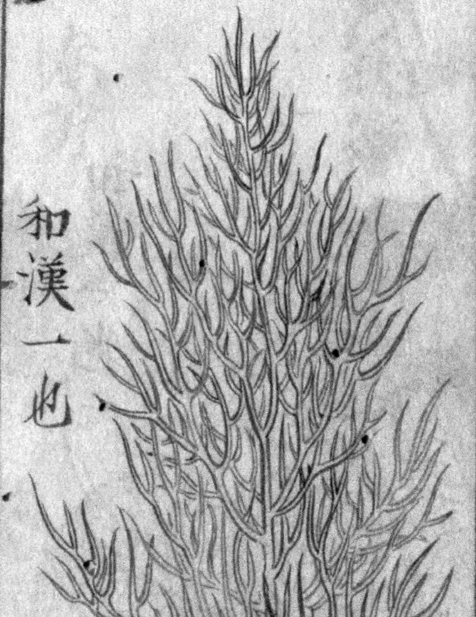

和漢一也

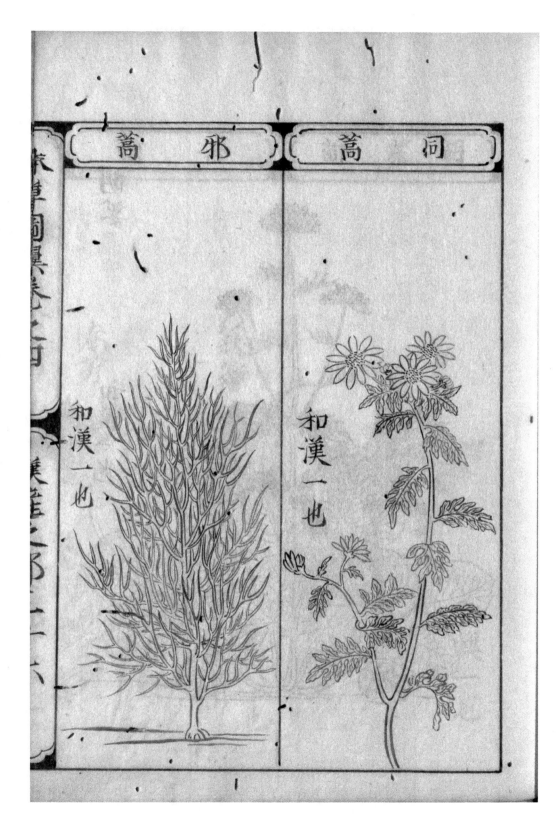

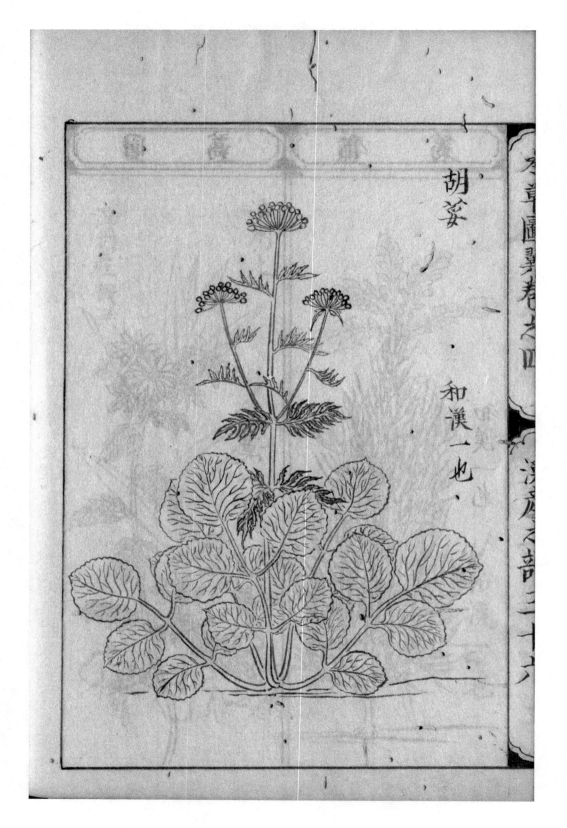

胡荽

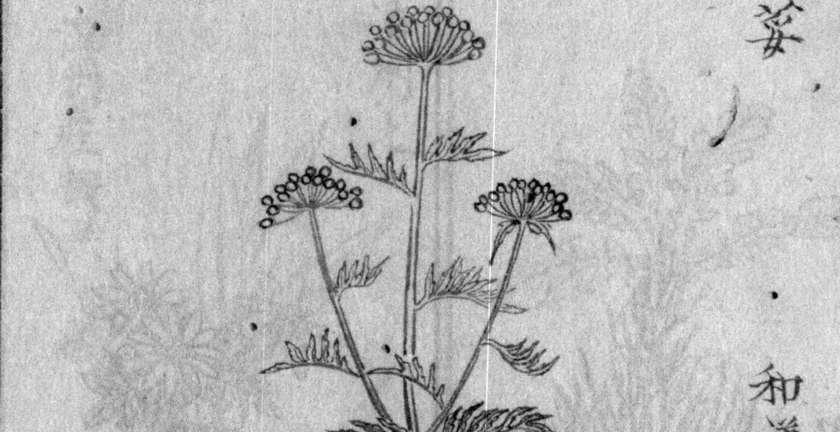

和漢一也

本草圖翼卷之四

漢産之部三十六

胡蘿蔔

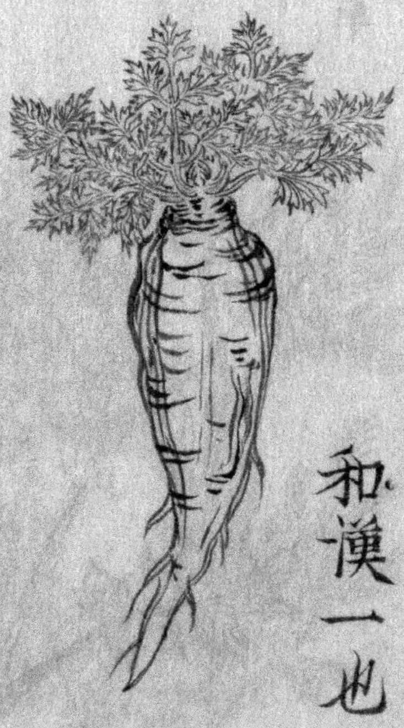

和漢一也

苦豺

狄芥

赤芥

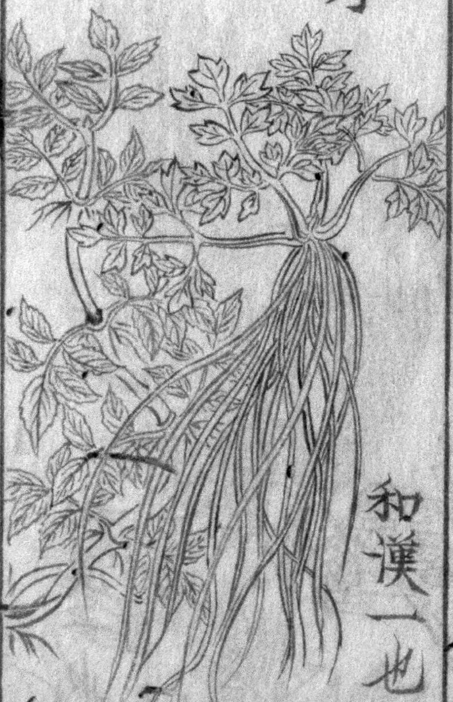

和漢一也

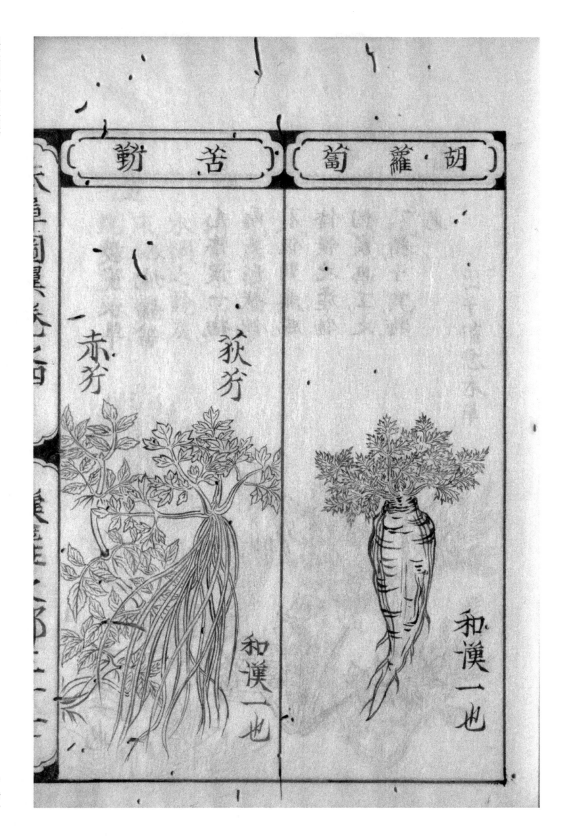

堇

救荒本草

名地錦苗

凡倭漢一物而其形狀似不似則非咸倭漢之產物相戾畫工之不精于其物也

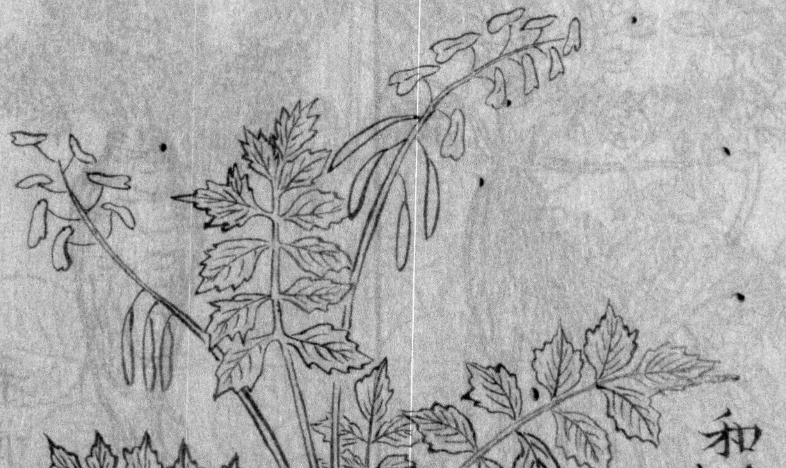

和漢一也

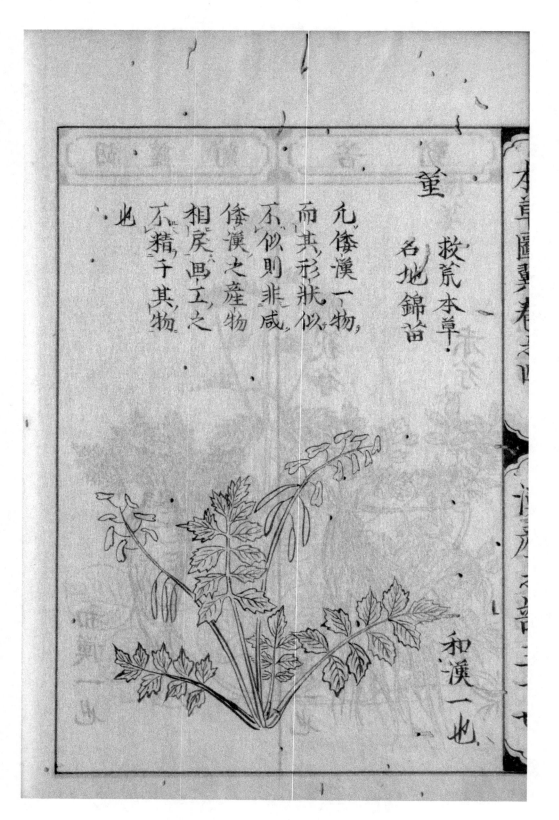

## 蘹香

出于備急本草

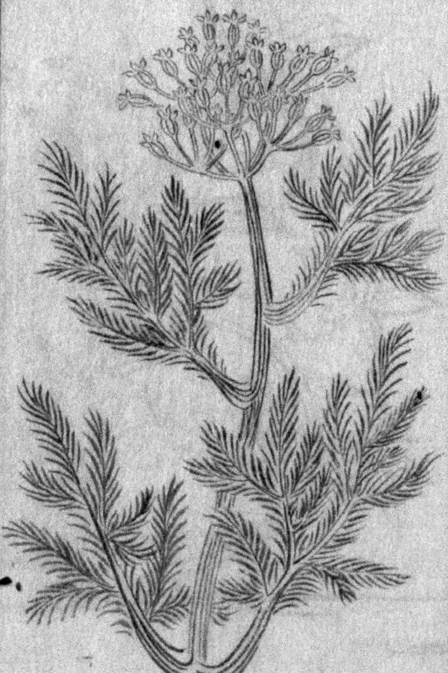

## 蒔蘿

此圖同出于備急本草與本綱之說及来於番舶種此邦者別也

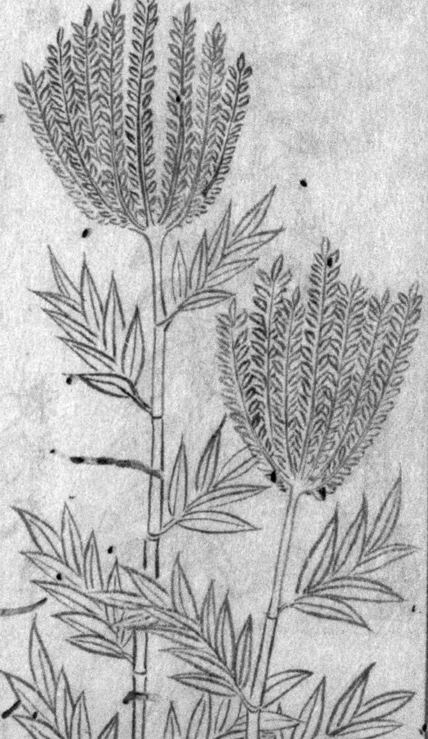

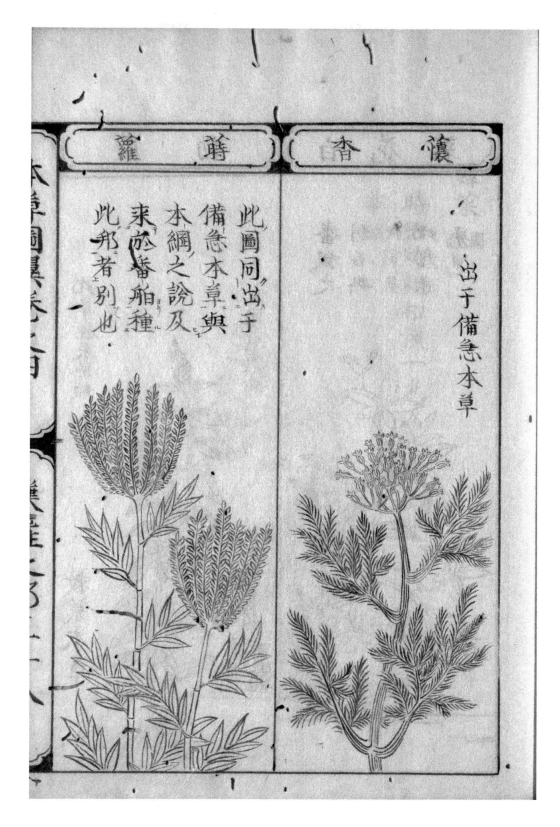

## 羅勒

救荒本草

此草種來於舶

香菜 救荒本草

大同小異也

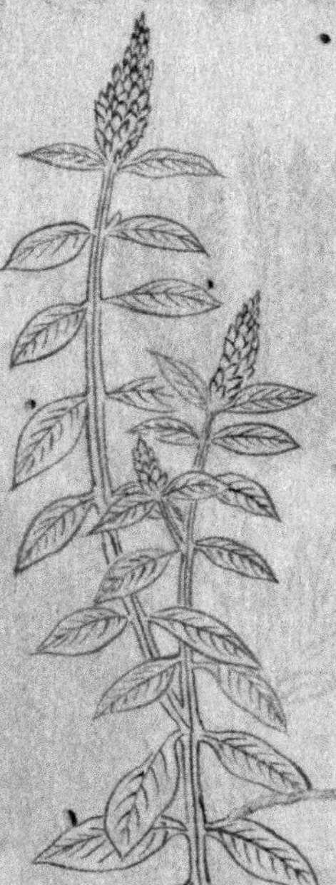

## 白花菜

番椒之別名與此同矣此邦未見也

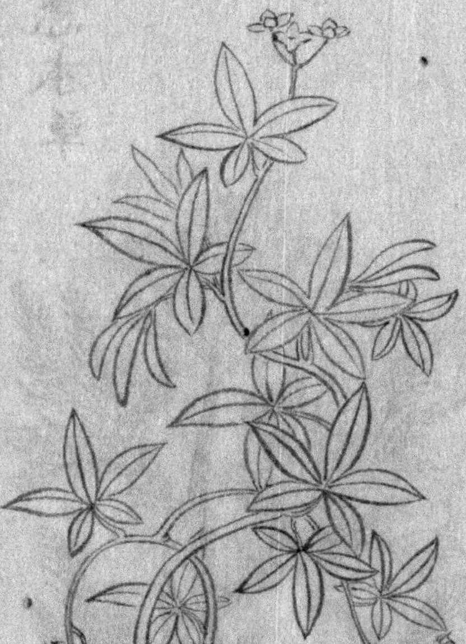

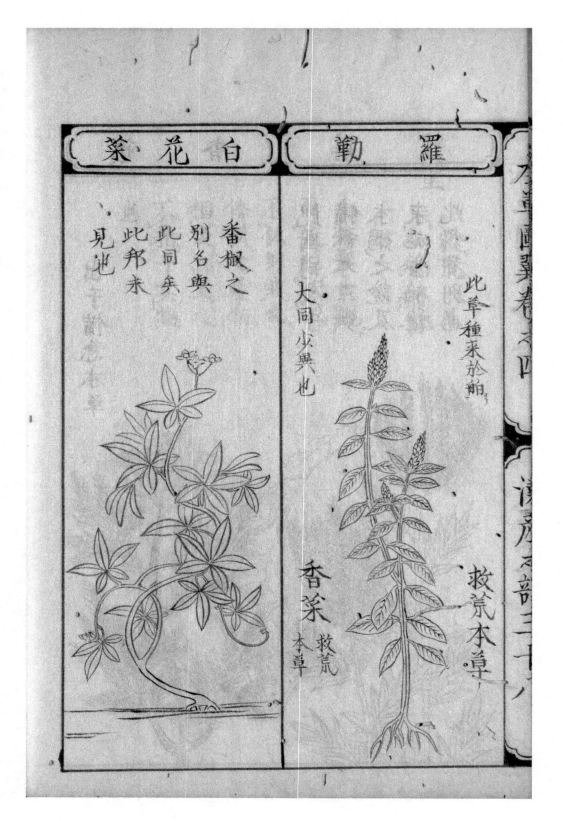

蔊菜 圖經

時珍所說和漢一也以之爲山葵（ワサビ）非也

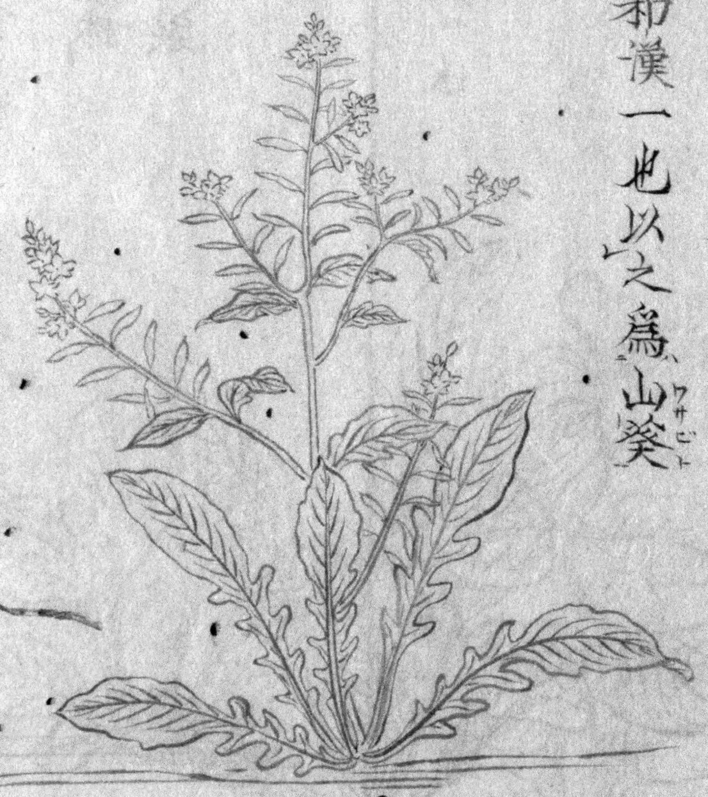

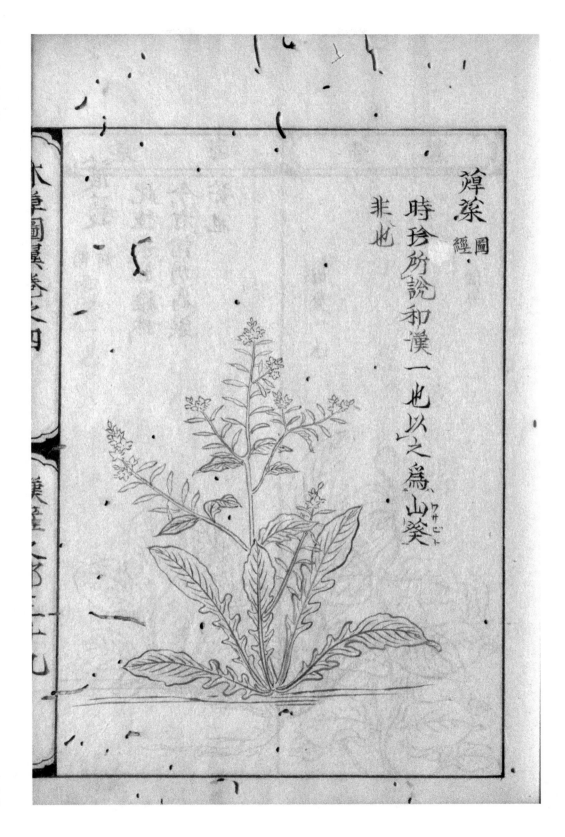

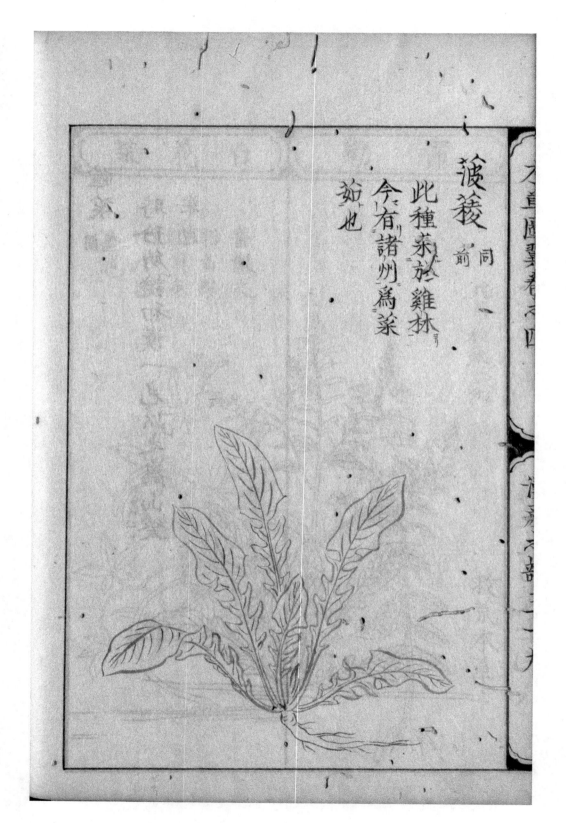

菠薐 同前

此種菜於雞林今有諸州為菜茹也

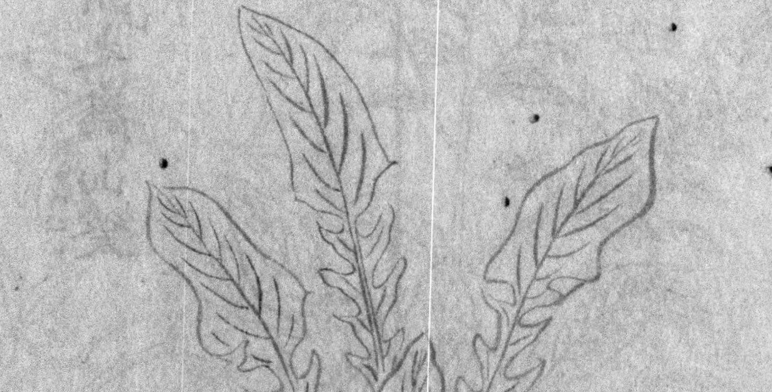

## 蕹菜

圖經

和漢一也

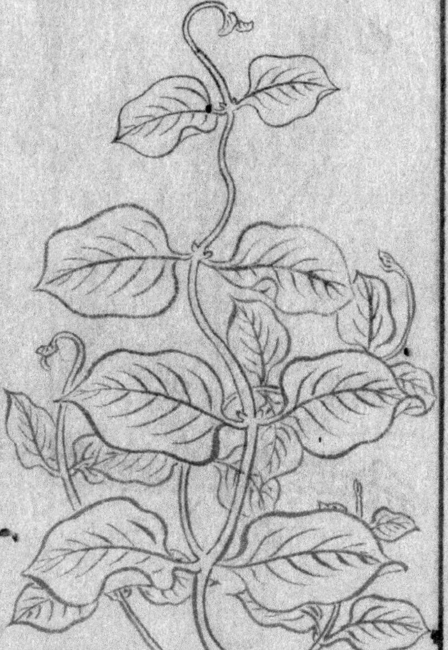

## 菾菜

同前

和漢一也

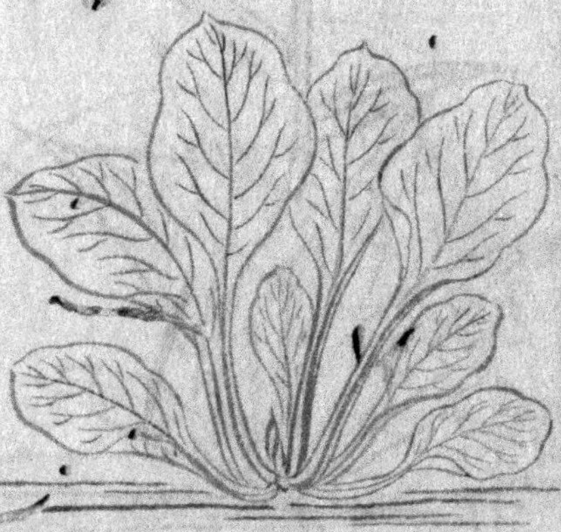

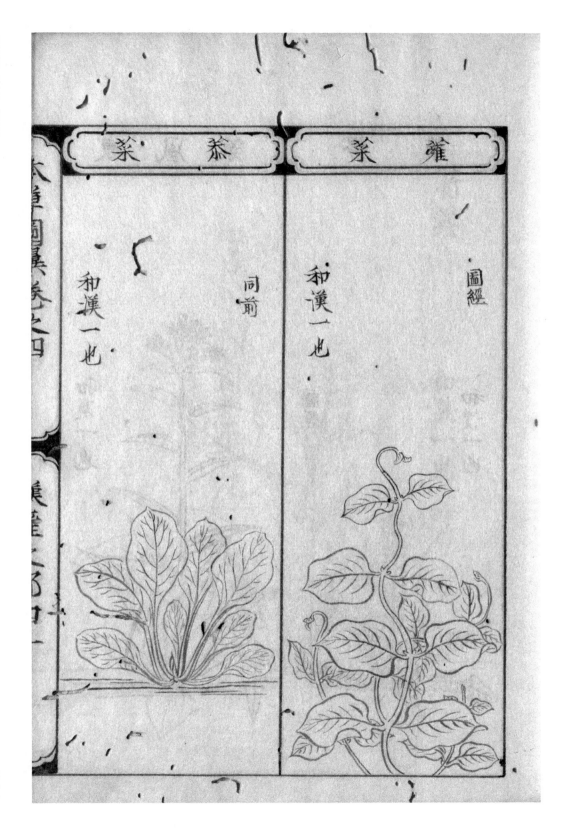

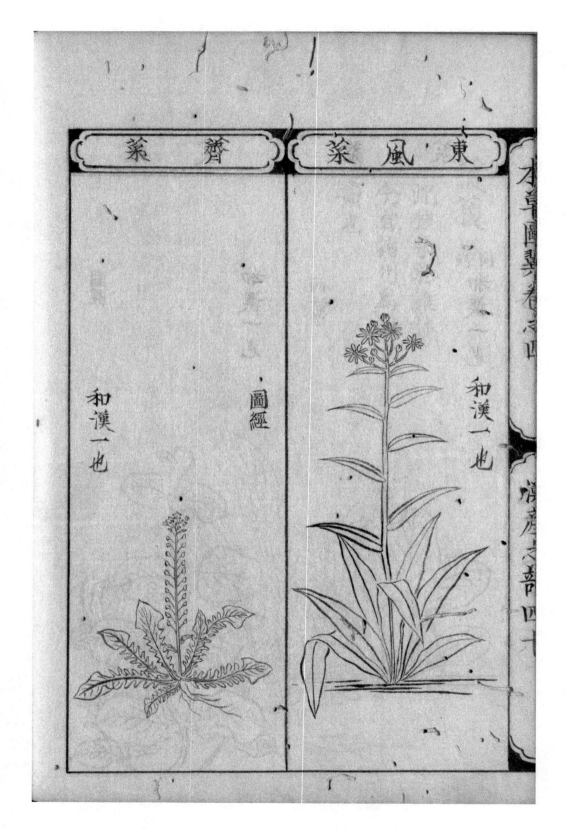

## 東風菜

和漢一也

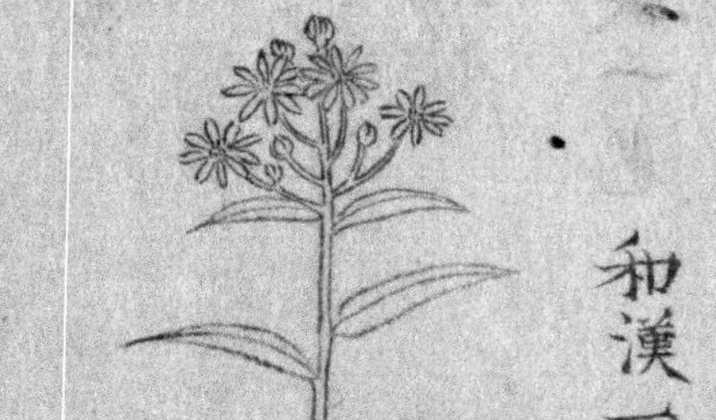

## 薺菜

圖經

和漢一也

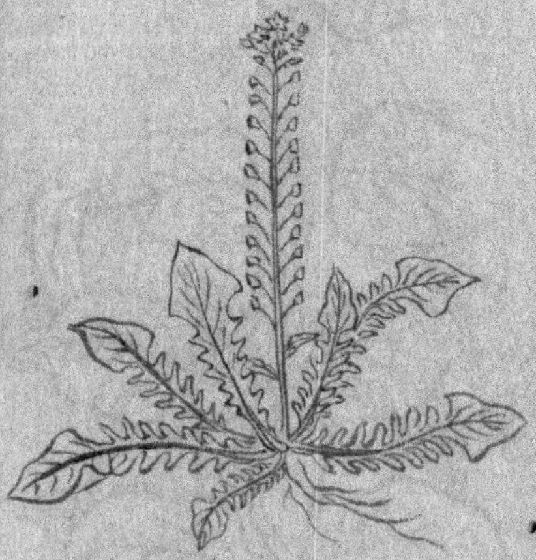

菥蓂

和漢一也

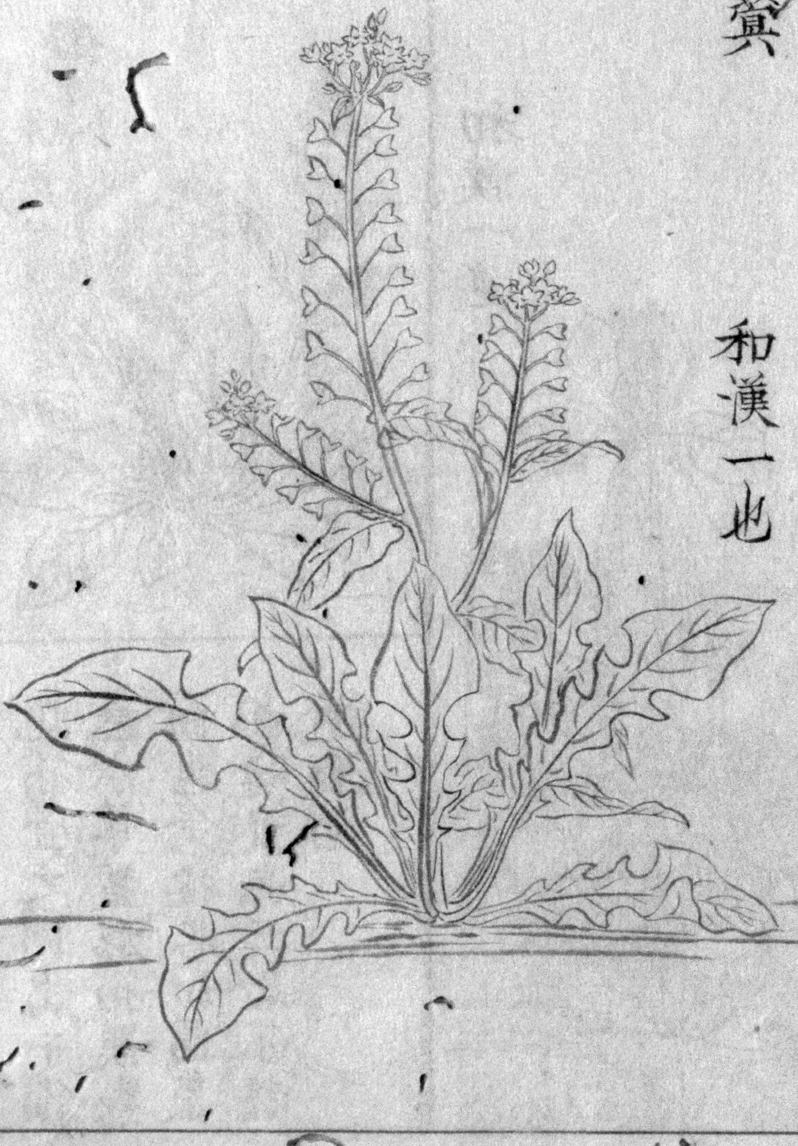

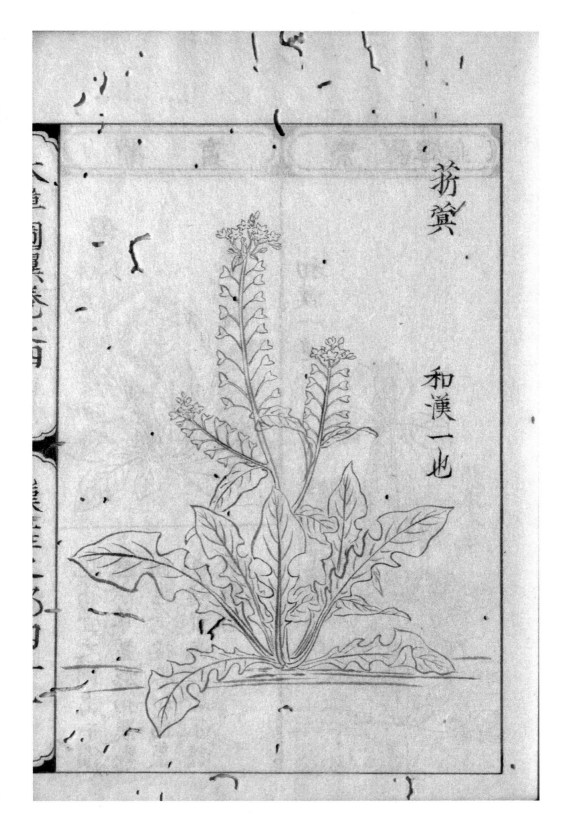

菥蓂

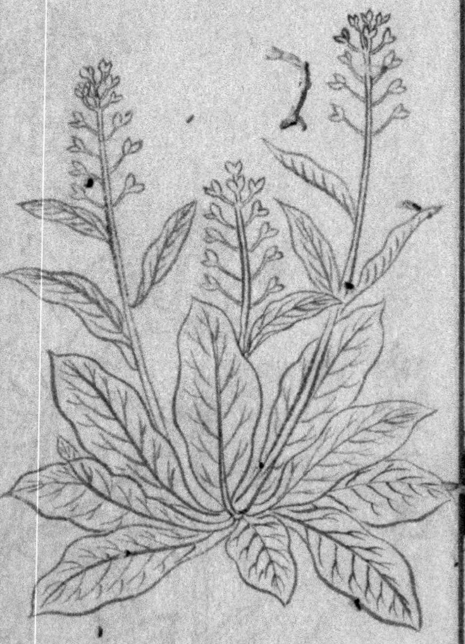

此菥蓂之圖出于備急本草葉形和漢懸隔也今按非如圖象相違者畫工之不精所致也

繁縷

和漢一也

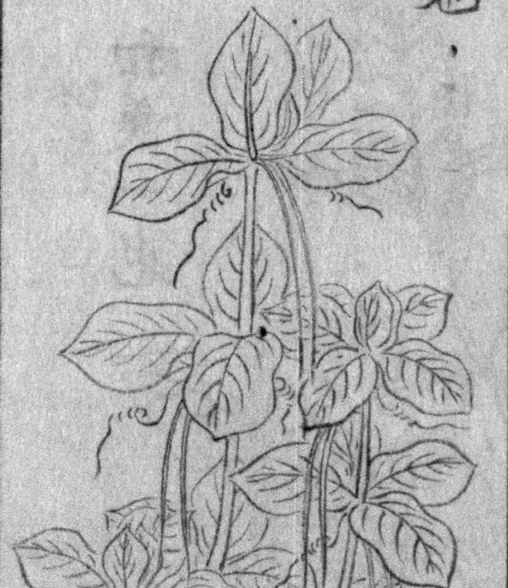

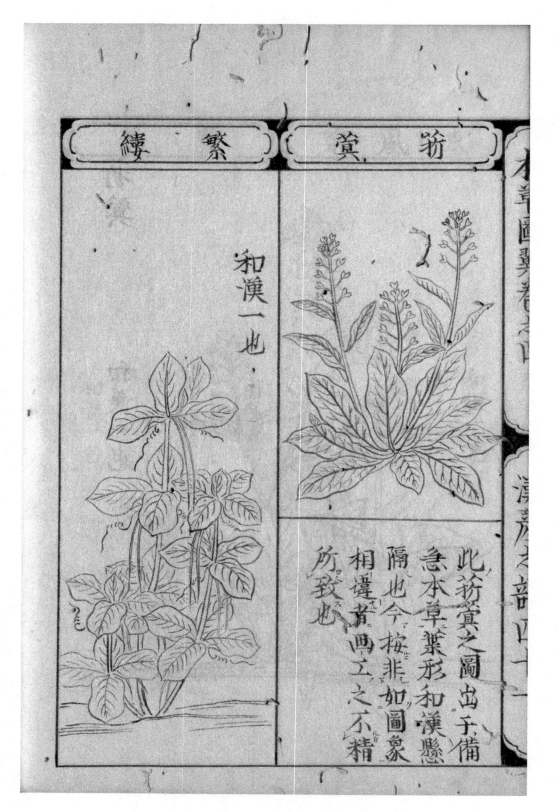

本草圖翼卷之四

## 雞腸草

救荒本草

和漢一也

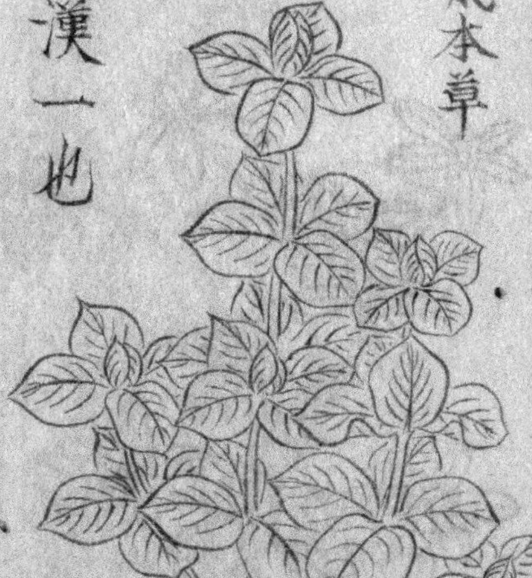

## 苜蓿

救荒本草

和漢一也

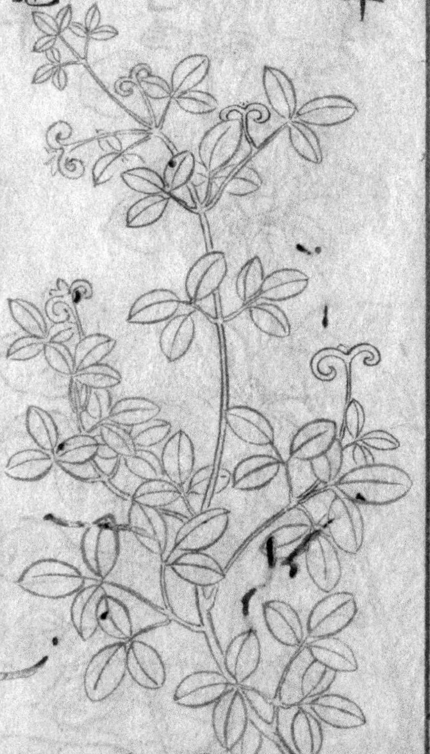

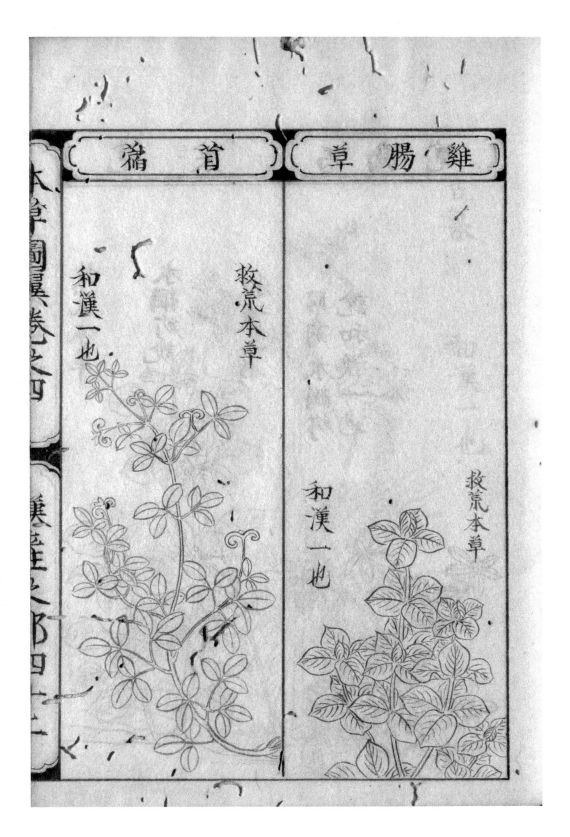

莧菜

救荒本草
本綱所說
和漢一也

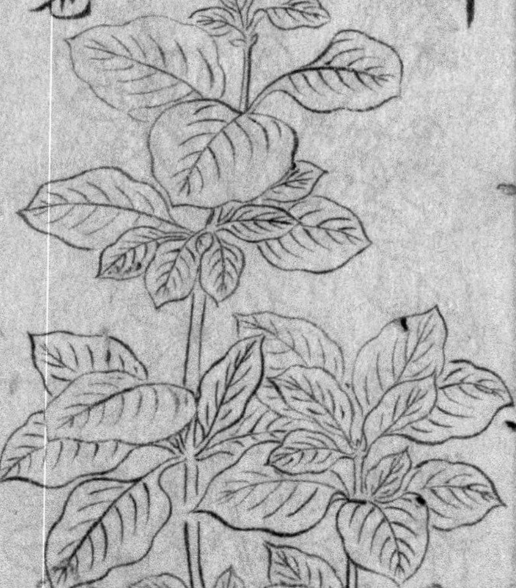

馬齒莧

同前本綱所
說和漢一也

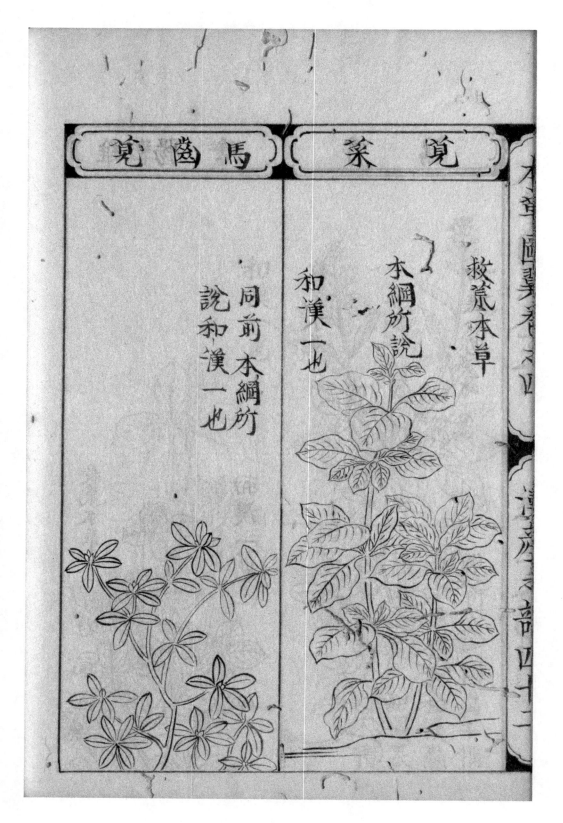

本草圖翼卷之四

苦菜

和漢一也

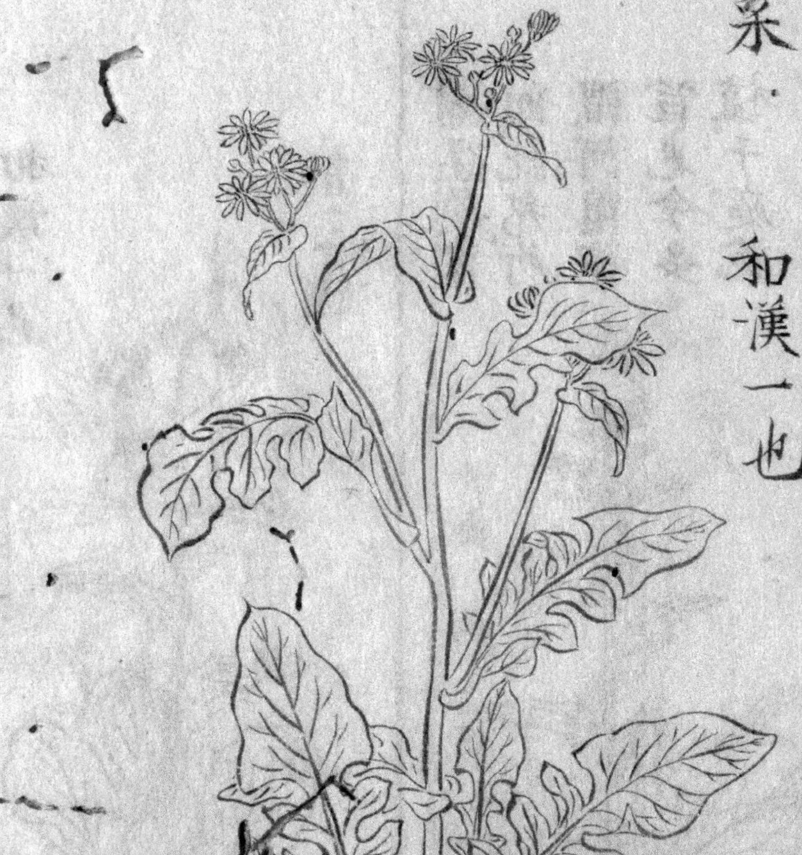

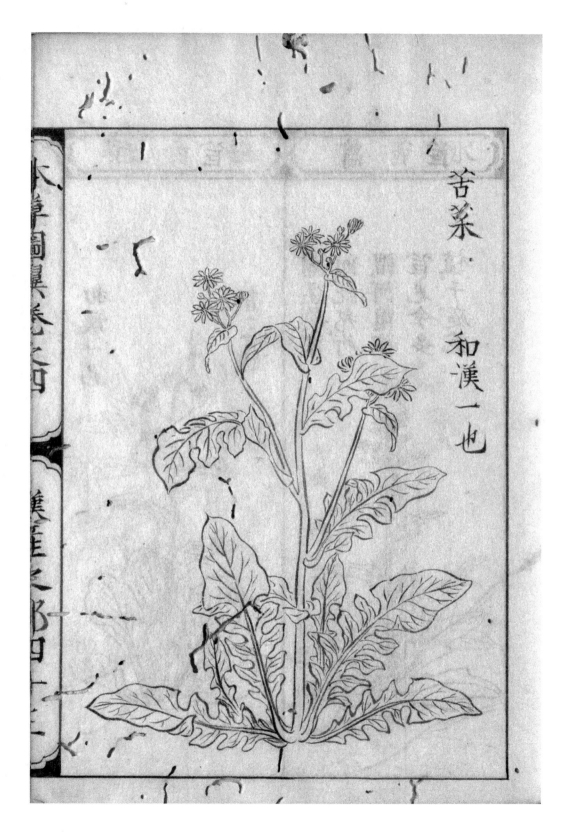

## 白苣

和漢一也

有三種

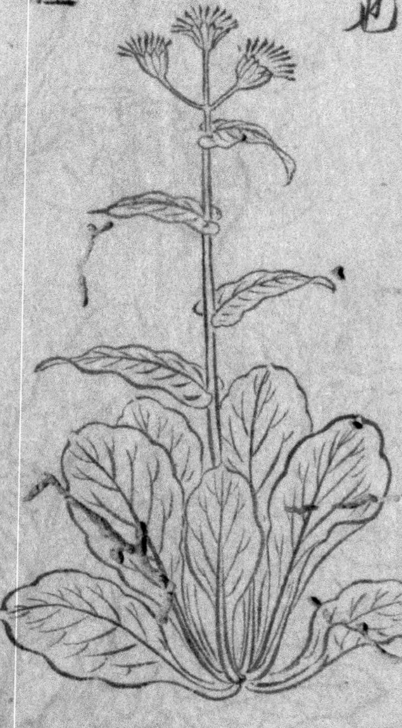

## 萵苣

圖經所畫即此邦所謂阿蘭陀苣也今多植于庭苑

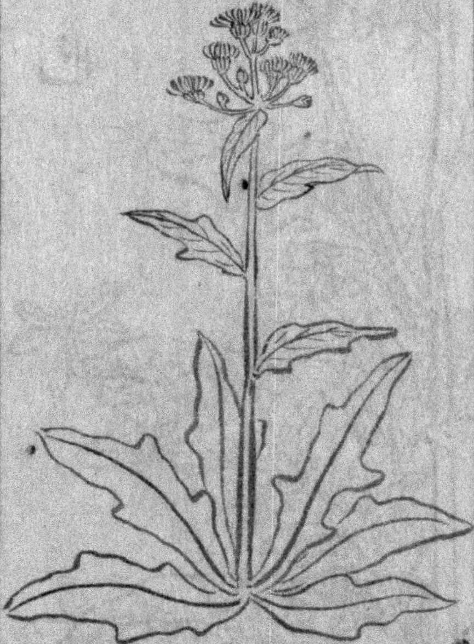

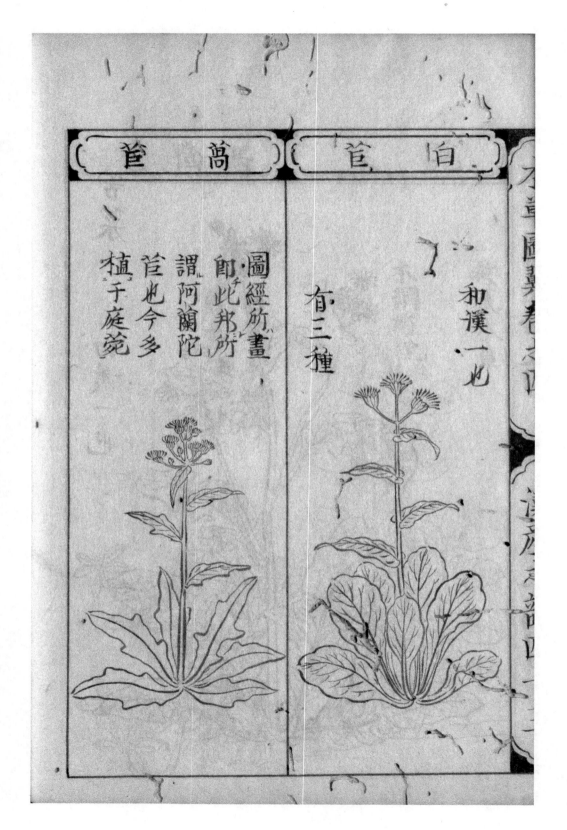

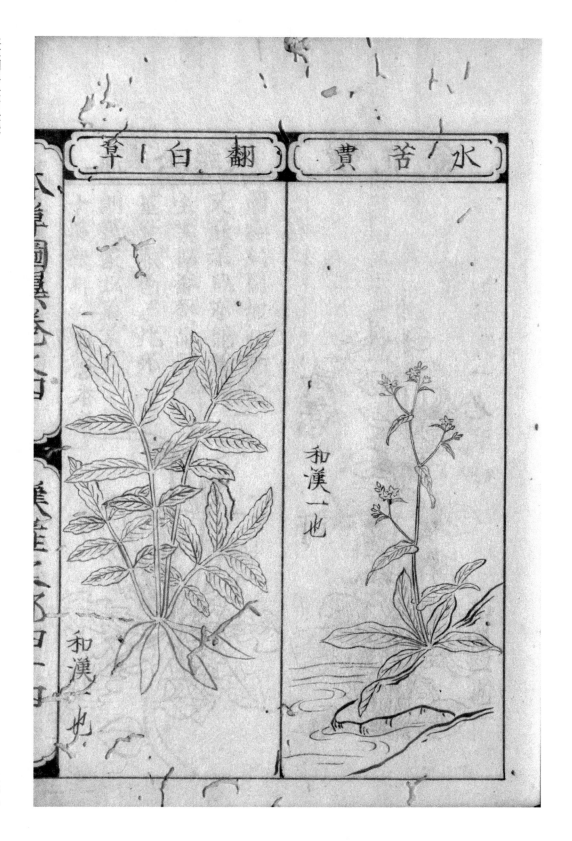

水苦蕒

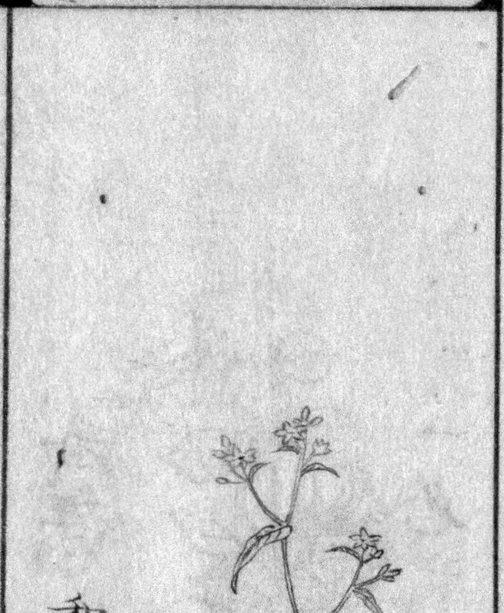


翻白草

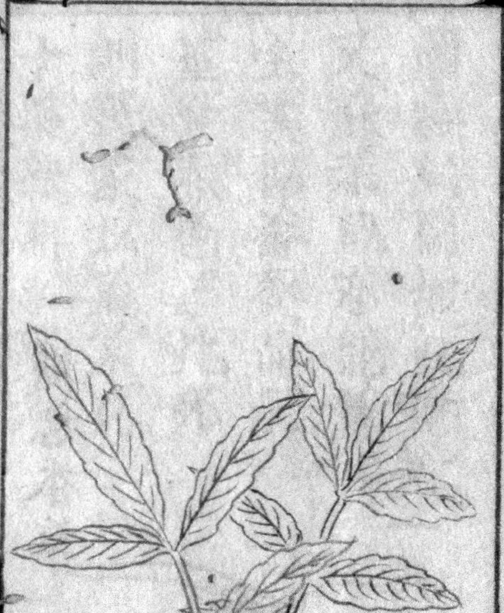

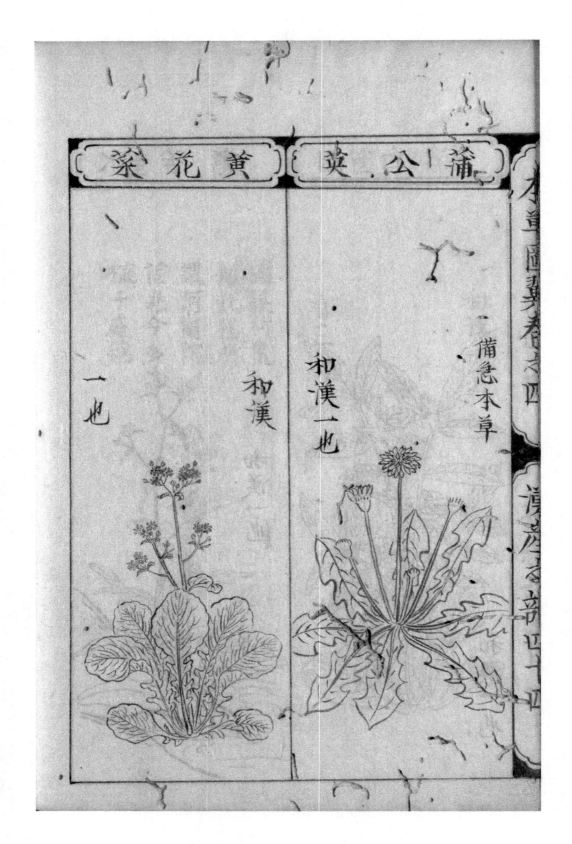

## 蒲公英

備急本草

和漢一也

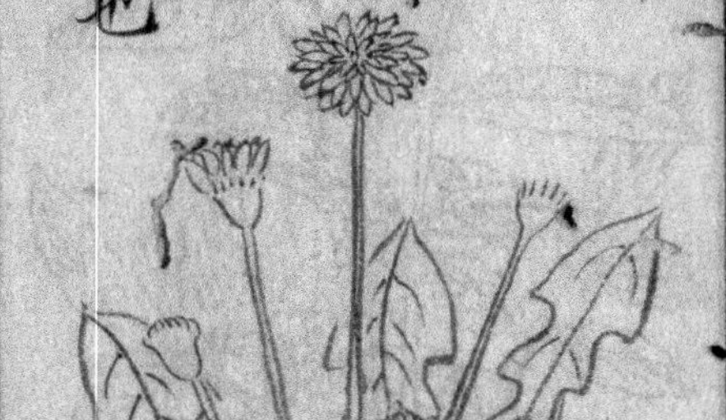

## 黄花菜

和漢

一也

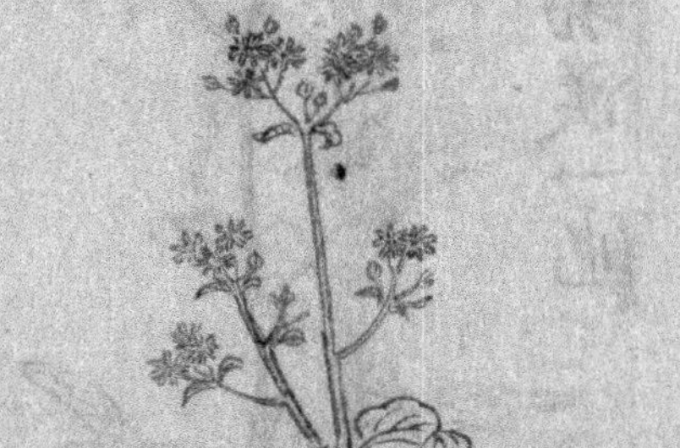

## 落葵

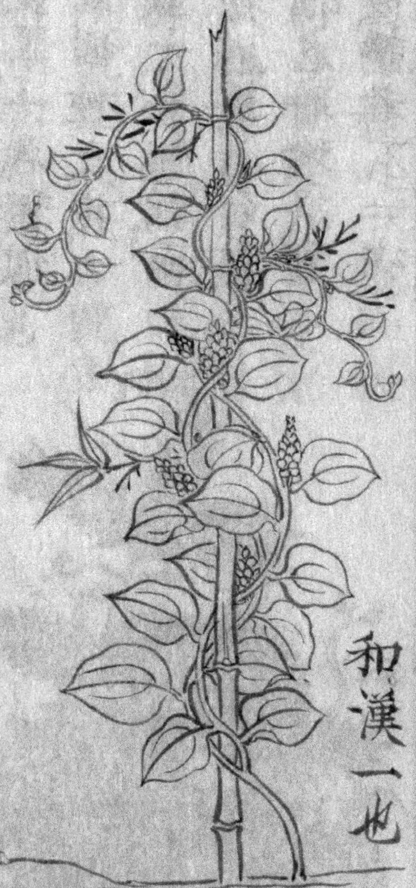


## 蕺菜

圖經所圖如此也
又蘇恭曰亦能蔓
生葉似蕎麥而肥
莖紫赤色云云此邦
訓釋家以蕺菜爲
十藥恐非乎可考

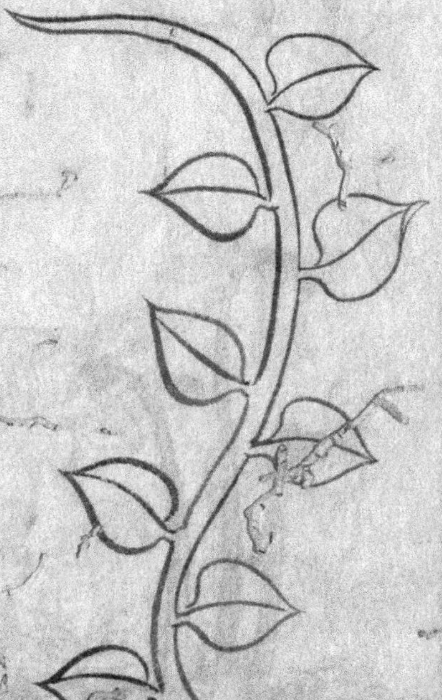

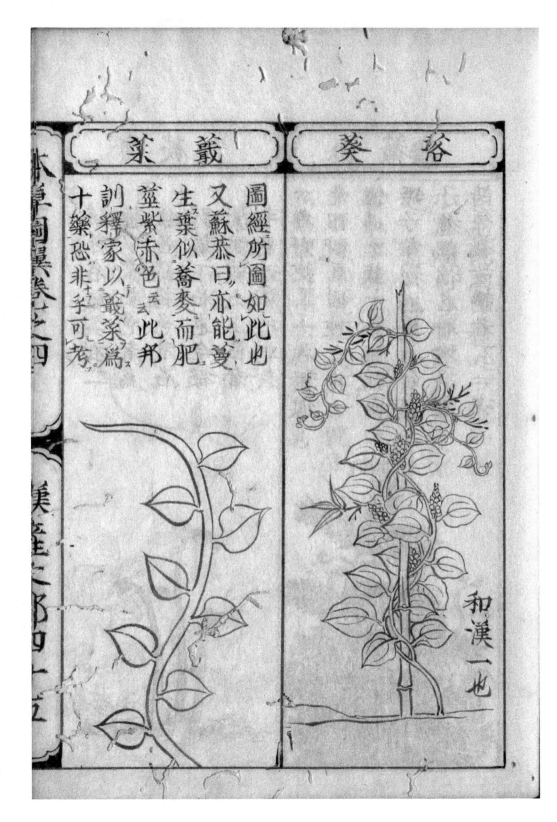

## 蕨

苗芽名蕨萁有二種以紫褐色者為佳品緑褐色者名野蕨下品也今按紫萁蕨之上品者乎為迷蕨恐非矣

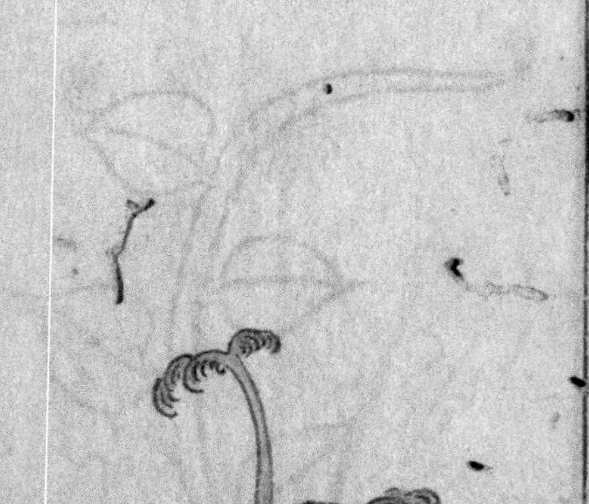

## 薇

一名野豌豆一名垂水是即豌豆四種之其一種也草狀大於翹搖而無子者薇也草小而有子者翹搖也時珍誤引詩經薇故讀者不一決

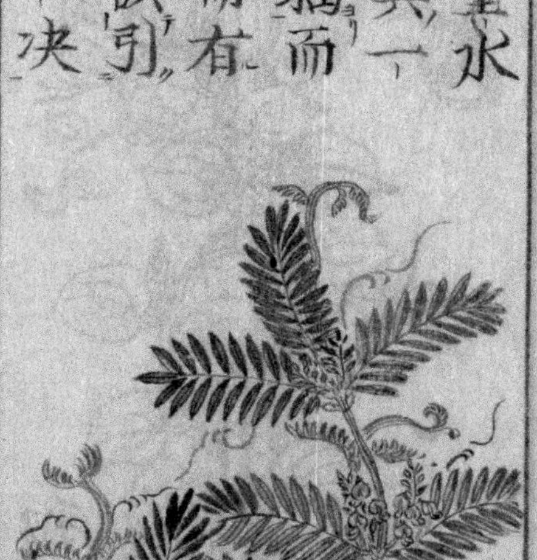

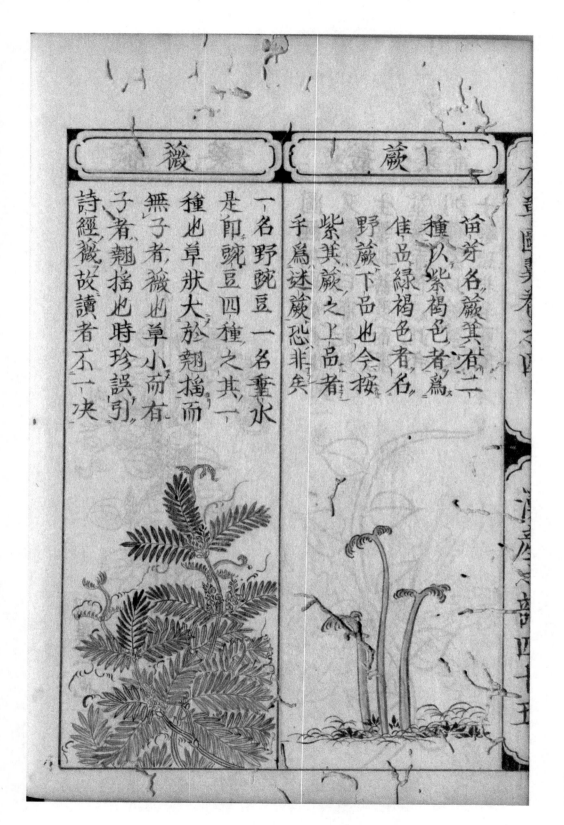

## 翹搖

是亦豌豆四種之一種草狀小於薇也名胃羅々草是也又一種似翹搖莢角短而豆粒一二顆有之者乃回回豆和名呼濱豌豆又有山豌豆名錦草亦呼蔓藤袴是也

## 鹿藿

此圖出于救荒本草而合于時珍之說圖經所圖卽山扁豆也又有和產可以牽合

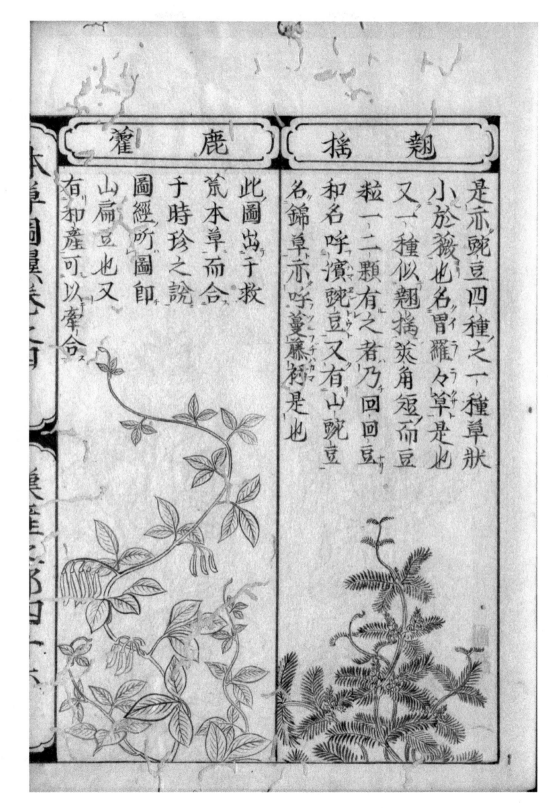

## 灰藋

備急本草

和漢一也

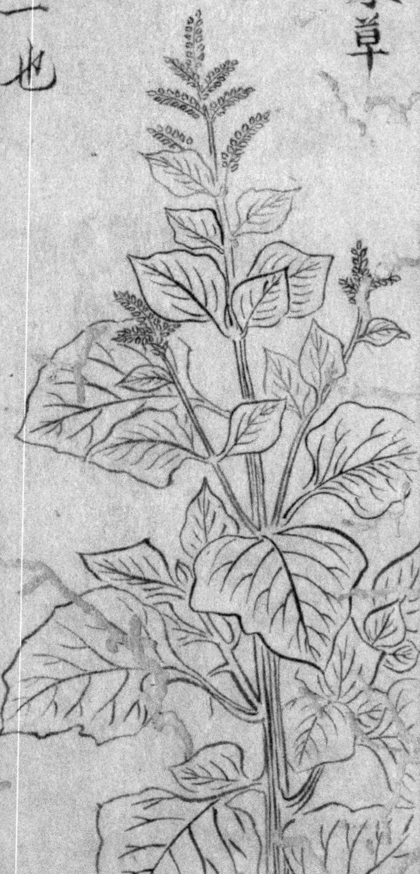

## 芋

和漢一也

種類多矣

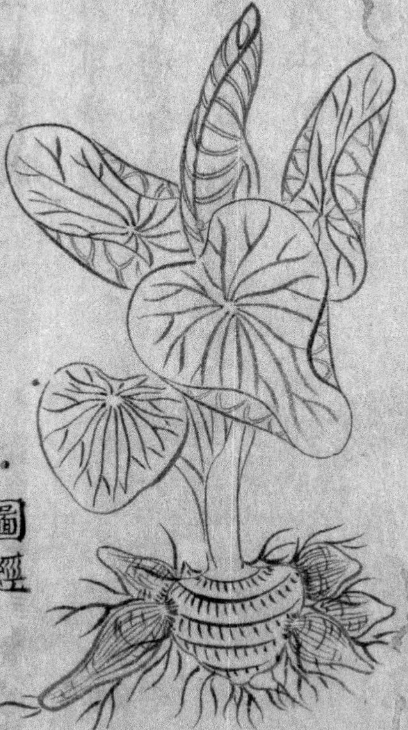

圖經

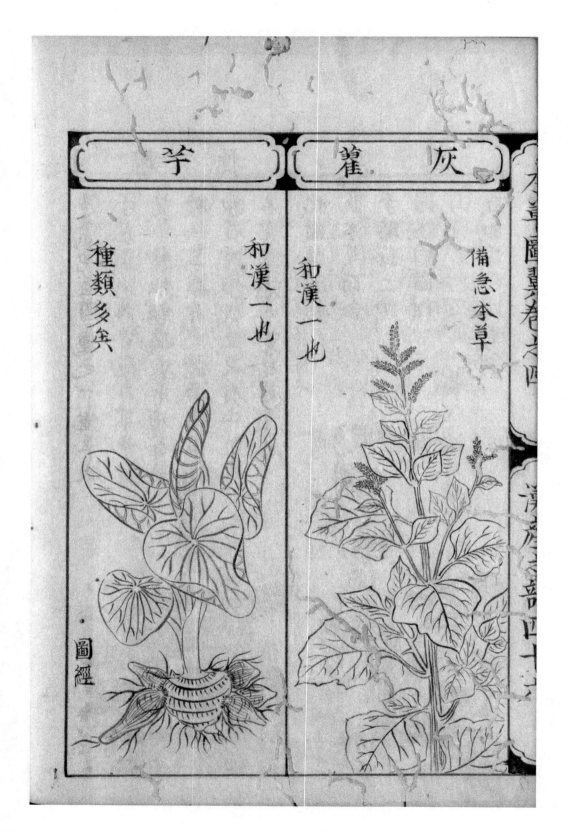

土芋

圖經所圖兩
莖蔓相交也
故倭人因此
圖象以推名
何首烏也非
真可以知矣

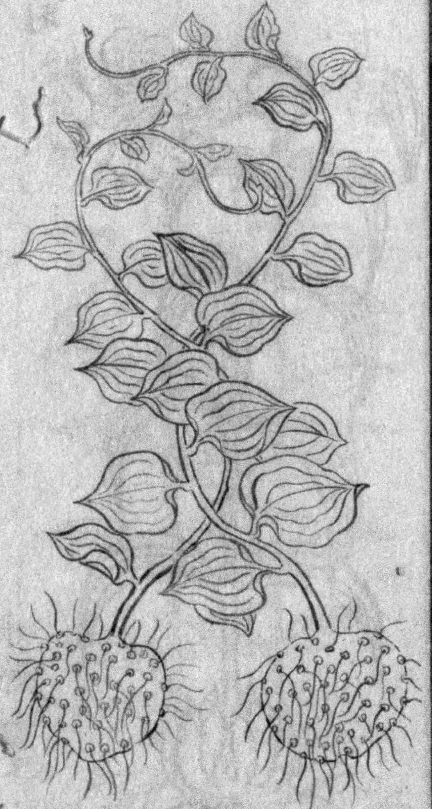

薯蕷

諸

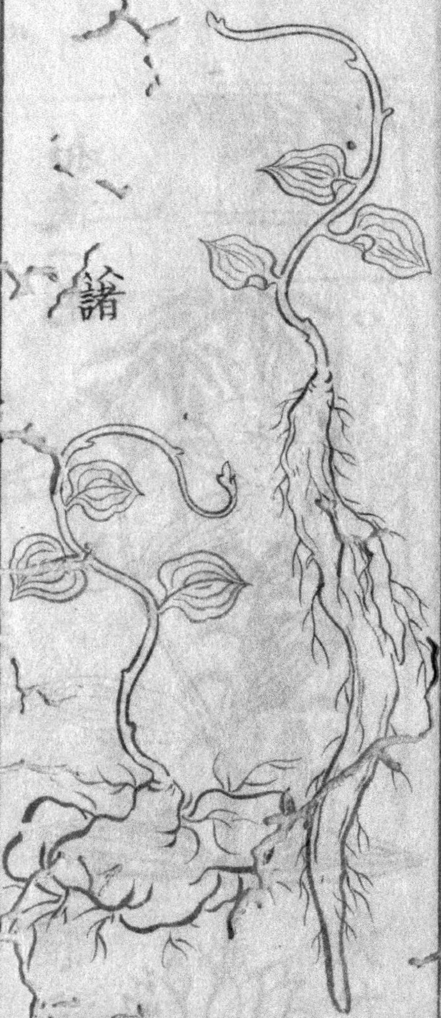

本草圖翼卷之四

漢種之部廿二

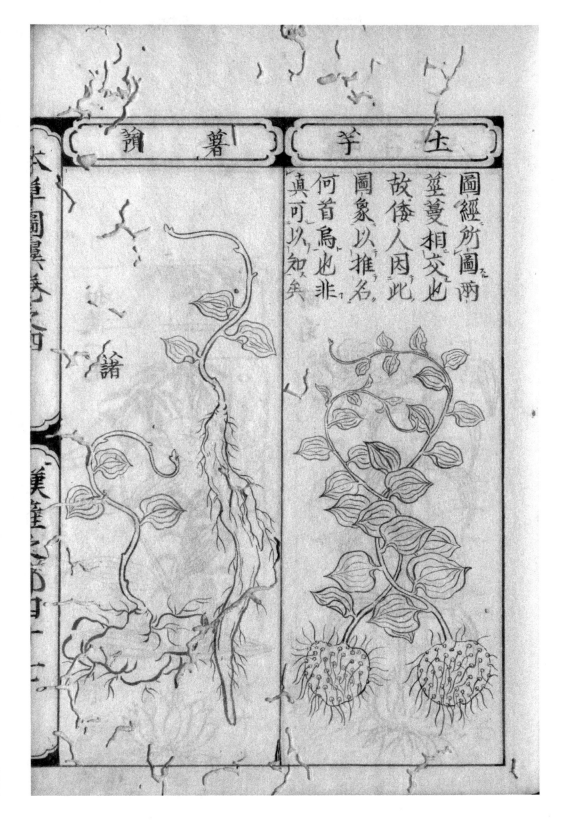

百合

和漢一也

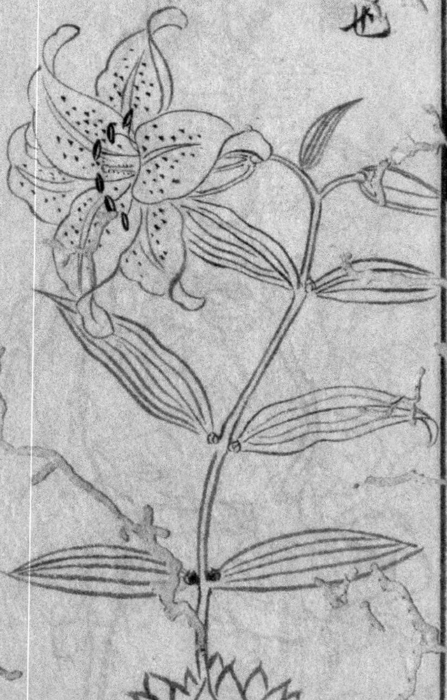

山丹

同前

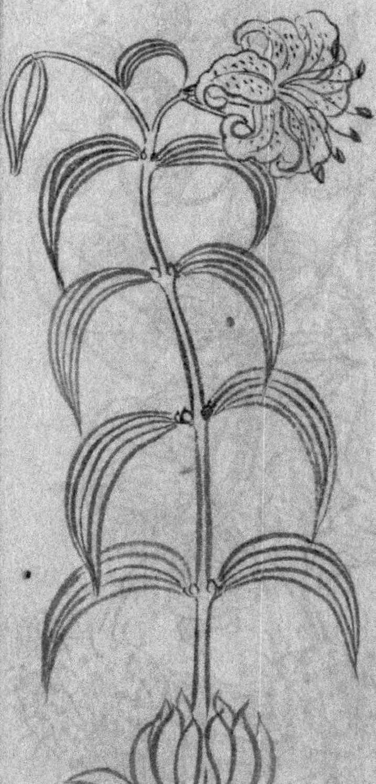

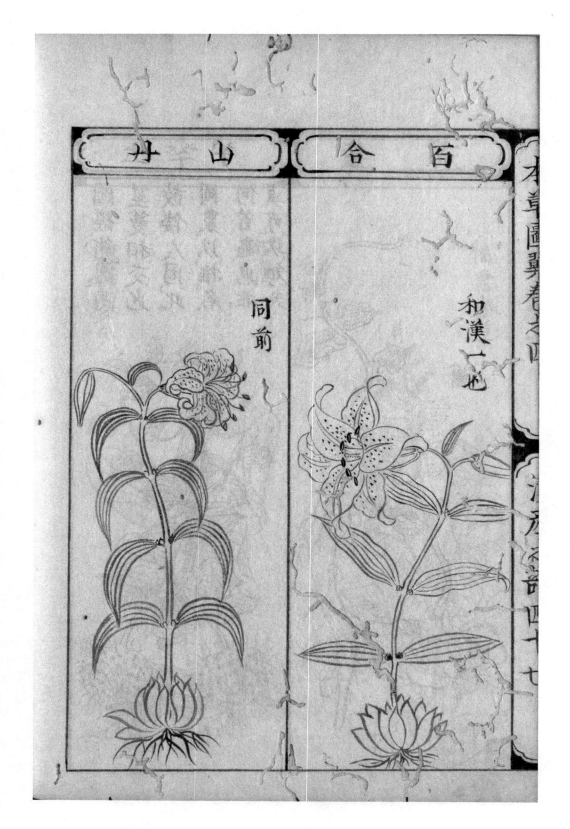

本草圖翼卷之四

草石蠶

竹筍

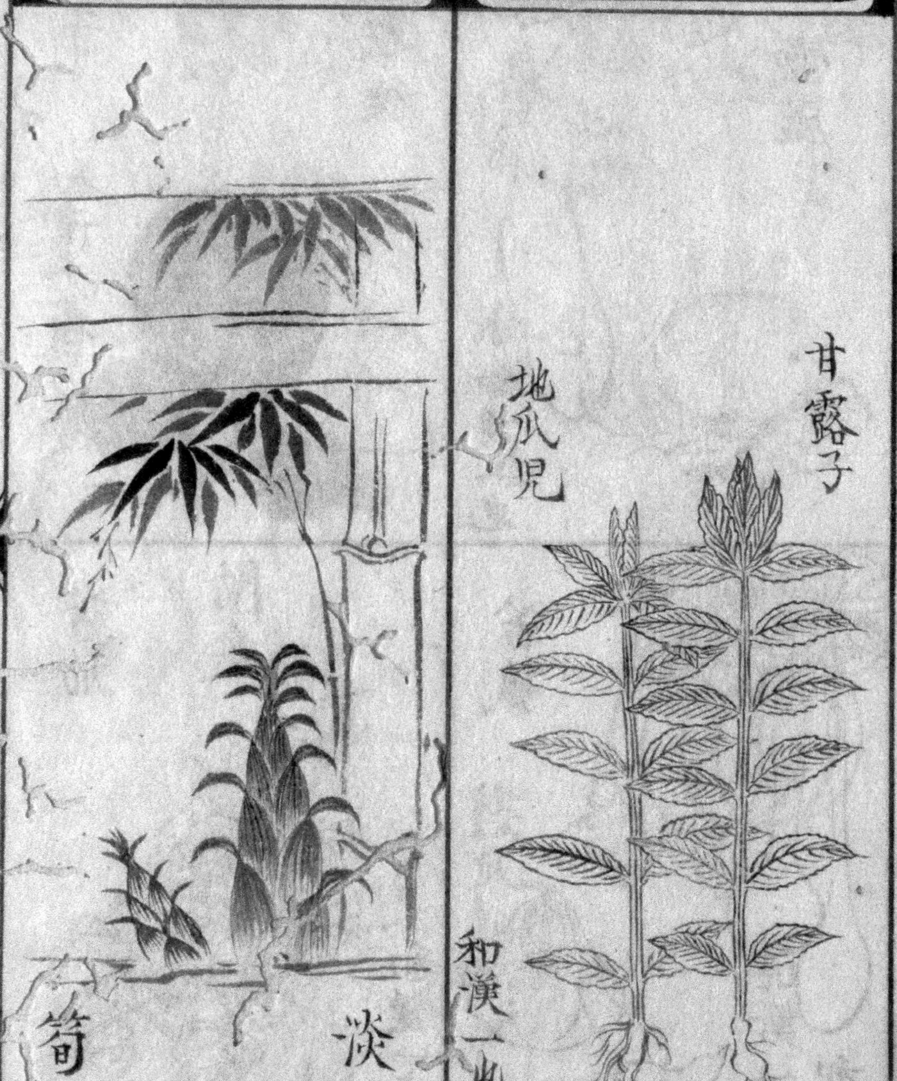

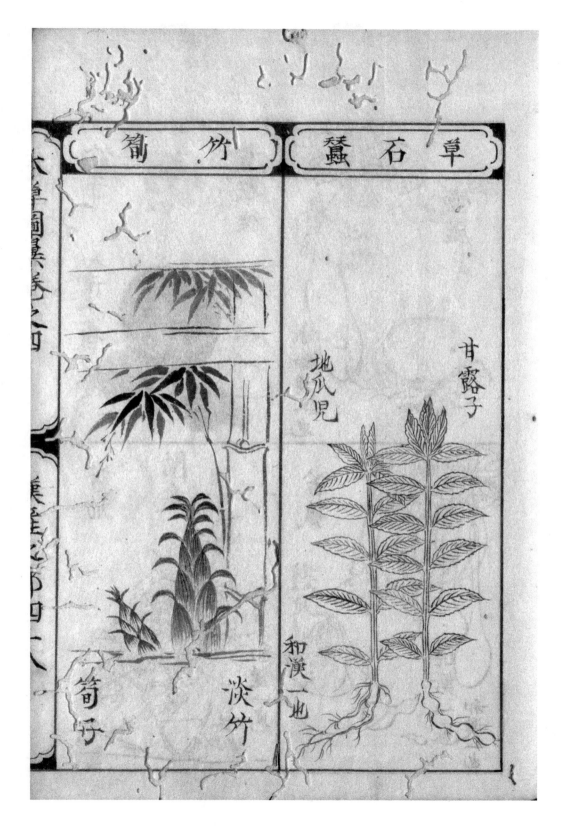

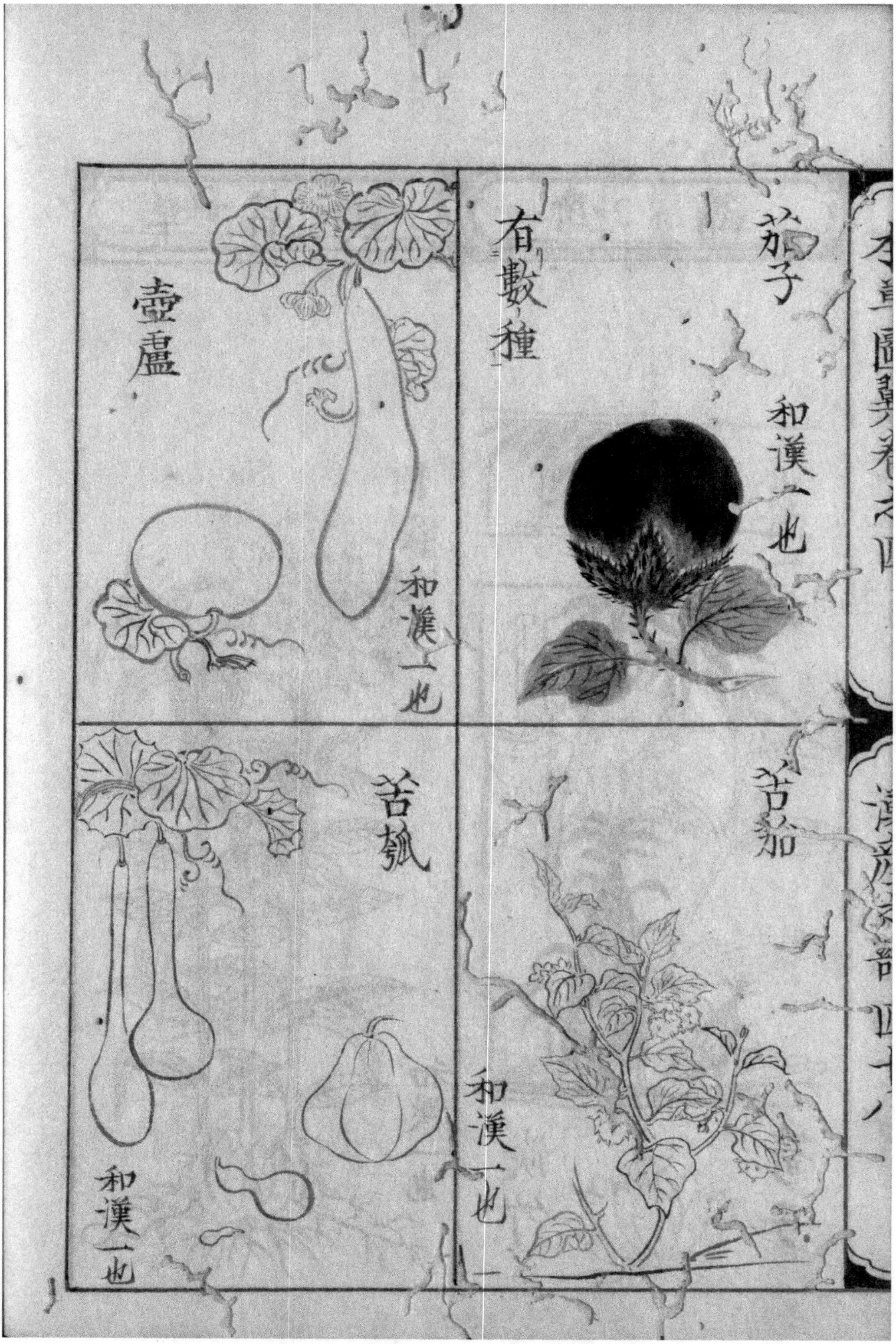
茄子
有數種
和漢一也
壺盧
和漢一也
苦茄
和漢一也
苦瓠
和漢一也

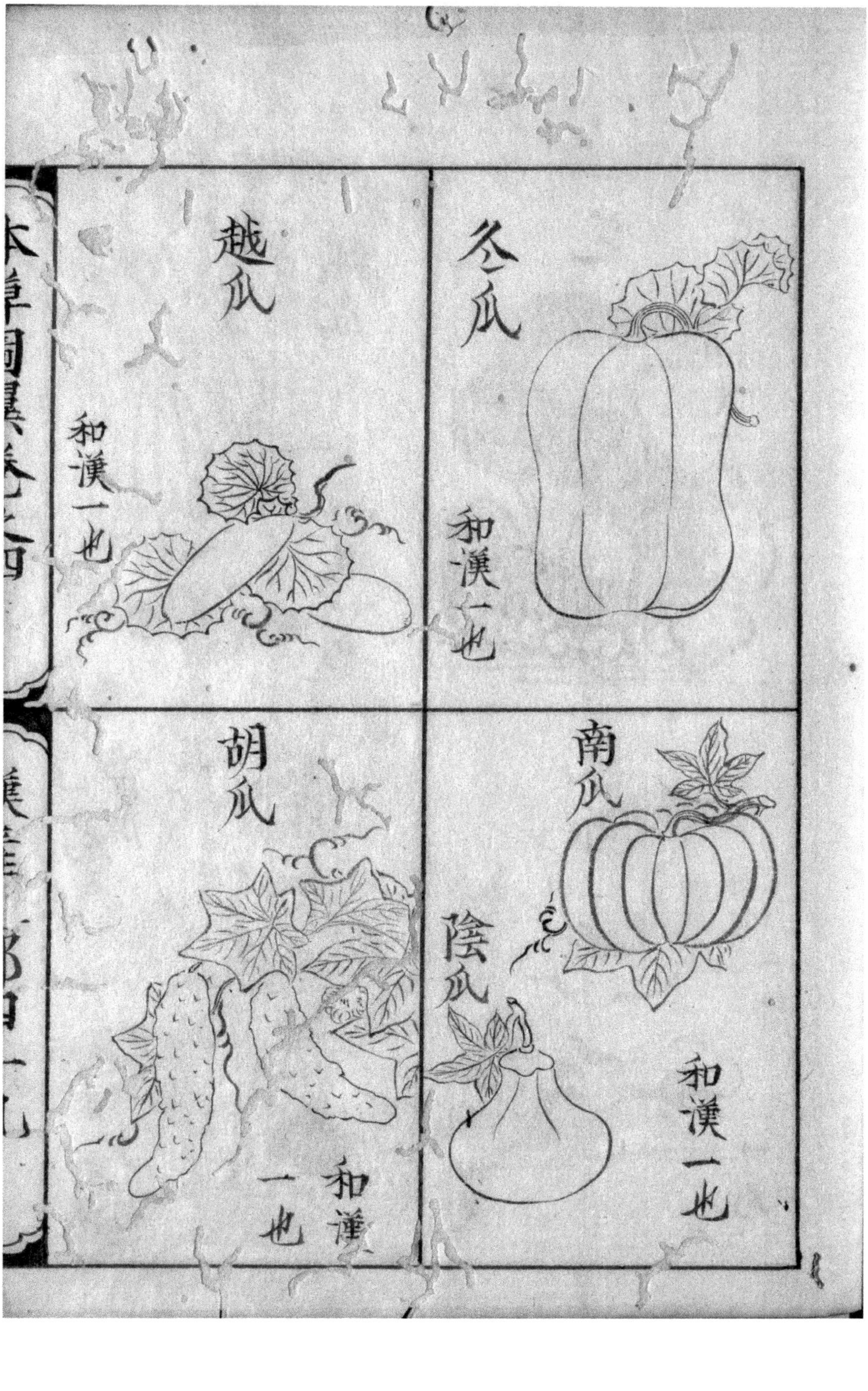
冬瓜
和漢一也
越瓜
和漢一也
南瓜
陰瓜
和漢一也
胡瓜
和漢一也

絲瓜

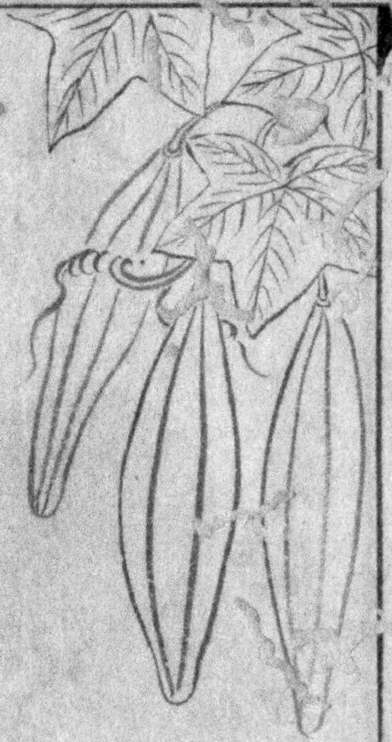

和漢一也

芝

和漢一也

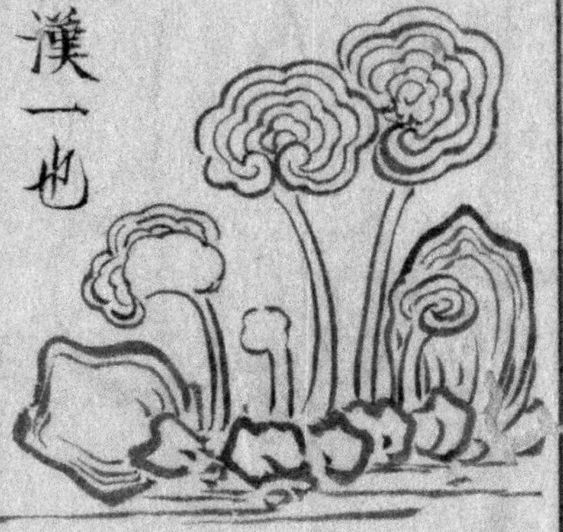

苦瓜

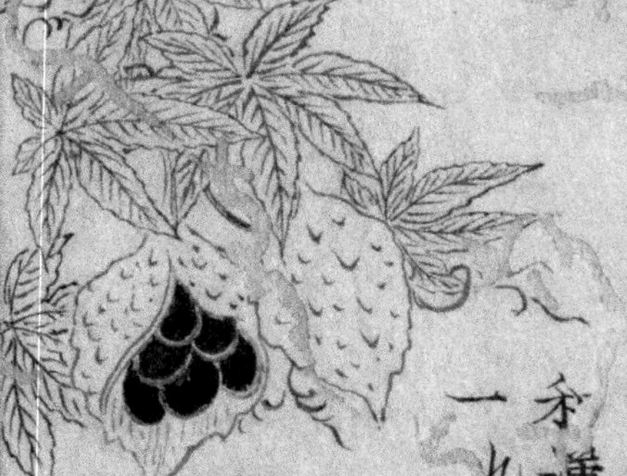

和漢一也

木耳

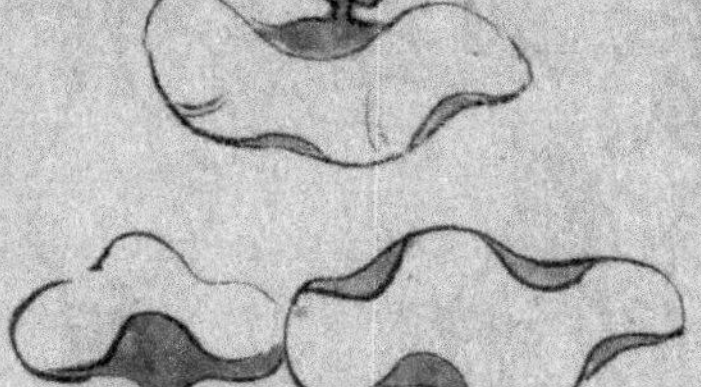

和漢一也

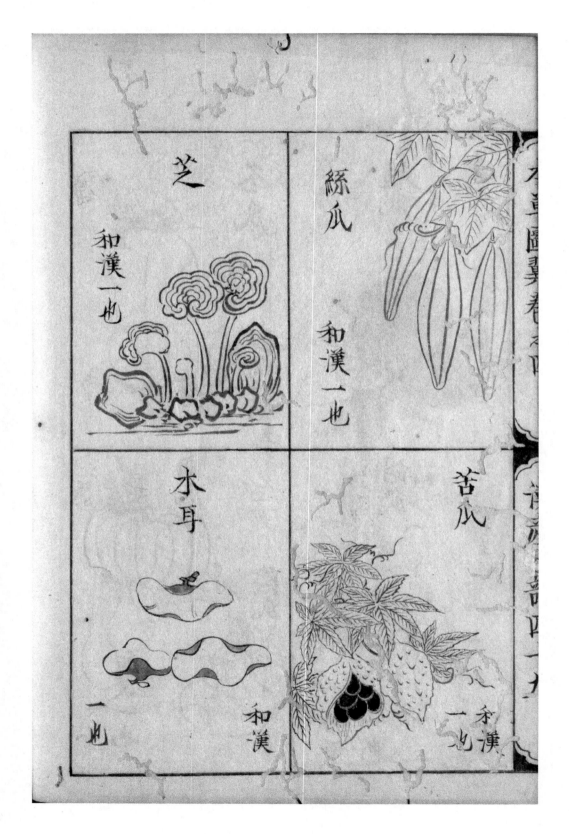

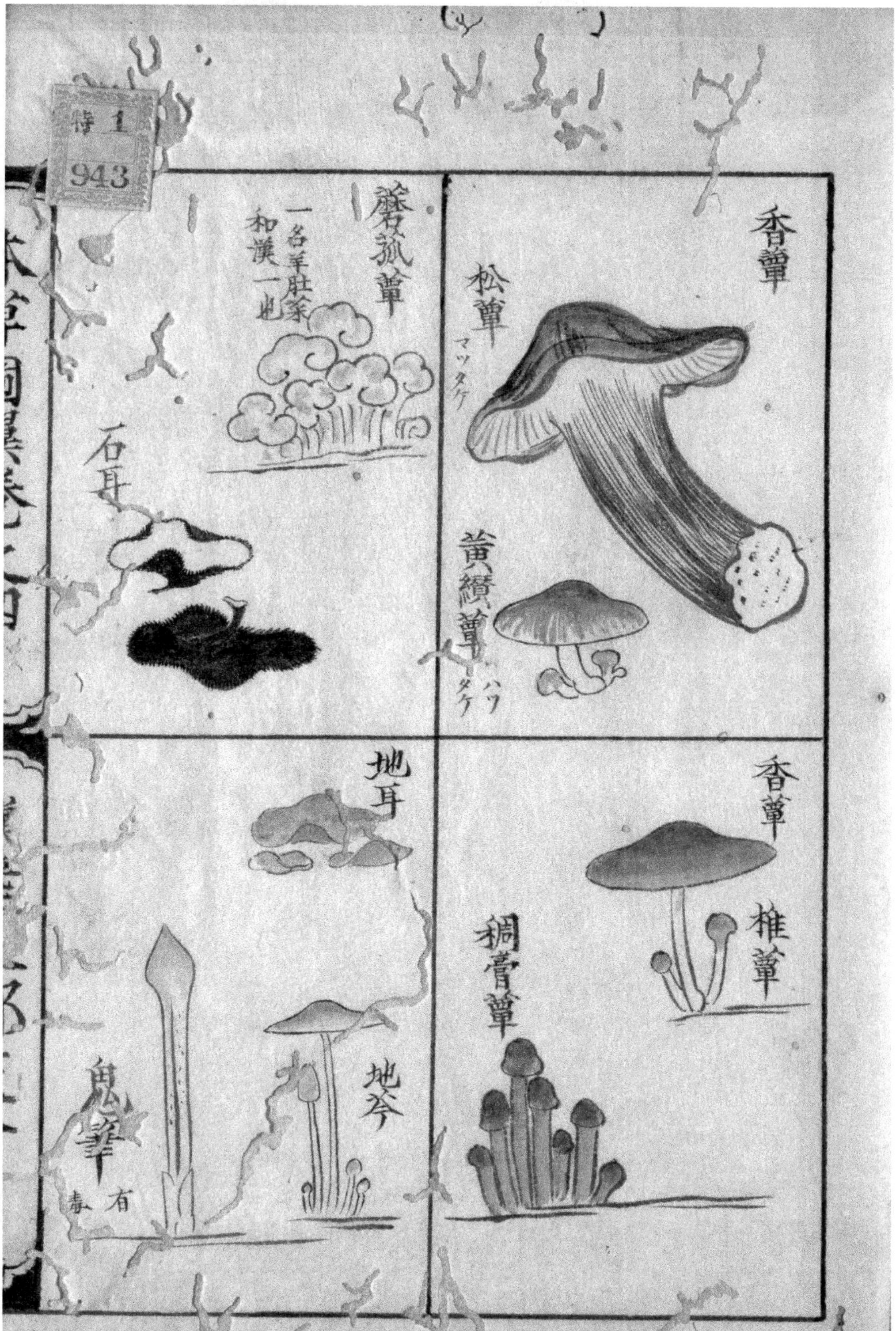
香蕈
松蕈
マツタケ
黄獨蕈
ハツタケ
蘑菰蕈
一名羊肚菜
和漢一也
石耳
香蕈
椎蕈
稠膏蕈
地耳
地芩
鬼筆
有毒

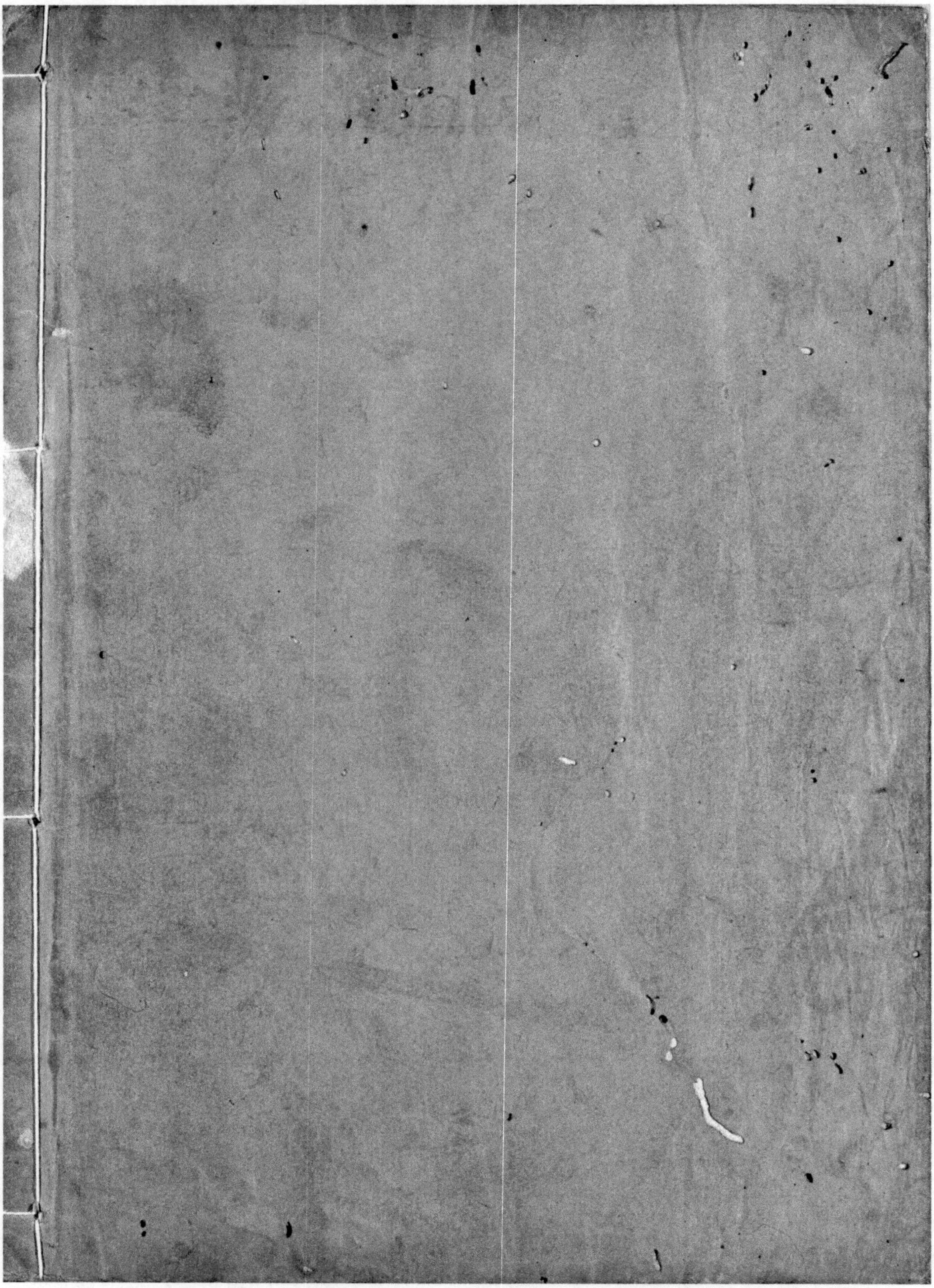

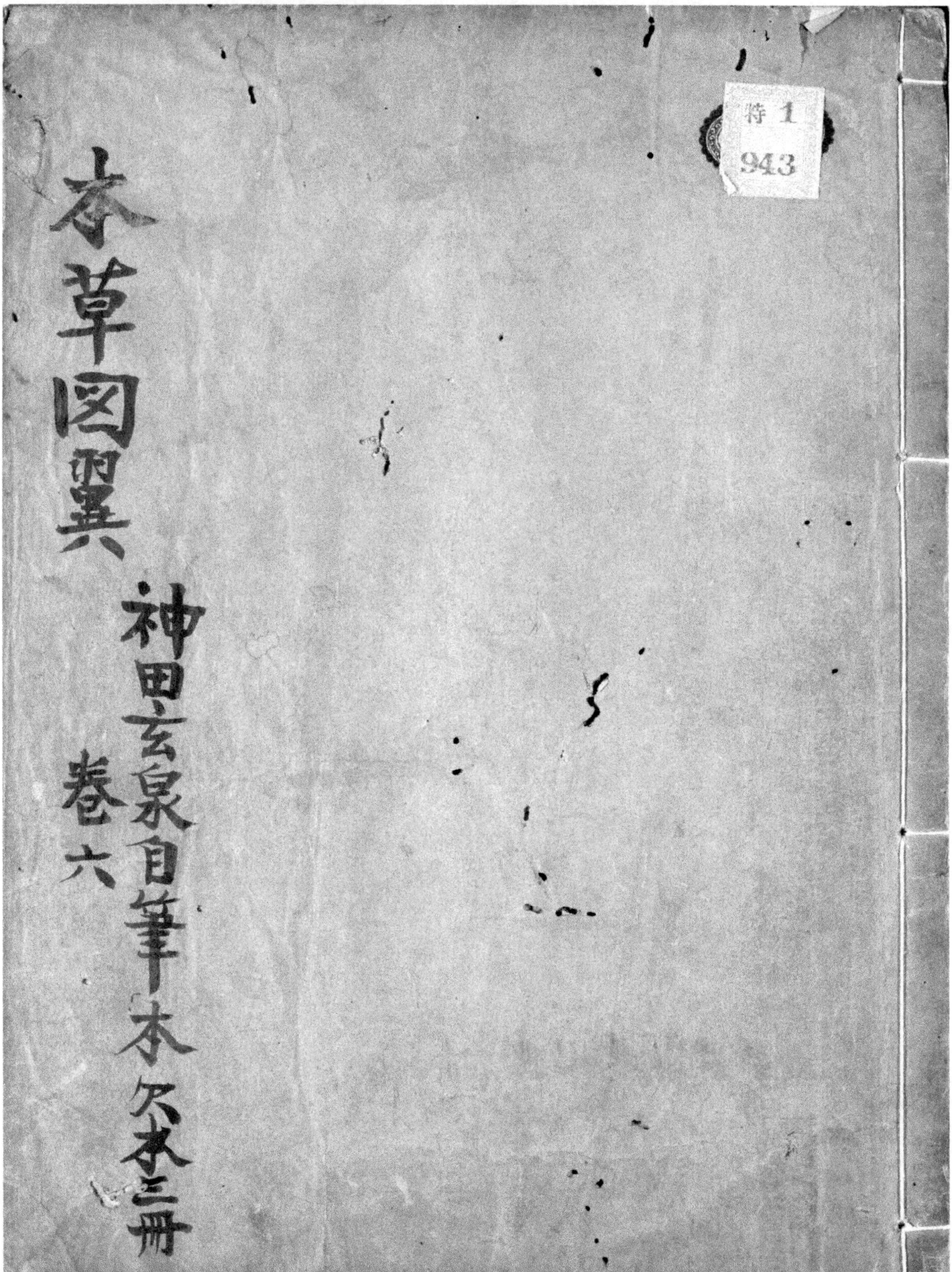
特 1
943
本草図翼
神田玄泉自筆本 欠本三冊
卷六

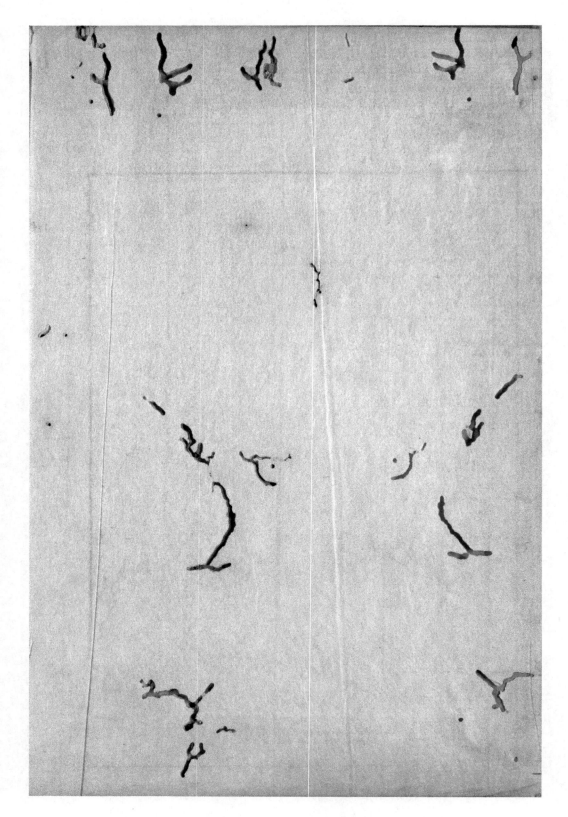

本草圖翼卷之六目録

風[illegible] 中[illegible]集

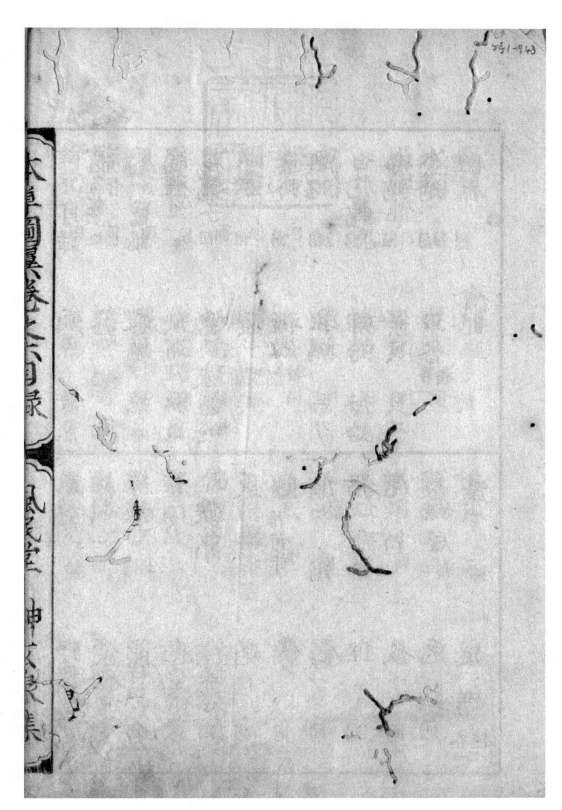

目録



禽部



獸部

## 蟲部



## 附録雜品

小兒群　獐牙菜

茆質汀　菩薩艸

菩薩艸　莧韭

金盞菜

牛尾菜

匙頭菜

毛連菜

石芥菜

螺䗺兒

山黎豆

山榆菜

婆婆指甲菜

木部

黃楝樹

山茶科

椽子樹

小荊

異獸部

白猿　朧腖

鼫鼠　駮

獂　白澤

羬羊

猛[illegible]

青熊

龍
鱗類

龍骨

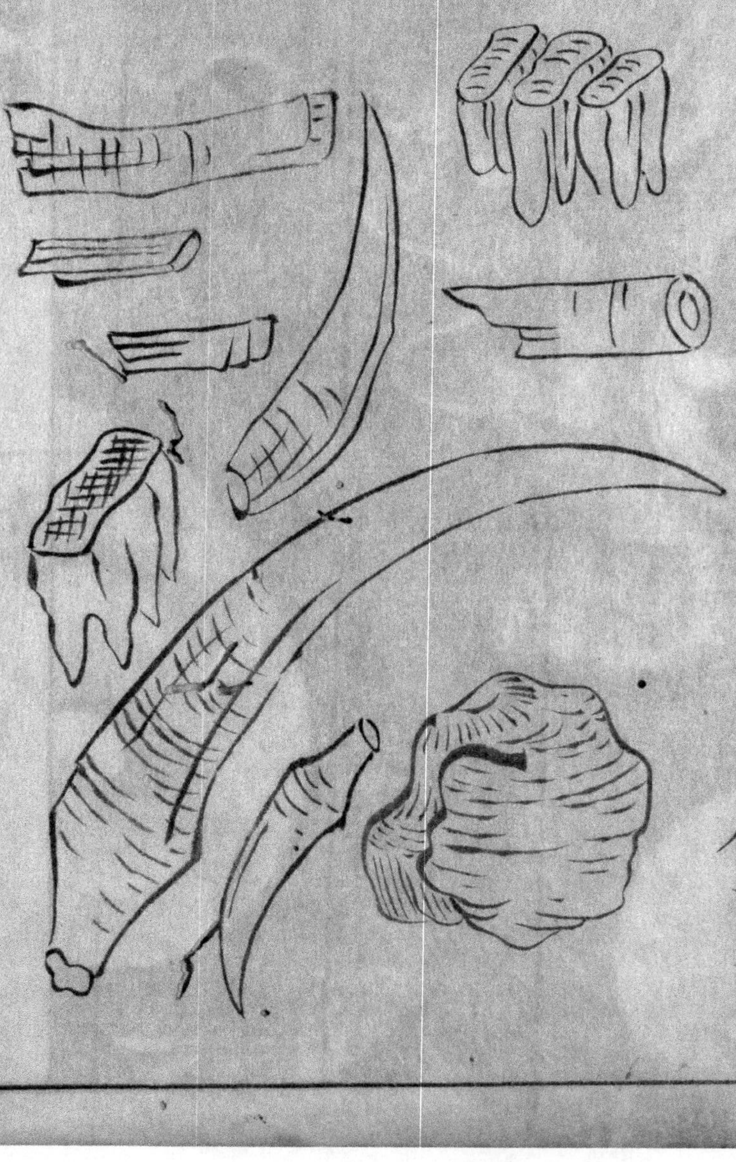

備急本草

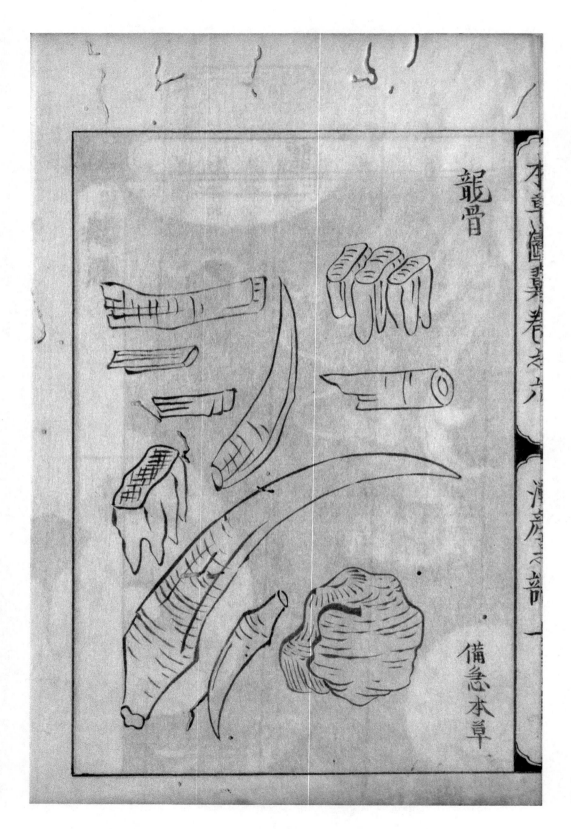

蜃　三才圖繪

本綱載弔及蛟龍然其圖象不詳故不出于此也蜃乃出于蛟龍之附録此圖出于三才圖繪今移于此備于參考也此邦未聞此類有此也

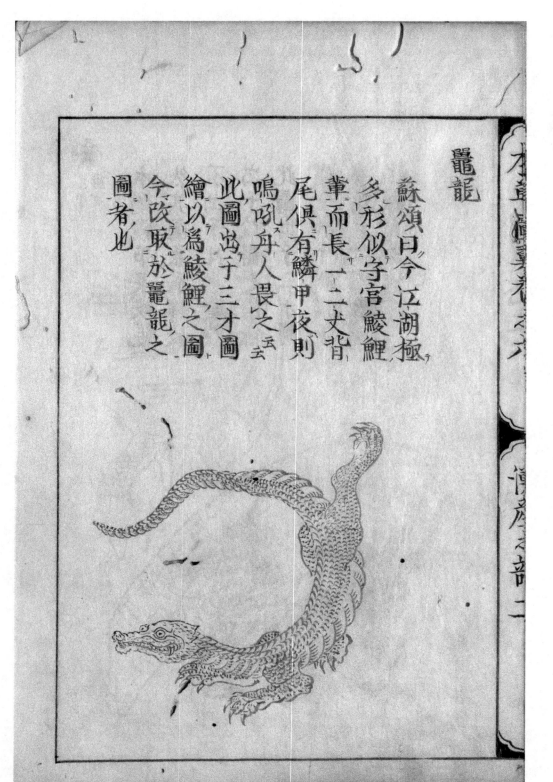

## 鼉龍

蘇頌曰今江湖極多形似守宮鯪鯉輩而長一二丈背尾俱有鱗甲夜則鳴吼舟人畏之云云此圖出于三才圖繪以爲鯪鯉之圖今改取於鼉龍之圖者也

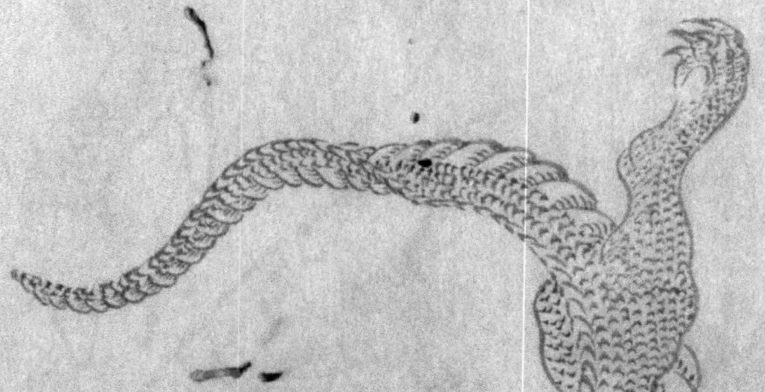

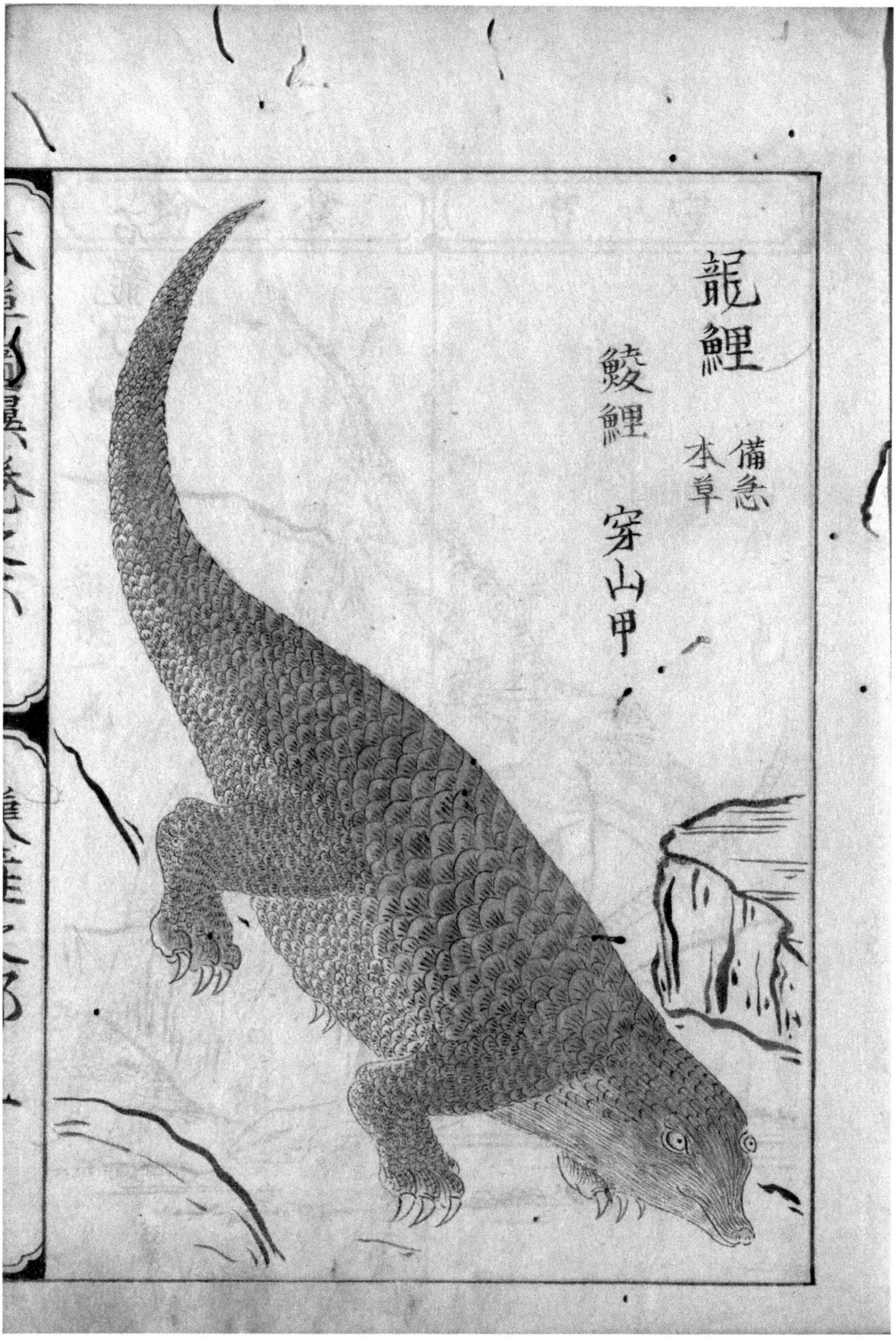
龍鯉
備急本草
鯪鯉
穿山甲

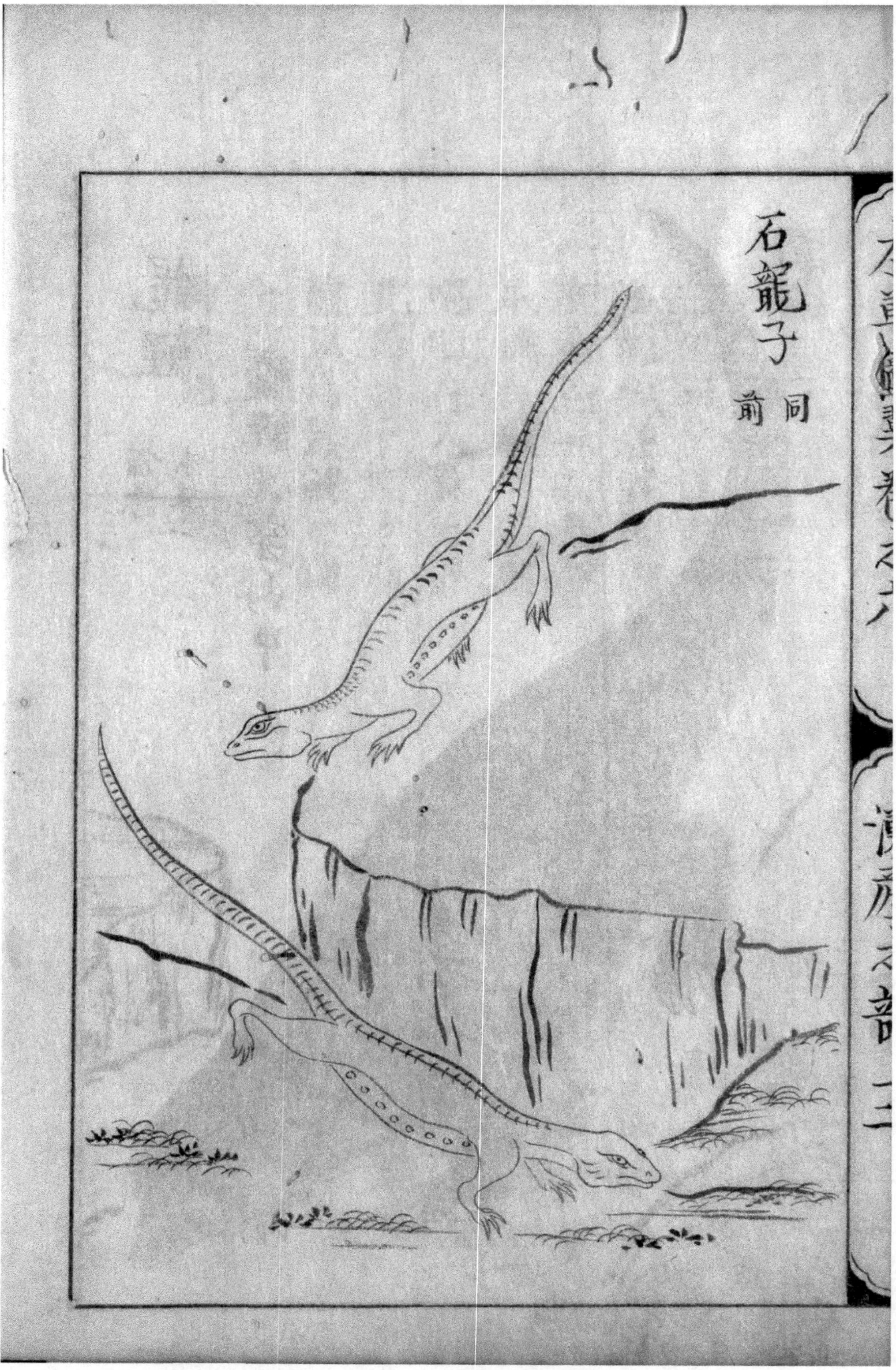
石龍子
同前

## 守宮

和漢一也

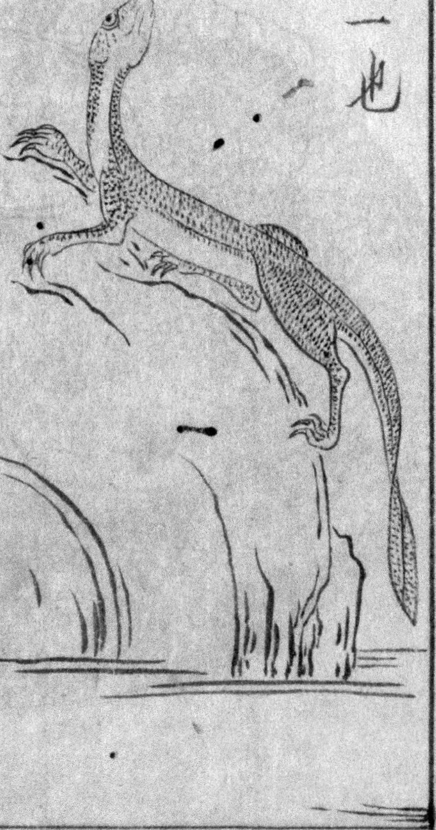

## 蛤蚧

和漢一也

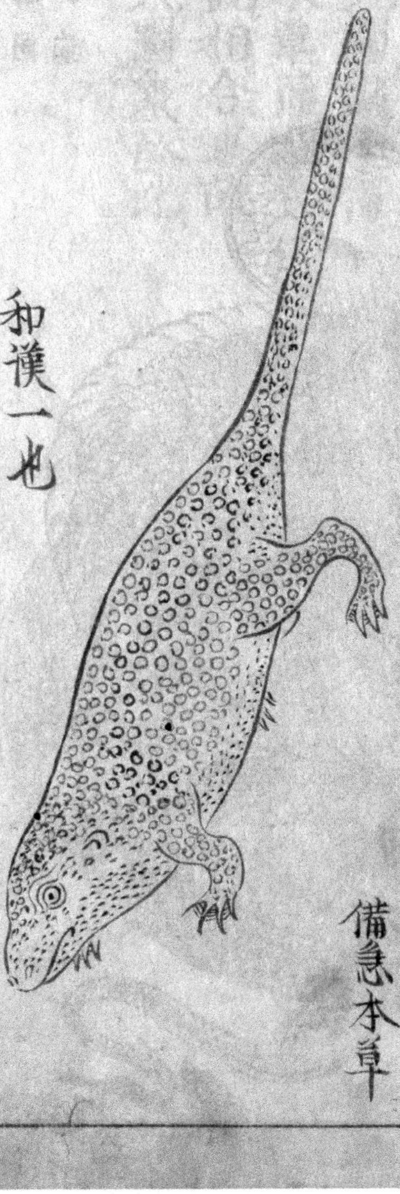

備急本草

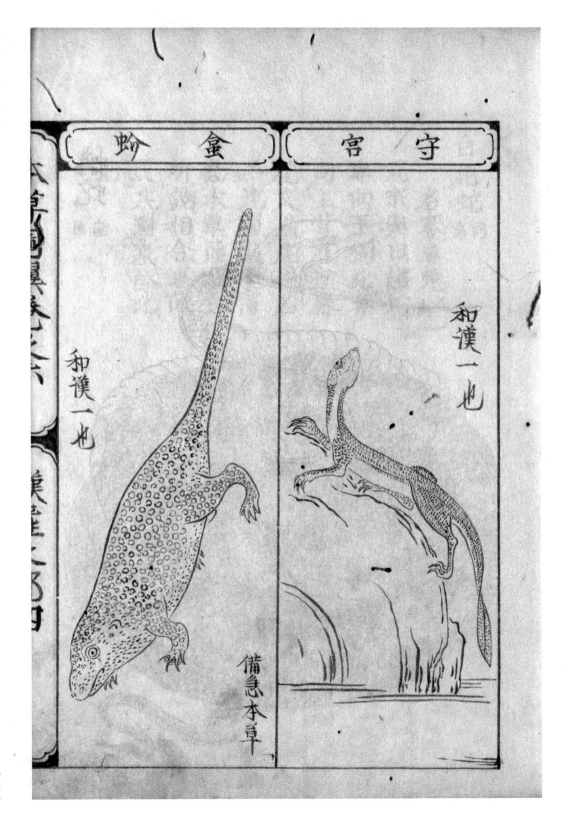

蚺蛇 同前

本草圖彙卷之六

白花蛇 同前

一名褰鼻蛇 宗奭

冦宗奭曰諸蛇鼻向下獨此鼻向上背有方勝花文以此得名云此圖出于備急本草而冦氏所謂相合也故取其圖象於此也

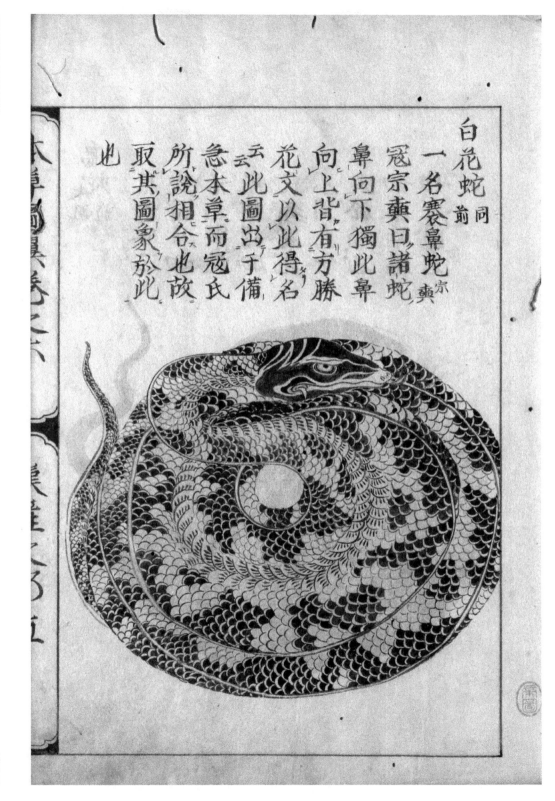

烏蛇 同前

黒色脊三稜而目如活也與此邦所謂加良須反比不同也今來於舶也如本草原始之圖也

金蛇

同前

鯉魚

同前

和漢一也

本草圖翼　卷之六

鯽魚

同前

和漢一也

# 青魚

其形似和產之佐計魚也

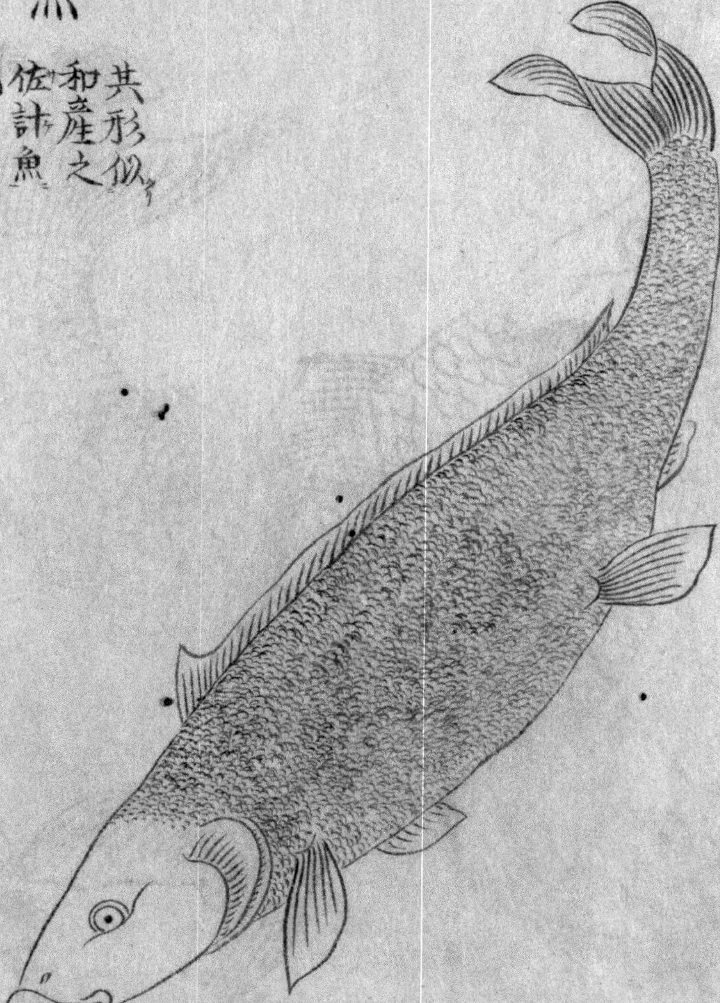

同前

蠡魚 備急本草 一名鱧魚
和漢一也

介類
江陵府秦龜
備急本草

蠵龜

三才圖繪

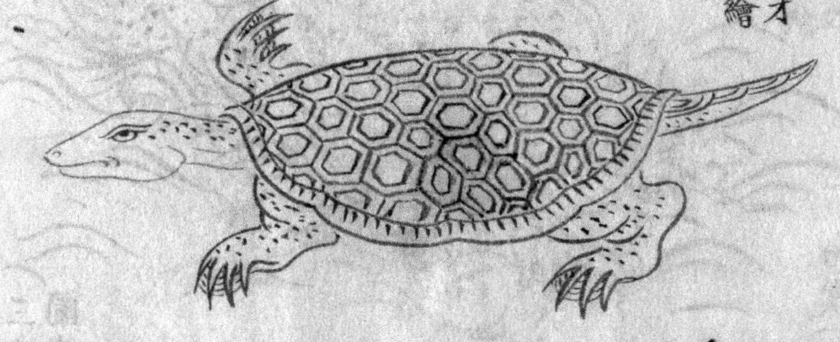



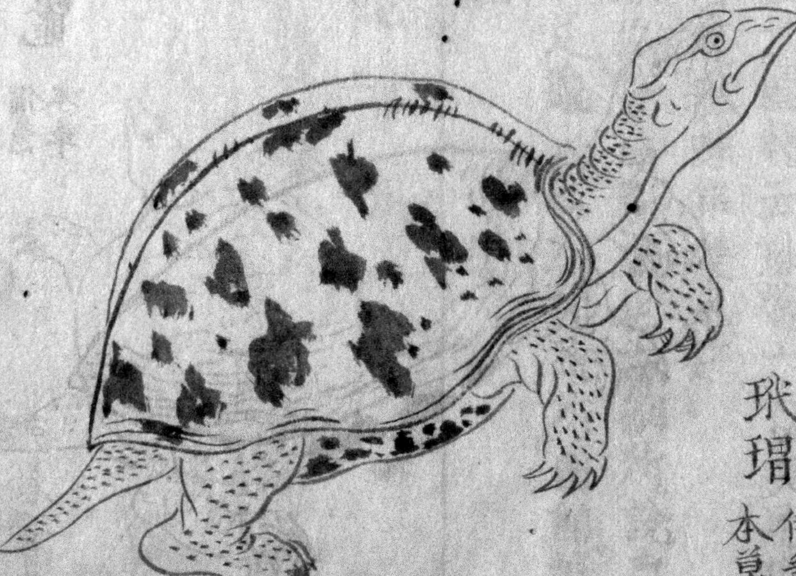

玳瑁

備急本草

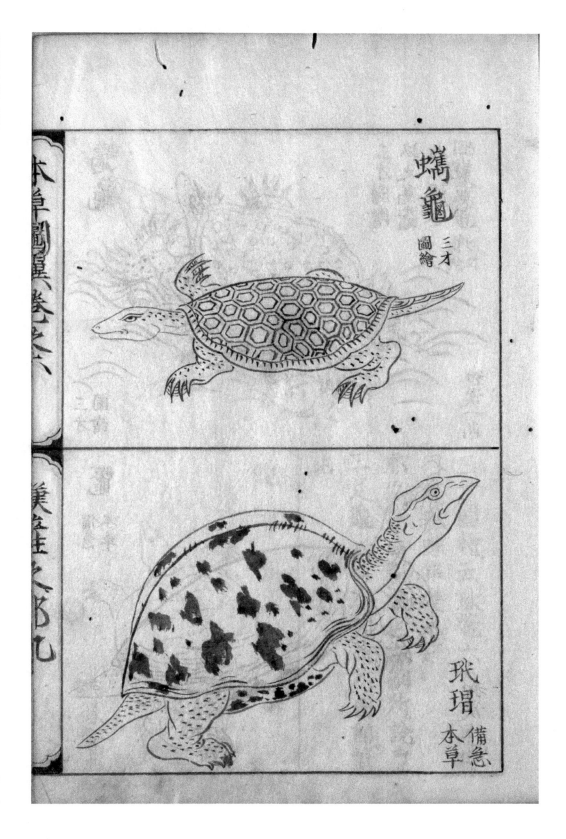

鶚龜

三才圖繪

三才圖繪以之爲鼉也今隨本綱說取于此

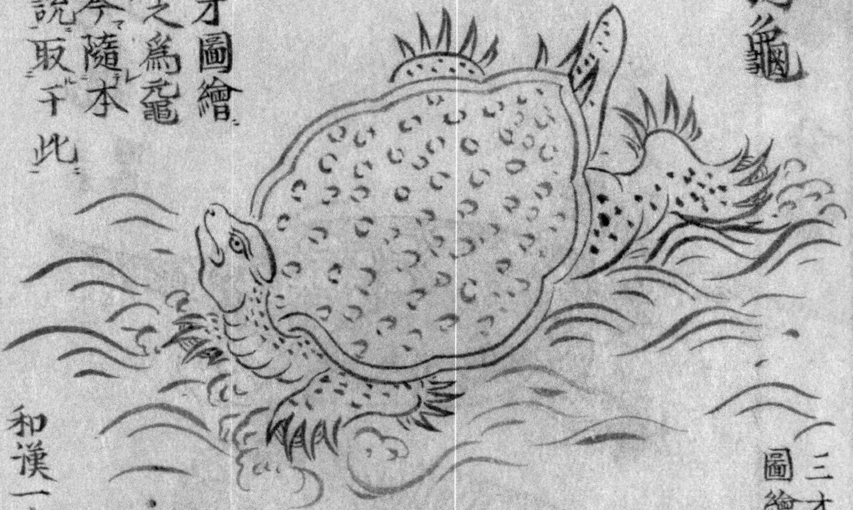

和漢一也

鼈

備急本草

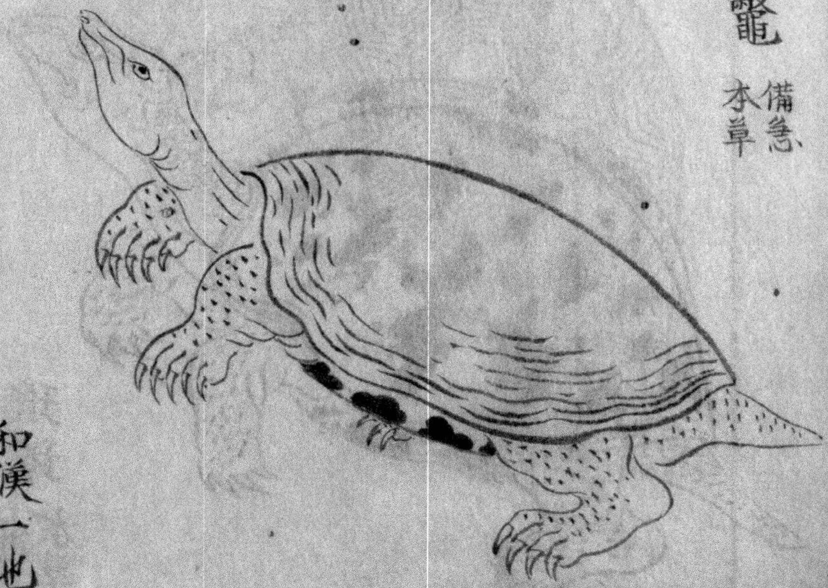

和漢一也

珠鼈 三才圖繪

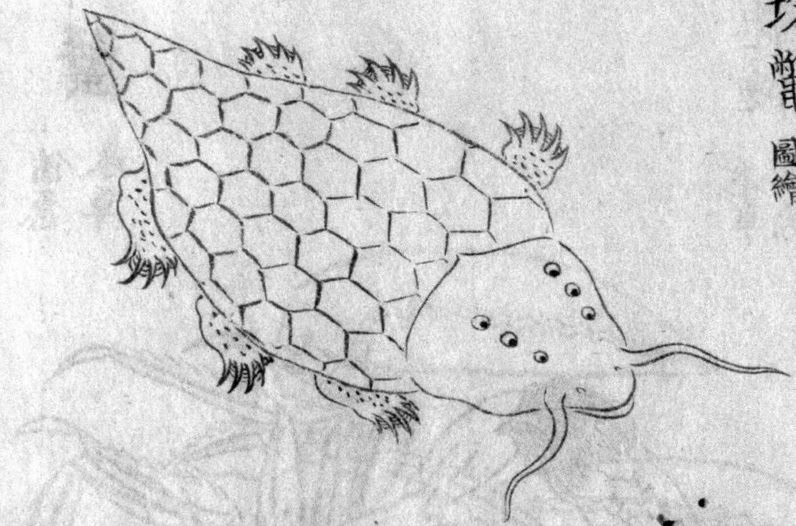

三才圖繪ニ云ク珠鼈ハ六月六足ニシテ腹内有リ珠味隹美也云云

亦以テ鼈ヲ爲ス黄龜ト也本綱ニ所ノ說乃三足龜也三才圖繪ニ所ノ圖卽チ鼈也

能 同上

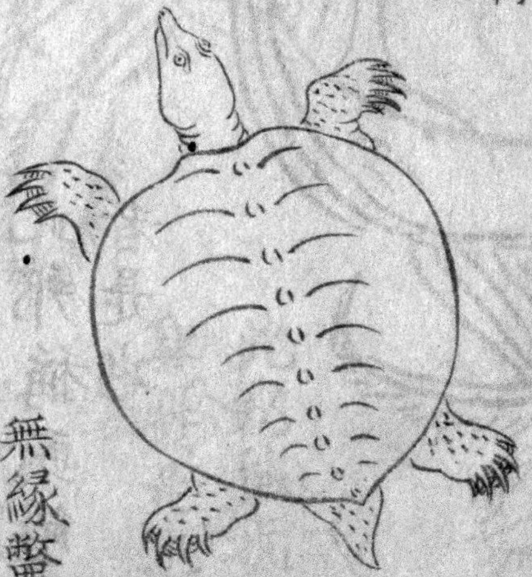

無緣鼈也

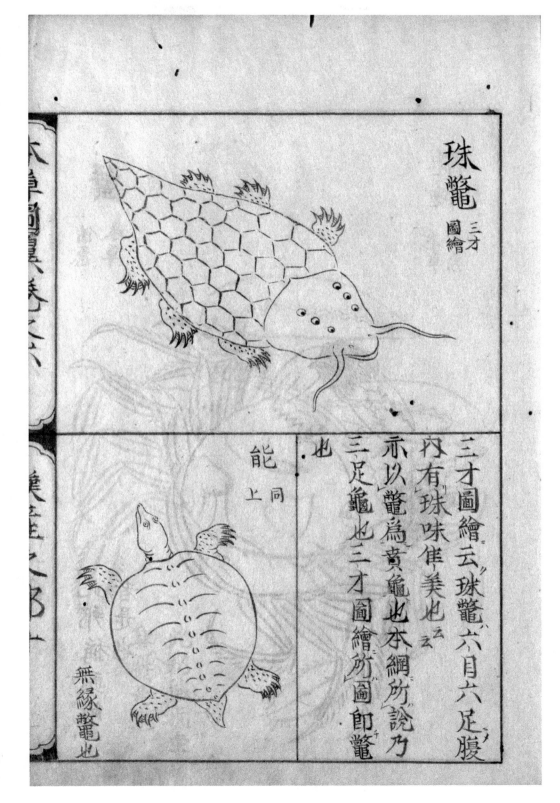

蟹 備急本草

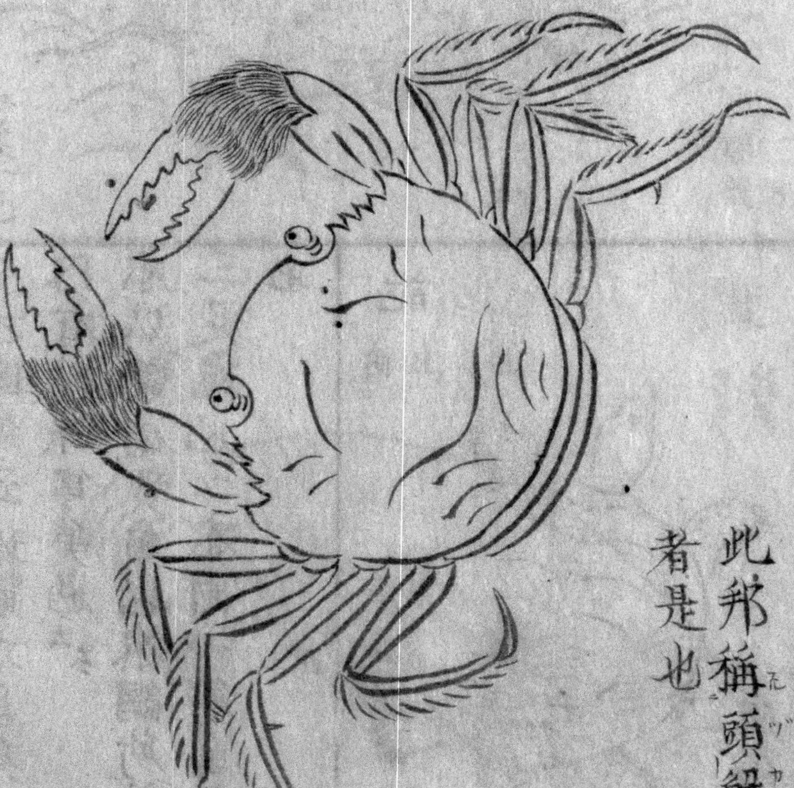

此邦稱頭蟹者是也

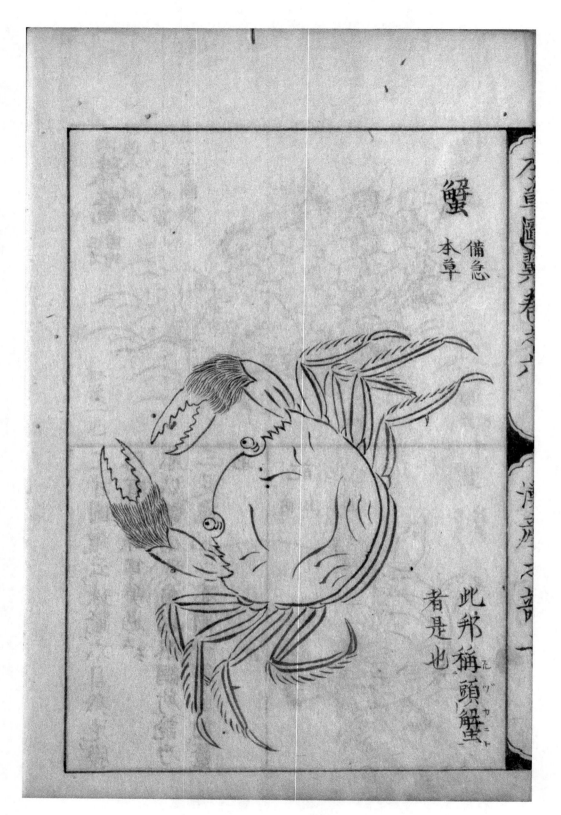

蝤蛑 備急本草

此邦稱我坐身蟹是也

擁劍 同前

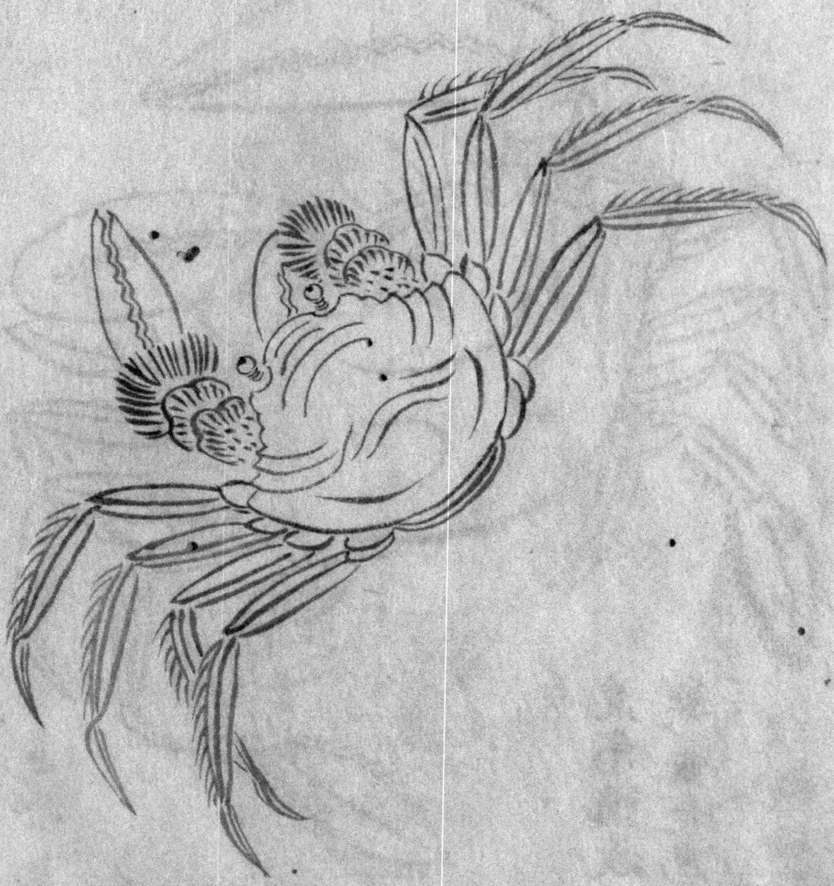

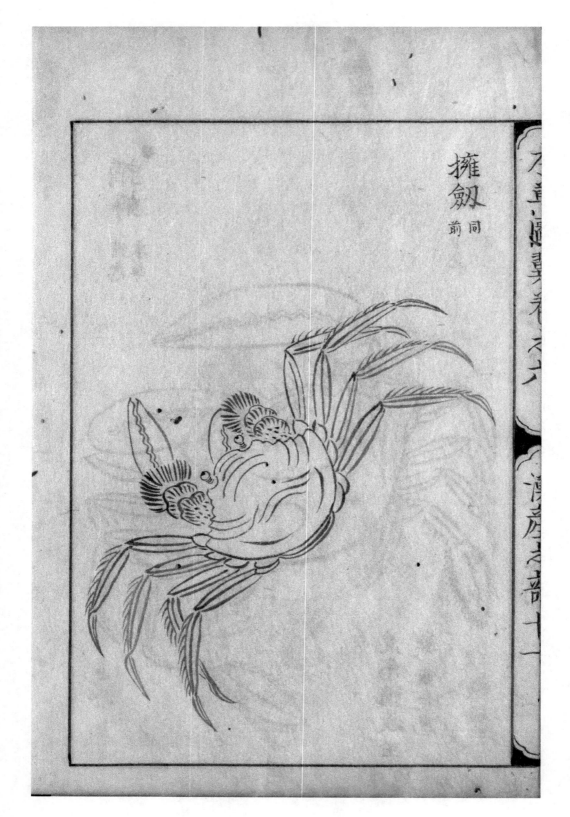

## 蛤蠃類

牡蠣 備急本草

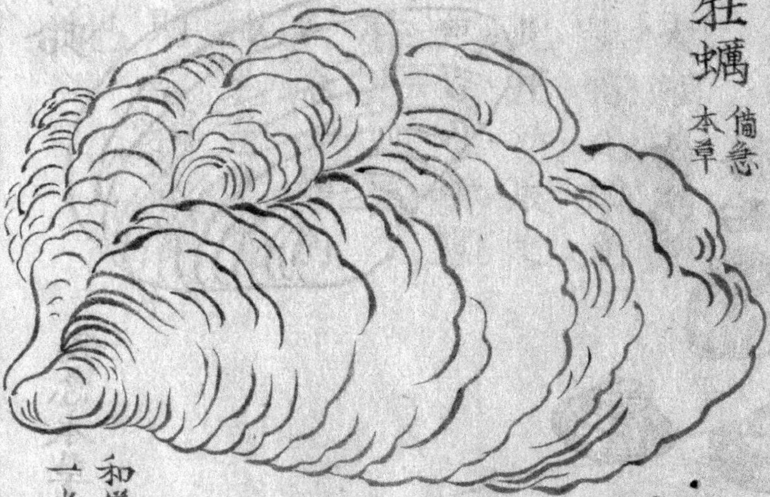

和漢一也

馬刀 同上

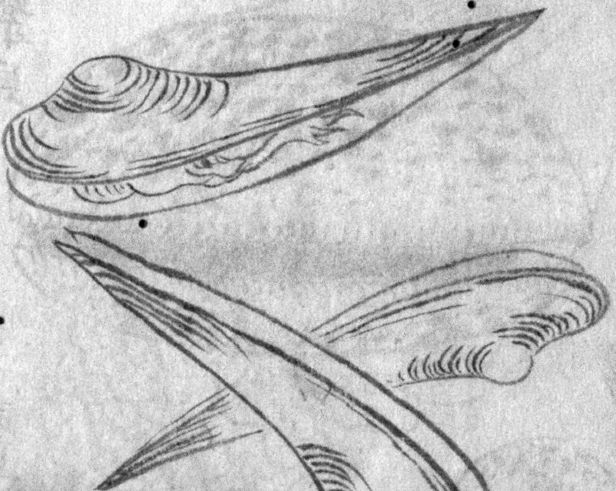

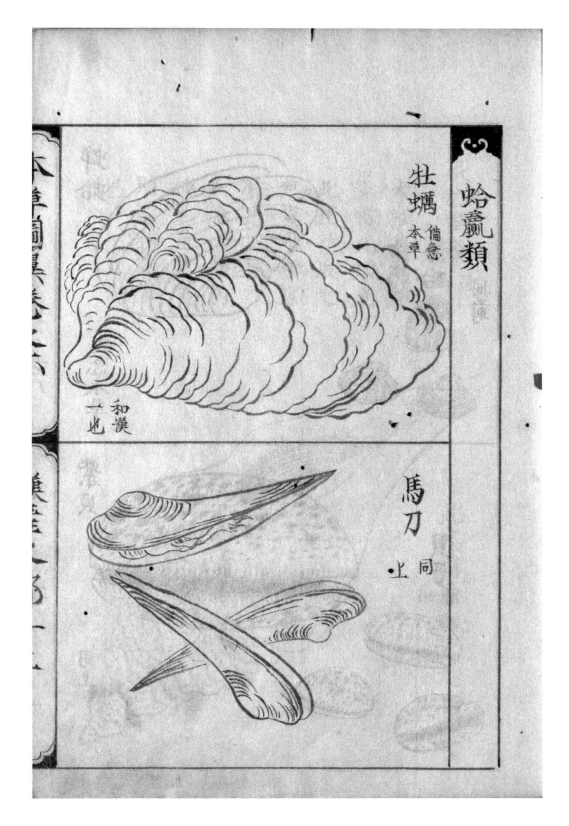

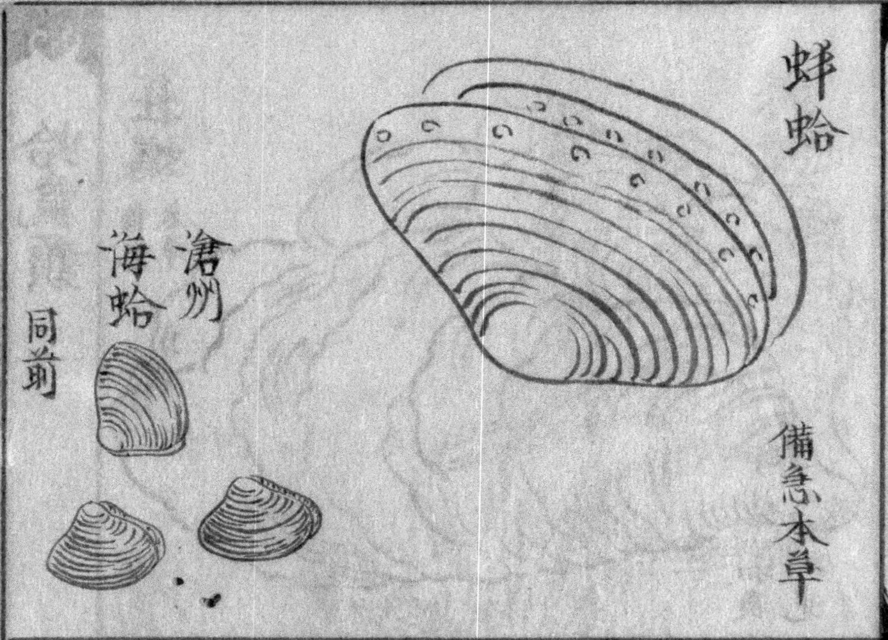
蚌蛤
備急本草
滄州海蛤
同前

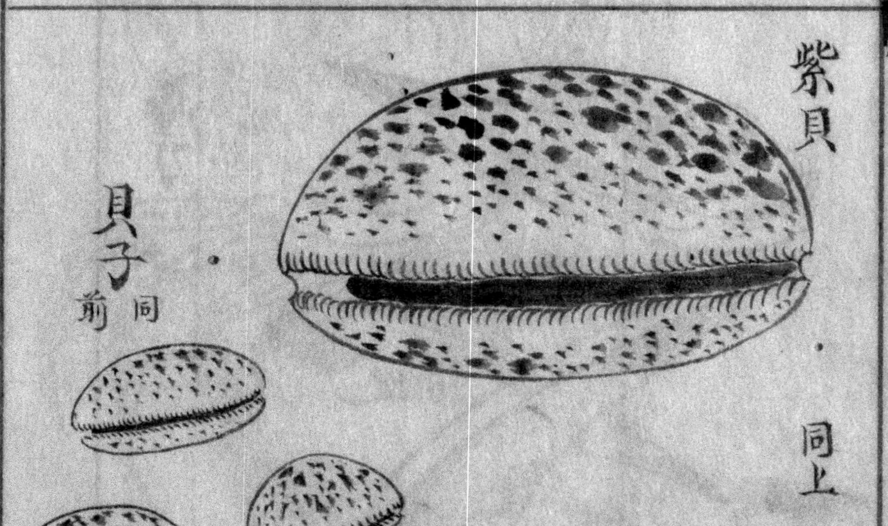
紫貝
同上
貝子
同前

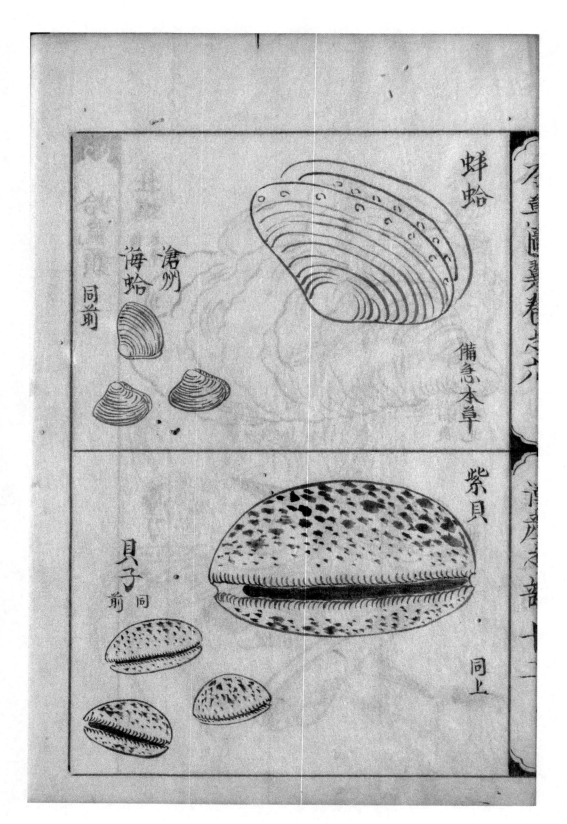

泉州甲香　同前

本綱集解所説當此螺也此邦所取之甲香乃豬螺厴也此誤久矣然一類別種也至甲香則不相遠者也

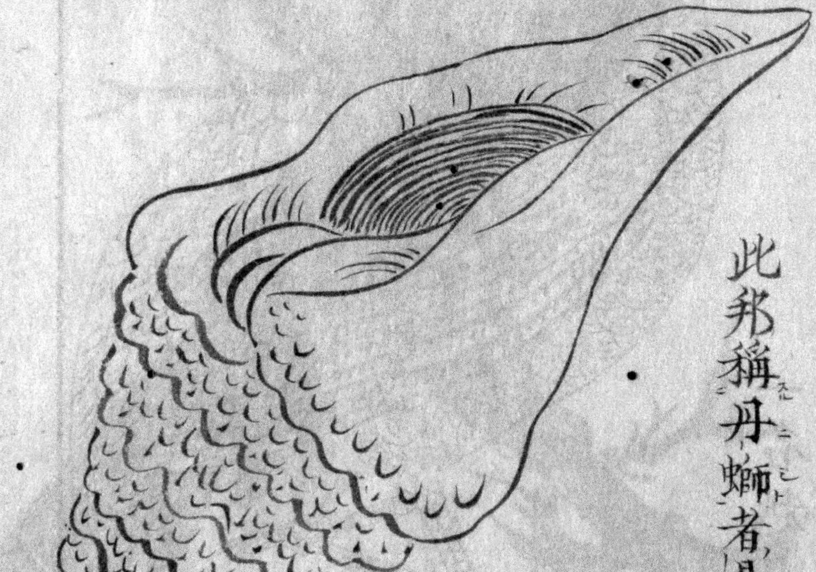

此邦稱丹螄者是也

本草圖彙卷之六

漢產之部十三

禽類

鷓鴣 備急本草

一名越鳥

無倭產也

雄鵲
同前

烏雅

同前

和漢一也

雀

同前

和漢一也

凡鳥類倭漢俱有之而有相同者或有大同小異者或有懸隔者今盡不出于此唯圖備急本草所載之鳥類一二備于叅考餘盡圖於本草大義之禽部而詳也故不贅于此也

## 獸畜類

豕

備急本草

牛黃
同前

# 驢

以驢皮爲阿膠也故阿膠真者其色黑如漆其圖說見于本草大義也

無倭產

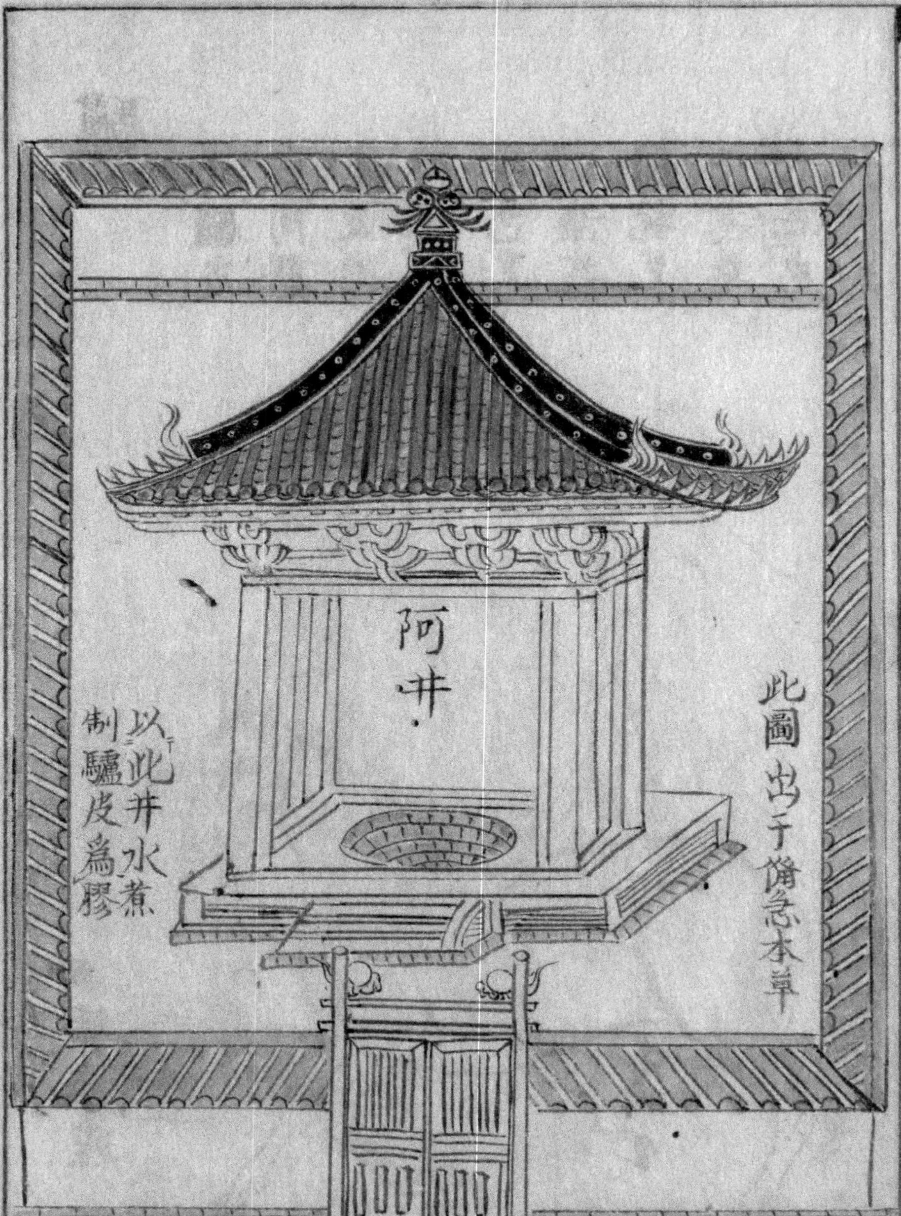
阿井
此圖出于備急本草
以此井水煮制驢皮爲膠

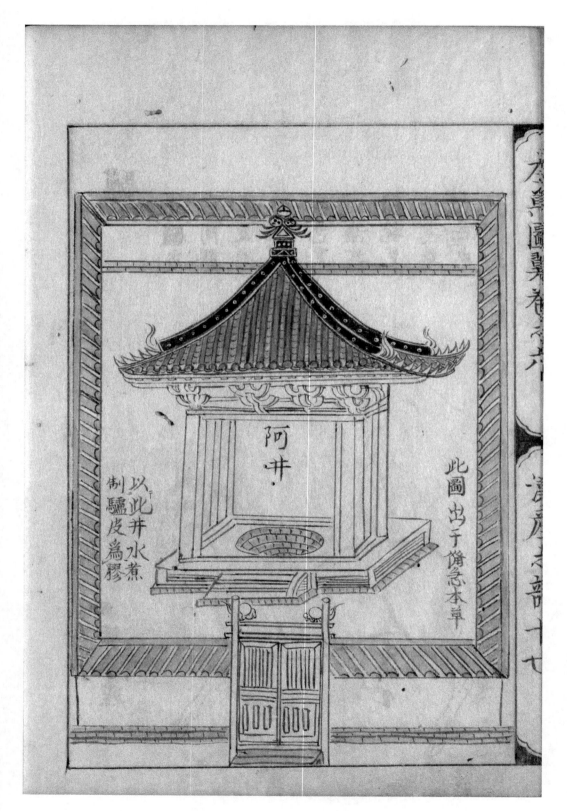

郢州水牛

備急本草

無和産

駝
無和產

# 猲

自番舶來今稱水犬者此種也

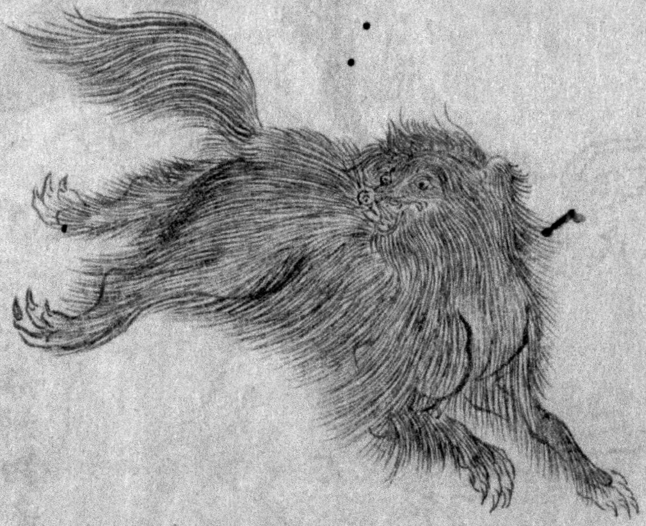

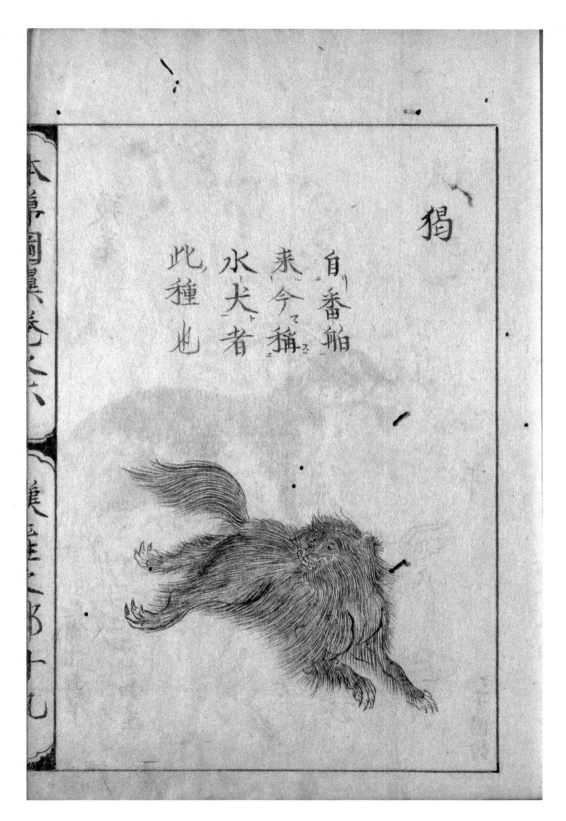

羖羊
用角
羊
出處備急本草
各無和產
三才圖繪

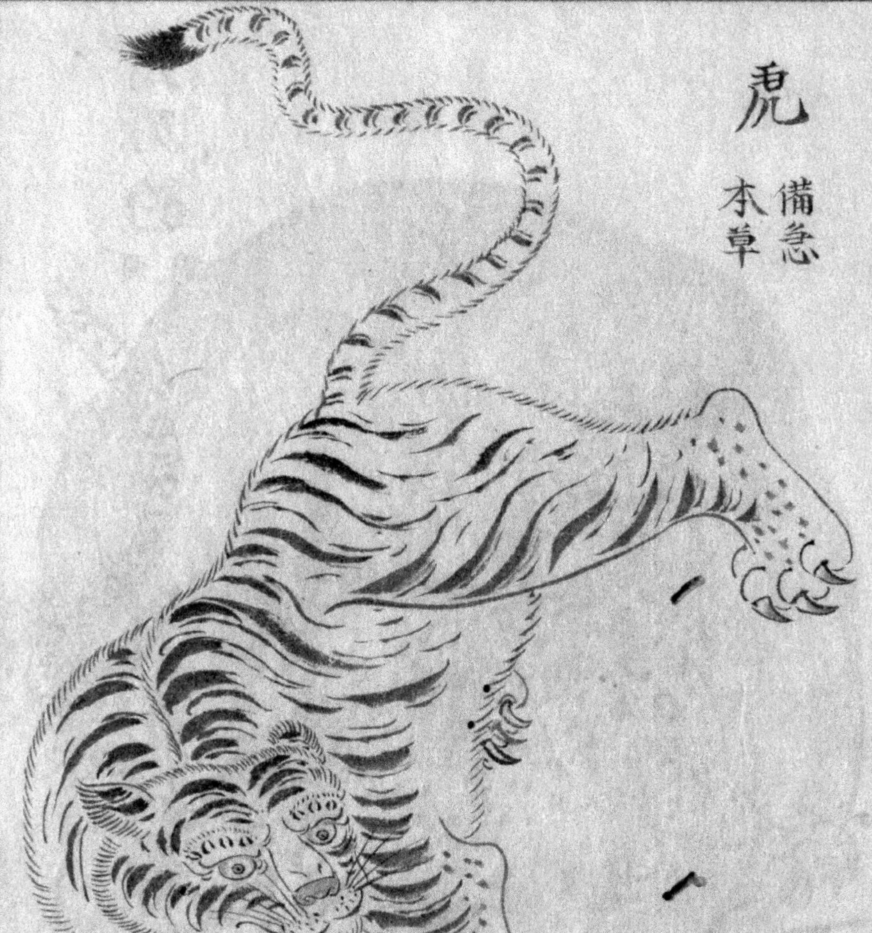

虎

備急本草

郢州豹
同前

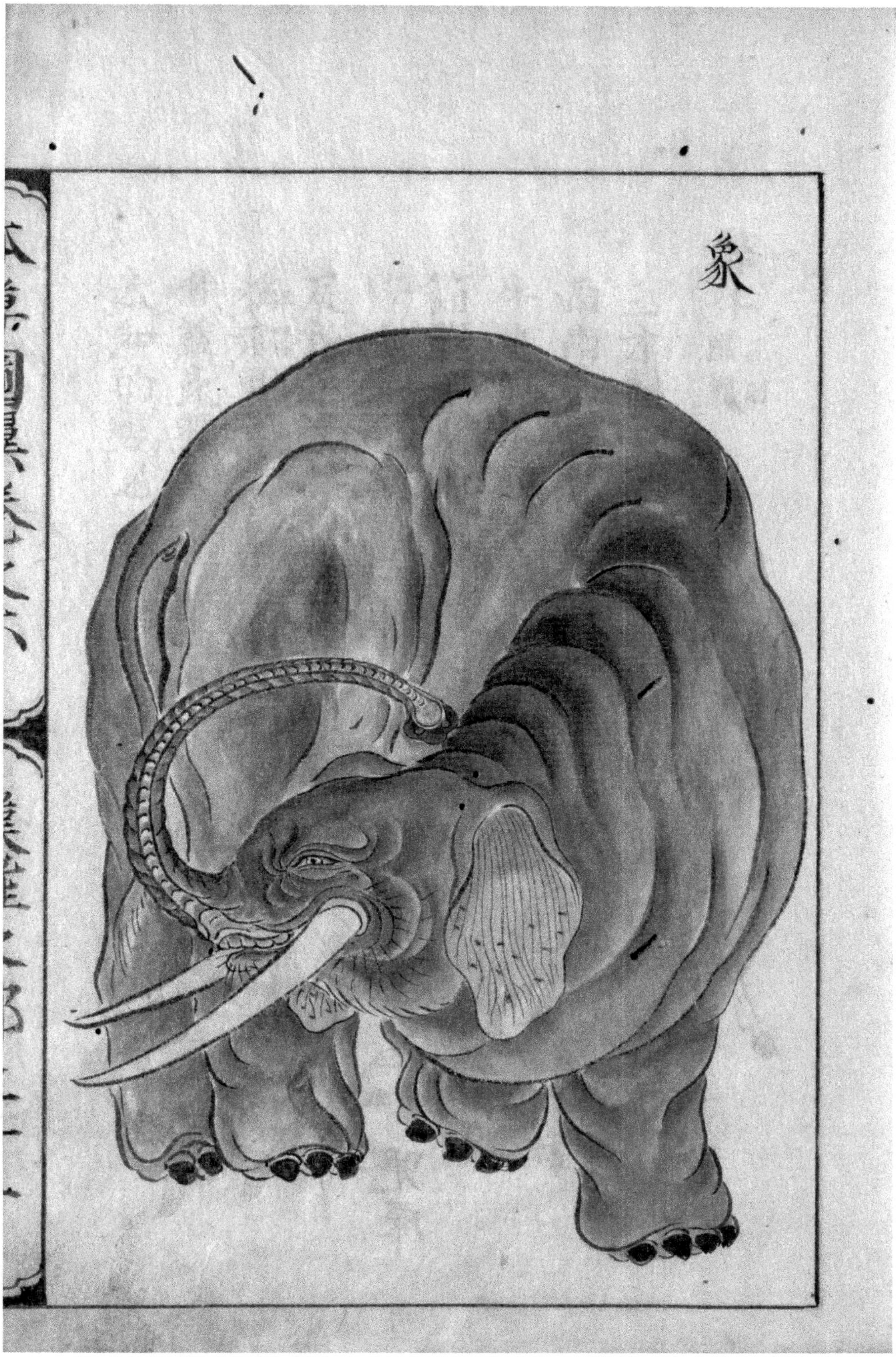
象

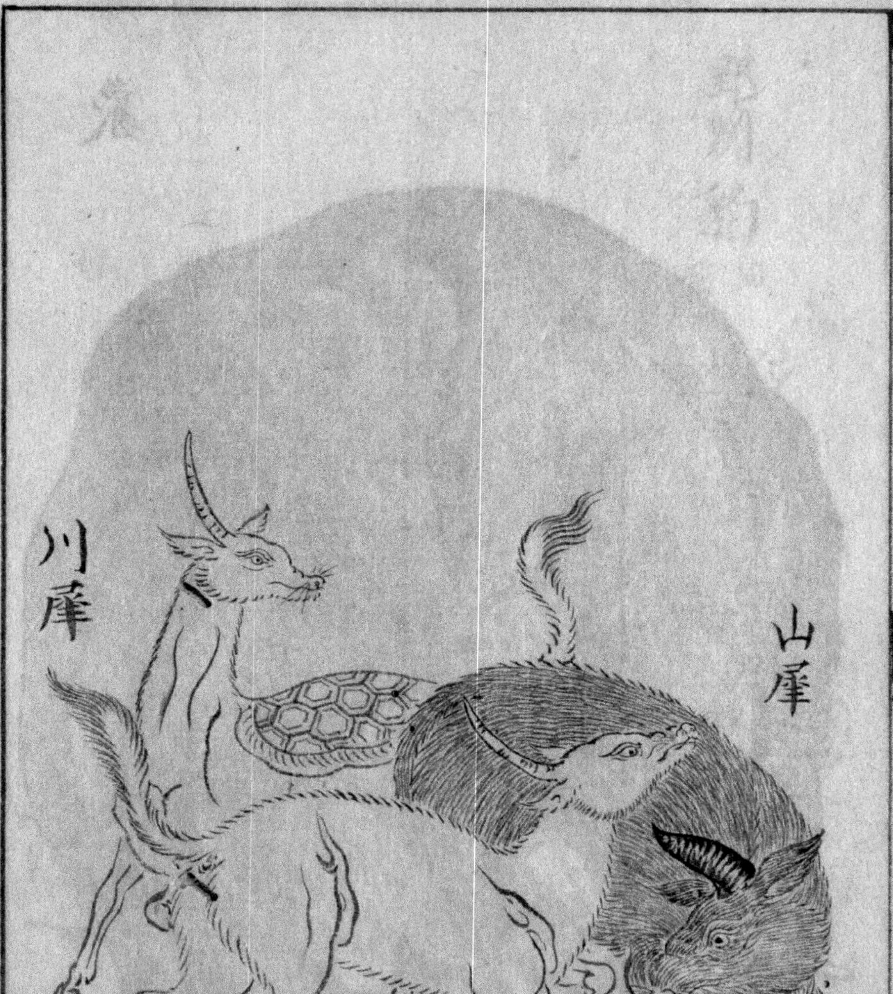
川犀
山犀
兕犀

犛牛 三才圖繪

三才圖繪云西南夷長毛牛也似牛四節腹下及肘皆有赤毛長尺餘云今按稱赤頭肉着者蓋此類乎未知的否也

野豬 和漢一也

本草孟詵云野豬肉食之不發病減藥力與家豬不同但青蹄者不可食微動風云云時珍曰服巴豆藥者忌之云云

豪豬

三才圖繪

熊 備急本草

倭漢一也但有馬熊猪熊之大小二種耳三才圖繪所圖之形狀乃非熊畫工之誤乎

鹿

同前

# 羚羊

同前

泉按此圖非羚羊卽山羊也

羚羊 此圖出于三才圖繪

此圖所載于三才圖繪乃麋之圖也予按此圖麋之圖象全羚羊之圖象也故改之爲羚羊也前所圖卽山羊也

麂

備急本草

和漢一也和俗誤爲羚羊也

本草圖翼卷之六　獸畜之部二十六

文州麝

同前

# 狸 備急本草

此圖象圖經亦與此相同然則不可以倭漢一也但和産有山猫形如猫稍大灰黒有虎文大者害人也是此類乎

狐 同前

兎
同前

鼠

備急本草所圖鼠而所名爲鼷鼠也按本綱諸說鼷鼠乃和産之爲久呂茂知也故改之爲鼠也

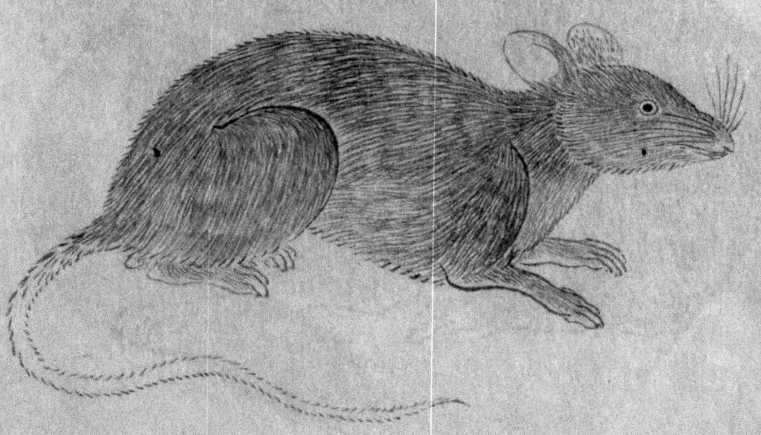

蝟

同前

黔州蝙蝠 同前

# 獺

同前

和漢一也

膃肭臍 同前

圖經所載形狀示如此也海獸畫有和產而倭漢如一未見如此圖象海獸也愚按中夏遠于海故但其形在人口未視其物依口受圖之乎哉蓋膃肭獸當海猪矣

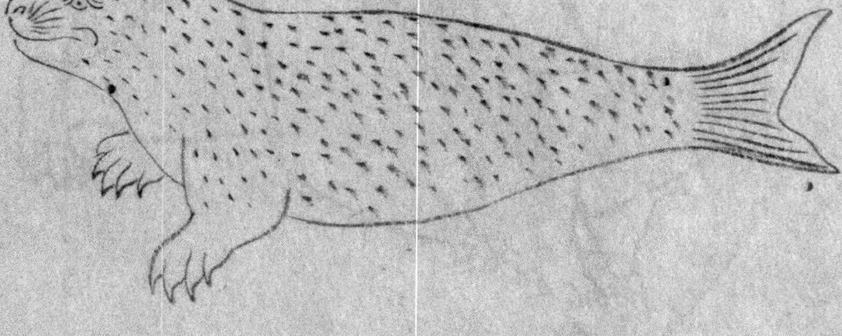

蟲類

蜀州蜜 備急本草

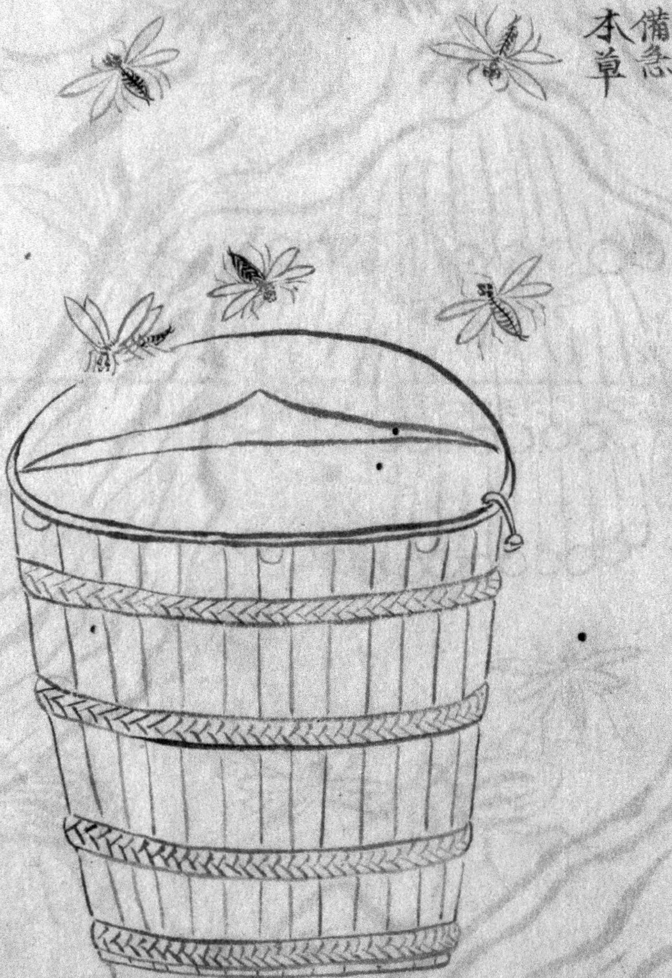

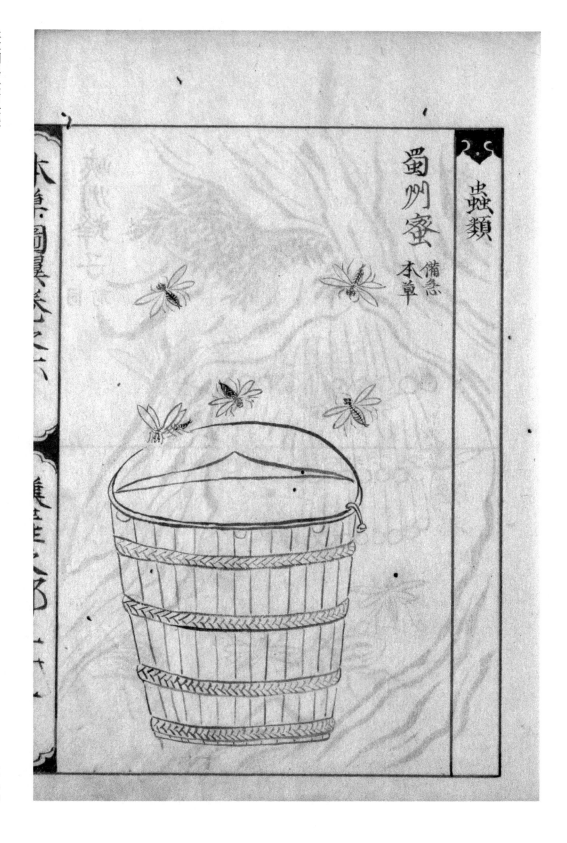

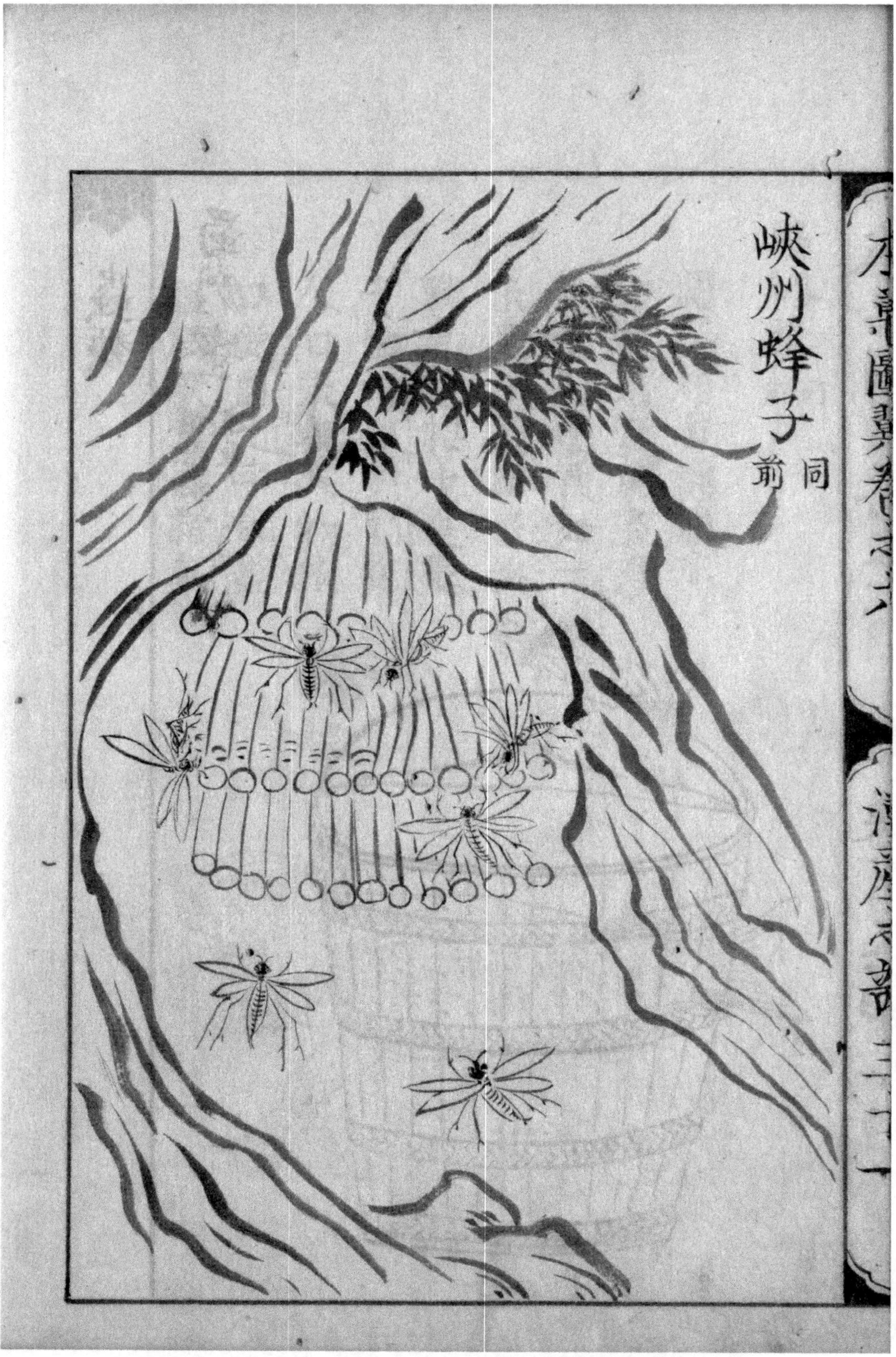
峽州蜂子
同前

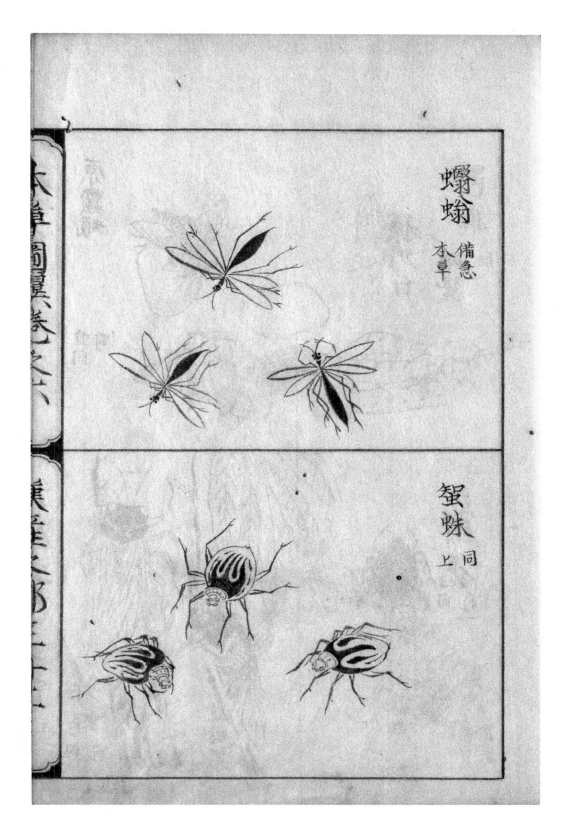

蠮螉 備急本草

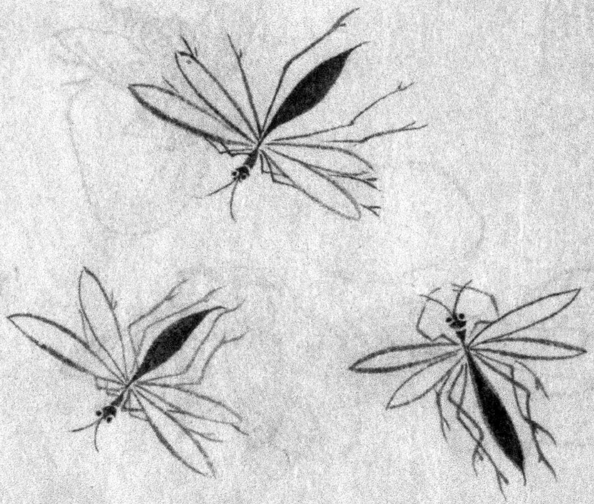

蛪蛛 同上

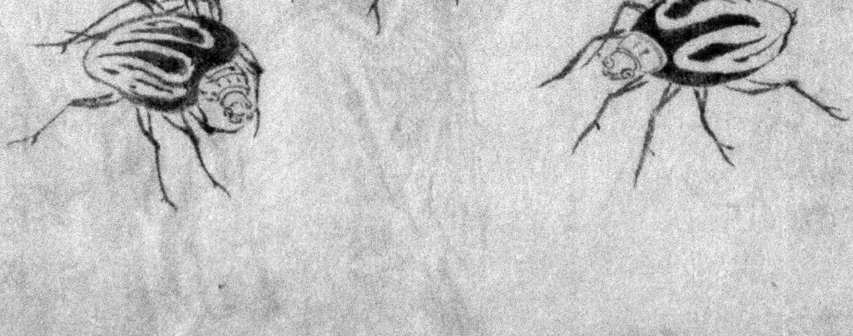

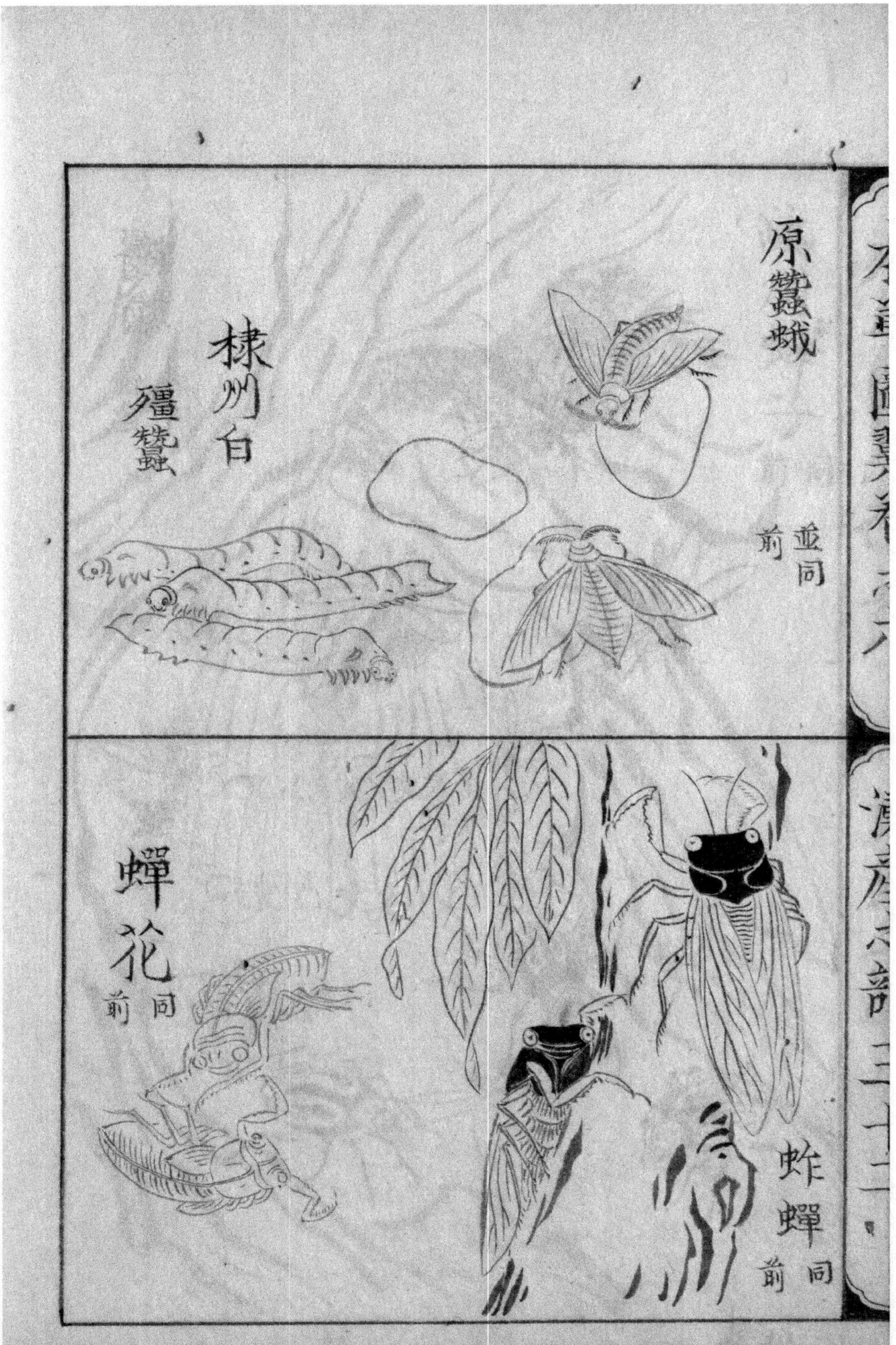
原蠶蛾
並同前
棣州白殭蠶
蚱蟬
同前
蟬花
同前

本草圖翼卷之六

濕生之部二十三

樗雞 同前

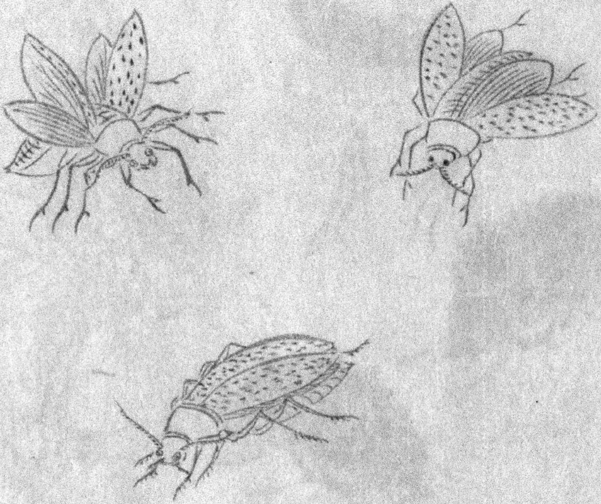

䗪蟲 本草原始

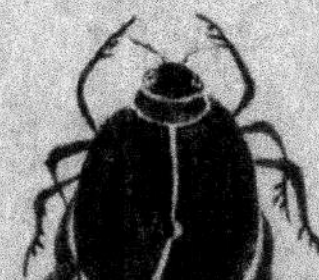

䗪虫 備急本草

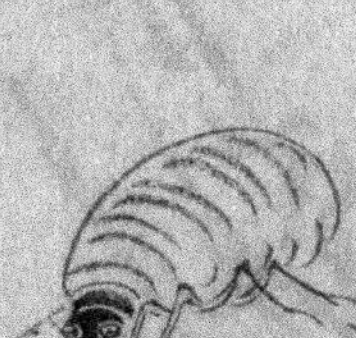

雀甕 備急本草

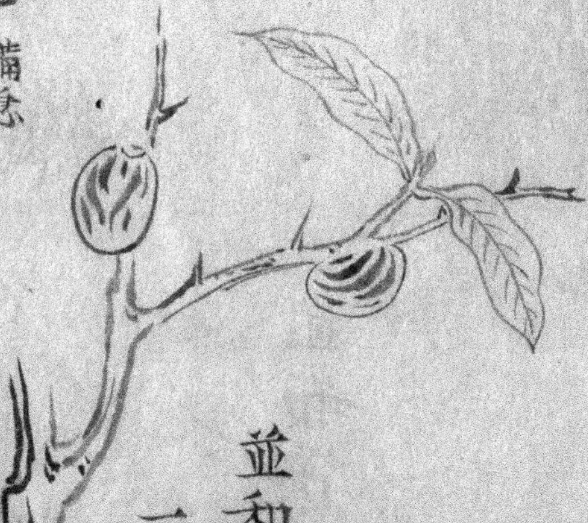

並和漢一也

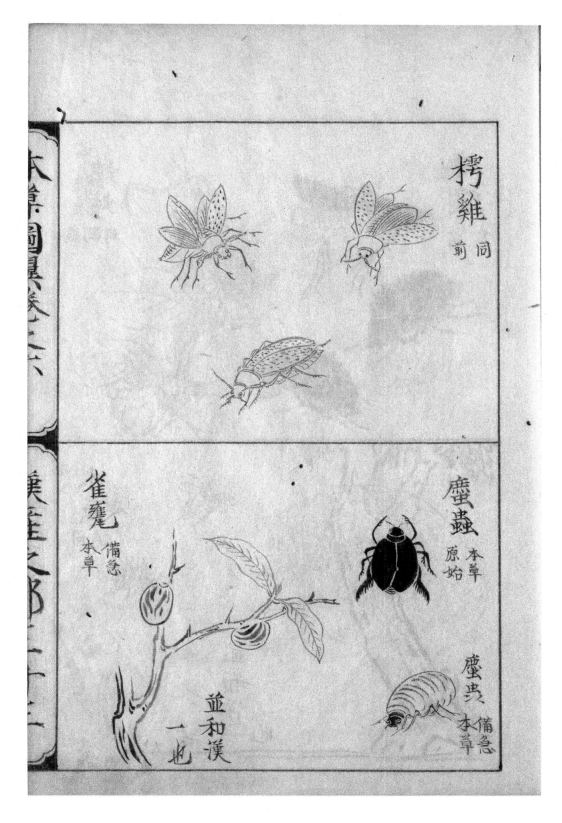

本草圖彙卷之六　濕産之部　三十三

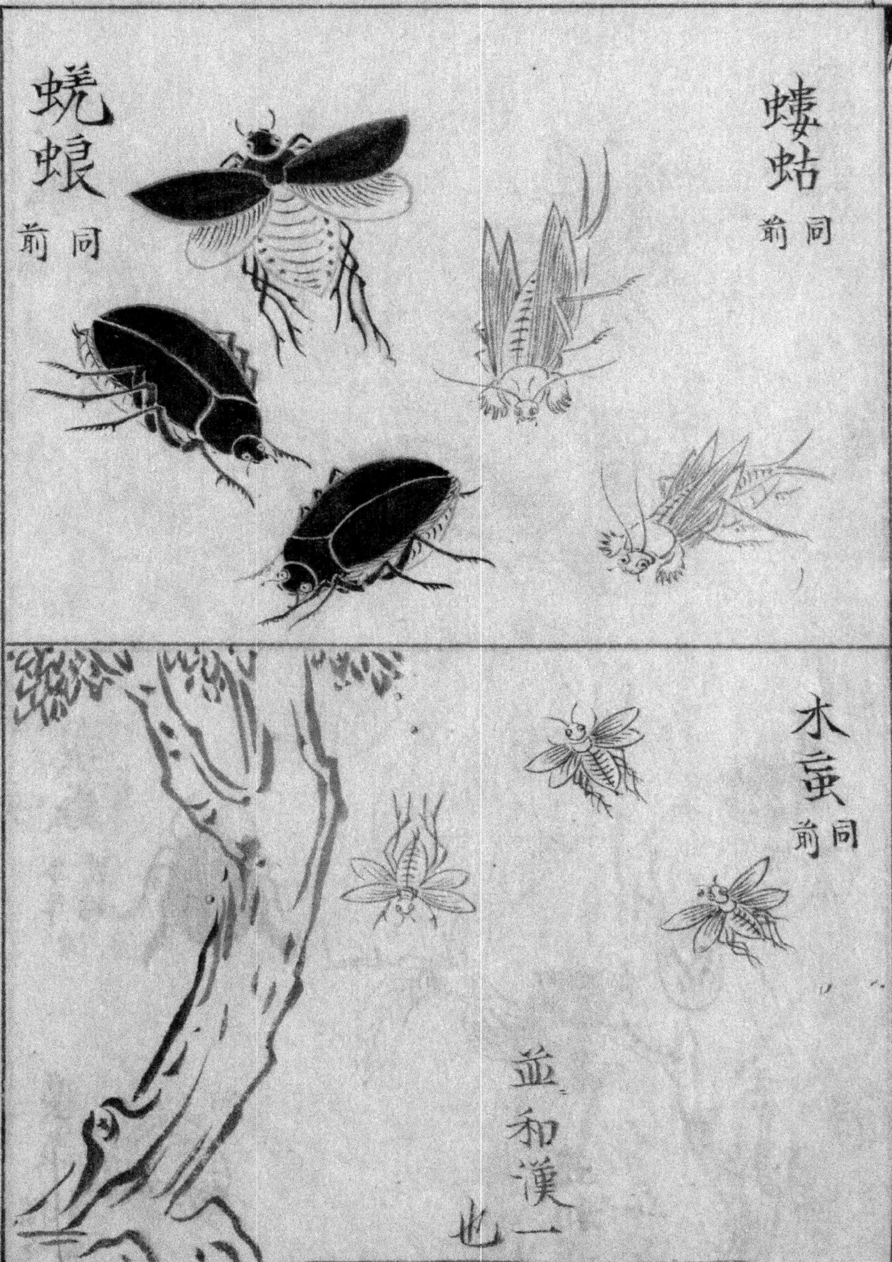

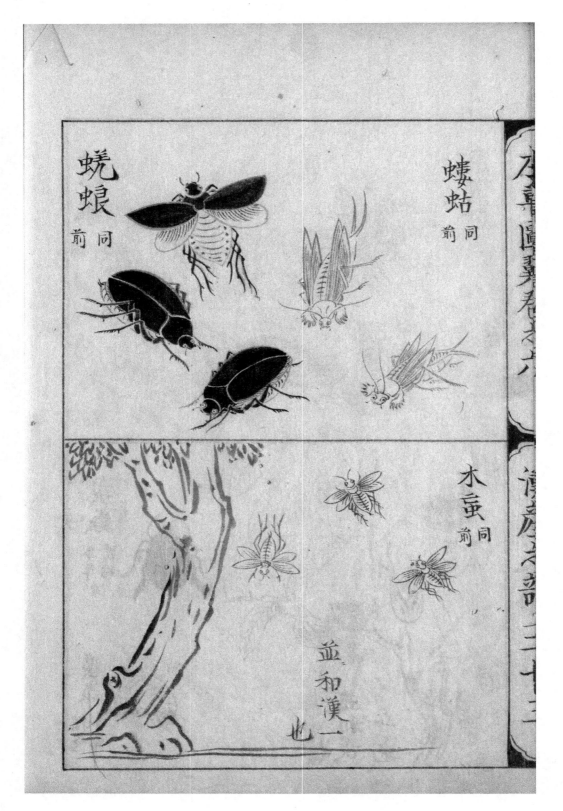

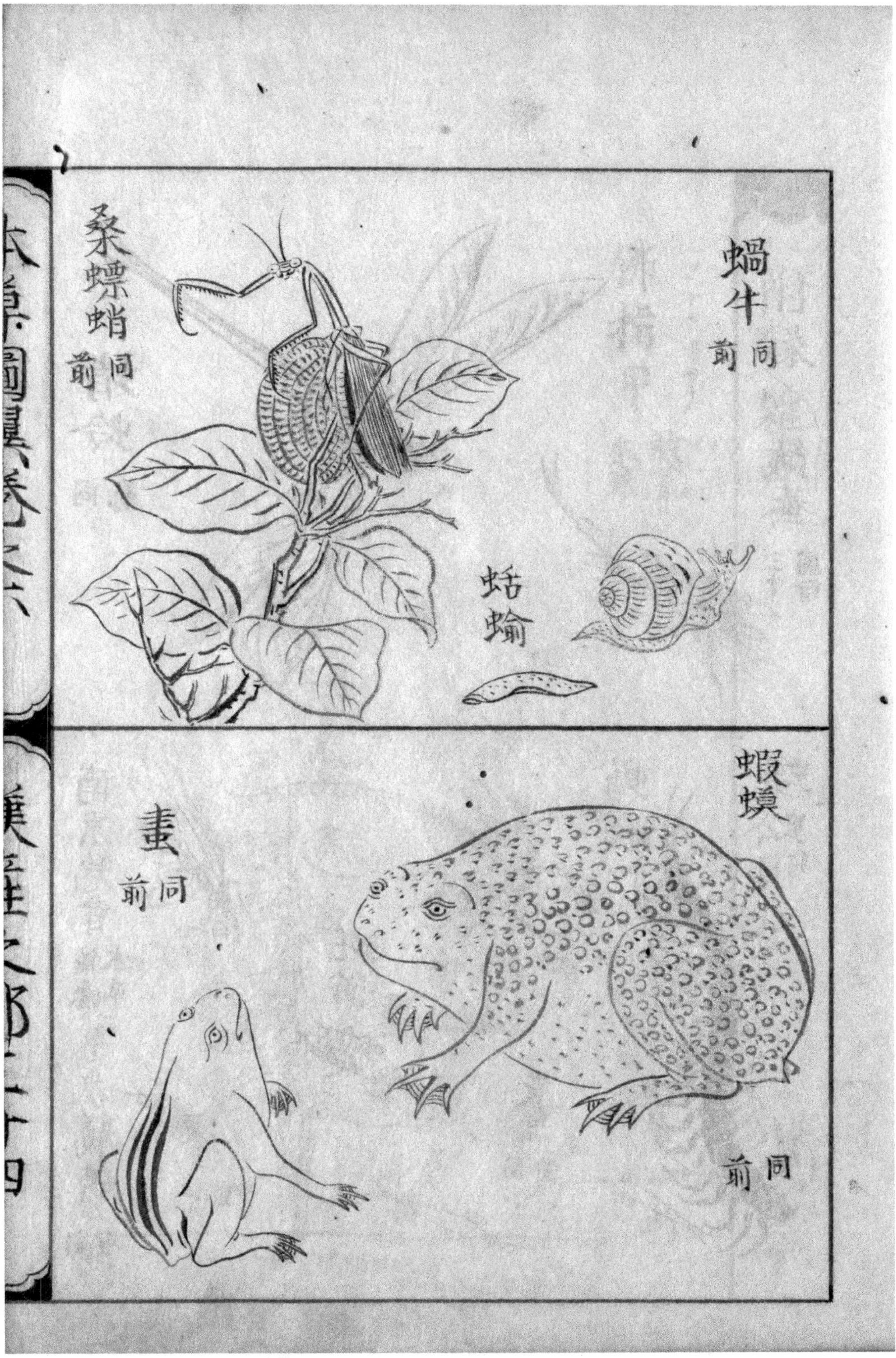
蝸牛
同前
蛞蝓
桑螵蛸
同前
蝦蟆
同前
鼃
同前

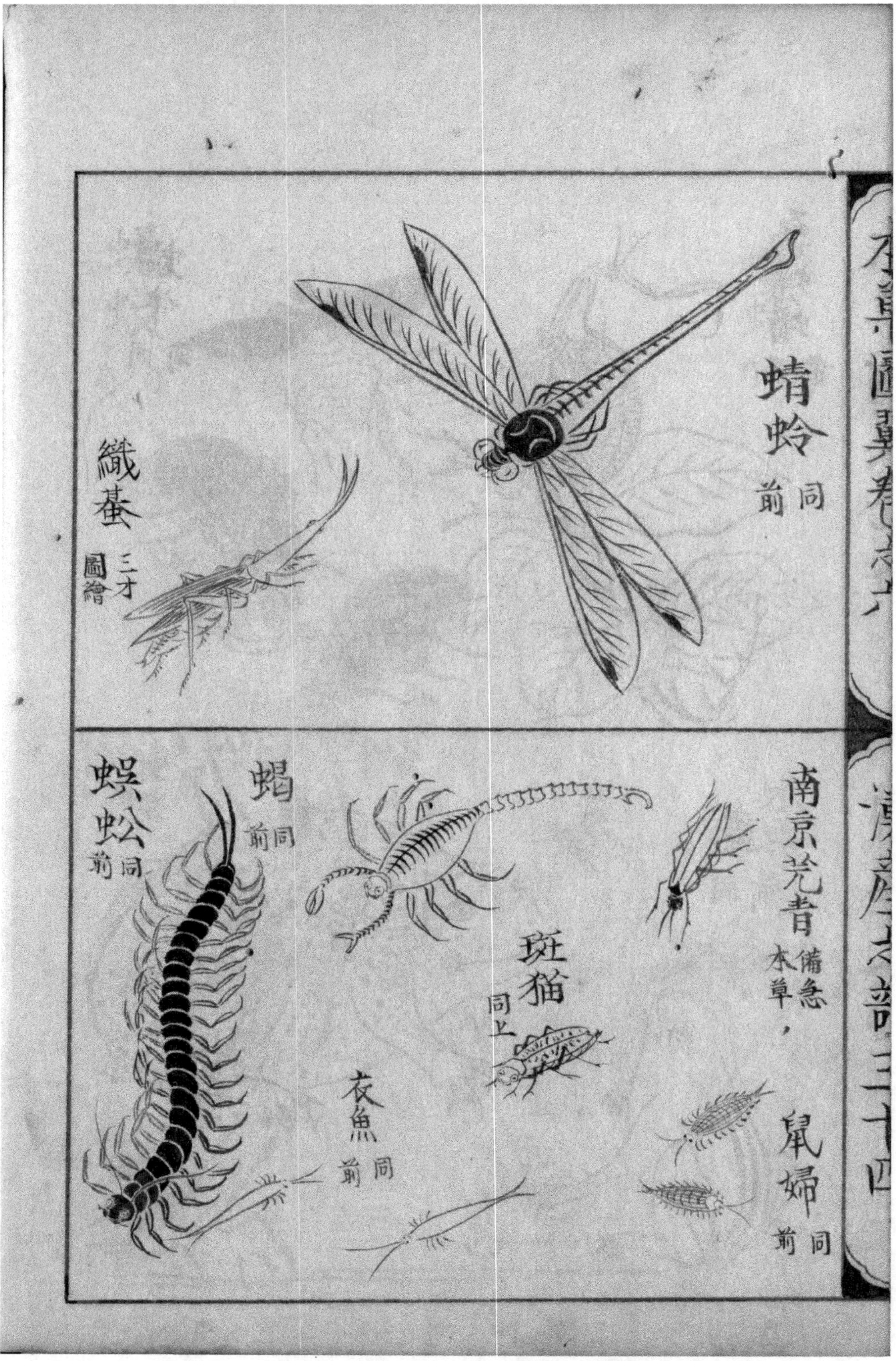
蜻蛉 同前
織蚕 三才圖繪
南京芫青 備急本草
鼠婦 同前
斑猫 同上
衣魚 同前
蝎 同前
蜈蚣 同前

# 附録雜品

佛指甲（シトキリサウ）　救荒本草

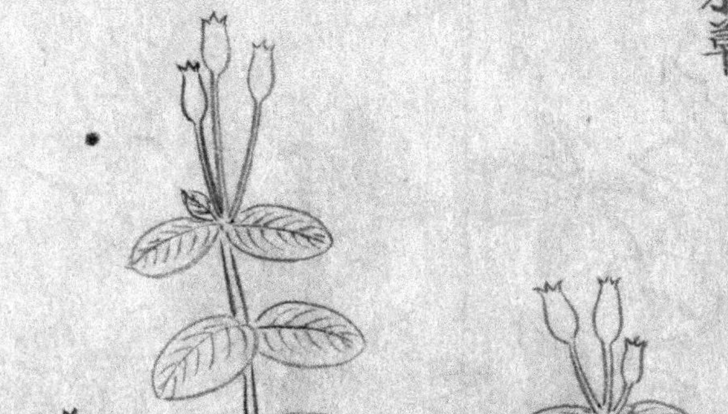

和漢一也

此草未載于本綱

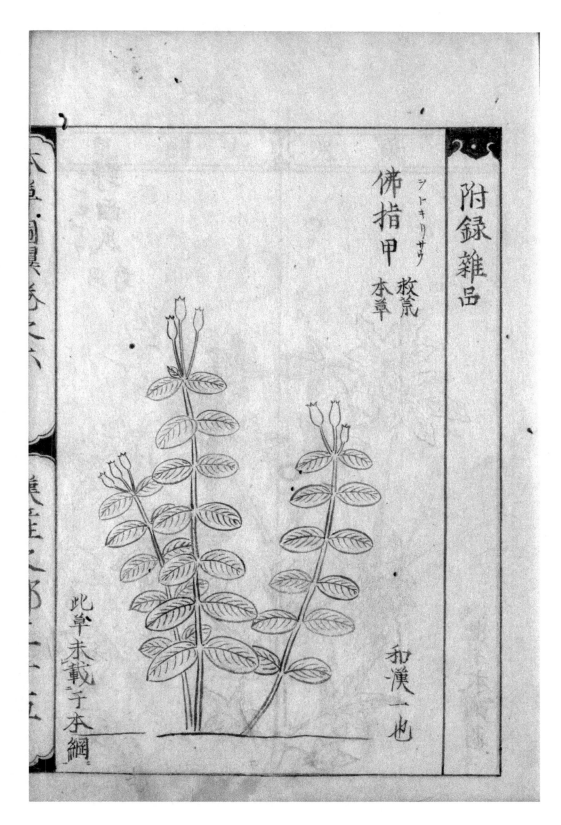

野西瓜(ギンセンクワ) 同前

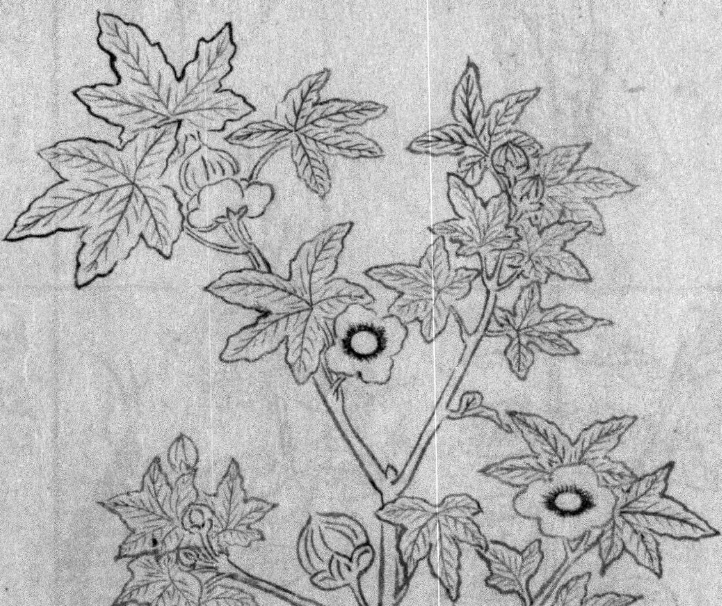

和漢一也

出于本綱也

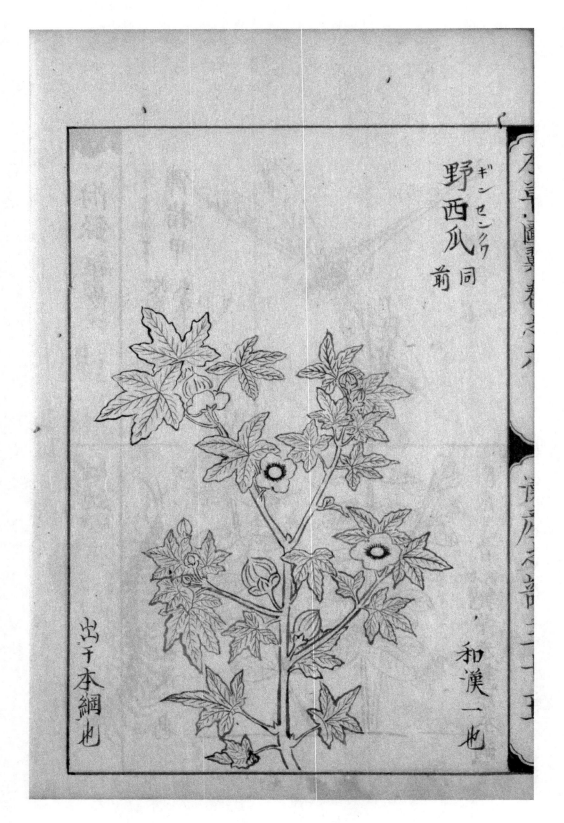

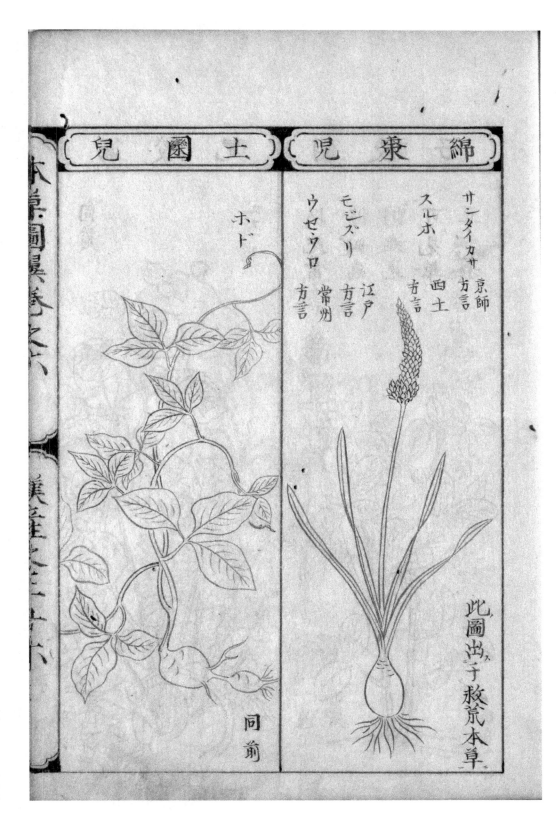

綿棗兒

サンタイカサ 京師方言
スルホ 西土方言
モジズリ 江戸方言
ウセウロ 常州方言

此圖出于救荒本草

土圞兒

ホド

同前

## 馬㼎兒

同前

スズフリ

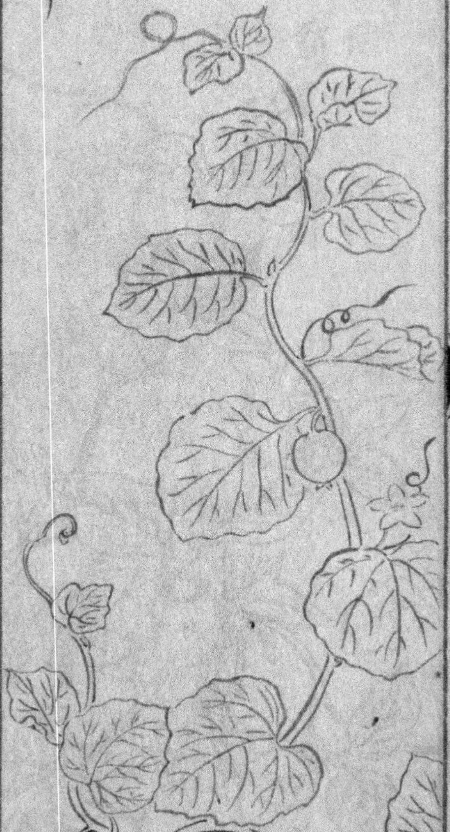

## 胡枝子

以此當波岐爲訓非也可見草草非萩

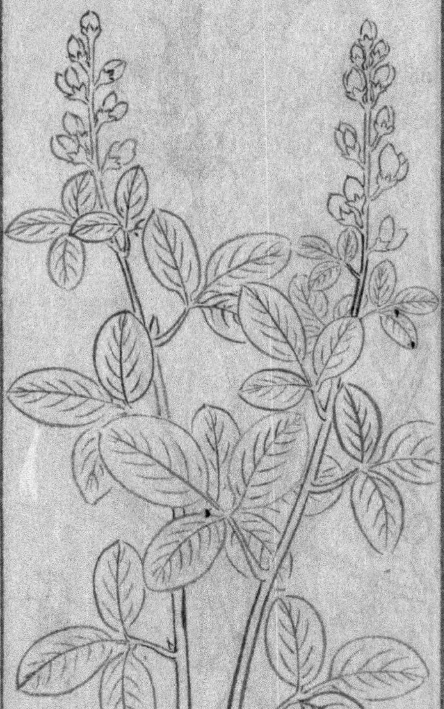

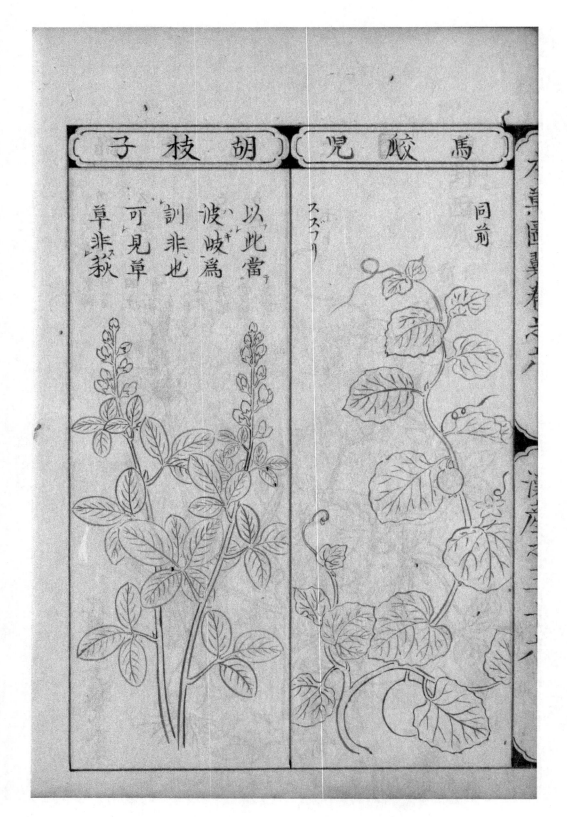

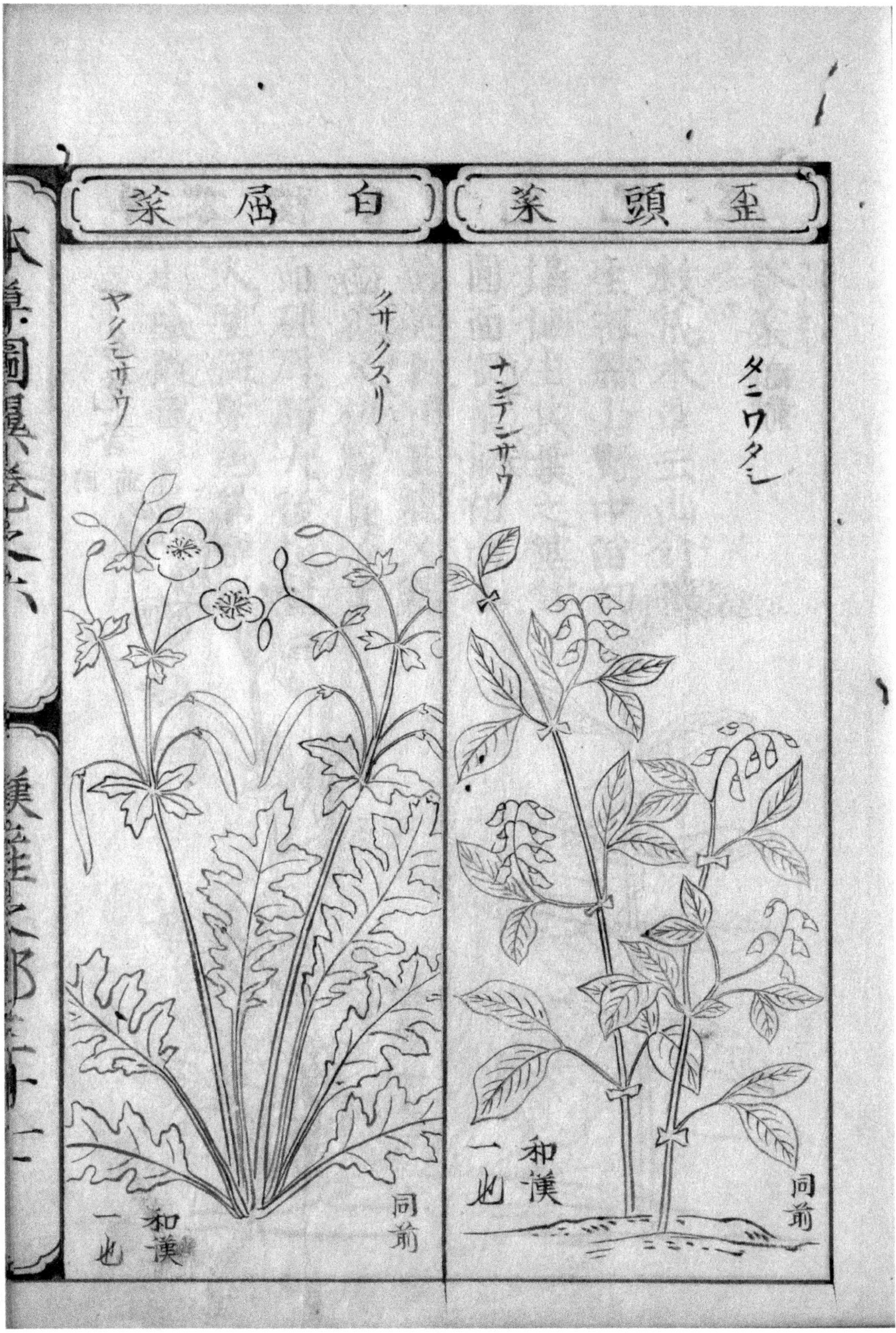
歪頭菜
タニワタシ
ナンテンサウ
和漢一也
同前
白屈菜
クサクスリ
ヤクシサウ
和漢一也
同前

草零陵香

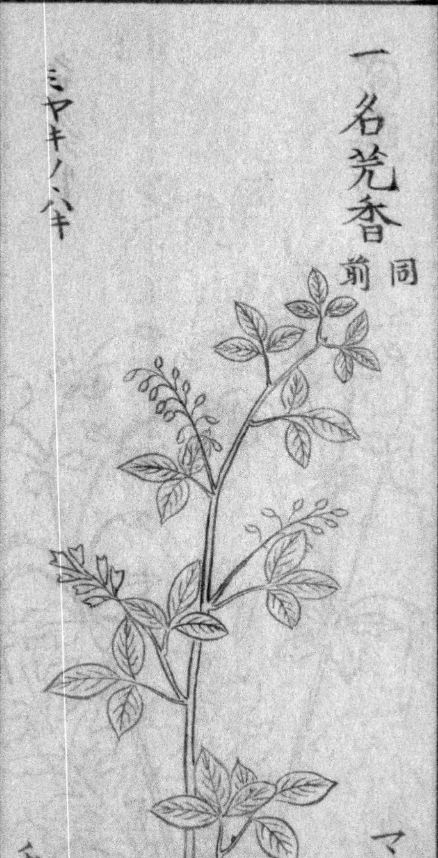


兔兒尾

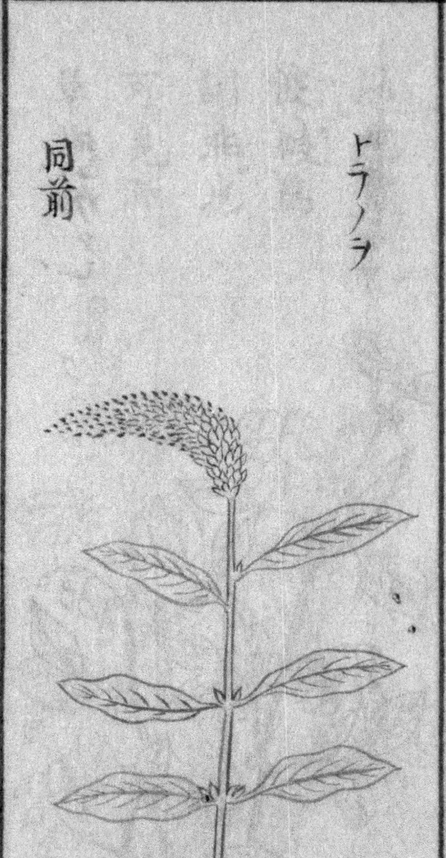

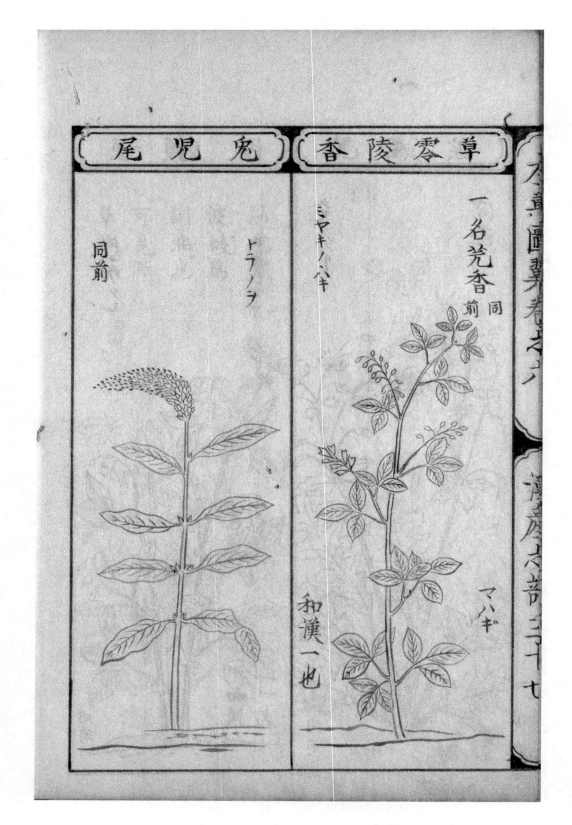

本草圖翼 卷之六

山萮菜 ヤマウバノチゴザ ヤマゴボウ 救荒本草

救荒本草云山萮菜生密縣山野中苗初搨地生其葉之莖背圓面窊葉似初出冬蜀葵葉稍五花叉鋸齒邊又似蔚臭苗葉而硬厚頗大後攛莖叉莖深紫色稍葉頗小味微辣云云

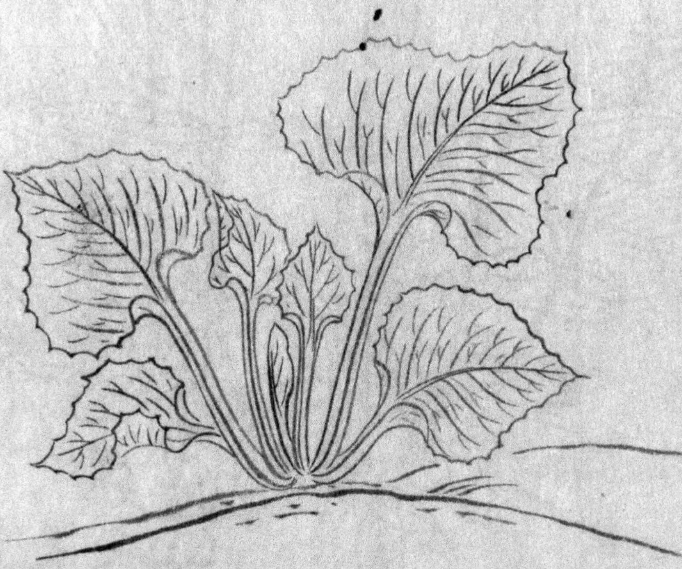

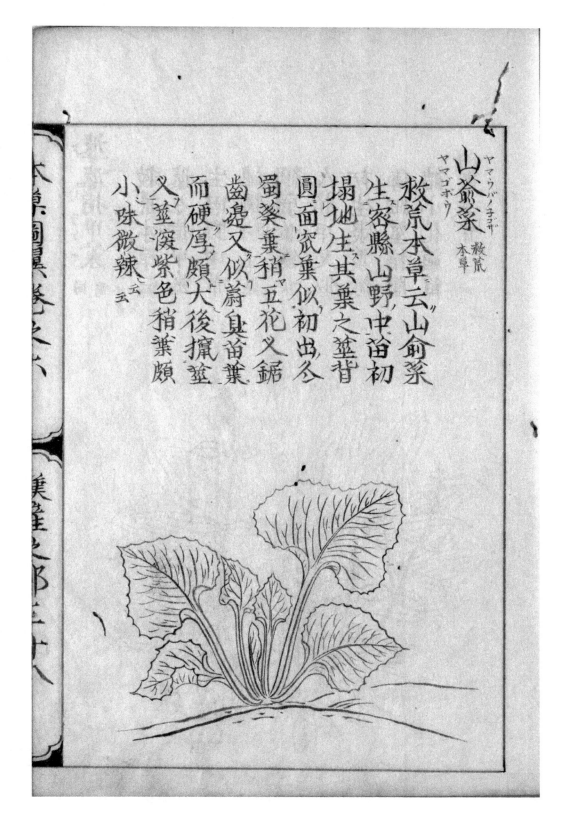

婆婆指甲菜 同前

救荒本草云婆々指甲菜生田野中布地攤科生莖細弱葉像女人指甲又似初生棗葉微薄細莖稍間結小花蒴苗葉味甘

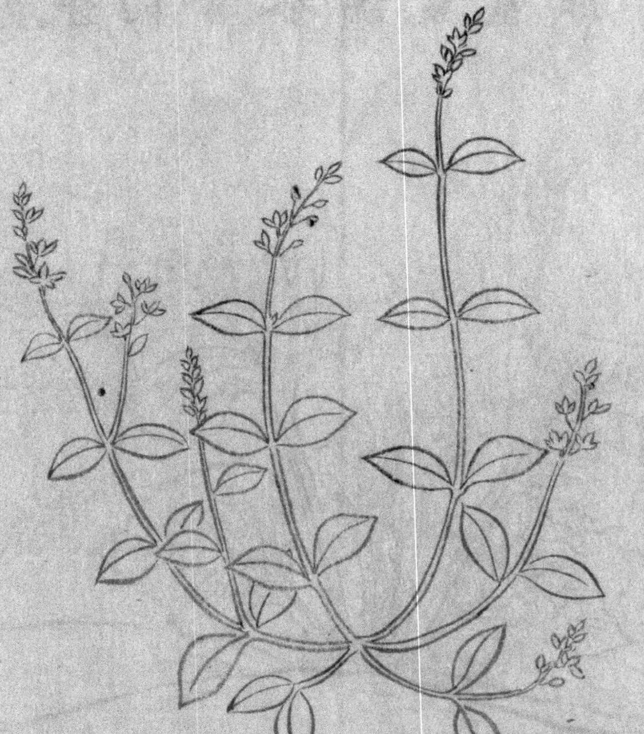

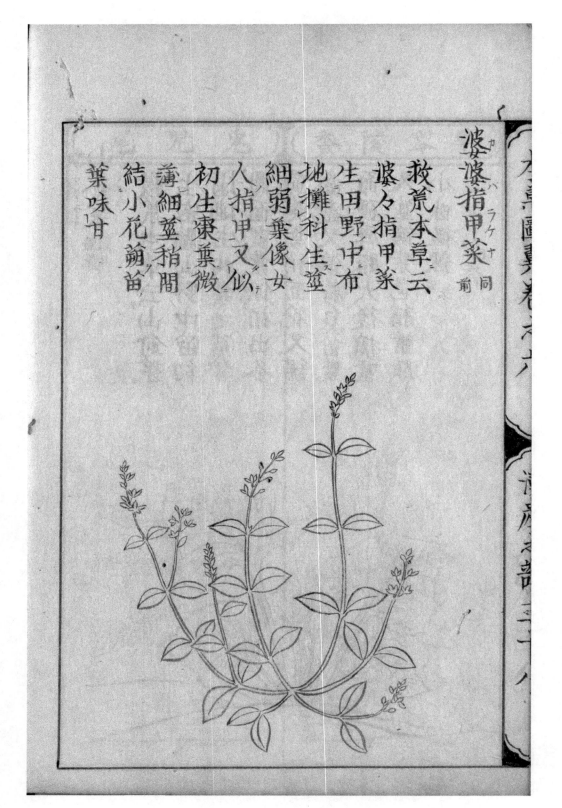

獐牙菜 同前

鷺艸（サギサウ） 西土方言

魏包子（ギボウシ） 関東方言

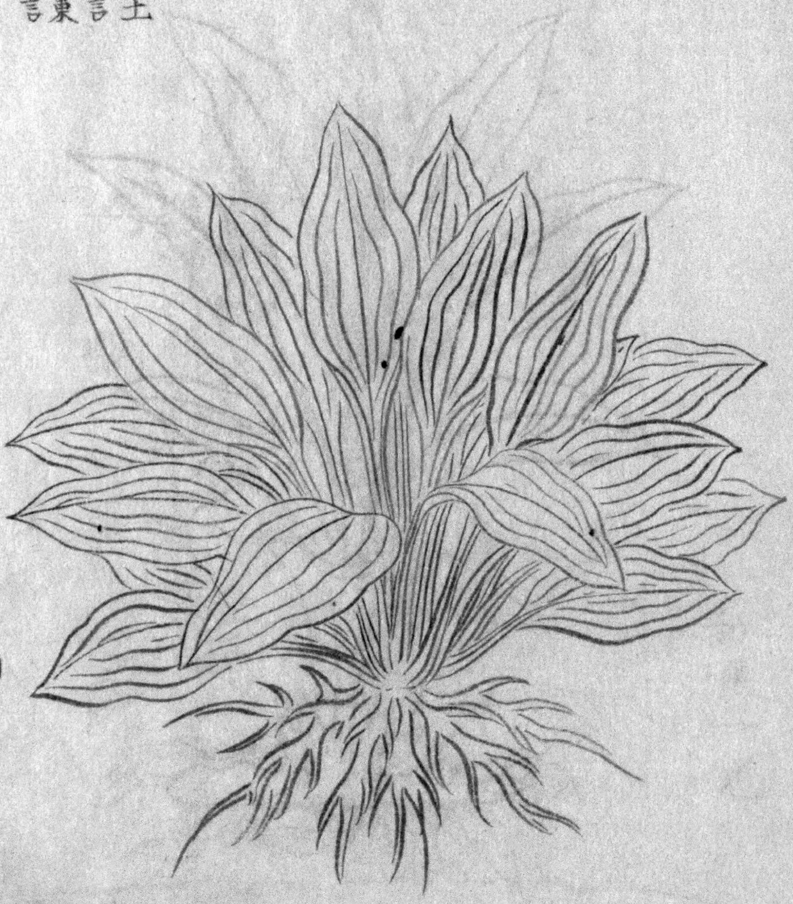

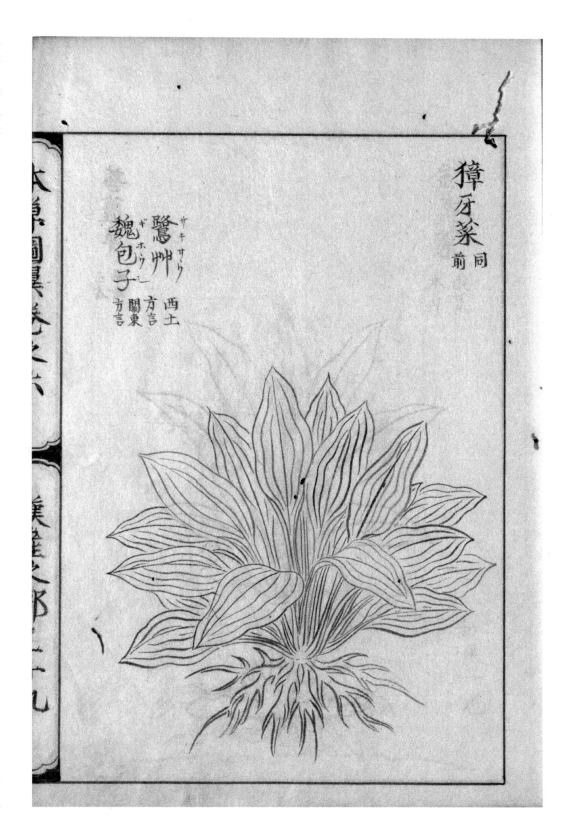

本草圖彙卷之六

菩薩草 三才圖繪

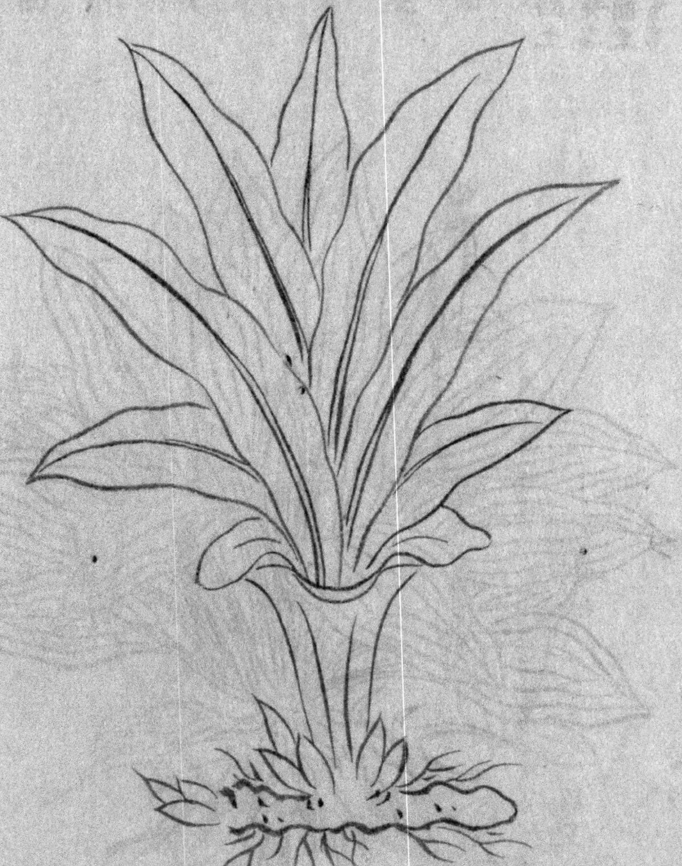

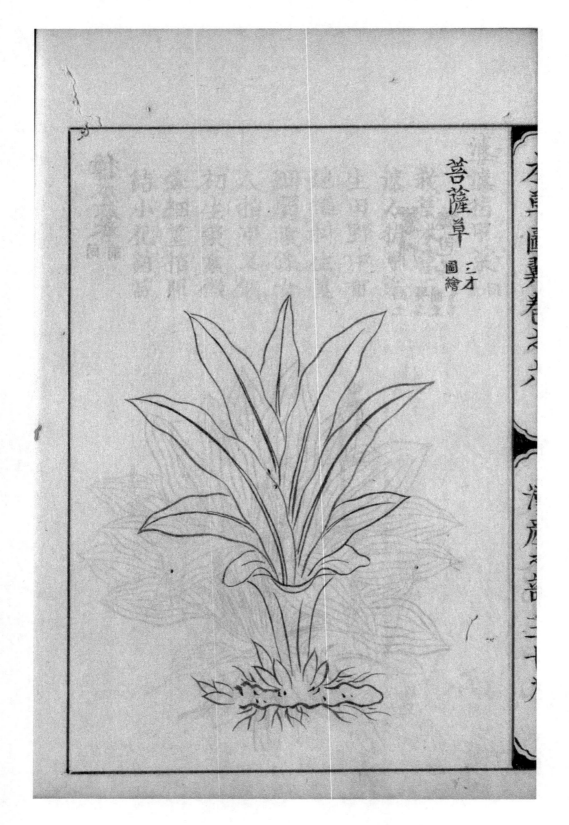

金盞菜（ミヤノキク）

救荒本草

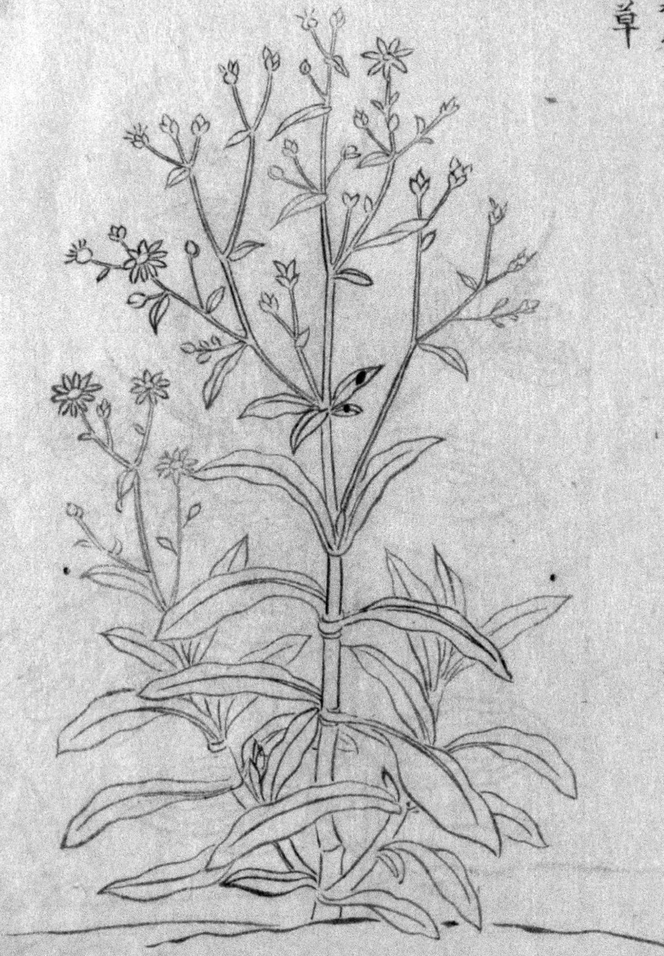

和漢一也

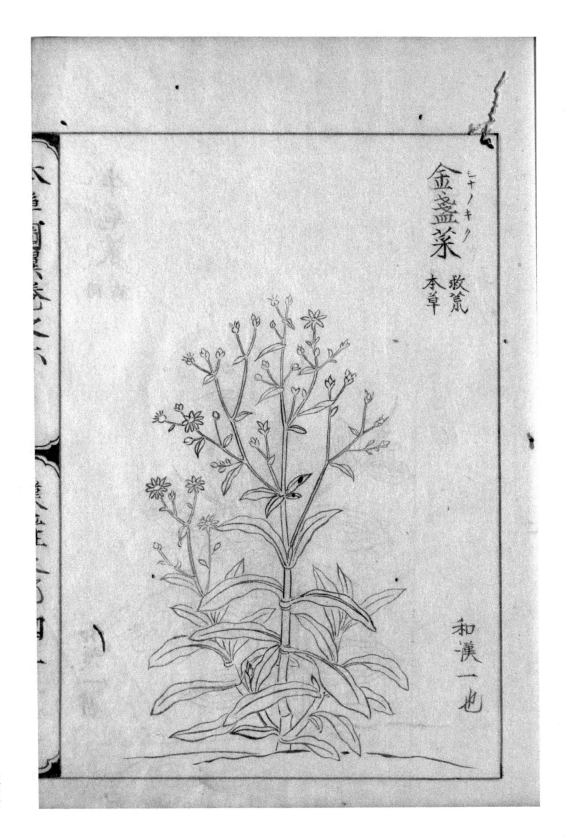

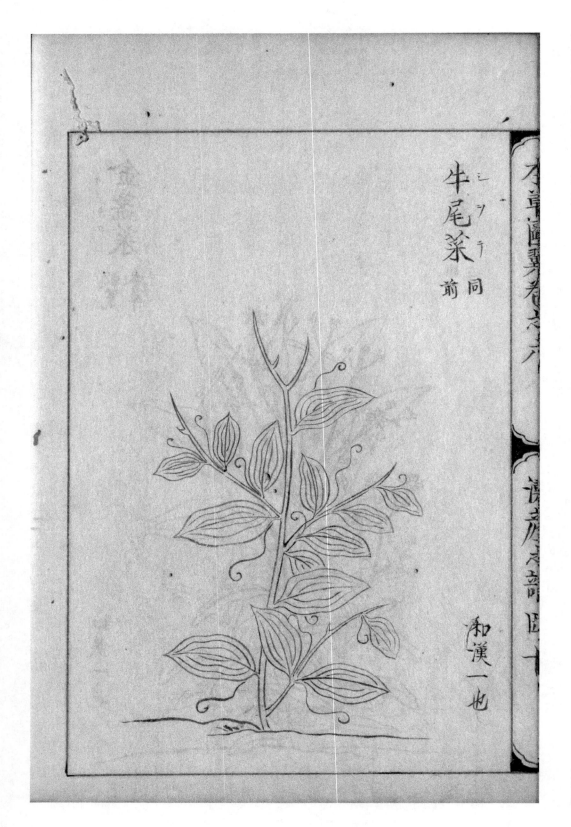

牛尾菜（シヲテ）

同前

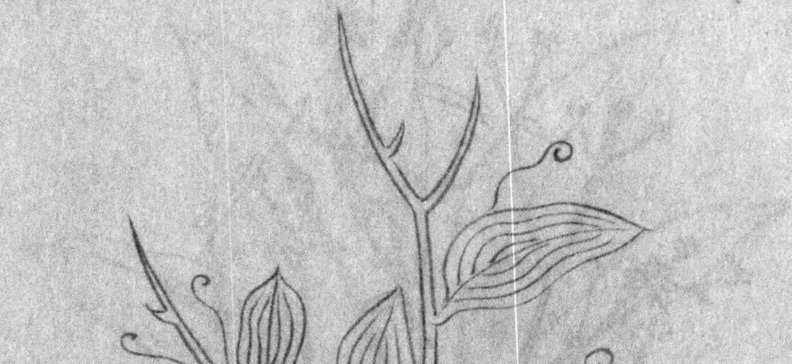

和漢一也

匙頭菜（ヲトリサウ）同前

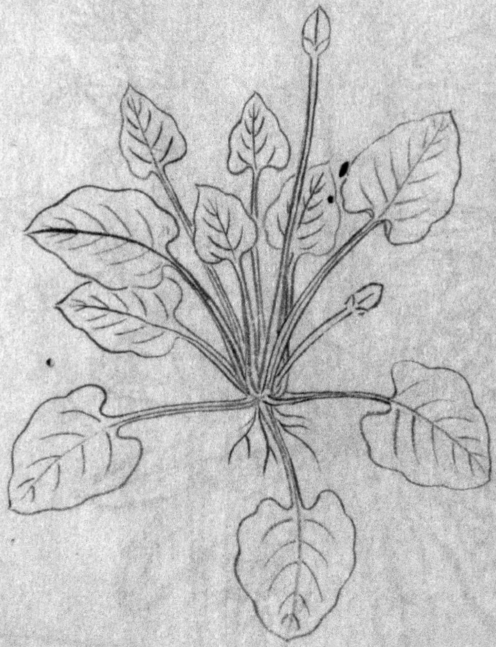

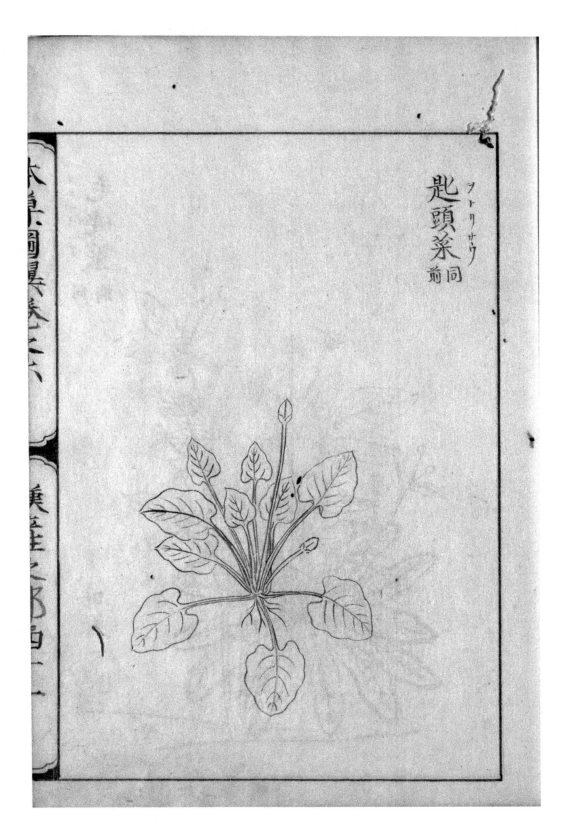

毛連菜 前
カウゾリナ 同

本草圖譜卷六十八 漢庵六語四十一

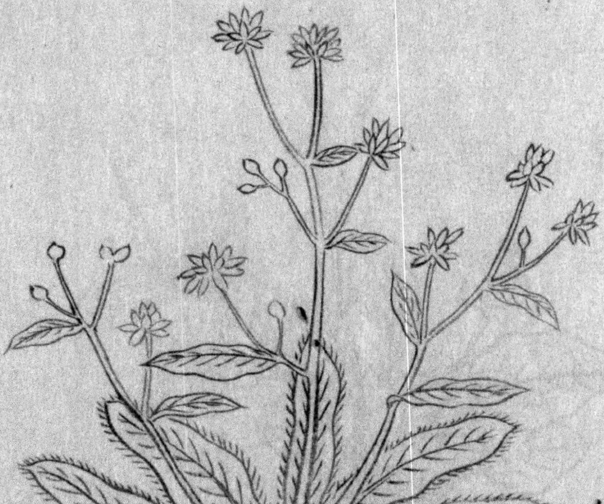

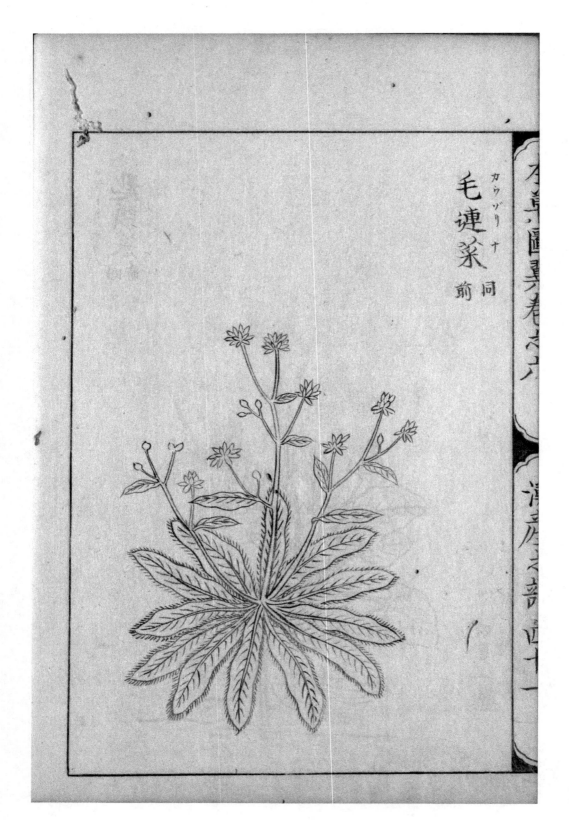

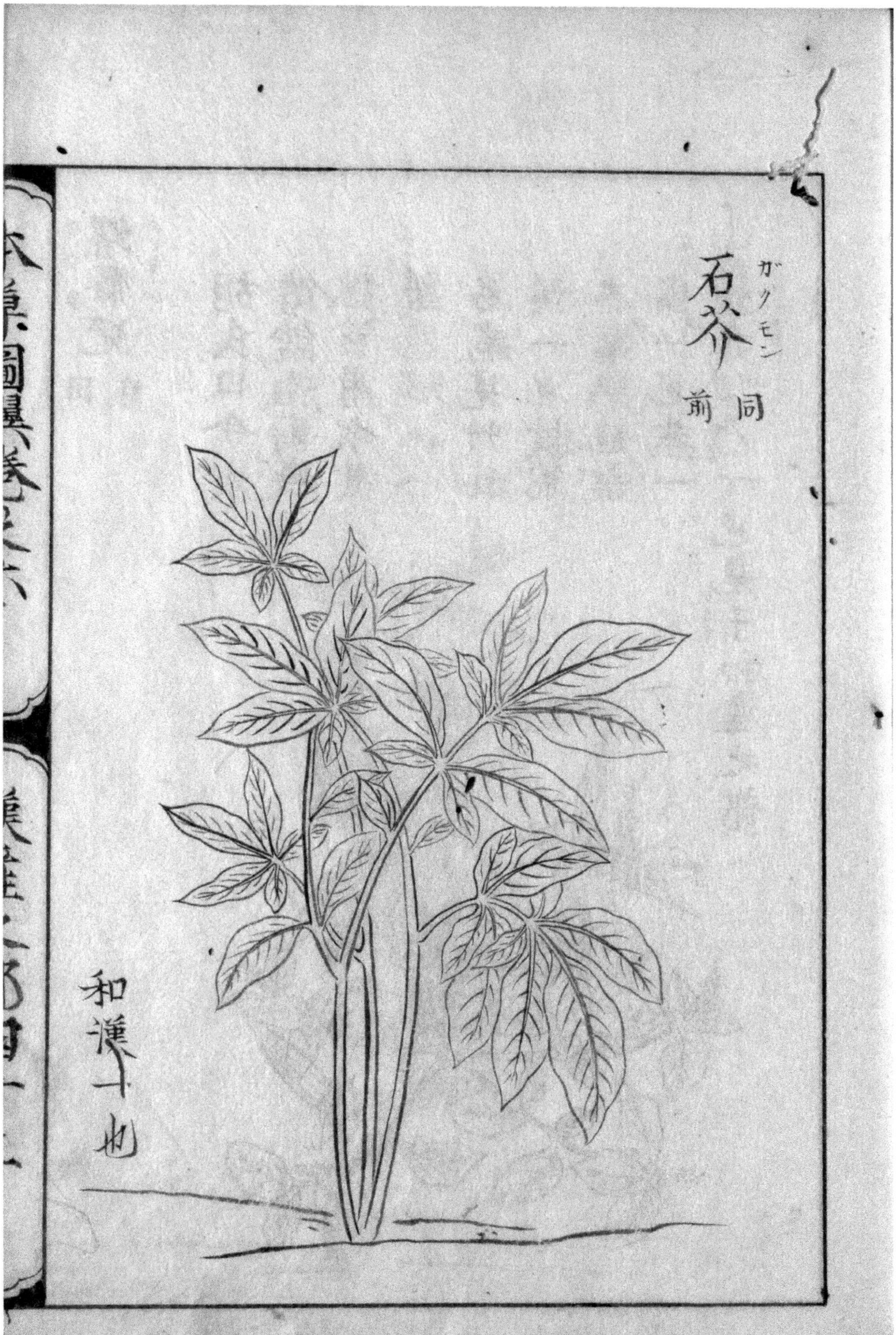
石芥
ガクモン
同前
和漢一也

螺厴兒　同前

胡氏曰今人傳說治痢疾採苗用水煮服甚效云一名痢見艸和漢一也救荒本草以地桑爲一也非一種其功乃一也見于和產之部

山黎豆 ツルフヂバカマ ニミキサウ　同前

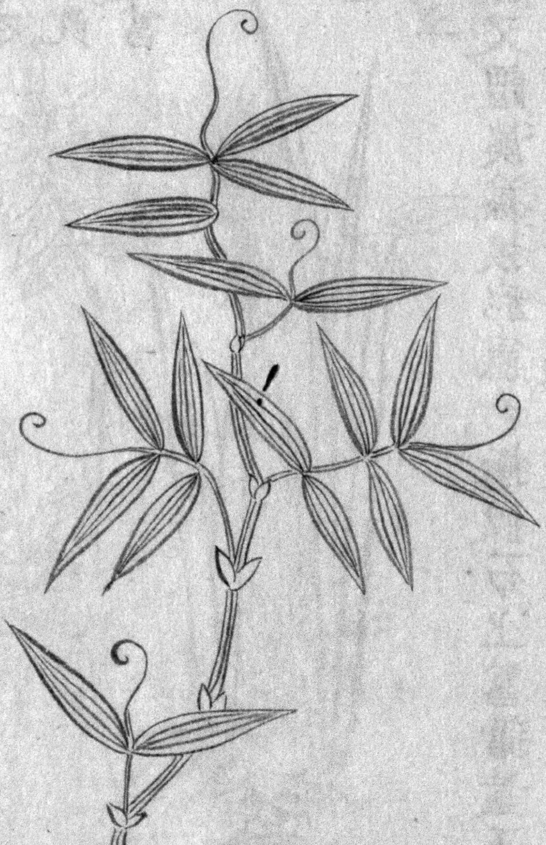

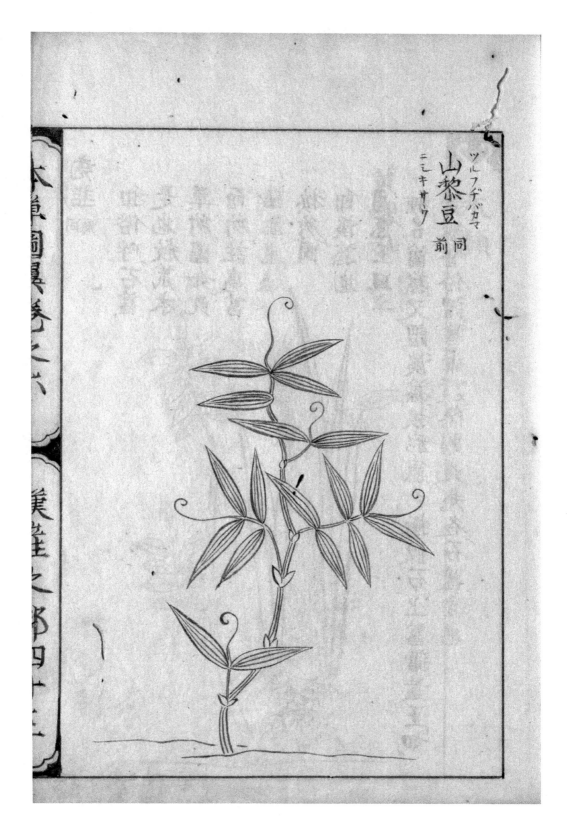

莞韭 同前

和俗呼石菖是也救荒本草所圖如此而所註爲菖蒲非也 泉

按所圖即溪蓀也

周憲王曰一種名蘭蓀又謂溪蓀根形氣色極似石上菖蒲葉正如蒲無脊俗謂菖蒲下文略之然則此邦名石菖者也

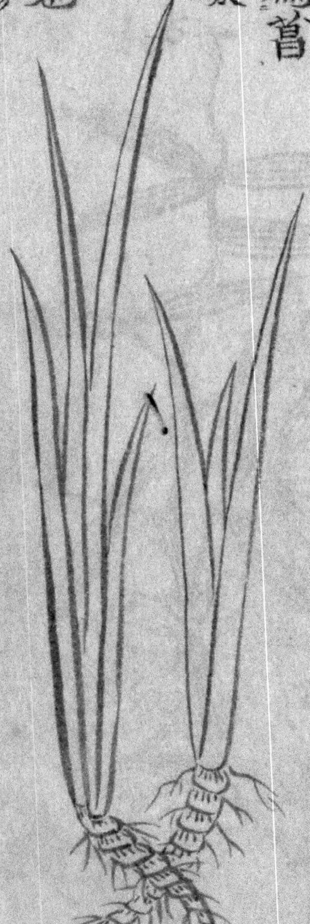

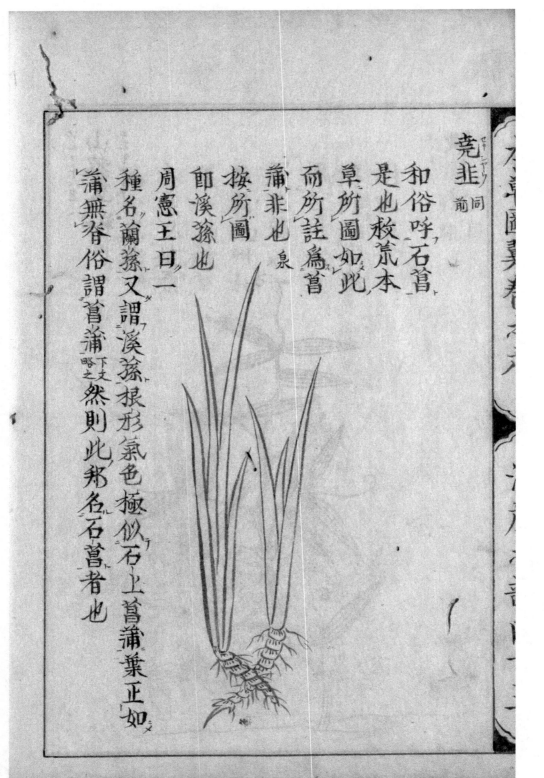

木類

黄楝樹 ナヽカマト

救荒本草

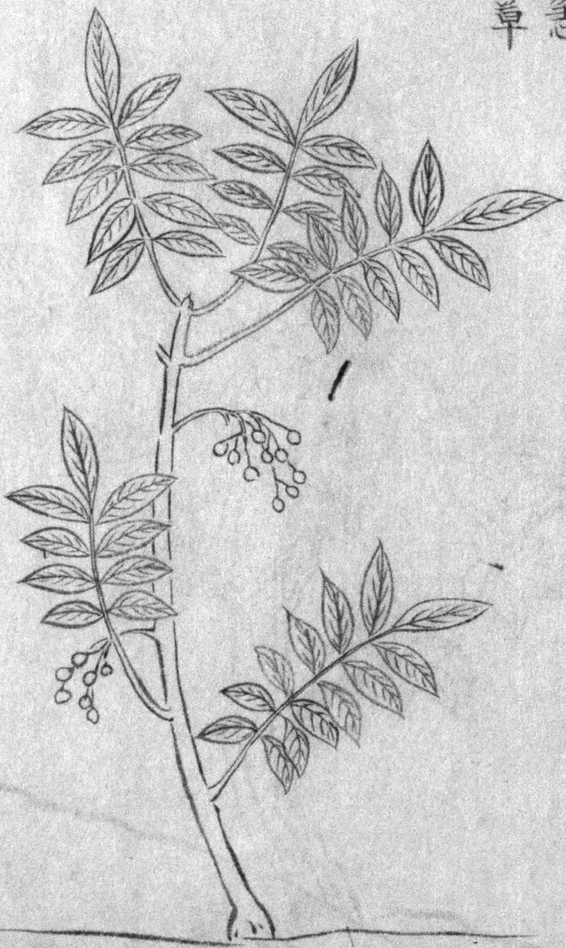

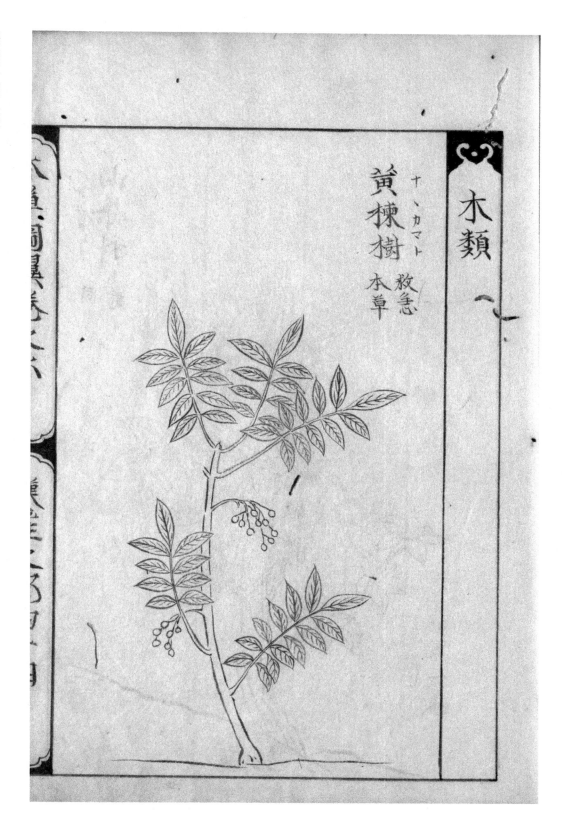

山茶科（ハダツマリ）

同前

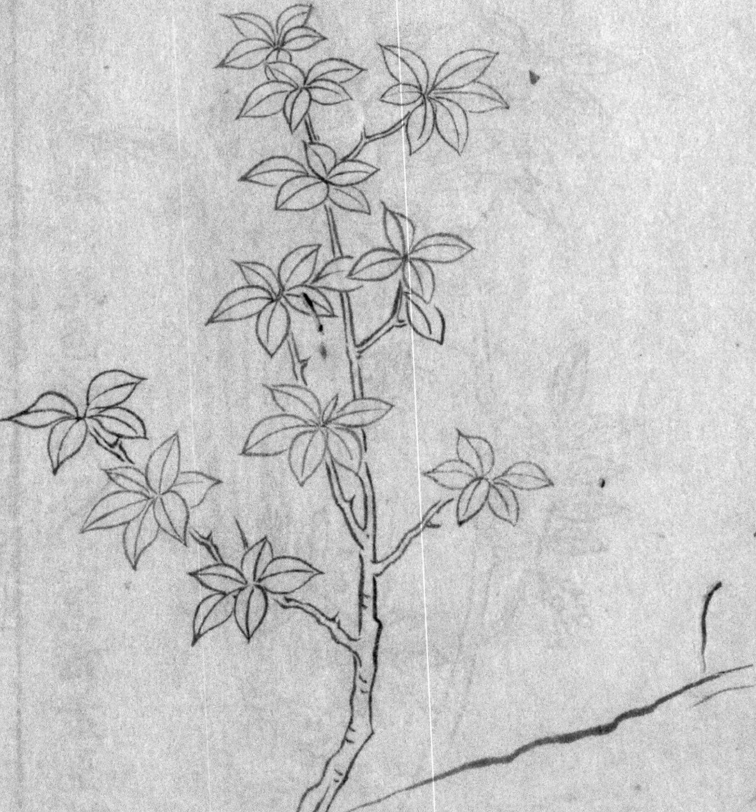

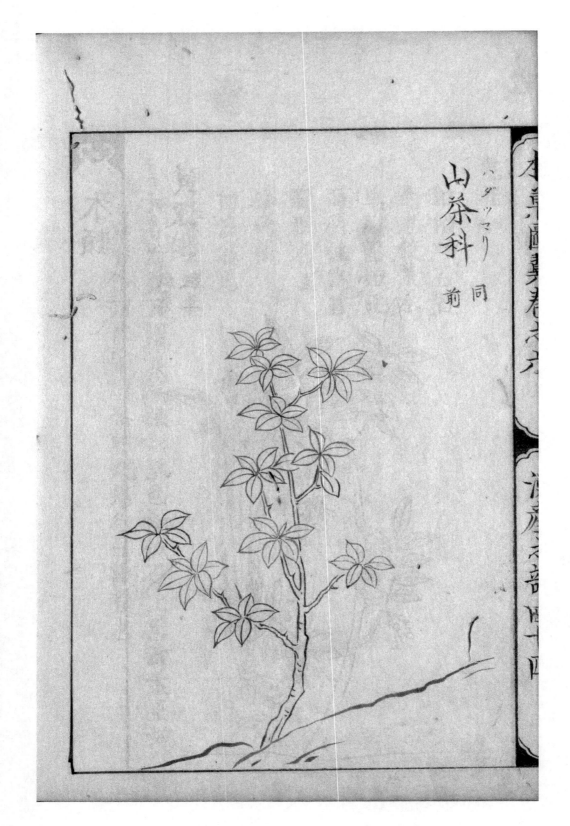

本草圖翼卷之六

橡子樹（ドングリ　ハウツ）同上

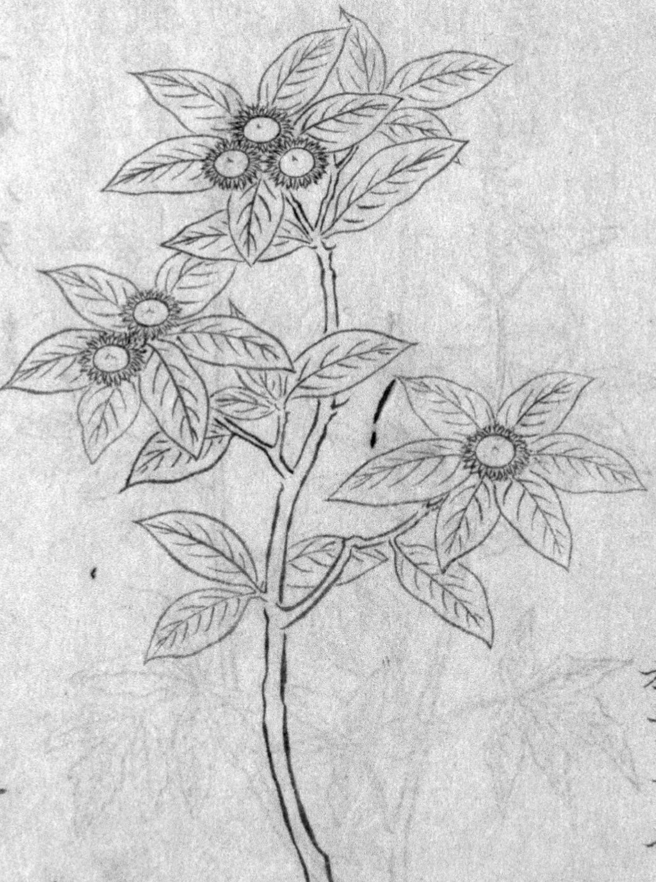

和漢一也

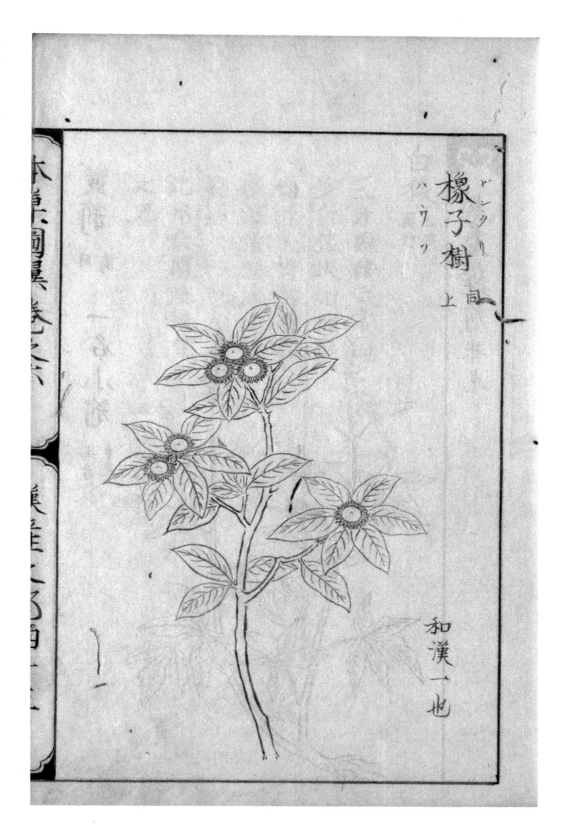

黄荊

同前

一名小荊

和産未見

以之當牡荊非也

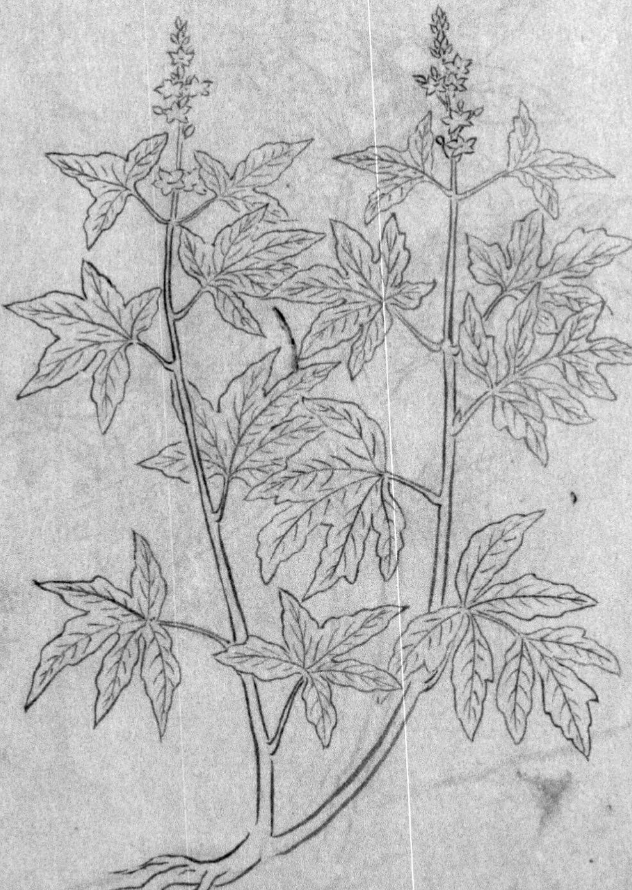

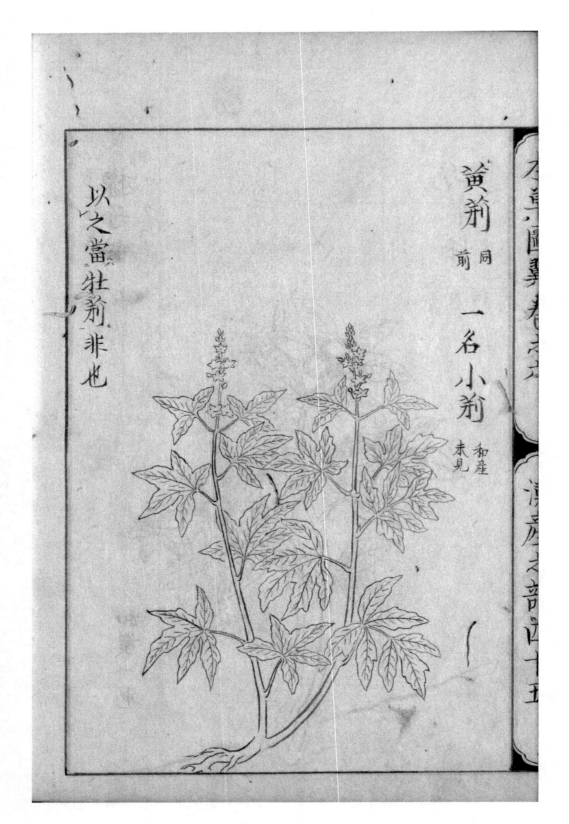

異獸類

白猿 三才圖繪

三才圖繪云常山多白猿狀如獼猴而差大臂脚長捷善攀援樹木其聲哀云云此邦未聞此種有之也

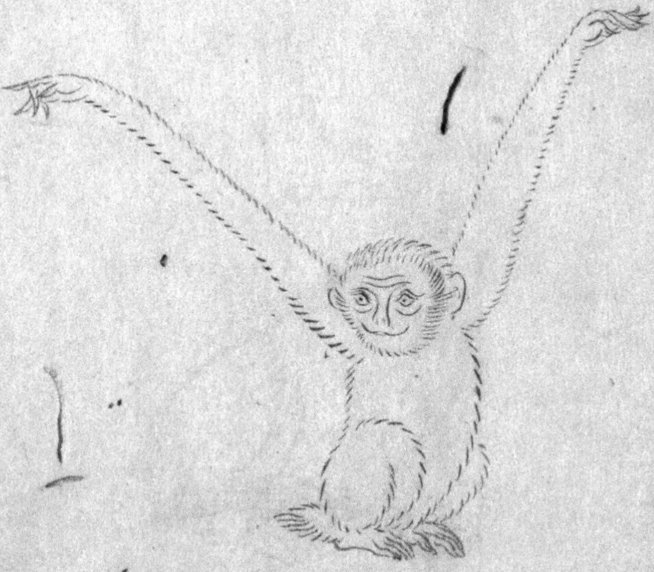

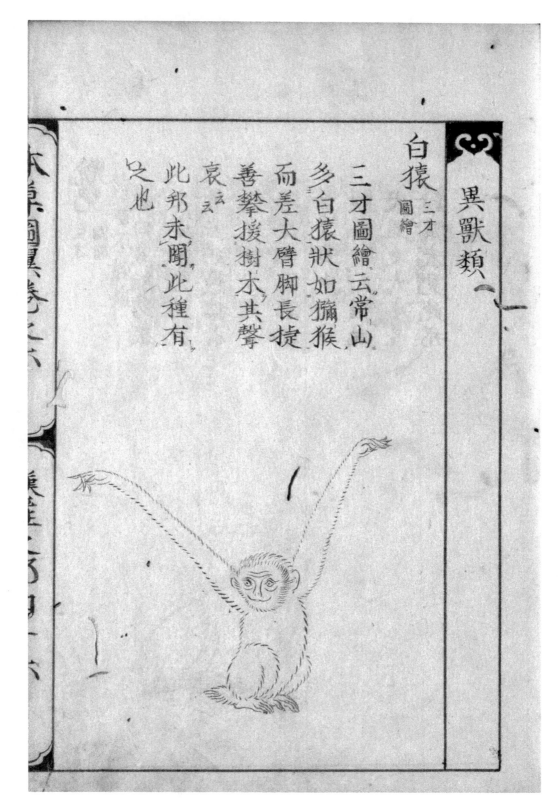

鼢兒 三才圖繪

或曰自舶所来此之小白兎乃此者也云云愚按不然本綱未謂長耳之形狀也小白兎即兎之一類各種而猶有犬鼠之大小耳鼢鼠未見此邦之産也

豲 三才圖繪

三才圖繪云西方野有獸狀若驢而群行其角甚大受斗餘夏天塵露在其角上生草載行愛玩之獨寢餘者不敢近也

羬羊　三才圖繪

三才圖繪云華山有獸狀如羊馬尾名曰羬羊爾雅云羊六尺爲羬卽此羊也脂可以治皴

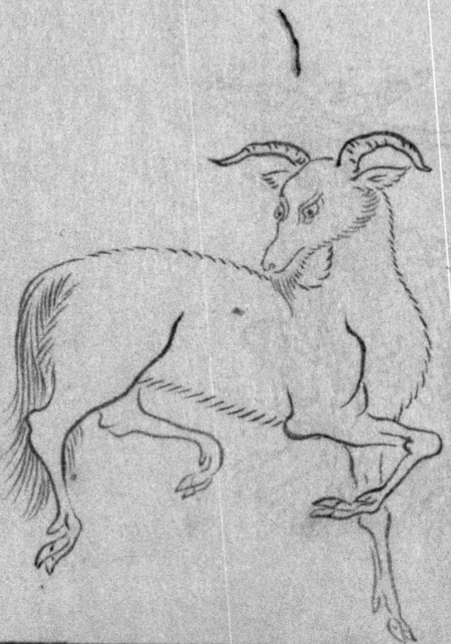

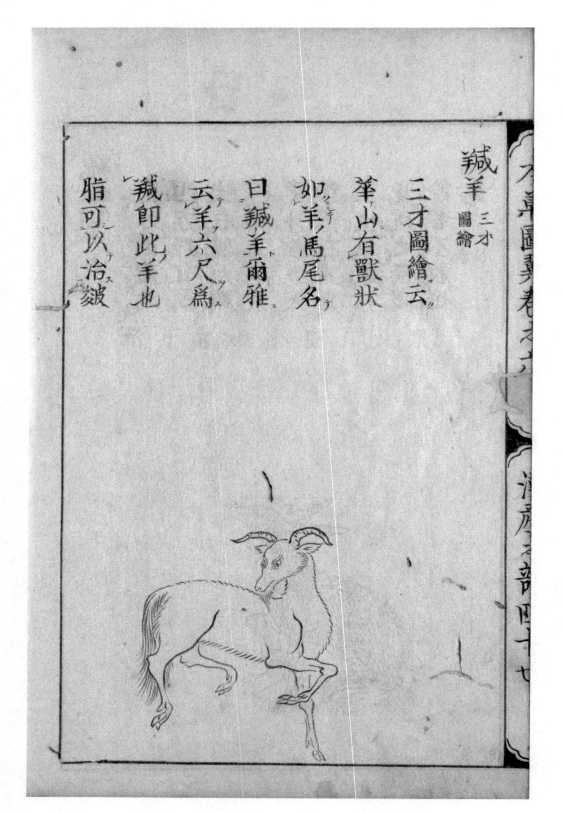

猛槐 三才圖繪

三才圖繪云譙明之山有獸狀如貆赤毫魯豬也其聲如鼺鼠名曰猛槐圖之可以禦凶云云

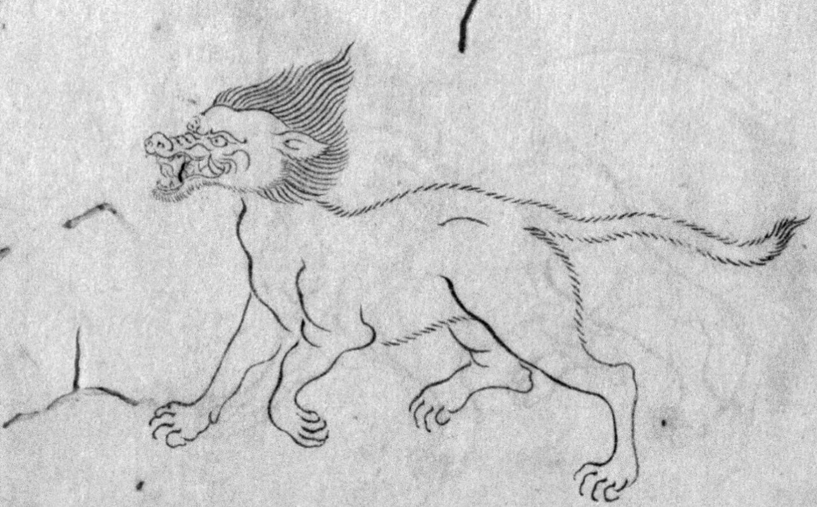

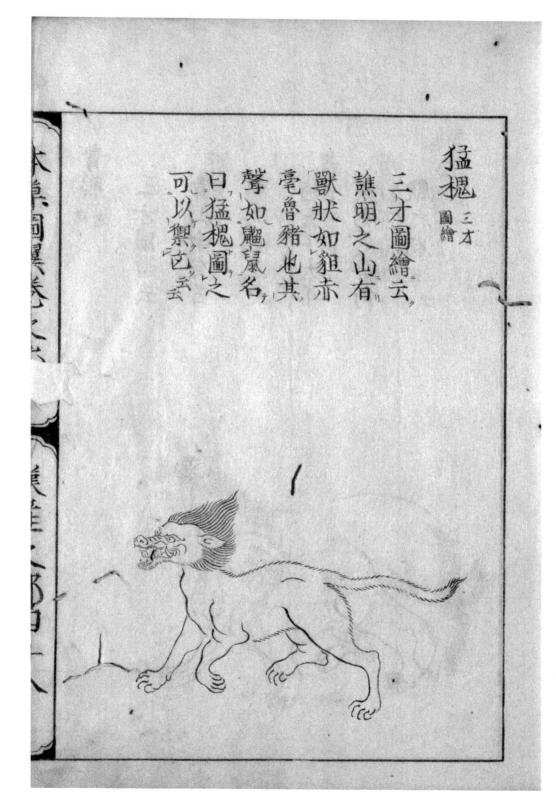

青熊 同前

三才圖繪云青山中有青熊周成王之時天下太平東夷之屠何獻之也云云

䑏踈 同前

帶山有獸如馬首有角可以錯石名曰䑏踈云

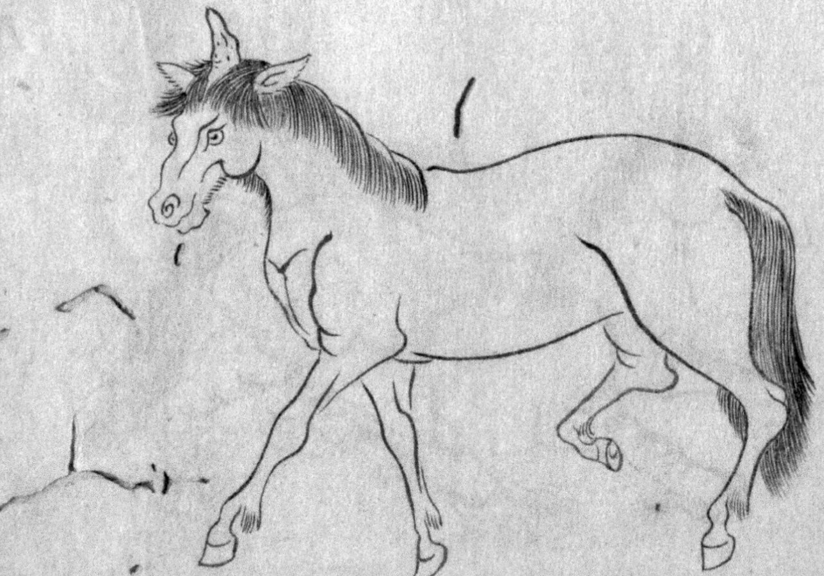

駮 同前

四足如虎首尾如馬頭上有角云云此者與本綱所謂駮異也

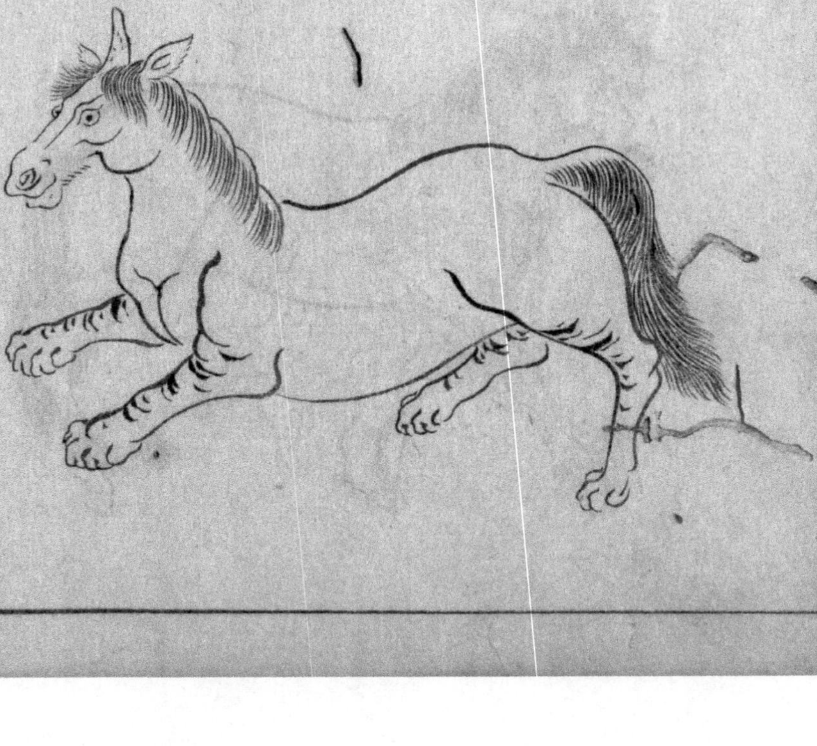

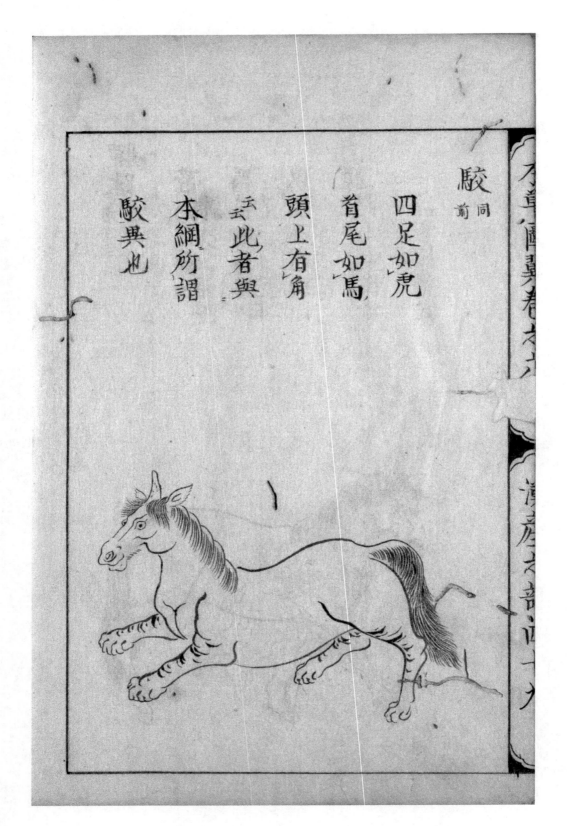

## 白澤 同前

此圖出于三才圖繪而與人面之者異也故亦出于此耳

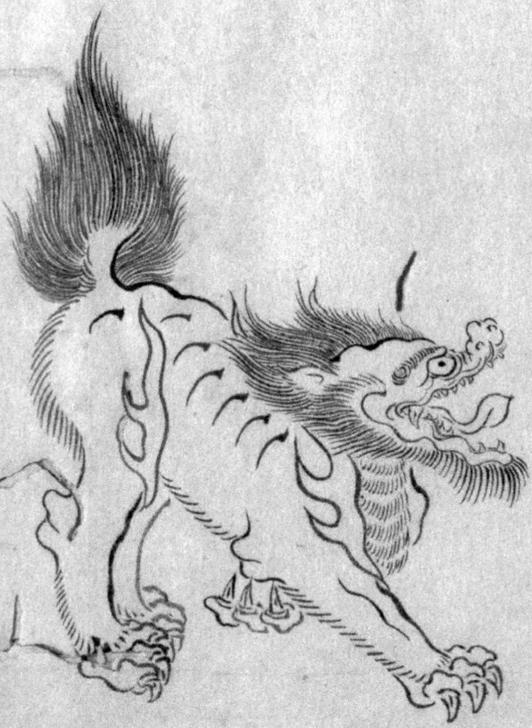

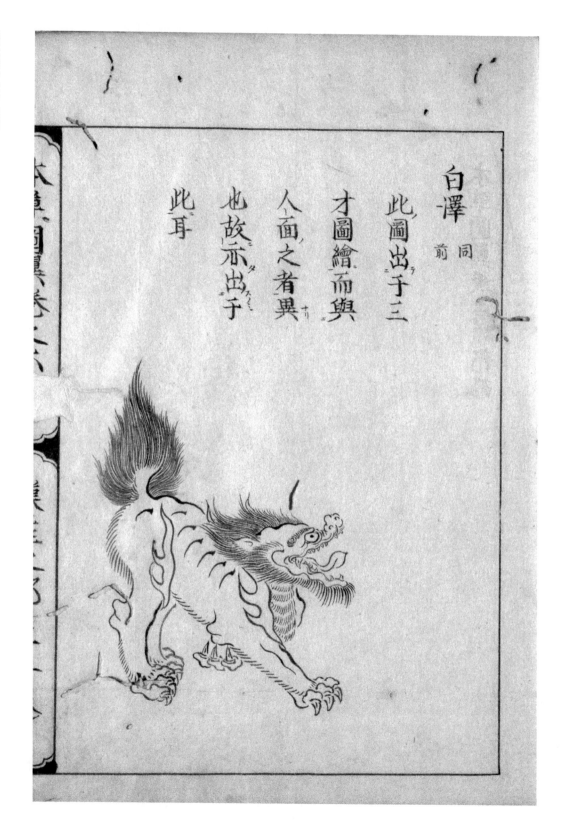

本草圖翼漢產類部終

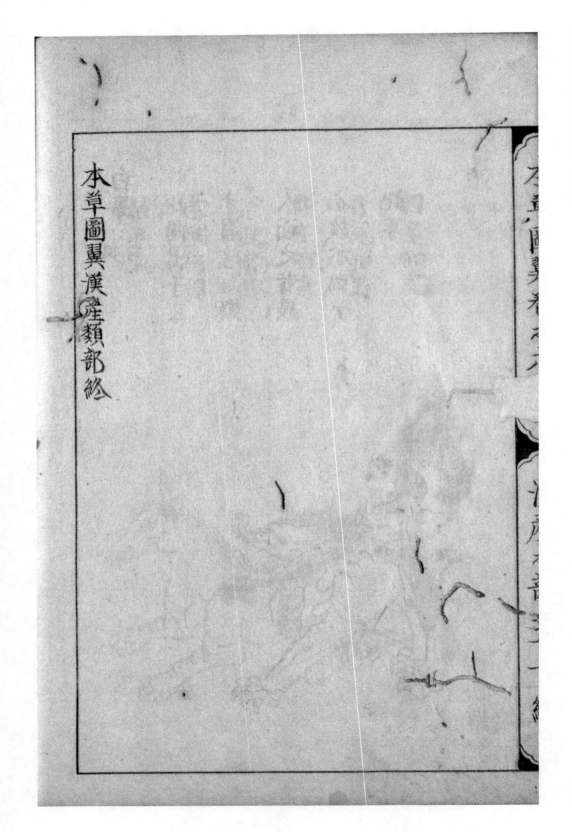

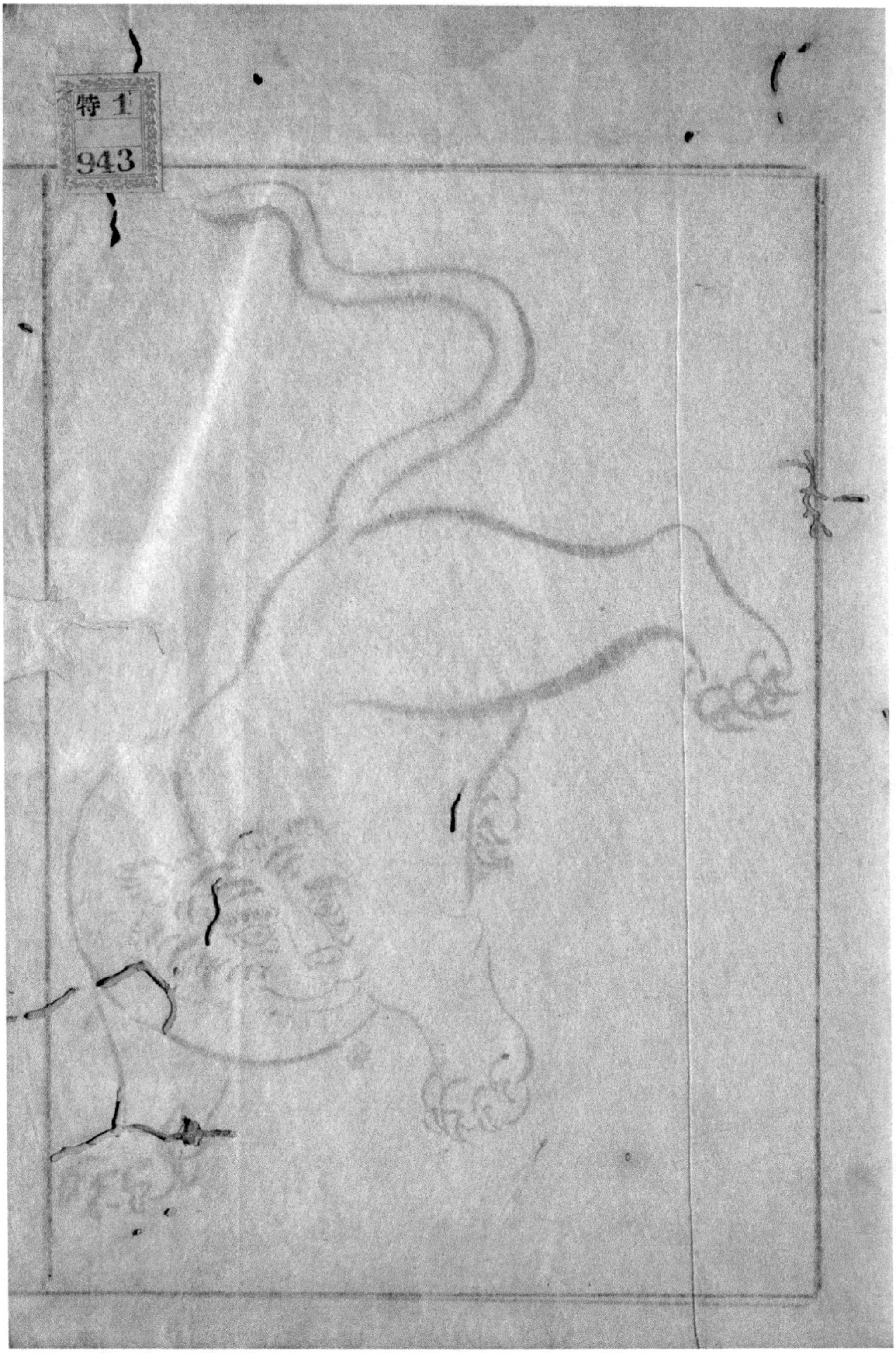
特 1
943

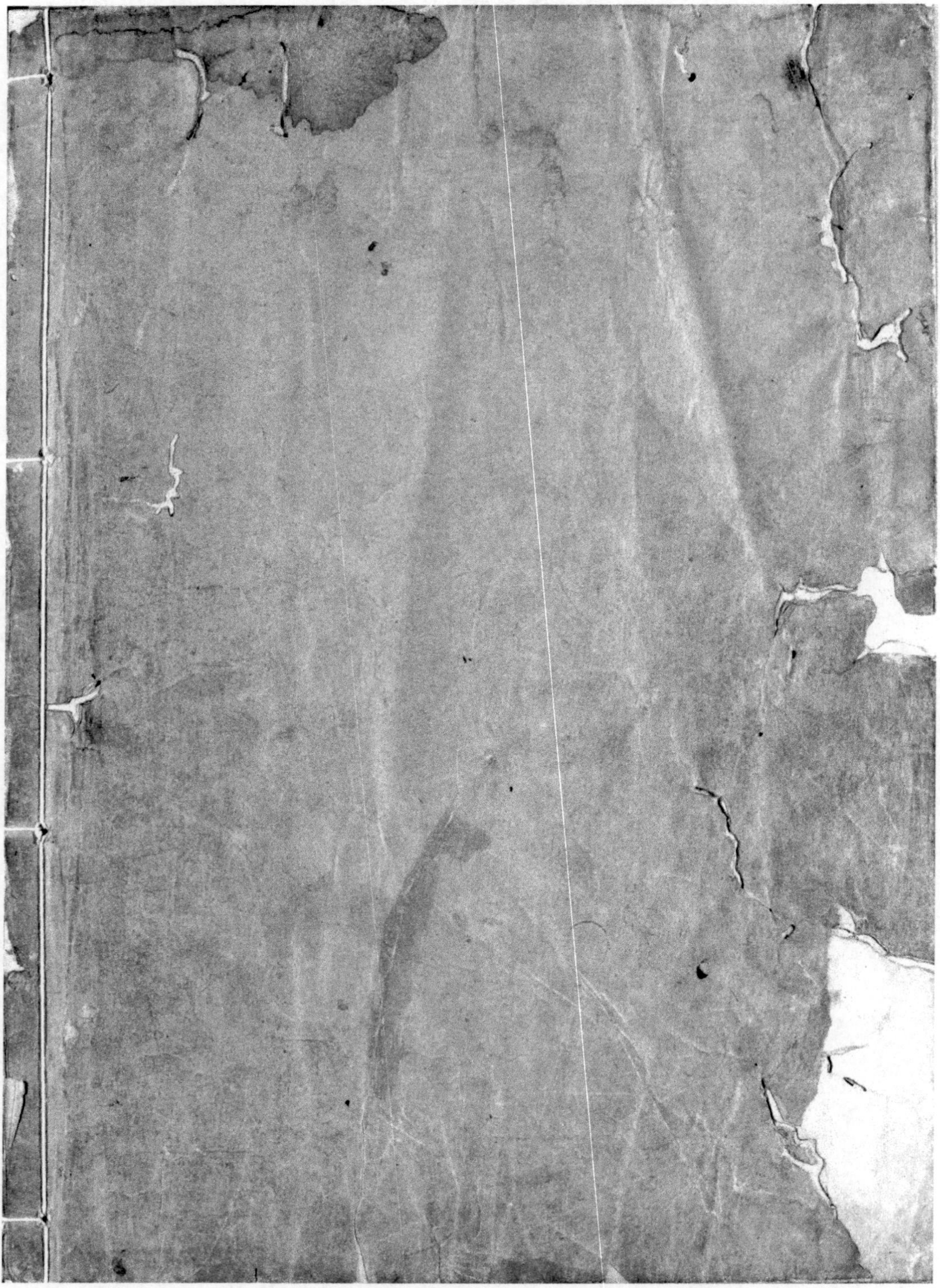